LANGENSCHEIDTS
UNIVERSAL-WÖRTERBUCH
SPANISCH

SPANISCH-DEUTSCH
DEUTSCH-SPANISCH

LANGENSCHEIDT

BERLIN · MÜNCHEN · WIEN

ZÜRICH · NEW YORK

Inhaltsverzeichnis

Índice

Auflage: 19. 18. 17. 16. 15.   │ Letzte Zahlen
Jahr: 1997 96 95 94 93   │ maßgeblich

© 1960, 1966, 1976, 1983 Langenscheidt KG,
Berlin und München
Druck: Druckhaus Langenscheidt, Berlin-Schöneberg
Printed in Germany · ISBN 3-468-18342-9

Vorbemerkungen

Die Tilde (~, bei veränderter Groß- bzw. Kleinschreibung 2) ersetzt das Stichwort oder den vor dem senkrechten Strich (|) stehenden Teil davon,

z. B. **fiado...**; **~r** (= **fiador**); **aus|liefern...**; **2lieferung** (= **Auslieferung**)

Das grammatische Geschlecht wurde bei den Übersetzungen nur dann angegeben, wenn es nicht mit dem des Stichwortes übereinstimmt.

Abkürzungen

(in beiden Teilen des Wörterbuches)

Abreviaturas

(usadas en ambas partes del diccionario)

a auch, también
Abk Abkürzung, abreviatura
ac Akkusativ, acusativo
adj Adjektiv, adjetivo
adv Adverb, adverbio
alg span. alguien, *jemand*
allg allgemein, en general
Am amerikanisches Spanisch, español de América
Anat Anatomie, anatomía
Arch Architektur, arquitectura
Arg Argentinien, Argentina

a|su auch Substantiv, usado también como sustantivo
Biol Biologie, biología
Bol Bolivien, Bolivia
Bot Botanik, botánica
bsd besonders, en particular
Chem Chemie, química
Chi Chile, Chile
cj Konjunktion, conjunción
Col Kolumbien, Colombia
dat Dativ, dativo
ea einander, uno(s) a otro(s)
e-e eine, (a) una

4

El Elektrotechnik, electrotecnia
e-m einem, a un(o)
e-n einen, (a) un(o)
e-r einer, un(o); de, a una
e-s eines, de un(o)
Esb Eisenbahn, ferrocarril
et etwas, algo
excl Ausruf, exclamación
f Feminin, femenino
F familiär, familiar
fig figürlich, en sentido figurado
Flgw Flugwesen, aviación
Fot Fotografie, fotografía
fpl Feminin Plural, plural del femenino
Gastr Gastronomie, Speisen, Getränke, gastronomía, comidas, bebidas
gen Genitiv, genitivo
Geogr Geographie, geografía
Geom Geometrie, geometría
Gr Grammatik, gramática
Hdl Handel, comercio
hist historisch, histórico
inf Infinitiv, infinitivo
infant Kindersprache, lenguaje infantil
inv unveränderlich, invariable
j jemand, alguien
j-m jemandem, a alguien (dativo)
j-n jemanden, (a) alguien (acusativo)
j-s jemandes, de alguien
jur Rechtswissenschaft, término jurídico
Kfz Kraftfahrwesen, automovilismo
Lit Literatur, literarischer

Stil, literatura, estilo literario
m Maskulin, masculino
Mal Malerei, pintura
Mar Marine, navegación, marina
Math Mathematik, matemáticas
Med Medizin, medicina
Méj Mexiko, Méjico
Mil Militärwesen, militar
mpl Maskulin Plural, plural del masculino
mst meist, generalmente
Mus Musik, música
n Neutrum, neutro
neol Neologismus, neologismo
npl Neutrum Plural, plural del neutro
od oder, o, u
P populär, volkssprachlich, popular
Par Paraguay, Paraguay
pej pejorativ, despectivo
Phono Tontechnik, fonotecnia
Phys Physik, física
Pol Politik, política
pron Pronomen, pronombre
prp Präposition, preposición
PR Puerto Rico, Puerto Rico
refl reflexiv, reflexivo
Rel Religion, religión
Rf Rundfunk, radiodifusión
RPl Río-de-la-Plata-Staaten: Argentinien, Uruguay, Paraguay, rioplatense (se usa en Argentina, Uruguay, Paraguay)
s siehe, véase
s. sich, se

5

sg *Singular*, singular
s-m *seinem*, a su (dativo)
s-n *seinen*, (a) su (acusativo)
s-r *seiner*, a su (dativo), de su
sp *Sport*, deporte
Span *in Spanien*, en España
Stk *Stierkampf*, tauromaquia
su *doppelgeschlechtiges Substantiv (m u f)*, sustantivo ambiguo
Süda *Südamerika*, América del Sur
Tab *tabuisiertes Wort*, voz tabuizada
Tech *Technik*, tecnología
Tel *Fernsprechwesen*, teléfonos
Thea *Theater*, teatro
TV *Fernsehen*, televisión

u *und*, y, e
u/c *span.* una cosa, *etwas* usw *undsoweiter*, etcétera
v *von, vom*, de, del, de la
V *vulgär*, vulgar
Ven *Venezuela*, Venezuela
v/i *intransitives Verb*, verbo intransitivo
Vkw *Verkehrswesen*, transportes
v/t *transitives Verb*, verbo transitivo
Wi *Wirtschaft*, economía
zB *zum Beispiel*, por ejemplo
Zo *Zoologie*, zoología
zs *zusammen*, junto(s)
Zssg(n) *Zusammensetzung(en)*, compuesto(s)

Die Aussprache des Spanischen

Vokale: Die spanischen Vokale werden weder extrem offen noch extrem geschlossen, weder sehr lang, noch sehr kurz gesprochen.

Doppellaute (Diphthonge): Bei den Doppellauten behalten die Vokale ihren Lautwert bei – also wird z.B. ai nicht wie deutsch oi ausgesprochen. **ai, ay, au, ei, ey, eu, oi, oy** und **ou** werden auf dem ersten Laut betont. Bei **ia, ie, io, ua, ue, uo, iu, ui** und **uy** wird der zweite Vokal betont.

Aussprache der **Konsonanten** („im absoluten Anlaut" bedeutet: zu Beginn des Sprechens oder nach einer Pause):

b   im absoluten Anlaut und nach m und n wie **b** in „Bombe": **b**om**b**a, un **b**uen día;
    in den übrigen Fällen ist b ein mit beiden Lippen gebildeter Reibelaut: la**b**io, ca**b**er, ár**b**ol

c   vor den Vokalen a, o und u und vor Konsonanten wie **k** in „kalt": la**c**a, **c**aldo, **c**reer;
    vor e und i ähnlich wie engl. „th" in „think": **c**ero, **c**ita

6

ch	wie **tsch** in „rutschen": mu**ch**o, **ch**ico
d	im absoluten Anlaut und nach n und l wie **d** in „Dorf": **d**onde, al**d**ea; in den übrigen Fällen ähnlich wie engl. „th" other", in „other": de**d**o, ma**d**re, ce**d**er; auslautendes **d** ist sehr schwach oder gar nicht zu hören: uste**d**, Madri**d**
g	im absoluten Anlaut vor a, o und u und vor Konsonanten sowie nach n wie **g** in „groß": **g**olpe, **g**ustar, **g**rande, ten**g**o; vor e und i wie **ch** in „Dach": **g**ente, **g**irar, co**g**er; in den übrigen Fällen als Reibelaut wie **g** in „Hagel": re**g**ular, a**g**osto, a**g**ua
h	ist immer stumm: **h**elado, re**h**acer
j	wie **ch** in „Dach": **j**o**j**o, **j**erez, pá**j**aro
ll	etwa wie **„lie"** in „Familie": ca**ll**e, **ll**orar, **ll**uvia
ñ	wie **gn** in „Champagner": ni**ñ**a, a**ñ**o
qu	wie **k**: **qu**eso, **qu**itar
r	einfach gerolltes Zungenspitzen-r: mad**r**e, pe**r**o; am Wortanfang, nach l, n und s sowie bei rr-Schreibung, mehrfach gerolltes Zungenspitzen-r: **r**osa, al**r**ededor, pe**rr**o
s	wie **s** in „Wasser": ca**s**a, e**s**o, **s**ujeto
v	im absoluten Anlaut und nach n wie **b** in „Bombe": **v**aca, en**v**iar; in den übrigen Fällen ist **v** ein mit beiden Lippen gebildeter Reibelaut: a**v**ería, her**v**ir
x	vor Vokalen wie **gs**: e**x**amen; vor Konsonanten meistens wie **s**: e**x**tranjero, e**x**terior
y	wie **j**: a**y**er, **y**ate, **y**o; am Ende des Wortes (und alleinstehend „**y**" = und) wie i: re**y**
z	wie engl. „th" in „think": ra**z**a, **z**ona, a**z**ul

ü steht zwischen g und e oder i und wird w u ausgesprochen. Das Trema (¨) bedeutet, daß das u mit ausgesprochen wird: lingüista [lingüista]

Alle übrigen nicht aufgeführten Buchstaben werden praktisch wie im Deutschen ausgesprochen.

Betont werden die spanischen Wörter auf der vorletzten Silbe, wenn sie auf Vokal, auf n oder s enden (gru**p**o, me**n**os, Ca**r**men), auf der letzten, wenn sie auf Konsonanten außer n und s enden (deprimir, facultad, terminal). Ausnahmen tragen einen Akzent (cupón, crédito, azúcar).

Erklärung der Aussprachebezeichnung
Vokale

a	*a* wie in *Abend*, doch kürzer	mano [mano]
ɛ	offenes *e* wie in *ändern*	ayer [ajɛr]
e	halboffenes *e*, zwischen *e* in *geben* und *e* in *essen*	meseta [meseta]
i	geschlossenes *i* wie in *hier*	mina [mina]
ĭ	unbetonter Teil der Doppellaute ai, ay, ei, ey, oi, oy (wie in *Saite usw.*) sowie ia, ie, io, iu	baile [baĭle], hay [aĭ]; peine [pɛĭne], hoy [oĭ], boina [boĭna]; fiambre [fiambre], piel [piɛl], piojo [pioxo]
ɔ	offenes *o* wie in *Wolle*	olla [oʎa]
o	halboffenes *o*, zwischen *o* in *Ofen* und *o* in *offen*	olla [oʎa]
u	geschlossenes *u* wie in *Huhn*	pluma [pluma]
ŭ	unbetonter Teil der Doppellaute au, eu, ou sowie ua, ue, ui, uo	causa [kaŭsa], deuda [dɛŭða]; cuadro [kŭadro], cuidar [kŭiðar]

Konsonanten

b	stimmhafter, mit beiden Lippen gebildeter Reibelaut	cebolla [θeβoʎa], rejuvenecer [rrɛxubeneθɛr]

8

d	stimmhafter Reibelaut, ähnlich dem *th* in „*other*"	precedencia [preθedenθia]
g	stimmhafter Reibelaut wie in *Hagel*	águila [agila]
k	wie deutsches *k*	máquina [makina], coqueta [koketa]
x	wie *ch* in *Dach*	jefe [xefe], girar [xirar]
ʎ	mouilliertes *l* wie in *Familie*, aber schwächer, fast ohne *l*	gallo [gaʎo], llama [ʎama]
ɲ	wie *gn* in *Champagner*	España [espaɲa]
ŋ	wie deutsches *n* vor *g* oder *k* in *Menge*, *Anker*	esponja [espoŋxa], quinqué [kiŋke]
r	Zungen-*r*	señor [seɲor]
rr	stark gerolltes Zungenspitzen-*r*	honra [ɔnrra], perro [perro]
s	stimmloses *s* wie in *Messer*	escoger [eskɔxer]
z	stimmhaftes *s* wie in *Sonne*	mismo [mizmo]
θ	stimmloser Lispellaut ähnlich dem *th* in englisch *thing*	centro [θentro], haz [aθ], calcio [kalθio]
tʃ	wie *tsch* in *Pritsche*	mucho [mutʃo], chico [tʃiko]

A

a in, an, auf, nach, zu; **a las trece** um dreizehn Uhr; **¿a qué precio?** zu welchem Preis?; **a un kilómetro** ein Kilometer entfernt; **voy a comer** ich gehe essen

abad m Abt; **∼a** f Abtei

abajo [-xo] unten; hinunter; **río ∼** stromabwärts

abalear Am beschießen

abandon|ar verlassen, aufgeben; **∼o** m Aufgabe f; Verzicht

abanic|ar fächeln; **∼o** m Fächer

abaratar verbilligen

abarca f Sandale; **∼r** umfassen, umschließen; **∼r con la vista** überblicken

abarrote m: **∼od tienda** f de **∼s** Am Lebensmittelgeschäft n

abast|ecer [-θ-] versorgen, beliefern (**de** mit); **∼ecimiento** [-θ-] m Versorgung f; **∼o** m Am Lebensmittelgeschäft n; Arg Markt

abati|miento m Abreißen n; Niedergeschlagenheit f; **∼r** nieder-reißen, -werfen; Baum fällen

abdica|ción [-θ-] f Abdankung; Aufgabe; **∼r** abdanken

abecé [-θe] m Alphabet n, Abc n

abedul m Birke f

abeja [-xa] f Biene

abertura s Öffnung; Spalt m; **∼ de manga** Ärmelloch n

abeto m Tanne f

abierto offen; frei

abism|arse s. versenken (**en** in); Am s. wundern; **∼o** m Abgrund

abjura|ción [-xuraθ-] f Widerruf m; **∼r** abschwören, widerrufen

abland|ar weich machen; fig besänftigen; **∼se** nachlassen (Wind usw)

abnega|ción [-θ-] f Selbst-verleugnung, -losigkeit; **∼do** selbstlos

abofetear ohrfeigen

abog|ado m Anwalt; **∼ar** fig eintreten (**por** für)

aboli|ción [-θ-] f Abschaffung; **∼r** abschaffen

abolla|do [-ʎ-] ver-, zerbeult; **∼dura** f Beule

abomina|ble abscheulich; **∼ción** [-θ-] f Abscheu (-lichkeit f) m; Greuel m; **∼r** (**de**) verabscheuen

abona|ble zahlbar; fällig; **∼do** m Abonnent; Tel Teil-

abonar

nehmer; **~r** zahlen; begleichen; düngen; **~r en cuenta** gutschreiben; **~rse a** *et* abonnieren

abono *m* Düngen *n*; Dünger; *Thea* Abonnement *n*; Vergütung *f*; *Esb* Zeitkarte *f*

abordar *j-n* ansprechen; *fig* anschneiden

aborígenes [-x-] *mpl* Ureinwohner

aborre|cer [-θ-] verabscheuen, hassen; **~cimiento** [-θ-] *m* Abscheu, Haß

aborto *m* Fehlgeburt *f*; Abtreibung *f*

abotonar zuknöpfen; Knospen treiben

abrasar versengen

abra|zar [-θ-] umarmen; **~zo** [-θ-] *m* Umarmung *f*

abre|botellas [-ʎ-] *m* Flaschenöffner; **~cartas** *m* Brieföffner; **~latas** *m* Büchsenöffner

abrevar Vieh tränken

abrevia|r ab-, ver-kürzen; **~tura** *f* Abkürzung

abridor *m* Flaschenöffner

abrig|ar schützen; *fig Hoffnung usw* hegen; **~arse** s. zudecken; s. warm anziehen; **~o** *m* Mantel; Obdach *n*; *fig* Schutz; **al ~o de** geschützt vor

abril *m* April

abrir öffnen, aufmachen, eröffnen; **~ paso** Platz machen; **~se camino** s. durchdrängen

abrochar [-tʃ-] zuknöpfen,

zuhaken; **~se el cinturón** *Kfz, Flgw* s. anschnallen

abrogar *jur* außer Kraft setzen

abrumar bedrücken; *fig* überhäufen; **~se** neblig werden; *fig* beeindruckt sein

abrupto jäh; heftig

absceso [-θ-] *m* Abszeß

absolu|ción [-θ-] *f Rel* Absolution; *jur* Freispruch *m*; **~tamente** durchaus; *fig* absolut; unbedingt; **en ~to** keineswegs

absolver *jur, Rel* freisprechen

absor|ber absorbieren; **~berse** s. vertiefen; **~ción** [-θ-] *f* Aufnahme, Absorption

absten|ción [-θ-] *f* Enthaltung; **~erse** s. enthalten (**de** *gen*)

abstinente enthaltsam

abstrac|ción [-θ-] *f* Abstraktion; **~ción hecha de** abgesehen von; **~to** abstrakt

abstra|er abstrahieren; **~erse** s. vertiefen; **~ído** gedankenvoll, entrückt

absurdo unsinnig, absurd

abuchear [-tʃ-] auszischen

abuel|a *f* Großmutter; **~o** *m* Großvater; **los ~os** *pl* die Großeltern

abultar sperrig sein, viel Platz brauchen

abunda|ncia [-θ-] *f* Überfluß *m*, Reichtum *m*; **~nte** reichlich; **~r** reichlich vor-

aburri|do verdrießlich; langweilig; **~miento** *m* Überdruß; Langeweile *f*; **~r** (be)enden; belästigen; **~rse** s. langweilen

abu|sar de *et*, *j-n* mißbrauchen; **~sivo** mißbräuchlich; **~so** *m* Mißbrauch

acá hier(her); **de ~ para allá** hin und her

acaba|do fertig, vollendet; erledigt (*a fig*); *m* (End-)Verarbeitung *f*, Finishing *n*; **~r** (be)enden; fertigstellen; **~r de haber** soeben getan haben; **~r con** Schluß machen mit; **~rse** zu Ende gehen, aufhören

academia *f* Akademie; Fachschule; Privatschule

acalora|do erhitzt; fig hitzig; **~r** erhitzen; *fig* anfeuern

acallar [-ʎ-] zum Schweigen bringen; beschwichtigen

acampar kampieren, zelten

acantilado *m* Steilküste *f*

acaparar hamstern, horten

acariciar [-θ-] liebkosen; *fig* hegen

acarre|ar transportieren, befördern; *Hdl* anliefern; **~o** *m* Transport; Anlieferung *f*

acaso *m* Zufall; *adv* vielleicht; **por si ~** für alle Fälle

acata|miento *m* Ehrfurcht *f*; Beachtung *f*; **~r** beachten, befolgen

acatarrarse s. erkälten

acaudalado vermögend

acaudillar [-ʎ-] befehligen, anführen

acce|der [-θ-] (a) zustimmen (*dat*); **~sible** zugänglich; **~so** *m* Zutritt, Zugang; Zufahrt *f*; *Med* Anfall; **~sorio** zugehörig; Neben...; **~sorios** *mpl* Zubehör *n*; *Mode* Accessoires *npl*

accident|ado [-θ-] verunglückt; hügelig; **~al** zufällig; **~e** *m* Zufall; Unfall; Unglück *n*; **~e de tráfico** Verkehrsunfall; **~es en cadena** Massenkarambolage *f*

acción [-θ-] *f* Handlung, Tat; *jur* Klage; *Hdl* Aktie

acciona|miento [-θ-] *m* *Tech* Antrieb; **~r** betätigen; *Tech* antreiben

accionista [-θ-] *m* Aktionär

acech|ar [aθetʃ-] *v/t* auflauern (*dat*); **~o** *m* Hinterhalt; *Jagd* Ansitz

acei|te [-θ-] *m* Öl *n*; **~te combustible (bronceador)** Heiz- (Sonnen-)öl *n*; **~te de motor (para la caja de cambios)** Motor-(Getriebe-)öl *n*; **~tera** *f* Ölkanne; **~tuna** *f* Olive

acelera|ción [aθeleraθ-] *f* Beschleunigung; **~dor** *m* Gaspedal *n*; **~r** beschleunigen

acelgas [aθ-] *fpl* Mangold *m*

acen|to [aθ-] *m* Akzent, Ton; **~tuar** betonen, hervorheben

acepillar [aθepiʎ-] hobeln; bürsten

aceptable [aθ-] annehm-

aceptación

bar; **~ción** [-θ-] f Annahme; Anerkennung; Gr Bedeutung; **~r** annehmen; billigen; Scheck in Zahlung nehmen

acequia [aθek-] f Bewässerungsgraben m

acera [aθ-] f Bürgersteig m

acerca [aθ-] de bezüglich; über; **~r** näher heranbringen; **~rse** s. nähern

acero [aθ-] m Stahl

acer|tado [aθ-] geschickt; treffend (Bemerkung); richtig treffen; erraten; **~tar** richtig treffen; erraten; **~tijo** [aθertixo] m Rätsel n

acetona [aθ-] f Azeton n

acidez [aθideθ] f saurer Geschmack; Sodbrennen n

ácido [aθ-] sauer; m Säure f

acierto [aθ-] m Treffer (Lotterie); Gelingen n; Richtigkeit f

aclamación [-θ-] f Beifall(srufen n) m; **~r** Beifall spenden

aclarar (auf)klären; erläutern; Wäsche spülen; Haar blondieren; **~se** s. aufklären (Wetter)

aclimatarse s. akklimatisieren; s. eingewöhnen

acné f Med Akne

acobardar einschüchtern; **~se** verzagen

acog|er [-x-] Gast, Nachricht aufnehmen; **~erse** a s. an j-n halten; **~ida** f Aufnahme, Empfang m; fig Beifall m

acolchar [-tʃ-] polstern

acome|ter angreifen; an e-e

Sache herangehen; befallen (Schlaf); **~tida** f Angriff m; Tech Anschluß m

acomoda|ble anpassungsfähig; **~do** geeignet; bequem; **~dor** m Platzanweiser; Logenschließer; **~miento** m Anpassen n; **~r** anpassen

acompaña|miento [-ɲ-] m Begleitung f; **~nte** m Begleiter; Kfz Beifahrer; **~r** begleiten; beilegen (im Brief)

acompasado nach dem Takt; gemessen

acondiciona|dor [-θ-] m de aire Klimaanlage f; **~r** herrichten, gestalten; zubereiten

aconseja|ble [-x-] ratsam; **~r** j-m raten, j-n beraten; **~rse de** (od con) s. Rat holen bei

aconte|cer [-θ-] s. ereignen; **~cimiento** [-θ-] m Ereignis n, Begebenheit f

acopla|do m Rpl Kfz Anhänger; **~r** zs-fügen; Esb ankoppeln

acoraza|do [-θ-] gepanzert; m Panzerkreuzer; **~r** panzern

acord|ar beschließen, vereinbaren; übereinstimmen; Rpl gewähren; **~arse** de s. erinnern an; **~e** einig; übereinstimmend; m Mus Akkord

acordeón m Akkordeon n

acordonar abriegeln, absperren

acortar ab-, ver-kürzen

acosar hetzen, jagen

acostar zu Bett bringen; **~se** s. niederlegen, schlafen gehen

acostumbra|do gewohnt; **estar ~do a** gewöhnt sein an, gewohnt sein zu; **~r** + *inf* pflegen zu; **~rse** s. gewöhnen

acota|do m (privates) Jagdrevier n; **~r** abgrenzen

acre scharf; *fig* schroff, beißend

acrecen|tar [-θ-] steigern; **~r** vermehren

acredita|do geachtet; **~r** Ansehen verleihen; *Pol* akkreditieren; **~rse** s. bewähren

acreedor anspruchsberechtigt; m Gläubiger

acróbata m Akrobat

acta f (el) Protokoll n

actitud f Haltung, Einstellung

activ|ar beleben; beschleunigen; **~idad** f Tätigkeit; Geschäftigkeit; **~o** tätig, aktiv

acto m Handlung f; *Thea* Akt; Feier(lichkeit) f; **en el ~** sofort; **~r** m Schauspieler; **~r(a)** m (f) jur Kläger(in)

actriz [-θ-] f Schauspielerin

actua|ción [-θ-] f Wirken n; Amtsführung; Auftreten n (a *Thea*); Handeln n; **~l** gegenwärtig, aktuell; **~lidad** f Gegenwart; **~r** tätig sein; wirken; handeln; *v/t* in Gang setzen; **~r de** auftreten als

acuaplano m Surfbrett n (*Wellenreiten*)

acuarela f Aquarell n; **caja** f **de ~s** Malkasten m

acuartelar kasernieren

acuchillar [-tʃiʎ-] niederstechen; *Parkett* abziehen

acudir herbeieilen

acueducto m Aquädukt n

acuerdo m Abkommen n; Beschluß; Übereinstimmung f; **de ~** einverstanden; **estar de ~ con alg sobre u/c** mit j-m über u/c einig sein; **ponerse de ~** s. einigen

acumula|dor m Akkumulator; **~r** anhäufen

acuñar [-ɲ-] *Münzen* prägen

acuoso wässerig; saftig

acusa|ción [-θ-] f Anklage; Beschuldigung; **~r** beschuldigen; *Hdl* **~r recibo** den Empfang bestätigen

acuse m de recibo [-θ-] Empfangsbestätigung f

acústico akustisch

achacar [atʃ-]: **~ la culpa a** j-m die Schuld zuschieben

achaque [atʃake] m Gebrechen n; **~s** pl Beschwerden fpl

achicar [atʃ-] verkleinern

achispar [atʃ-] s. beschwipsen

achuras [atʃ-] fpl Arg Innereien

adaptar anpassen; **~ a la pantalla** für den Film bearbeiten; **~se** s. anpassen

adecuado angemessen

adefesio *m* F Unsinn; Spottfigur *f*

adelanta|do fortgeschritten; **por ~do** im voraus; **ir ~do** vorgehen (*Uhr*); **~miento** *m* Fortschritt; *Kfz* Überholen *n*; **~r** vorrücken; *Geld* vorschießen; vorgehen (*Uhr*); *Kfz* überholen; **~rse** vorangehen; **~rse a** *j-m* zuvorkommen

adelan|te vor(an), vorwärts; **¡~te!** herein!; los!; **más ~te** weiter vorn; weiter hinten (*im Buch*); **~to** *m* Vorsprung; *Hdl* Vorschuß

adelfa *f* Oleander *m*

adelgazar [-θ-] dünner werden, abnehmen

ademán *m* Haltung *f*; Gebärde *f*; **~s** außerdem; **~s de** außer

adentro d(a)rinnen; hinein

adere|zar [-θ-] herrichten; zubereiten; **~zo** [-θo] *m* Zubereitung *f*; Anordnung *f*; Appretur *f*; **~zos** *pl* Gerätschaften *fpl*

adeuda|do verschuldet; **~se** Schulden machen

adhe|rencia [-θ-] *f* Anhaften *n*; **~rir** anhaften; **~rirse** s. anschließen; beitreten; **~sión** *f* Anschluß *m*, Beitritt *m*; **~sivo** anhaftend; *m* Klebstoff

adición [-θ-] *f* Beifügung; Addieren *n*; **~onal** zusätzlich; anschließen; **~onar** addieren; hinzufügen

adicto ergeben, zugetan

adiestrar abrichten; *Pferd*

zureiten

adinerado vermögend

adiós auf Wiedersehen!; *m* Lebewohl *n*

adivin|ar (er)raten; **~no** *m*, **~na** *f* Wahrsager(in)

adjetivo [-x-] *m* Adjektiv *n*

adjudicar [-x-] *jur* zuteilen; **~se** s. aneignen, anmaßen

adjunto [-x-] bei-, anliegend; *m* Assistent; Gehilfe

administra|ción [-θ-] *f* Verwaltung; **~dor** *m* Verwalter; **~r** verwalten; **~tivo** Verwaltungs...

admira|ble bewundernswert; **~ción** [-θ-] *f* Bewunderung; **~dor** *m* Bewunderer, Verehrer; **~r** bewundern; **~rse** s. wundern

admi|sible zulässig; **~sión** *f* Zulassung; **~tir** zulassen, dulden; *et* zugeben

ado|bar zubereiten; pökeln; gerben; **~be** *m* Luftziegel

adolescen|cia [-θenθ-] *f* Jugend; **~te** *m* Heranwachsende(r)

adonde wohin; **¿adónde?** wohin?

adop|ción [-θ-] *f* Adoption; *Pol* Verabschiedung (*Gesetz*); **~tar** adoptieren; annehmen

ado|quín [-k-] *m* Pflasterstein; *fig* Dummkopf; **~quinado** [-k-] *m* Pflaster *n*

adora|ble anbetungswürdig; **~ción** [-θ-] *f* Anbetung; **~r** anbeten; verehren

adormece|dor [-θ-] einschläfernd; **~r** einschlä-

fern; ~rse einschlafen
adormidera f (Schlaf-) Mohn m
ador|nar schmücken, verzieren; **~no** m Schmuck; Zierde f
adqui|rente [-k-], **~ridor**, **~sidor** m Erwerber; **~rir** erwerben; anschaffen; **~sición** [-θ-] f Erwerb m, Anschaffung; **poder** m **~sitivo** Kaufkraft f
adrede absichtlich
adua|na f Zollamt n; Zoll m; **~nero** m Zollbeamte(r)
aducir [-θ-] Beweise usw erbringen, anführen
adueñarse [-n-] **de** s. bemächtigen (gen)
adula|ción [-θ-] f Schmeichelei; **~dor** m Schmeichler; **~r** schmeicheln
adulte|rador m Fälscher; **~rar** (ver)fälschen; die Ehe brechen; **~rio** m Ehebruch
adúlter|o m, **~a** f Ehebrecher(in)
adulto erwachsen; m Erwachsene(r)
adusto unfreundlich; unwirtlich
adverbio m Adverb n
adver|sario m Gegner; **~sidad** f Widrigkeit; **~so** widrig; feindlich
advertencia [-θ-] f Hinweis m; Warnung
adverti|do erfahren, klug; **~miento** m Bekanntmachung f; **~r** bemerken; warnen (j-n vor et u/c a alg)
adyacente [-θ-] angrenzend

aéreo Luft...; **ferrocarril** m ~ Schwebebahn f
aero|bús m Airbus; **~deslizador** [-θ-] m Luftkissenboot m; **~dinámico** stromlinienförmig
aeródromo m Flugplatz
aero|foto f Luftaufnahme; **~grama** m Luftpostleichtbrief
aeromo|za [-θa] f Flgw Am Stewardeß; **~zo** [-θo] m Am Steward
aero|náutica f Luftfahrt; **~nave** f Luftschiff n; **~plano** m Flugzeug n; **~puerto** m Flughafen; **~sol** m Aerosol n; Spray n; **~vía** f Fluglinie
afabi|lidad f Leutseligkeit; **~le** leutselig
afamado berühmt
afán m Eifer; Col Eile f; **estar de** ~ Col es eilig haben
afan|arse s. abmühen; **~oso** beschwerlich; strebsam
afear verunstalten
afección [-θ-] f Zuneigung; Med Leiden n, Krankheit
afecta|ción [-θ-] f Ziererei; **~do** geziert; **~r** zur Schau tragen; betreffen
afecto geneigt, gewogen; m Affekt; Zuneigung f
afectuo|sidad f Herzlichkeit; **~so** herzlich, zärtlich
afei|tada f Am, **~tado** m Span Rasur f; **~tadora** f Elektrorasierer m; **~tarse** s. rasieren; **~te** m Putz; Schminke f
afeminado weibisch, verweichlicht; m Weichling

aferrado a verrannt in

afianzar [-θ-] befestigen;
~se s. stützen, s. festigen

afición [-θ-] f Zuneigung;
Liebhaberei; Hobby n

aficiona|do [-θ-] zugetan; m
Liebhaber, Kunstfreund;
~rse a (od de) s. verlieben in

afiche [-tʃe] m Am Plakat n

afila|dor m Scherenschlei-
fer; Streichriemen; **~lápi-
ces** [-θ-] m Bleistiftspitzer;
~r schleifen; (an)spitzen

afilón m Wetzstahl

afín verschwägert; verwandt (a Chem)

afin|ar verfeinern; Mus
stimmen; **~idad** f Affinität;
fig Verwandtschaft

afirma|ción [-θ-] f Behaup-
tung; Bestätigung; **~ar** befestigen; beglauben; behaupten; **~ativa** f Bejahung; Zusage; **~ativo** bejahend

afli|cción [-θ-] f Betrübnis,
Kummer m; **~gir** [-x-] betrüben; bedrücken

aflojar [-x-] lockern; nach-
lassen, erschlaffen

afluen|cia [-θ-] f Zufluß m;
Andrang m; **~te** einmün-
dend; m Nebenfluß

afluir einmünden; (herbei-)
strömen

aforrarse F tüchtig essen

afortunado glücklich; **mal
~** unglücklich

afrecho [-tʃo] m Súda Kleie
f

afrenta f Beschimpfung; **~r**
beschimpfen

afreza [-θa] f Köder m (für

Fische)

afrontar gegenüberstellen;
~ el peligro der Gefahr ins
Auge sehen

afuera (dr)außen; **~s** fpl
Umgebung f

agarra|dero m Griff; Hen-
kel; **~r** ergreifen, packen;
RPl nehmen; **~rse a** s.
klammern an

agasaj|ar [-x-] ehren; be-
schenken; **~jo** [-xo] m Ehrung f; Geschenk n

agencia [axenθ-] f Agentur;
~ de viajes Reisebüro n; **~
marítima** Schiffsagentur;
~ de transportes Spedi-
tionsfirma

agen|ciar [axenθ-] betrei-
ben; **~cioso** [-θ-] betrieb-
sam

agenda [ax-] f Taschenka-
lender m; Notizbuch n

agente [ax-] m Agent, Ver-
treter; **~ (de policía)** Polizist; **~ de bolsa** Börsen-
makler; **~ de transportes**
Spediteur; **~ de tráfico**
Verkehrspolizist

ágil [ax-] behend, flink,
geistig beweglich

agio [ax-] m Hdl Agio n

agita|ción [axitaθ-] f Auf-,
Er-regung; Unruhe; **~r** hin
und her bewegen, schwen-
ken; aufregen; Med, Tech
schütteln

aglomera|ción [-θ-] f An-
häufung; städtische Bal-
lungsraum m; **~r** anhäufen

aglutina|nte m Klebstoff;
Wundpflaster n; **~r** verkle-

agudo

ben; *Med* zs-wachsen
agobiado gebeugt, krumm;
überhäuft (*mit Arbeit*)
agolparse s. drängen; s.
überstürzen (*Gedanken*)
agon|ía *f* Todeskampf *m*; **~i-
zar** [-θ-] mit dem Tode
ringen
agosto *m* August
agota|do erschöpft; ausver-
kauft; vergriffen; **~miento**
m Erschöpfung *f*; **~r** er-
schöpfen; aufbrauchen;
~rse versiegen; ausgehen
agraciado [-θ-] anmutig,
zierlich
agrada|ble angenehm; **~r**
gefallen, zusagen; ange-
nehm sein
agrade|cer [-θ-] danken
(u/c a alg *j-m* für et); **~cido**
[-θ-] dankbar; **~cimiento**
[-θ-] *m* Dank; Dankbarkeit
f
agrado *m* Anmut *f*; Belieben
n
agrandar vergrößern, erweitern
agrava|nte erschwerend; **~r**
erschweren, verschärfen;
~rse s. verschlimmern
agravi|ar beleidigen; **~arse**
s. beleidigt fühlen; **~o** *m*
Beleidigung *f*
agrega|do *m* Zusatz; Atta-
ché; **~r** beigeben, hinzufügen; **~rse (a)** s. anschließen
(*dat od* an)
agres|ión *f* Angriff *m*; Ag-
gression; **~ivo** herausfor-
dernd; **~or** *m Pol* Aggressor
agriarse sauer werden; *fig* s.

ärgern
agrícola landwirtschaftlich
agricul|tor *m* Landwirt; **~
tura** *f* Landwirtschaft
agridulce [-θe] süßsauer
agrietarse rissig werden
agrio sauer; scharf; grell
agrónomo *m* Agronom; **ingeniero m ~** Diplomland-
wirt
agrupar gruppieren
agua *f* (*el*) Wasser *n*; **~ aro-
mática** *Süda* Kräutertee
m; **~ abajo (arriba)** stromabwärts (-aufwärts); **~ de
Colonia** Kölnisch Wasser
n; **~ de Seltz** Selterswasser
n; **~ mineral (potable,
dentífrica)** Mineral-
(Trink-, Mund-)wasser *n*
agua|cate *m* Avokado(birne)
f; **~cero** [-θ-] *m* Regenguß;
~dor *m* Wasserträger; **~
fiestas** *m* Spielverderber;
~itar *Süda* warten; **~mari-
na** *f* Aquamarin *m*
aguantar ertragen, aushalten; dulden; **~ burlas** Spaß
verstehen; **~se** s. beherrschen
aguante *m* Ausdauer *f*, Geduld *f*
aguar wässern; mit Wasser
verdünnen
aguar|dar (er)warten; *j-m*
e-e Frist gewähren; **~diente**
m Branntwein
aguarrás *m* Terpentin(öl) *n*
agu|deza [-θa] *f* (Gesichts-)
Schärfe; Scharfsinn *m*; **~do**
spitz; scharf; stechend

aguijón

aguijón [agix-] *m* Stachel; *fig* Ansporn

águila [agi-] *f* (*el*) Adler *m*

aguilón [agi-] *m* Dachgiebel

aguinaldo [agi-] *m* Geschenk *n*; Trinkgeld *n* (*zu Weihnachten, Neujahr*)

agüista *m* Badegast

aguja [-xa] *f* Nadel; Uhrzeiger *m*; *Esb* Weiche; **~ de coser** Nähnadel

aguje|rear [-x-] durchlöchern; **~ro** *m* Loch *n*, Öffnung *f*; Schlüsselloch *n*; **~tas** *f/pl* Muskelkater *m*

agusanado wurmstichig

aguzar [-θ-] schleifen, wetzen; spitzen; *fig* ermuntern; **~ el oído** die Ohren spitzen

¡ah! ach!, oh!, ah!

ahí da, dort(hin); **de ~ que** daraus folgt, daß ...; **por ~** so ...; dort(herum)

ahijad|o [-x-] *m*, **~a** *f* Patenkind *n*

ahínco *m* Nachdruck, Eifer

ahitarse s. übersessen

ahíto *m* Überladung *f* (*Magen*)

aho|gado dumpf; unterdrückt (*Schrei*); **~gar** ersticken; ertränken; **~garse** ersticken; ertrinken; **~go** *m* Ersticken *n*; Atemnot *f*; *fig* Bedrängnis *f*

ahondar vertiefen; *fig* ergründen

ahora jetzt, nun; soeben, gleich; **~ mismo** sofort, gleich; **~ bien** also; **por ~** vorläufig

ahorcar (auf)hängen; **~se** s. erhängen

aho|rrar (er)sparen; *fig* (ver)schonen; **~rro** *m* Sparen *n*; Ersparnis *f*

ahuma|do geräuchert; rauchig; rauchfarben; **~r** räuchern

ahuyama *f* *Col* Kürbis *m*

airar erzürnen

aire *m* Luft *f*; Wind; Gestalt *f*; Miene *f*; *Mus* Tempo *n*; Weise *f*, Melodie *f*; **~ acondicionado** Klimaanlage *f*; **~ comprimido** Preßluft *f*; **al ~ libre** unter freiem Himmel, im Freien; **tomar el ~** frische Luft schöpfen; **~ar** lüften; **~arse** an die Luft gehen; s. erkälten

airoso luftig; anmutig

aisla|do Isolator; vereinzelt, **~dor** *m* Isolator; **~miento** *m* Isolierung *f* (*a Tech*); **~r** isolieren; absondern

ajedrez [axedreθ] *m* Schach (-spiel) *n*

ajeno [ax-] fremd

ajetre|arse [ax-] s. plagen; **~o** *m* Plackerei *f*

ajiaceite [axiaθ-] *m* Knoblauchmayonnaise *f*

ajo [axo] *m* Knoblauch; **estar en el ~** s-e Hände im Spiel haben, *F* mitmischen

ajuar [ax-] *m* Hausrat; Aussteuer *f*

ajusta|do [ax-] gerecht, billig; ordentlich, passend; eng anliegend (*Kleidung*); **~r** einrichten; anpassen; *Tech* einstellen

ajuste [ax-] *m* Anpassung *f*; Einstellung *f* (*e-r Maschine*); Montage *f*

ajusticiar [axustiθ-] hinrichten

al dem; den

ala *f* (*el*) Flügel *m*; Krempe

alaba|nza [-θa] *f* Lob *n*; **~r** loben; rühmen; **~rse de** mit *et* prahlen

alabastro *m* Alabaster

alacena [-θ-] *f* Wandschrank *m*

alacrán *m* Skorpion

alado ge-, be-flügelt

alambi|cado gekünstelt, spitzfindig; geziert; **~que** [-ke] *m* Destillierkolben, Retorte *f*

alambra|da *f* Drahtverhau *m*; **~do** *m* Drahtgeflecht *n*; Stacheldrahtzaun

alambre *m* (**de púas**) (Stachel-)Draht

alameda *f* Allee

álamo *m* Pappel *f*

alarde *m* Prahlerei *f*

alargar verlängern; *Hand* ausstrecken; *Schritt* beschleunigen

alarma *f* Alarm *m*; *fig* Beunruhigung; **falsa ~** blinder Alarm *m*; **~r** alarmieren; **~rse** besorgt werden

alazán [-θ-] *m* Fuchs (*Pferd*)

alba *f* (*el*) Morgendämmerung

albañil [-ɲ-] *m* Maurer; **~ería** *f* Maurerhandwerk *n*

albaricoque [-ke] *m* Aprikose *f*; **~ro** *m* Aprikosenbaum

albedrío *m* Willkür *f*; **libre ~** freier Wille

alberca *f* Zisterne; *Méj* Schwimmbecken *n*

albergue [-ge] *m* Herberge *f*; **~ juvenil** Jugendherberge *f*; **~ de carreteras** Rasthaus *n*

albóndiga *f* Klößchen *n*, kleiner Knödel *m*

albornoz [-θ] *m* Bademantel

alboro|tador *m* Aufwiegler; Ruhestörer; **~tar** beunruhigen; aufwiegeln; **~to** *m* Lärm; Aufruhr; **~zo** [-θo] *m* Jubel

albufera *f* (Salz-)Lagune

álbum *m* Album *n*

albuminoso eiweißhaltig

alcachofa [-tʃ-] *f* Artischocke

alcahuet|e *m*, **~a** *f* Kuppler (-in); **~ear** verkuppeln

alcal|de *m* Bürgermeister; **~día** *f* Bürgermeisteramt *n*

alcance [-θe] *m* Bereich, Reichweite *f*; Tragweite *f*; **de poco ~** belanglos

alcanfor *m* Kampfer

alcantarillado [-ʎ-] *m* Kanalisation *f*

alcanzar [-θ-] einholen, erreichen; treffen

alcaparras *fpl* Kapern

alcaucil [-θ-] *m* *RPl* Artischocke *f*

alcázar [-θ-] *m* maurische Festung

alcázar [-θ-] *m* maurische Burg *f*

alcazuz [-θuθ] *m* Lakritze *f*

alcoba *f* Alkoven *m*, Schlafzimmer n

alco|hol m Alkohol; Spiritus; **~holemia** f Blutalkohol(spiegel) m; **~hólico** alkoholisch; **~holismo** m Alkoholismus

alcorán m Koran

alcornoque [-ke] m Korkeiche f

aldea f Dorf n; **~na** f Bäuerin; **~no** dörflich; m Bauer

alega|r (als Beweis) anführen; Süda protestieren; **~to** m jur Schriftsatz; Am a Streit

alegoría f Allegorie

ale|grar erfreuen; **~grarse** s. freuen; **~gre** fröhlich; fig angeheitert; **~gría** f Freude

aleja|miento [-x-] m Entfernung f; **~r(se)** s. entfernen

alentar v/i atmen; v/t ermutigen

alergia f Allergie

alérgico [-x-] allergisch (a gegen) (a fig)

alerta inv wachsam; aufmerksam; m Alarm; ¡**~**! Achtung!

aleta f Flosse; Kfz Kotflügel m; **~s** fpl de natación Sp Schwimmflossen

alete|ar flattern; zappeln; **~o** m Herzklopfen n

alevosía f Hinterlist

alfa|bético alphabetisch; **~betización** [-θaθ-] f Bekämpfung des Analphabetentums; **~beto** m Alphabet

alfalfa f Luzerne

alfarero m Töpfer

alféizar [-θ-] m Fensterbrett n

alférez [-θ] m Leutnant; Fähnrich

alfil m Läufer (Schach)

alfiler m Stecknadel f; **~ de gancho** Am Sicherheitsnadel f; **~es** pl Trinkgeld n (für Zimmermädchen); Taschengeld n

alfombra f Teppich m; **~do** m Am Teppichboden

alforjas [-x-] fpl Reisesack m

alga f (el) Alge; Tang m

algarro|ba f Johannisbrot n; **~bo** m Johannisbrotbaum

álgebra [-x-] f (el) Algebra

álgido [-x-]: **punto ~** ~ Gefrierpunkt

algo etwas; (ein-) **~dón** ~ m Baumwolle f; Watte f

alguacil [-θ-] m Gerichts-, Amts-diener

alguien [-gi-] jemand

algun|o (vor msg algún) jemand; mancher; (irgend-) einer; **~os** einige, ein paar; algún día eines Tages; **~a vez** bisweilen

alhaja [-xa] f Schmuck m

alia|do verbündet; m Verbündete(r); **~nza** [-θa] f Bündnis n; Ehering m; **~rse** s. verbünden

alias sonst auch; alias

alicates mpl Flachzange f

aliciente [-θ-] m Lockmittel n; Anreiz

alienar veräußern

aliento m Atem, Hauch; fig Mut; **tomar ~** Atem schöpfen; sin ~ atemlos, außer

Atem

aligerar [-x-] erleichtern; *Schritt* beschleunigen; *Med* **~se** s. freimachen

alimen|tación [-θ-] *f* Ernährung, Verpflegung; **~tar** ernähren; *Tech* speisen; **~ticio** [-θ-]: **substancia f ~ticia** Nährstoff *m*; **~to** *m* Nahrung *f*; **~tos** *mpl* Alimente *pl*

aliño [-ɲo] *m* Schmuck, Verzierung *f*; Würze *f*

alisar glätten; polieren

alistar einschreiben (*Liste*); *Mil* anwerben; erfassen; *Am* fertigmachen; **~se** s. (freiwillig) melden; *Am* s. fertigmachen

alivi|ar erleichtern, lindern; **~arse** s. erholen; **~o** *m* Erleichterung *f*; Erholung *f*

aljibe [-x-] *m* Zisterne *f*

alma *f* (*el*) Seele; Gemüt *n*; **con toda mi ~** von ganzem Herzen

almacén [-θ-] *m* Lager *n*; *RPl* Lebensmittelgeschäft *n*

almace|nar [-θ-] (ein)lagern; (**grandes**) **~nes** *mpl* Warenhaus *n*; **~nista** *f* Lagerhalter; Grossist

almadía *f* Floß *n*

almanaque [-ke] *m* Almanach, Kalender

almeja [-xa] *f* Venusmuschel

almen|dra *f* Mandel; **~dro** *m* Mandelbaum

almíbar *m* Sirup; **peras** *fpl* **en ~** Birnenkompott *n*

almidón *m* Stärke(mehl *n*)

f; **~onar** *Wäsche* stärken

alminar *m* Minarett *n*

almirante *m* Admiral

almohada *f* (Kopf)Kissen *n*; **~neumática** Luftkissen *n*; **consultar u/c con la ~** et überschlafen

almohadilla [-áa] *f* kleines Kissen *n*; **~ de tinta (eléctrica)** Stempel- (Heiz-) kissen *n*

almorranas *fpl Med* Hämorrhoiden

almorzar [-θ-] zu Mittag essen; frühstücken

almuerzo [-θo] *m* Mittagessen *n*; *Span* zweites Frühstück *n*

aloja|miento [-x] *m* Unterkunft *f*; **~r** beherbergen; unterbringen; **~rse** s. einquartieren

alpargata *f* Hanfschuh *m*

alpinis|mo *m* Bergsteigen *n*; **~ta** *m* Bergsteiger

alqui|lador [-k-] *m* (Ver-) Mieter; **~lar** (ver)mieten; **~ler** *m* Miete *f*; **de ~ler** zu Miet...; **~ler de botes** Bootsverleih; **~ler de coches** Autovermietung *f*

alquitr|án [-k-] *m* Teer; **~anar** teeren

alrededor [-rr-] ringsherum; **~es** *mpl* Umgebung *f*

alta *f* (*el*) Entlassungsschein *m*; **dar de ~** gesundschreiben; entlassen; *bei Behörden usw* anmelden; **darse de ~** s. anmelden

altaner|ía *f* Hochmut *m*; **~o** hochmütig, stolz

altar

22

altar *m* Altar; **~ mayor**
Hochaltar

altavoz [-θ] *m* Lautsprecher

altera|ble veränderlich; **~**
ción [-θ-] *f* Veränderung,
Störung; **~r** verändern; **~r-**
se por s. ärgern über

alterca|do *m* Wortwechsel;
Streit; **~r** (s.) streiten

alter|nar abwechseln; **~na-**
tivo, ~no abwechselnd

alti|planicie [-θ-] *f, Süda*
plano *m* Hoch-ebene *f*,
-fläche *f*; **~tud** *f* Höhe; **~vo**
stolz, hochmütig

alto hoch; groß; **en alta voz**
mit lauter Stimme; **¡~!**
halt!; **~parlante** *m Süda*
Lautsprecher

altura *f* Höhe; Gipfel *m; fig*
Erhabenheit; **a estas ~s** in
diesem Moment, so wie die
Dinge stehen

alubia *f* weiße Bohne

alud *m* Lawine *f*

aludir a anspielen auf

alumbra|do *m* Beleuchtung
f; **~miento** *m* Beleuchtung
f; Med Entbindung *f*; **~r**
er-, be-leuchten; *Med* ent-
binden

aluminio *m* Aluminium *n*

alumno *m, ~a* *f* Schüler(in)

alunizar [-θ-] auf dem
Mond landen

alusi|ón *f* Anspielung; **~vo a**
anspielend auf

aluvión *m* Schwemmland *n*

alza [-θa] *f* (*el*) Erhöhung;
Steigerung; **~miento** *m* Er-
hebung *f*; **~r** aufheben;
Karten abheben; **~rse** s. er-

heben (*Aufruhr*)

allá [aʎa] dort; dahin; **más ~**
weiter (dort); **~ abajo** dort
hinten

allanar [aʎ-] ebnen; **~se (a)**
s. fügen (*dat*)

allegado [aʎ-] nahestehend,
verwandt

allí [aʎi] da, dort; **de ~** daher;
de ~ a poco kurz darauf;
por ~ ungefähr dort

ama *f* (*el*) (Haus-)Herrin; **~**
de casa Hausfrau; **~ de**
cría, ~ de leche Amme

ama|bilidad *f* Liebenswür-
digkeit; **~ble** liebenswürdig; **~dor** *m* Liebhaber

amaestrar abrichten, dressieren; unterrichten

amainar s. legen (*Wind*)

amamantar säugen, stillen

amanecer [-θ-] tagen, Tag
werden; *m* Tagesanbruch,
Morgengrauen *n*

amansar zähmen, bändigen; **~se** zahm werden

amante *su* Liebhaber(in)

amañarse [-n-] s. geschickt
anstellen; s. einarbeiten;
Am s. eingewöhnen, s. an-
passen

amar lieben; **hacerse ~** s.
beliebt machen

amara|je [-xe] *m Flgw* Was-
serung *f; ~r Flgw* wassern

amar|gar *fig* verbittern; **~**
go bitter; *m* Magenbitter;
~gor *m*, **~gura** *f* Bitterkeit

amari|llento [-ʎ-] gelblich;
~llo [-ʎo] gelb

amarr|a *f* Ankertau *n*; **~ar**
Mar vertäuen; *Am allg* an-

fest-binden; **~e** m Veránke-rung f

amasar einrühren; *Teig* kneten

amazona [-θ-] f Reiterin

ambages [-x-]: **sin ~** ohne Umschweife, unverhohlen

ámbar m Bernstein

ambición [-θ-] f Ehrgeiz m; **~onar** erstreben; **~oso** ehrgeizig

ambien|tador m Luftver-besserer; **~tal** Umwelt...; **~te** m Umwelt f; Milieu n; Atmosphäre f

ambigú m kaltes Büfett n

ambi|güedad f Zweideutig-keit; **~guo** zweideutig, doppelsinnig

ámbito m Bereich

ambo m *Arg* Anzug

ambos beide

ambulan|cia [-θ-] f Kran-kenwagen m; **~te** umherzie-hend

amén m Amen n; **en un decir ~** im Nu

amenaza [-θa] f Drohung; **~dor, ~nte** drohend, bedrohlich; **~r** drohen

ame|nidad f Anmut; **~no** lieblich; angenehm (anzu-hören usw)

americana f Jackett n, Sakko n

ametralladora [-ʎ-] f Ma-schinengewehr n

amianto m Asbest

ami|ba f *Zo, Med* Amöbe; **~biasis** f *Med* Amöbenuhr

amiga f Freundin; **~ble** freundschaftlich

amígdala f *Anat* Mandel

amigdalitis f Mandelent-zündung

amigo m Freund

aminorar vermindern

amis|tad f Freundschaft; Zuneigung; **~tarse** s. an-freunden; **~toso** freund-schaftlich

amnistía f Amnestie

amo m Herr; Eigentümer; Dienstherr

amoblado *Am* möblieren

amodorrado schlaftrunken

amoldar formen; **~se** s. an-passen, s. einfügen

amonesta|ciones [-θ-] fpl (Heirats-)Aufgebot n; **~r** (er)mahnen

amoníaco m Ammoniak n; Salmiakgeist

amontonar anhäufen, sta-peln; **~se** s. häufen

amor m Liebe f; **~es** pl Lieb-schaft f; **¡por ~ de Dios!** um Gottes willen!

amorti|guador m Stoß-dämpfer; Schalldämpfer; **~guar** abschwächen, dämpfen; **~zar** [-θ-] tilgen, abschreiben

amoscarse F einschnappen

ampa|rador m Beschützer; **~rar** schützen; **~ro** m Schutz

amperio m Ampere n

amplia|ción [-θ-] f Ausdeh-nung; *Fot* Vergrößerung; **~r** *Fot* vergrößern, erweitern; *Fot* vergrößern

amplifica|ción [-θ-] f Er-weiterung; **~dor** m *Mus*

amplificar

Verstärker; **~r** erweitern,
ausdehnen; verstärken

ampli|o weit(läufig); reich-
lich; **~tud** *f* Ausdehnung,
Weite

ampolla [-áa] *f* Blase
(*Haut*); *Med* Ampulle

ampolleta [-ś-] *f* Süda
Glühbirne

amputar amputieren

amuebla|do möbliert; **~r**
möblieren

amuleto *m* Amulett *n*

anales *mpl* Jahrbuch *n*

analfabeto *m* Analphabet

analgésico [-x-] *m* schmerzstillendes Mittel *n*

análisis *m* Analyse *f*, Untersuchung *f*

análogo analog, entsprechend

ananá(s) *m* Süda Ananas *f*

anaquel [-k-] *m* Schrank-
brett *n*; Regal *n*

anarquía [-k-] *f* Anarchie *f*

anatomía *f* Anatomie

anca *f* (*el*) *Zo* Hinterbacke *f*;
~s de rana Froschschenkel
mpl

ancia|na [-θ-] *f* Greisin; **~-
nidad** *f* hohes Alter *n*; **~no**
alt, betagt; *m* Greis

ancla *f* (*el*) Anker *m*; **estar al
~** vor Anker liegen; **echar
~s** Anker werfen; **levar ~s**
die Anker lichten; **~r** ankern

ancho [-tʃo] breit; *m* Breite
f; *Esb* **~ de vía** Spurweite *f*

anchoa [-tʃ-] *f* Anchovis;
Sardelle

anchura [-tʃ-] *f* Breite, Wei-

te

andamio *m* (Bau-)Gerüst *n*

andar gehen; *m* Gang(art *f*)
m; **~ triste** traurig sein

andarivel *m* Chi Skilift

andén *m* Bahnsteig; *Am*
Gehsteig

andrajo [-xo] *m* Lumpen;
~so zerlumpt

anejo [-xo] angefügt, zuge-
hörig; *m* Anlage *f*; Anhang;
Anbau

anemia *f* Blutarmut, An-
ämie

anestesia *f* Betäubung

ane|x(ion)ar einverleiben;
~xión *f* Einverleibung, An-
gliederung; **~xo** *m* = **anejo**; *Hotel* Dependance *f*,
Nebenhaus *n*

anfiteatro *m* Amphitheater
n; *Thea* Rang

anfitrión *m* Gastgeber

ánfora *f* Amphore; *Am*
Wahlurne

ángel [-x-] *m* Engel

angina [-x-] *f* Angina

angost|o eng, knapp; **~ura** *f*
Enge, Verengung

angu|ila [-gi-] *f* Aal *m*; **~la** *f*
Zo, *Gastr* Glasaal *m*; **~lar**
eckig, wink(e)lig

ángulo *m* Winkel; Ecke *f*

anguloso wink(e)lig

angustia *f* Angst; Beklemmung; **~r** ängstigen, quälen

anhe|lar keuchen; wün-
schen, erstreben; **~lo** *m*
Sehnen *n*, Trachten *n*; **~lo-
so** keuchend; sehnsüchtig

anidar nisten

anilina *f* Anilin *n*

25 anticiclón

anillo [-ʎo] *m* Ring; **~ de boda** Ehering

ánima *f* (*el*) *Lit* Seele

anima|ción [-θ-] *f* Belebung; Lebhaftigkeit; Betrieb *m*; **~dor** *m* Conférencier; **~dora** *f* Animierdame

animal tierisch; *m* Tier *n*; *fig* P brutaler Kerl

animar beleben; aufmuntern; **~se** Mut fassen, s. aufraffen

ánimo *m* Seele *f*; Geist; Gemüt *n*; Mut; Lust *f*; Absicht *f*

animo|sidad *f* Groll *m*; **~so** mutig

aniña|do [-ɲ-] kindisch; **~se** kindisch werden

aniquilar [-k-] vernichten

an|ís *m* Anis(likör); **~isado**, **~isete** *m* Anislikör

aniversario *m* Jahrestag

ano *m* After

anoche [-tʃe] gestern abend; **antes de ~** vorgestern abend; **~cer** [-θ-] Nacht werden; *m* Dunkelwerden *n*; **al ~cer** bei Einbruch der Dunkelheit

ánodo *m* Anode *f*

anomalía *f* Anomalie, Abnormität; Regelwidrigkeit

anómalo abnorm

anónim|o anonym, namenlos; **sociedad** *f* **~a** Aktiengesellschaft

anorak *m* Anorak

anotar notieren

ansi|a *f* (*el*) Begierde; Beklemmung; Pein; **~ar** ersehnen; **~edad** *f* Seelen-

angst; Unruhe; **~oso** begierig; **~oso por** darauf erpicht zu + *inf*

anta *f* (*el*) *Am* Tapir *m*

ante vor, in Gegenwart; *m* Wildleder *n*; **~ todo** vor allem; **~anoche** [-tʃe] vorgestern abend; **~ayer** vorgestern

antecedente [-θ-] vorhergehend; **~s** *pl* Vorleben *n*; **~s penales** Vorstrafen *fpl*

antece|der [-θ-] vorhergehen; **~sor** *m* Vorgänger

ante|datar zurückdatieren; **~dicho** [-tʃo] obengenannt; **~guerra** [-ge-] *f* Vorkriegszeit

antelación [-θ-]: **con ~** im voraus

antemano: de ~ im voraus

antena *f* Antenne; *Zo* Fühler *m*

anteojo [-xo] *m* Fernrohr *n*; **~s** *pl* Fernglas *n*; Brille *f*

antepasado vorhergegangen; **~s** *mpl* Vorfahren

antepecho [-tʃo] *m* Brüstung *f*; Fensterbrett *n*

anteponer voranstellen

anterior vorhergehend, früher; **~idad** *f* Vorzeitigkeit; Priorität; **con ~idad** früher, vorher

antes vorher, früher; **~ de** vor; **~ (de) que** bevor, ehe; **poco ~** kurz vorher; **el día ~** tags zuvor

antesala *f* Vorzimmer *n*

anti|biótico *m* Antibiotikum *n*; **~ciclón** [-θ-] *m* Hoch (-druckgebiet) *n*

anticipación

anticip|ación [-θipaθ-] *f* Vorausnahme; Voraus(be)-zahlung; **con ~ación** im voraus; **~ar** vorwegnehmen; zuvorkommen; *m* Vorschuß; Anzahlung *f*

anticon|ceptivo [-θ-] *m* Empfängnisverhütungsmittel *n*; **~gelante** [-x-] *m* Frostschutzmittel *n*

anti|cuado veraltet; **~desli-zante** [-θ-] *m* Gleitschutz

antídoto *m* Gegengift *n*; *fig* Gegenmittel *n*

antier *Süda* vorgestern

antifaz [-θ] *m* Gesichtsmaske *f*, Larve *f*

antigüedad *f* Altertum *n*; **~es** *fpl* Antiquitäten

antiguo alt, antik; ehemalig

antihemorrágico [-x-] *m* blutstillendes Mittel *n*

anti|patía *f* Widerwille *m*, Abneigung; **~pático** absto-ßend, unsympathisch; **~pi-rético** *m* fiebersenkendes Mittel *n*

anti|rrobo *m* Diebstahl-schutz; *Kfz* Lenkradschloß *n*; **~séptico** antiseptisch; **~social** [-θ-] unsozial; **~to-xina** *f* Gegengift *n*

antojarse [-x-]: **se me an-toja** ich habe Lust zu

anto|jitos [-x-] *mpl Méj* pi-kante Vorspeisen *fpl*; **~jo** [-xo] *m* Gelüst *n*; Laune *f*

antorcha [-tʃa] *f* Fackel

antro|pofagia [-x-] *f* Kanni-balismus *m*; **~pófago** *m* Menschenfresser

anual|l jährlich; **~lidad** *f* An-

nuität; Jahresbetrag *m*; **~rio** *m* Jahrbuch *n*; Adreß-buch *n*; Kalender

anublarse s. bewölken

anudar verknoten, binden; anknüpfen

anular *v/t* annullieren; ab-sagen; streichen; *adj* ring-förmig; *m* (**dedo**) **~** Ring-finger

anun|ciar [-θ-] anzeigen, ankündigen; *v/i* annoncie-ren, inserieren; **~cio** [-θ-] *m* Anzeige *f*, Inserat *m*, An-nonce *f*; Bekanntmachung *f*

anverso *m* Bildseite *f* (*der Münze*); Vorderseite *f*

anzuelo [-θ-] *m* Angelhaken

añadi|dura [aɲ-] *f* Zusatz *m*; **~r** hinzufügen

añejo (*anexo*) alt (*bsd Wein*)

año [aɲo] *m* Jahr *n*; **2 Nuevo** Neujahr *n*

añoranza [aɲoranθa] *f* weh-mütige Erinnerung; Sehn-sucht

apacentar [-θ-] *v/t* Vieh weiden

apaci|ble [-θ-] milde; **~gua-dor** *m Kfz* Stoßdämpfer; **~guar** Frieden stiften un-ter; besänftigen

apadrinar *j-s* (Tauf-)Pate sein; *fig* begünstigen

apaga|do erlöschen; ge-dämpft (*Farbe, Töne*); leise; **~r** löschen; mildern; dämp-fen; *Licht* ausschalten; **~rse** ausgehen; erlöschen (*Licht*)

apagón *m* Stromausfall

apalear prügeln

aparador *m* Schanktisch;

Anrichte f
aparato m Apparat, Gerät n; ~ **de televisión** Fernsehgerät n; **~so** prunkhaft

aparca|dero m, **~miento** m Parkplatz; **~r** parken

aparecer [-θ-] erscheinen

aparej|ador [-x-] m Baumeister; **~ar** herrichten, rüsten; *Mar* auftakeln; **~o** m Flaschenzug; **~os** pl Gerätschaften fpl

aparen|tar vorspiegeln, vorgeben; **~tar** + *inf* s. stellen, als ob; **~te** scheinbar; **muerte** f **~te** Scheintod

aparición [-θ-] f Erscheinung; Gespenst n

apariencia [-θ-] f Aussehen n, Erscheinung; Schein m

aparta|dero m Ausweichgleis n, -stelle f; **~do** abgelegen, entfernt; **~do** m (**de correos**) Post(schließ)fach n; **~mento** m Appartement n; *Am* Wohnung f; **~r** absondern, trennen; **~rse** ausweichen

aparte beiseite; m Absatz (in Texten)

apasiona|do leidenschaftlich; **~do por** begeistert für; **~r(se)** (s.) begeistern

apatía f Teilnahmslosigkeit

apático teilnahmslos, apathisch

apearse absteigen (v Pferd); aussteigen; **~ del burro** fig klein begeben

apedrear steinigen

apego m Anhänglichkeit f

apela|ción [-θ-] f jur Berufung; **~r** appellieren; Berufung einlegen

apellido [-ʎ-] m Familienname

apenar bekümmern

apenas kaum; mit Mühe

apéndice [-θ-] m Anhang; *Anat* Wurmfortsatz m

apendicitis [-θ-] f Blinddarmentzündung

aperitivo appetitanregend; m Aperitif; kleine Vorspeise f

apertura f (Er-)Öffnung

apestar verpesten; v/i stinken

apetec|er [-θ-] begehren; **~ible** wünschenswert

apetito m Appetit; Verlangen n, Begierde f

ápice [-θe] m Spitze f, Gipfel

apilar aufschichten, stapeln

apio m Sellerie f od m

apisona|dora f Straßenwalze; **~r** feststampfen

aplacable versöhnlich

aplanar planieren, ebnen

aplastar plattdrücken

aplau|dir Beifall spenden; klatschen; **~so** m Beifall

aplazar [-θ-] vertagen, aufschieben

aplica|ble anwendbar; **~ción** [-θ-] f Anwendung; **~r** anwenden; **~rse a** gelten für

apodera|do m Prokurist; Bevollmächtigte(r); **~r** bevollmächtigen; **~rse de** s. bemächtigen (gen)

apodo m Spitzname

apopleji̇́a [-x-] f Schlaganfall m

apor|rear verprügeln; **~tar** (ein)bringen; beisteuern

aposen|tar einquartieren; **~to** m Gemach n; Quartier n

apostar wetten; setzen (**por** auf)

apóstol m Apostel

apostrofar anreden; hart anfahren

apoy|ar stützen; unterstützen; **~o** m Stütze f; Hilfe f

aprecia|ble [-θ-] (ab)schätzbar, berechenbar; fig schätzenswert; **~ción** [-θ-] f (Wert-)Schätzung; **~do** angesehen, geachtet; **~r** schätzen (a fig), taxieren

aprecio [-θ-] m Schätzung f; Achtung f

apremio m Zwang, Druck; Mahnung f

aprend|er (er)lernen; **~iz** [-θ] m Lehrling, Auszubildende(r); **~izaje** [-θaxe] m Lehrzeit f; Lehre f

apres|tar zu-bereiten, -rüsten; appretieren; **~tarse** a s. anschicken zu; **~to** m Vorbereitung f; Appretur f

apresurar drängen, antreiben; beschleunigen; **~se** s. beeilen

apreta|do eng, knapp; gedrängt; **~r** zs-drücken, -pressen

aprieto m Not(lage) f

aprisa adv schnell

apri|scar einpferchen; **~sionar** gefangennehmen; fesseln

aproba|ción [-θ-] f Billigung; Zustimmung; **~do** bewährt; bestanden (Examen); **~r** billigen, gutheißen

apropia|ción [-θ-] f Aneignung; Anpassung; **~do** geeignet; **~r** anpassen

aprovecha|do [-tʃ-] selbstsüchtig; m Profitler; **~miento** m Benutzung f; Nutzung f; **~r** gebrauchen, ausnutzen; **¡que aproveche!** guten Appetit!

aprovisiona|miento m Versorgung f; **~r** versorgen

aproxima|ción [-θ-] f Annäherung; **~r** nähern; **~rse** s. nähern; **~tivo** annähernd

ap|titud f Eignung, Fähigkeit; **~to** fähig, geschickt

apuesta f Wette; Einsatz m

apunta|do spitz; **~dor** m Souffleur; **~r** v/i zielen; v/t aufzeichnen; anmerken; soufflieren

apunte m Zielen n; Anmerkung f; Notiz f; Thea Stichwort n; Mal Skizze f

apuñalar [-ɲ-] erdolchen

apura|do leer, erschöpft; arm; **~r** erschöpfen; leeren; fig drängen; **~rse** fig s. grämen; Am s. beeilen

apuro m Kummer; Not f; Bedrängnis f; Am Eile f; **estar en ~** in der Klemme sein

aquel [-k-], **~la** [-ʎa], **~lo** [-ʎo] jener, jene, jenes

aquí [aki] hier; jetzt; **de ~ a ...** heute in ...; **por ~** hier (herum); **~ cerca** in der Nähe

aquiescencia [akĩesθenθ-] f Zustimmung

aquietar [ak-] beruhigen

ara|da f Pflügen n; **~do** m Pflug

arancel [-θ-] m (bsd Zoll-) Tarif; Gebührenordnung f; **~ario** Zoll...; Gebühren...

arándanos mpl Heidelbeeren fpl; **~ rojos** Preiselbeeren fpl

araña [-ɲa] f Spinne; Kronleuchter m; **~r** kratzen

arar pflügen, beackern

arbi|traje [-xe] m Schiedsspruch; **~trar** entscheiden; schlichten; **~trario** willkürlich; **~trio** m freier Wille; Ausweg

árbitro m Schiedsrichter

árbol m Baum; Tech Welle f; **~ del cardán** Kardanwelle f

arbolar Fahne, Kreuz aufpflanzen; Mar hissen

arbusto m Strauch, Busch

arca f (el) Kasten m, Truhe; Geldschrank m; **~da** f Bogengang m

arcaico altertümlich; veraltet

arcángel [-x-] m Erzengel

arcano m Geheimnis n

arce [-θe] m Ahorn

arcén [-θ-] m Kfz Randstreifen (Straße)

arcilla [-θiʎa] f Ton(erde f) m

arco m Bogen; **~ de violín** Geigenbogen

archiduque [-tʃiduke] m, **~sa** f Erzherzog(in)

archi|vador [-tʃ-] m (Akten-)Ordner; **~var** archivieren; Akten ablegen; **~vo** m Archiv n; Ablage f

arder (ent)brennen

ardi|d m List f, Trick; **~ente** brennend, heiß, feurig

ardilla [-ʎa] f Eichhörnchen n

ardor m Glut f; Eifer; **~ del estómago** Sodbrennen n

arduo schwierig, mühselig

área f (el) (Bau-, Acker-) Fläche; Gelände n; Gebiet n; **~ de descanso** Rastplatz m; **~ de servicio** Tankstelle f (u. Raststätte f) (Autobahn)

are|na f Sand m; Arena f; **~noso** sandig

arenque [-k] m Hering

arepa f Col, Ven Art Maisbrot n

arequipe [-k-] m Col Süßspeise mit Karamel

arete m Ring; Súda Ohrring

argolla [-ʎa] f Türring m; Am Ehering m

arg|ucia [-θ-] f Spitzfindigkeit; **~üir** folgern, schließen; argumentieren

argumen|tación [-θ-] f Argumentation; **~tar** folgern; argumentieren; **~to** m Beweis; Argument n; Film usw Handlung f

aria f (el) Arie

aridez [-θ] f Trockenheit

árido dürr; unfruchtbar

arisco unbändig (*Tier*)

arma f (*el*) Waffe; **~ de fuego** Schußwaffe; **~s** *pl* Wappen *n*; **~da** f Kriegsflotte; **~día** f (*el*)

armadillo [-ʎo] *m* Gürteltier *n*

arma|dor *m* Reeder; **~dura** f Rüstung; (Brillen-)Fassung; *Tech* Armatur; **~r** bewaffnen; ausrüsten

arma|rio *m* Schrank; **~rio empotrado** Einbauschrank; **~zón** [-θ-] f Gerüst *n*; Rahmen *m*

armería f Waffenhandlung

armiño [-ɲo] *m* Hermelin *n* (*Pelz m*)

armisticio [-θ-] *m* Waffenstillstand

armonía f Harmonie; Eintracht

armóni|ca f Mundharmonika; **~co** harmonisch

arnés *m* (Pferde-)Geschirr *n*

aro *m* (Eisen-)Ring; *Süda* **~** Ohrring

aroma *m* Aroma *n*, Duft; **~tizar** [-θ-] würzen

arpa f (*el*) Harfe

arpón *m* Harpune f

arqu|ear [-k-] wölben, rundbiegen; **~eología** [-x-] f Archäologie; **~itecto** *m* Architekt

arrabal *m* Vorort, Vorstadt f

arraigado verwurzelt; ansässig

arran|cadero *m Sp* Start (-platz); **~car** ausreißen; herausziehen; *v/i Tech* anlaufen; anfahren, starten;

anspringen (*Motor*); **~que** [-ke] *m* Ausreißen *n*; *Tech* Anlauf; Start; *Kfz* Anlasser

arrastrar schleifen, schleppen; **~se** kriechen

arreba|tado ungestüm, jäh; **~tador** hinreißend, entzückend; **~tar** entreißen; mitreißen; **~tarse** außer s. geraten; **~to** *m* Erregung f; Anwandlung f

arrecife [-θ-] *m* Felsenriff *n*

arredrar zurückstoßen; **~se** zurückweichen

arregl|ado ordentlich; geregelt; **~ar** regeln; arrangieren; ausbessern; in Ordnung bringen; **~o** *m* Regelung f; Anordnung f; *jur* Vergleich

arremeter angreifen, anfallen

arrenda|miento *m* Verpachtung f; *Am a* Vermietung f; **~r** (ver)pachten; *Am a* (ver)mieten; **~tario** *m*, **~taria** f Pächter(in); *Am a* Mieter(in)

arrepentirse de *et* bereuen

arres|tado verhaftet; unerschrocken; **~tar** verhaften; **~to** *m* Verhaftung f; Arrest; *fig* Schneid

arriba oben, droben; **por ~** oberhalb, oben; **¡~!** hoch!; los!

arri|bada f *Mar* Einlaufen *n*; **~bar** *Mar* einlaufen; *Am a allg* ankommen; **~bo** *m* Ankunft f

arriero *m* Maultiertreiber

arriesgar wagen, riskieren

arri|mar heranrücken; anlehnen; **~mo** m Annäherung f; Lehne f, Stütze f

arrodillarse [-ʎ-] niederknien

arrogan|cia [-θ-] f Anmaßung, Arroganz; **~te** anmaßend, arrogant; forsch

arro|jar [-x-] schleudern; Gewinn abwerfen; **~jarse a** s. stürzen auf (in); **~jo** [-xo] m Verwegenheit f

arrollar [-ʎ-] (auf)rollen; überfahren (a fig)

arropar bekleiden; zudekken

arroyo m Bach; Gosse f

arroz [-θ] m Reis

arruga f Runzel; **~r** runzeln; zerknittern

arruinar zerstören, ruinieren

arsenal m Arsenal n; Mil Marinewerft f

arte m od **~** f pl Kunst f; Kunstfertigkeit f

arteria f Arterie, Schlagader

arte|ría f Schlauheit, List; **~ro** listig, schlau

artesa f Trog m; **~nía** f (Kunst-)Handwerk n; **~no** m Handwerker

articul|ación [-θ-] f Gelenk n; Gliederung; Artikulation; **~ado** gegliedert; **~ar** artikulieren; **~ista** m Artikelschreiber

artículo m Artikel; **~ de fondo** Leitartikel; **~ de gran consumo** Massenartikel

artífice [-θe] m Künstler; fig Urheber

artifi|cial [-θ-] künstlich; **~cio** [-θ-] m Kunstgriff; **~cioso** [-θ-] kunstvoll

artillería [-ʎ-] f Artillerie

artista su Künstler(in)

artístico künstlerisch

arveja [-xa] f Span Wicke; Am Erbse

as m As n; fig Kanone f

asa f (el) Henkel m

asado m Braten; RPl Grillfleisch n; Grillparty f; adj gebraten; **bien ~** durchgebraten; **~r** m Grill; Bratspieß

asalariado m Lohn-, Gehalts-empfänger

asal|tar angreifen, überfallen; **~to** m Angriff, Überfall; fay Ansturm

asamblea f Versammlung

asar braten; **~ a la parrilla** grillen

ascen|dente [-θ-] aufsteigend; **~der** v/t im Amt befördern; v/i (auf)steigen; **~diente** [-θ-] m Einfluß; **~s** mpl Vorfahren

ascensión [-θ-] f Aufstieg m; ♀ Himmelfahrt

ascensor [-θ-] m Fahrstuhl

asco m Ekel

ascua f Glut (Kohle)

asegura|do m Versicherte(r); **~r** (ver)sichern; zusichern

asemejarse [-x-] s. ähneln, ähnlich sein (dat a)

asenta|dor m Zwischenhändler; **~r** hin-, aufsetzen; errichten; Hdl buchen; v/i passen

asenti|miento m Zustimmung f; **~r** beipflichten

aseo m Sauberkeit f; Toilette f, W.C. n; **~ personal** Körperpflege f

asequible [-k-] erreichbar, erschwinglich

aserra|dero m Sägewerk n; **~r** sägen

asesin|ar ermorden; **~ato** m Mord; **~o** m, **~a** f Mörder(in)

asesor m Gerichtsbeisitzer; Berater

asfalto m Asphalt

asfixiar(se) ersticken (v/i)

así so; **~ como** sowieso; **~ que** so daß

asidui|dad f Pünktlichkeit; Emsigkeit; **~o** emsig; häufig, ständig; m **(parroquiano) ~o** Stammgast

asiento m Sitz, Platz; Hdl Buchung f; **~ de ventanilla** Fensterplatz; **~ trasero (expulsor)** Rück- (Schleuder-)sitz

asigna|r zuweisen, anweisen; **~tura** f Studienfach n

asilo m Asyl n; Heim n

asimilar angleichen; geistig verarbeiten, erfassen; im Körper verarbeiten

asimismo ebenso, ebenfalls

asis|tencia [-θ-] f Anwesenheit; Beistand m; **~tenta** f Putzfrau; **~tente** m Assistent; Teilnehmer, Anwesende(r); **~tir** pflegen; beistehen; **~tir a** teilnehmen an

asma f (el) Asthma n

asno m Esel

asocia|ción [-θiaθ-] f Vereinigung; Verband m; **~do** bsd Pol assoziiert; m Teilhaber; **~r** verbinden, vereinigen

asomarse (a) hinausschauen; **¡no ~!** nicht hinauslehnen!

asom|bradizo [-θ-] scheu; schreckhaft; **~brar** verdunkeln; in Erstaunen setzen; **~bro** m Erstaunen n; **~broso** erstaunlich

asomo m Anschein, Anzeichen n; **ni por ~** nicht die Spur

aspecto m Anblick; Aussehen n; Gesichtspunkt

aspereza [-θa] f Rauheit; Herbheit; Strenge

áspero rauh (Fläche); herb

aspira|ción [-θ-] f Atemholen n; fig Trachten n, Streben n; **~dor** m Staubsauger; **~nte** m Anwärter; **~r** einatmen; Tech einsaugen; **~r a** trachten nach

aspirina f Aspirin n

asque|ar [-k-] anwidern, (an)ekeln; **~roso** ekelhaft, widerlich (a fig)

asta f (el) Schaft m; Horn n (des Stiers); Mar Topp m; **a media ~** halbmast

astill|a [-ʎa] f Splitter m, Span m; **~ero** m Schiffswerft f

astracán m Persianer(mantel)

astro m Gestirn n

atraso

astrólogo *m* Astrologe

astro|nauta *m* Astronaut, Raumfahrer; **~nave** *f* Raumschiff *n*; **~nomía** *f* Astronomie

astu|cia [-θ-] *f* Verschlagenheit, List; **~to** schlau, verschlagen

asueto *m* Ruhetag; **día** *m* **de ~** schulfreier Tag

asunto *m* Angelegenheit *f*; Sache *f*; Geschäft *n*

asustar erschrecken

atacar angreifen; befallen (*Krankheit*)

atadura *f* Bindung *f* (*Ski*)

ataj|ar [-x-] *Weg* abschneiden; **~o** *m* Abkürzung(sweg *m*) *f*

atalaya *f* Aussichtsturm *m*

ataque [-ke] *m* Angriff; *Med* Anfall

atar (an-, fest-, zu-)binden

atardecer [-θ-] dämmern; **al ~** gegen Abend

atasco *m Kfz* Stau

ataúd *m* Sarg

atavío *m* Putz, Schmuck

aten|ción [-θ-] *f* Aufmerksamkeit; Achtung!; **¡~der** beachten; betreuen; bedienen; **~tado** *m* Attentat *n*, Anschlag; **~to** aufmerksam

atenu|ante mildernd; strafmildernd; **~ar** mildern; abschwächen

ateo gottlos, atheistisch

aterrar *Mar*, *Flgw* landen; **~(se)** erschrecken (*v/i*)

aterriza|je [-θaxe] *m Flgw* Landung *f*; **~je forzoso** Notlandung *f*; **~r** *Flgw* lan-

den

aterrorizar [-θ-] terrorisieren

atest|ación [-θ-] *f* Zeugenaussage; **~ado** *m* Bescheinigung *f*; Attest *n*; **~iguar** bezeugen

ático *m* Dachgeschoß *n*

atizar [-θ-] schüren (*a fig*)

atleta *m* Leichtathlet

atmósfera *f* Atmosphäre (*a fig*)

atolondrado leichtsinnig, unvernünftig

atómic|a *f Méj* Kugelschreiber *m*; **~o** in *Zssgn* Atom...; **bomba** *f* **~a** Atombombe

átomo *m* Atom *n*

atont|ar [-θ-] *f* dumm machen; verblüffen

atormentar foltern; quälen

atornillar [-λ-] ein-, an-, fest-schrauben

atra|cadero *m* Anlegeplatz; **~r** *Mar* anlegen; *v/t* überfallen

atrac|ción [-θ-] *f* Anziehung(skraft); Attraktion; **~o** *m* Raubüberfall; **~tivo** anziehend; *m* (Lieb-)Reiz

atraer anziehen, anlocken

atrás hinten; zurück; **por ~** von hinten; **hacia ~** rückwärts

atra|sado rückständig; **~sar** *v/t* verzögern; zurückstellen; *v/i* nachgehen (*Uhr*); **~sarse** s. verspäten; **~so** *m* Zurückbleiben *n*; Rückgang; **~sos** *pl Hdl* Rückstände

atravesar

atravesar durchqueren; überqueren

atre|verse a (es) wagen zu; **~vido** dreist, kühn

atribu|ir zuschreiben; zuerkennen; **~to** m Eigenschaft f

atril m Notenständer; Pult n

atrio m Vorhalle f

atrocidad f Greuel m; Scheußlichkeit

atropella|do [-ʎ-] überstürzt, übereilt; **~r** überfahren; umrennen; **~rse** s. überstürzen

atropello [-ʎo] m Zs-stoß; Gewalttätigkeit f; F Pöbelei f

atroz [-θ] gräßlich, scheußlich

atún m Thunfisch

auda|cia [-θ-] f Kühnheit; **~z** [-θ] kühn; verwegen

audible hörbar

audiencia [-θ-] f Audienz, Empfang m; Gerichts-hof m, -saal m; **~ territorial** etwa Oberlandesgericht n

aula f (el) Hörsaal m; Klassenzimmer n

aulaga f Bot Stechginster m

aumen|tar vermehren, vergrößern; erhöhen; v/i zunehmen; steigen (Preise); **~to** m Vermehrung f; Vergrößerung f; Erhöhung f; **~to de sueldo** Gehaltserhöhung f

aun, aún noch, noch immer; **ni ~** nicht einmal

aunque [-ke] obwohl, wenn auch

auricular m Tel Hörer;

Kopfhörer

aurífero goldhaltig

aurora f Morgenröte

auscultar Med abhorchen

ausen|cia [-θ-] f Abwesenheit; Fehlen n; **~tarse** s. entfernen; **~te** abwesend

austral südlich

auténtico glaubwürdig, echt; zuverlässig

auto m Auto n; **~banco** m Autoschalter (Bank); **~bús** m Autobus; **~car** m Reisebus; **~cine** [-θ-] m Autokino n; **~escuela** f Kfz Fahrschule; **~estopista** su Anhalter(in); **~expreso** m Autoreiszug

autógrafo m Autogramm n

auto|motor m Triebwagen; **~móvil** m Kraftfahrzeug n; Auto n

automovil|ismo m Autosport; **~ista** su Autofahrer(in)

autonomía f Autonomie

autopista f Autobahn

autor m Urheber; Verfasser, Autor

autori|dad f Autorität, Macht; Behörde; **~zación** [-θaθ-] f Bevollmächtigung; Genehmigung; **~zar** [-θ-] ermächtigen; beglaubigen

auto|rriel m Schienenbus; **~servicio** m Selbstbedienung f

autostop m Autostop; **~ista** m Anhalter

auto|-tren m Autoreiszug; **~vía** f Schienenbus m;

Schnellstraße

auxi|liar helfen...; *adj* Hilfs...; *m* Gehilfe, Assistent; **~lio** *m* Hilfe *f*; Beistand; **~lio en carretera** Pannenhilfe *f*

avalancha [-ʧa] *f* Lawine

avan|ce [-θe] *m* Vorrücken *n*; *Hdl* Vorschuß; *Film*: Vorschau *f*; **~zar** [-θ-] vorrücken

avar|icia [-θ-] *f* Geiz *m*; **~o** geizig; *m* Geizhals

ave *(el)* Vogel *m*; **~s** *pl* Geflügel *n*

avecindarse [-θ-] s-n Wohnsitz nehmen

avellana *f* [-ʎ-] *f* Haselnuß

avena *f* Hafer *m*

avenencia [-θ-] *f* Übereinkunft; Eintracht

avenida *f* Allee; Hochwasser *n*

aventu|ra *f* Abenteuer *n*, Erlebnis *n*; **~rar** wagen; **~rarse** s. vorwagen; **~rero** abenteuerlich; *m* Abenteurer

avergonzar [-θ-] beschämen; **~se** s. schämen

avería *f* Mar Havarie; *Kfz* Panne; Beschädigung

averiarse verderben (*Ware*); beschädigt werden

averiguar untersuchen; ermitteln; ergründen

aversión *f* Abneigung

avestruz *m* *Zo* Strauß

avia|ción [-θ-] *f* Luftfahrt, Flugwesen *n*; **~dor** *m* Flieger

avidez [-θ] *f* Gier

avión *m* Flugzeug *n*; **~ de reacción** Düsenflugzeug *n*; **~ chárter (de línea)** Charter- (Linien-)maschine *f*; **por ~** mit Luftpost

avisador *m*: **~ luminoso** Lichthupe *f*; **~ de incendios** Feuermelder

avi|sar benachrichtigen; **~so** *m* Nachricht *f*; Bescheid; Warnung *f*; *Am* Inserat *n*

avispa *f* Wespe; **~do** aufgeweckt, clever

avivar beleben; *a fig* anfachen

axila *f* Achsel(höhle)

¡ay! ach!, oh!

ayer gestern

ayuda *f* Hilfe; **~r** helfen

ayuntamiento *m* Gemeinderat; Rathaus *n*

azafata [-θ-] *f* Stewardeß; Hosteß

azahar [aθ-] *m* Orangenblüte *f*

azar [aθ-] *m* Zufall

azorarse [aθ-] Lampenfieber (*od* Angst) bekommen

azotea [aθ-] *f* Dachterrasse

azúcar [aθ-] *m* Zucker; **~ en terrones** Würfelzucker

azufre [aθ-] *m* Schwefel

azul [aθ-] blau; **~ celeste** himmelblau; **~ejo** [-xo] *m* Kachel *f*

azuzar [aθuθ-] anstacheln; aufhetzen

2*

babor

36

B

babor *m Mar* Backbord *n*
baby *m Span* Kittel
bacalao *F Am* reich, betucht
bacalao *m* Kabeljau; **cortar el ~** den Ton angeben
bacán *F Am* reich, betucht
bacín [-θ-] *m* Nachtgeschirr *n*
bache [-tʃe] *m* Schlag-; Luft-loch *n*
bachiller [-tʃiʎ-] *m* Abiturient; **~ato** *m* Abitur *n*
bagaje [-xe] *m* Gepäck *n*
bagatela *f* Kleinigkeit
bahía *f* Bucht, Bai
bai|lador(a *f)* *m* Tänzer(in); **~lar** tanzen; **~larín** *m*, **~larina** *f* Ballettänzer(in); **~le** *m* Tanz; Ball; **~lete** *m* Ballett *n*
baja [-xa] *f* Fallen *n*; Rückgang *m*; *Hdl* Sinken *n* (*des Preises*); **dar de ~** abmelden; **~da** *f* Abstieg *m*; *Flgw* Niedergehen *n*; **~r** herunternehmen; senken; (hin-)absteigen; sinken; fallen; **~r las luces** *Kfz* abblenden; **~rse** s. bücken; aussteigen
bajeza [-xeθa] *f* Gemeinheit
bajío [-x-] *m* Untiefe *f*; *Am* Tiefland *n*
bajo [-xo] niedrig, tief; leise (*Stimme*); unten, unter; *m Mus* Baß; **~s** *mpl* Sandbänke *fpl*
bala *f* Kugel; Ballen *m*; **~cera** [-θ-] *f Am* Schießerei
balance [-θe] *m* Bilanz *f*, Saldo; **~ar** balancieren;

schwanken; *Mar* schlingern; *Am Kfz* auswuchten
balandro *m* Jolle *f*
balanza [-θa] *f* Waage
balbucear [-θ-] stammeln, stottern
balcón *m* Balkon
baldadura *f* Lähmung
balde *m Mar* u *Am* Eimer; **de ~** unentgeltlich; **en ~** umsonst, vergebens
baldío brach; unbebaut
balneario *m* Badeort
bal|ompié *m* Fußball; **~ón** *m* Ball
balon|cesto [-θ-] *m* Basketball(spiel *n*) *m*; **~mano** *m* Handball(spiel *n*) *m*
balsa *f* Floß *n*; **~ salvavidas** Schlauchboot *n*
baluarte *m* Bollwerk *n*
balle|na [-ʎ-] *f* Wal *m*; **~t** *m* Ballett *n*
bambú *m* Bambus(rohr *n*) *m*
banal banal; *F* abgedroschen
banana *f Am* Banane
banc|a *f* Schemel *m*; *Hdl* u. *Spiel* Bank; Bankwesen *n*; **~o** *m* Bank *f* (*a Hdl*)
banda *f* Band *n*; Schärpe; (Musik-)Kapelle; **~ verde** Grünstreifen *m*
bandeja [-xa] *f* Tablett *n*
bande|ra *f* Fahne, Flagge; Banner *n*; **~rilla** [-ʎa] *f Stk* Banderilla (*kleiner Spieß*); **~rilla de fuego** Banderilla mit Schwärmern; **~rola** *f* Wimpel *m*

37 **base**

bandolero *m* Räuber, Bandit

banque|ro [-k-] *m* Bankier; Bankhalter; ~ta *f* Schemel *m*; *Méj* Gehsteig *m*; ~te *m* Bankett *n*, Festessen *n*; ~tear schlemmen

bañ|adera [-ɲ-] *f Arg* Badewanne; ~ador *m* Badehose *f*; ~ar baden; ~era *f* Badewanne; ~ero *m* Bademeister; ~ista *f* Badegast; Kurgast; ~o *m* Bad *n*; *Am* Toilette *f*, W.C. *n*; ~o maría Wasserbad *n*; ~os *pl* Badeanstalt *f*

baptisterio *m* Taufkapelle *f*

baque|ta [-k-] *f* Gerte; ~ano *m Súda* ortskundiger Führer

bar *m* Imbißstube *f*

baraja [-xa] *f* Spiel *n* Karten; ~ *Karten* mischen

baranda *f* Geländer *n; Billard* Bande

bara|tear verschleudern; ~tija [-xa] *f* Ramsch *m*, Schund *m*; ~tillo [-ʎo] *m* Trödelmarkt; ~to billig, preiswert

barba *f* Kinn *n*; Bart *m*

barbaridad *f* Barbarei; F Unmenge

bárbaro barbarisch; *m* Barbar

bar|bero *m* Barbier; ~billa [-ʎa] *f* Kinn *n*; ~budo vollbärtig

barca *f* Barke, Kahn *m*; ~ de pedales (de remos) Tret-(Ruder-)boot *n*; ~za [-θa] *f* Barkasse

barco *m* Schiff *n*; ~ de vela (de vapor) Segel-(Dampf-)schiff *n*

barítono *m* Bariton

barniz [-θ] *m* Firnis; Lack; Glasur *f*; ~ar firnissen; glasieren; lackieren

barómetro *m* Barometer *n*

barque|ro [-k-] *m* Fährmann; ~illo *m* Waffel *f*

barra *f* Stange; Theke; ~s paralelas Barren *m*; ~ca *f* Baracke; *Span* Bauernhütte; *Am* Schuppen *m*

barranco *m* Schlucht *f*

barre|dera *f* Straßenkehrmaschine; ~na *f* Bohrer *m*; entrar en ~na *Flgw* trudeln; ~r kehren, (weg)fegen; ~ra *f* Schranke; Sperre (*Bahnsteig*); Hindernis *n*; ~ra del sonido Schallmauer; ~ro *m* Töpfer

barriada *f* Stadtteil *m*; *Am* Elendsviertel *n*

barriga *f* Bauch *m*

barril *m* Faß *n*

barrio *m* Stadtviertel *n*; irse al otro ~ F abkratzen, sterben

barrita *f* de carmín Lippenstift *m*

barro *m* Schlamm, Kot; Töpfererde *f*; Lehm

barruntar ahnen

barullo [-ʎo] *m* Wirrwarr; Krach

basa *f* Säulenfuß *m*; ~lto *m* Basalt; ~r gründen; stützen (en, sobre auf)

báscula *f* Waage

base *f* Grundlage, Basis;

Chem Base; *Mil* Stützpunkt *m*

basílica *f* Basilika

¡basta! genug jetzt!, Schluß!

basta|nte ausreichend, genug; ziemlich; **~r** genügen

bastidor *m* Rahmen; Kulisse *f*; *Fot* Kassette *f*

bastón *m* Stock

basu|ra *f* Kehricht *m*, Müll *m*; **~rero** *m Span* Müllfahrer; *Am* Abfallhaufen; Mülldeponie *f*

bata *f* Morgenmantel *m*; **~ de baño** *Am* Bademantel *m*

batalla [-ʎa] *f* Schlacht

batea *f Süda* (Wasch-)Trog *m*

batería *f* Batterie; *Mus* Schlagzeug *n*; **~ de cocina** Küchengeschirr *n*

batida *f* Treibjagd; Razzia

batido gebahnt; *m* Schütteln *n*, Schlagen *n*; **~ (de leche)** Milchmixgetränk *n*; **~r** *m* Schneeschläger; **~ra** *f* Mixer *m*

bati|ente *m* Fenster-, Türflügel; **~r** schlagen

batista *f* Batist *m*

batuta *f* Taktstock *m*; **llevar la ~** *fig* den Ton angeben

baúl *m* großer Koffer; *Col Kfz* Kofferraum

bauti|smo *m* Taufe *f*; **~zar** [-θ-] taufen; *Wein* panschen; **~zo** [-θo] *m* Taufe *f*

baya *f* Beere

bayo falb (*Pferd*)

baza [-θa] *f* (*Kartenspiel*) Stich *m*

bazar [-θ-] *m* Basar; Warenhaus *n*

bazo [-θo] *m* Milz *f*

bea|tería *f* Frömmelei; **~titud** *f* Seligkeit; **~to** fromm; naiv

bebé *m* Baby *n*

bebe|dero *m* Tränke *f*; **~dor** *m* Trinker; **~r** trinken; saufen (*Tiere*)

bebida *f* Getränk *n*

beca *f* Stipendium *n*; **~rio** *m* Stipendiat

beige [bes] beige

bejuco [-x-] *m Am* Liane *f*; Schnur *f*

belén *m* (Weihnachts-) Krippe *f*

bélico kriegerisch

beli|coso kriegerisch, streitbar; **~gerante** [-x-] kriegführend

bell|eza [-ʎeθa] *f* Schönheit; **~o** schön; **las bellas artes** die schönen Künste

bellota [-ʎ-] *f* Eichel

bencina [-θ-] *f* (Wasch-, Wund-)Benzin *n*

bendecir [-θ-] segnen

benefi|cencia [-θenθ-] *f* Wohltätigkeit; **~ciar** [-θ-] wohltun; verbessern; anbauen, nutzen; **~cio** [-θ-] *m* Wohltat *f*; Nutzen; Gewinn; **~cioso** [-θ-] vorteilhaft

benéfico wohltätig

Benemérit|a *f Span* F = **guardia civil**; **2o** verdienstvoll

benévolo wohlwollend

berberecho [-tʃo] *m* Herz-

39   **bisoñé**

muschel f
berenjena [-x-] f Aubergine
berbiquí [-ki] m Drillbohrer
bermejo [-xo] (hoch)rot
berza [-θa] f Kohl m
be|**sar** küssen; **~so** m Kuß
bestia f Tier n, Vieh n;
Dummkopf m; **~l** bestia-
lisch; F toll, unwahrschein-
lich; **~lidad** f Bestialität
besugo m Seebrassen
besuquear [-k-] f (ab)knut-
schen
betabel m Méj Runkelrübe f
betún m Schuhcreme f;
Teer
biberón m Saugflasche f
Biblia f Bibel
biblioteca f Bibliothek; **~rio**
m Bibliothekar
bicarbonato m Natron n
bicicleta [-θ-] f Fahrrad n;
~ acuática Wassertretrad n
bicho [-tʃo] m Tier n; Stier;
~s pl Ungeziefer n; **mal ~**
gemeiner Kerl
bidé m, **~et** m Bidet n; **~ón** m
Kanister
biela f Pleuel-, Kurbel-
stange
bien gut, wohl; recht; sehr;
m (das) Gute; Wohl n; **~es**
pl Vermögen n; Gut n; Habe
f; cj **si ~** obschon; **no ~**
kaum; **¡está ~!** gut!; das ist
recht!
bien|al zweijährig; **~aven-
turado** selig; **~estar** m
Wohlbefinden n; Wohl-
stand; **~hechor** [-tʃ-] m
Wohltäter
bienveni|da f: **dar la ~da**

willkommen heißen; **~do**
willkommen
bife m Süda Beefsteak m
biftec m s **bistec**
bifurcarse s. gabeln; ab-
zweigen
bigamia f Bigamie
bigote m Schnurrbart
bigudís mpl Lockenwickel
bilateral zweiseitig, bilateral
bilis f Galle; fig Zorn m
billar [-ʎ-] m Billard(spiel) m
billete [-ʎ-] m Fahrkarte f;
~ de lotería Lotterielos n;
~ de banco Banknote f
billón [-ʎ-] m Billion f
bimestral zweimonatlich
bimotor zweimotorig
bio|grafía f Biographie; **~
gráfico** biographisch
biógrafo m Biograph
bio|logía [-x-] f Biologie; **~
lógico** [-x-] biologisch
biombo m spanische Wand f
birome f Arg Kugelschreiber
birria f F Plunder m, Mist m
bis adv noch einmal; da capo
bisabuel|a f, **~o** m Urgroß-
mutter, -vater
bisagra f Türangel, Scharnier n
bisel m Schrägkante f
bisemanal zweimal wö-
chentlich
bisiesto: año ~ Schaltjahr
n
bisniet|o m, **~a** f Urenkel
(-in)
bisonte m Bison m
bisoñé [-ɲe] m Haarteil m

bisoño

Toupet *n*; **~ño** [-ɲo] *m* Neuling, Grünschnabel; *Mil* Rekrut

bist|é, ~ec *m* Beefsteak *n*

bisutería *f* Modeschmuck *m*

bíter *m*, **bitter** *m* Bitter (*Aperitif*)

bituminoso teerhaltig

bizarro mutig; ritterlich

bizco [-θ-] schielend; **~cho** [-tʃo] *m* Zwieback

blanco weiß; blank; *m* Ziel *n*; Zielscheibe *f*: **~ y negro** *m* Eiskaffee; **dar en el ~** (ins Ziel) treffen; **firmar en ~** blanko unterschreiben

blan|do weich; **~dura** *f* Weichheit; Weichlichkeit

blanqu|ear [-k-] weißen; bleichen; tünchen; **~illo** [-ʎo] *m* Méj, Am Cent (Hühner-)Ei *n*

blasfe|mar lästern; **~mia** *f* Gotteslästerung; **~mo** *m* Gotteslästerer

blasón *m* Wappen *n*

blinda|do gepanzert; **~je** [-xe] *m* Panzerung *f*; *El* Abschirmung *f*

bloc *m* (Schreib-)Block

bloque [-ke] *m* Block; Klotz; **~ar** blockieren

blusa *f* Bluse; Kittel *m*

bluyín *m* Súda Blue Jeans *pl*

boa *f* Zo Boa

bob|ada *f* Dummheit; **~ina** *f* Spule, Rolle; **~ina de(l) encendido** Zündspule; **~o** dumm, albern; *m* Narr

boca *f* Mund *m*; Maul *n*; Mündung; Öffnung; **~ de riego** Hydrant *m*; **~ abajo**

(arriba) auf dem Bauch (Rücken); **~calle** [-ʎe] *f* Straßeneinmündung; **~dillo** [-ʎo] *m* belegtes Brötchen *n*; *Col* Guavengelee *n*

bocina [-θ-] *f* Hupe; Horn *n*; **tocar la ~** hupen

bocio [-θ-] *m* Med Kropf

bocha [-tʃa] *f* Bocciakugel; **~s** *pl* Bocciaspiel *n*

bochorno [-tʃ-] *m* Schwüle *f*

boda *f* Hochzeit

bode|ga *f* Weinkeller *m*; Laderaum *m*; Weinstube; **~gón** *m* Mal Stilleben *n*

bofetada *f* Ohrfeige

boga *f* Rudern *n*; **estar en ~** in Mode sein

bohío *m* Am Stroh-, Schilfhütte *f*

boina *f* Baskenmütze

boj [box] *m* Buchsbaum

bola *f* Kugel; F Schwindel *m*, Lüge *f*; **~s** *pl* Am P Hoden *pl*

bolate *m* Súda Durchea *f*

boldo *m* Am Boldo(tee) (*für Magen- und Leberleiden*)

bolero *m* Bolero(tänzer); Schwindler; Aufschneider; *Méj* Schuhputzer

boletín *m* Schein; Bericht; **~ meteorológico** Wetterbericht; **~ oficial** Amtsblatt *n*

boleto *m* Am Fahrkarte *f*

boliche [-tʃe] *m* Fangspiel *n*; Súda Kramladen; Kneipe *f*

bólido *m* Kfz Rennwagen

bolígrafo *m* Kugelschreiber

bolo *m* Kegel

bol|sa *f* Beutel *m*; Tüte; Geldbeutel *m*; Hdl Börse;

~a de agua Wärmflasche; **~sillo** [-ʎo] m Tasche f; Geldbörse f; **~so** m Handtasche f

bollo [-ʎo] m Milchbrötchen n

bomba f Pumpe; Bombe; Col Tankstelle; Col Luftballon m; adj inv toll; **~chas** [-tʃ-] Pl RPl Höschen n, Schlüpfer m; **~rdear** bombardieren

bombero m Feuerwehrmann; **~s** pl Feuerwehr f

bom|billa [-ʎa] f Glühbirne; **~bones** mpl Pralinen fpl

bonachón [-tʃ-] gutmütig

bondad f Güte; **tenga la ~** seien Sie bitte so freundlich ...; **~oso** gütig

bonifica|ción [-θ-] f Vergütung; Düngung; **~r** vergüten; meliorieren

bonito hübsch; m Bonito (kleiner Thunfisch)

bono m Bon, Gutschein; Bonus

boquerón [-k-] m Art Sardelle f

boqui|abierto [-k-] mit offenem Mund; sprachlos; **~lla** [-ʎ] f Mundstück n; Zigaretten-, Zigarren-spitze; (Zigaretten-)Filter m

borbo|llón [-ʎ-], **~tón** [o] m Sprudeln n; **a ~tones** hastig

bordado m Stickerei f

borde m Rand; Kante f; Krempe f

bordo m Bord; **a ~** an Bord

boreal nördlich; **aurora** f **~** Nordlicht n

borla f Quaste f

borne m Klemmschraube f

borona f Hirse; Mais(brot n) m; Am Brotkrümel m

borrach|era [-tʃ-] f Rausch m; **~o** betrunken; m Trunkenbold; Betrunkene(r)

borra|dor m Entwurf; Am Radiergummi; **~dura** f Streichung; **~r** streichen; a Tonband löschen

borrasca f Sturm m; Sturmtief n

borrego m Schaf n; Dummkopf; Méj falsche Nachricht f, Ente f

borrón m Klecks

bosque [-ke] m Wald; Gehölz n; **~jar** [-x-] skizzieren; entwerfen; **~jo** [-xo] m Entwurf; Skizze f

bostezar [-θ-] gähnen

bota f Stiefel m; Lederflasche; Weinschlauch m; **~dura** f Stapellauf m; **~nas** fpl Méj kleine, pikante Vorspeisen

botánic|a f Botanik; **~o** botanisch; m Botaniker

botar hinauswerfen; bocken (Pferd); Am wegwerfen; **~ata** m Col Verschwender

bote m Boot n; Stoß; Span gemeinsame Trinkgeldkasse f; **~ neumático** (salvavidas) Schlauch- (Rettungs-)boot n

bote|lla [-ʎa] f Flasche; **~llero** [-ʎ-] m Flaschenkorb, -gestell n

botica f Apotheke; **~rio** m F Apotheker

botija [-xa] f kurzhalsiger
Krug m; **~jo** [-xo] m Wasserkrug (*mit Henkel und Tülle*); **~llería** [-ʎ-] f Chi Getränkemarkt m

botín m Halbstiefel; (Diebes-, Kriegs-)Beute f

botiquín [-k-] m Reise-, Haus-, Auto-apotheke f; Verbandskasten

boto plump

botón m Knopf; Knospe f; **~ de presión** Druckknopf

botones m Page, (Hotel-) Boy

bóveda f Gewölbe n

boxe|ador m Boxer; **~ar** boxen; **~o** m Boxkampf

boya f Boje; Schwimmer m (*Kork*)

bozal [-θ-] m Maulkorb

bracero m Hilfsarbeiter; Tagelöhner

bra|ga f Hebeseil n; **~gas** f/pl Schlüpfer m, Slip m; **~gueta** [-ge-] f Hosenschlitz m

bram|a f Brunft; **~ar** brüllen; heulen; **~ido** m Brüllen n; Gebrüll n

branquias [-k-] f/pl Kiemen

bras|a f Kohlenglut; **~ero** m Kohlenbecken n; **~sier(e)** m Am Büstenhalter

brav|eza [-θa] f Wut (*Elemente*); **~o** tapfer; wild; (*Col* böse, wütend; **~ura** f Tapferkeit; Wildheit

braz|alete [-θ-] m Armband n; **~o** m Arm; Vorderbein n (*der Tiere*); fig Mut; Gewalt f; **a todo ~o** aus Leibeskräften; **~os** m/pl Arbeitskräfte

fpl

brea f Teer m, Pech n

brecha [-tʃa] f Bresche

brega f Kampf m, Streit m; **~r** s. ablprangen, hart arbeiten

breva f (grüne) Feige

breve kurz; **en ~** bald, in Kürze; **~dad** f Kürze

brezo [-θo] m Heidekraut n

bribón m Taugenichts

bricolaje [-xe] m Basteln n; Heimwerken n

brida f Zaumzeug n; Zügel m

brill|ante [-ʎ-] glänzend, strahlend; m Brillant; **~antez** [-θ] f Glanz m; glänzen, funkeln; **~o** m Glanz, Schein

brin|car springen, hüpfen; **~co** m Sprung, Satz

brin|dar anstoßen (*beim Trinken*; auf por); **~dar a alg con** j-m anbieten; **~dis** m Trinkspruch, Toast

brío m Kraft f; Mut, Schneid; fig Feuer n

brioso mutig; feurig

briqué [-ke] m Am Feuerzeug n

brisa f Brise

brocha [-tʃa] f großer Pinsel m; Rasierpinsel m; **~e** m Haken und Öse f; Brosche f; Am Büroklammer f

brom|a f Spaß m, Scherz m; **~ear** scherzen; **~ista** m Spaßmacher

bromo m Brom n

bronca f Zank m, Krach m; Rüffel m

bronce [-θe] *m* Bronze *f*; **~ado** bronzefarben; braungebrannt; **~ar** bronzieren; *Haut* bräunen

bronco roh, unbearbeitet; spröde (*Metall*); rauh (*Stimme*)

bronqui|al [-k-]: **catarro ~al** Bronchialkatarrh; **~os** *mpl* Bronchien *fpl*; **~tis** *f* Bronchitis

bro|tar keimen, sprießen; hervorquellen; **~te** *m* Knospe *f*, Sproß; *fig* Anfang

bruja [-xa] *f* Hexe

brújula [-x-] *f* Kompaß *m*; Magnetnadel

bruma *f* *Mar* Nebel *m*; **~oso** neblig

bruñir [-ɲ-] polieren

brusco plötzlich; jäh, brüsk

brut|alidad *f* Brutalität; **~o** tierisch; dumm; **en ~o** in rohem Zustand; **peso** *m* **~o** Brutto-, Roh-gewicht *n*

bucea|dor [-θ-] *m* Taucher; **~r** tauchen

bucle *m* Locke *f*

buche [-tʃe] *m* Kropf (*der Vögel*)

budín *m* Pudding

buen (*vor msg*) = **bueno**

buenaventura *f* Glück *n*

bueno gut; tüchtig; gesund; **¡~!** na schön!; **dar por ~** billigen

buey *m* Ochse; Rind *n*

búfalo *m* Büffel

bufanda *f* Schal *m*

bufete *m* Anwaltsbüro *n*; Büfett *n*

bufón närrisch; *m* Spaß-

macher; Hofnarr

búho *m* Uhu

buitre *m* Geier

bujía [-x-] *f* Zündkerze

bulto *m* Bündel *n*; Gepäckstück *n*; **~s** *pl* **de mano** Handgepäck *n*; **a ~** drauflos (*reden*)

bulla(nga) [-ʎ-] *f* Tumult *m*; Krach *m*

bulli|cio [-ʎiθ-] *m* Tumult, Lärm; **~r** sieden, (auf-)wallen

bungaló *m* Bungalow

buñuelo [-ɲ-] *m* Ölkringel

buque [-ke] *m* Schiff *n*; **~ petrolero** Tanker *m*; **~ de vapor** (**de guerra**) Dampf- (Kriegs-)schiff *n*

burbuja [-xa] *f* Wasser-, Luft-blase

burdel *m* Bordell *n*

bur|gués [-ges] *m* Bürger; **~guesía** [-ge-] *f* Bürgerstand *m*; Bourgeoisie

burla *f* Spott *m*, Hänselei; verspotten; an der Nase herumführen; vereiteln; **~sco** scherzhaft; burlesk

burocracia [-θ-] *f* Bürokratie

burro *m* Esel

bus *m* Bus

busca *f* Suche; **en ~ de** auf der Suche nach; **~r** suchen; holen (*lassen*)

buseca *f* *Arg* Kaldaunen *fpl*

búsqueda [-k-] *f* Suche

busto *m* Büste *f*; Brustbild *n*

butaca *f* großer Lehnstuhl

butifarra

m, Sessel *m*; *Thea* Parkett-
platz *m*
butifarra *f typisch katalani-
sche* Bratwurst

C

cabal völlig; richtig
cabalga|dura *f* Reit-, Last-
tier *n*; **~ta** *f* Reitertrupp *m*
caballa [-ʎ-] *f* Makrele
caballe|ría [-ʎ-] *f* Kavalle-
rie; **~riza** [-θa] *f* Pferdestall
m; **~rizo** *m* Stallmei-
ster; **~ro** *m* Ritter; Kavalier; mein Herr! (*als Anre-
de*); **~s** *pl* Herren (*Toilette*);
~roso ritterlich
caballete [-ʎ-] *m* Staffelei *f*;
Arbeitsgestell *n*
caballo [-ʎo] *m* Pferd *n*;
Springer (*Schach*); **a ~** zu
Pferd; **~s de vapor** (*Abk
C.V.*) Pferdestärken *fpl*
(*Abk PS*)
cabaña [-ɲa] *f* Hütte; Schaf-
herde; Viehbestand *m*
cabaret *m* Nachtbar *f*; Kabarett *n*
cabece|ar [-θ-] den Kopf
schütteln; (ein)nicken;
Mar stampfen (*Schiff*); **~ra**
f Kopfende *n*; Stirnseite;
Ehrenplatz *m* (*am Tisch*);
Hauptteil *m*; **médico de ~
ra** Hausarzt
cabecilla [-θiʎa] *m* Rebel-
len-, Rädelsführer
cabell|o [-ʎo] *m* Haar *n*; **~u-
do** langhaarig; behaart
caber Platz haben; hineingehen; möglich sein; zufal-

len
cabestro *m* Halfter
cabez|a [-θa] *f* Kopf *m*,
Haupt *n*; Spitze; Verstand
m; (Familien-)Oberhaupt
n; **~al** *m Kfz* Kopfstütze *f*;
~udo dickköpfig (*a fig*)
cabida *f* Raum(gehalt) *m*,
Fassungsvermögen *n*
cabina *f* Kabine; (Telefon-)
Zelle; **~ presurizada**
Druckkabine
cabinera *f Süda* Stewardeß
cable *m* Kabel *n*; Ankertau
n; **~ de remolque** Schlepp-
seil *n*; **~ de encendido**
Zündkabel *n*
cabo *m* Ende *n* (*räumlich u
zeitlich*); Spitze *f*; Stummel; Kap *n*; Gefreite(r),
Korporal; Anführer; **al ~**
am Ende, schließlich; **~
taje** [-xe] *f* Küstenschiffahrt *f*
cabra *f* Ziege; *Chi F* Frau,
Mädchen *n*
cabrearse *P* sauer werden;
s. ärgern
cabritilla [-ʎa] *f* Ziegen-,
Schaf-, Glacé-leder *n*
cabrón *m* Bock *m* Hahnrei;
Am a Zuhälter; **¡~!** Saukerl!
cacahuete *m* Erdnuß *f*
cacao *m* Kakao *m*
cacarear *a fig* gackern
cacería [-θ-] *f* Jagd; Jagd-

45

calar

ausflug m

cacerola [-θ-] f Kasserolle

cacique [-θike] m (Indio-)
Häuptling; F fig hohes (od
großes) Tier n

cacto, ~tus m Kaktus

cacharro [-tʃ-] m Topf; fig
pej Karre f

cache|o [-tʃ-] m Leibesvisitation f; **~te** m Klaps; Col
Gesäßbacke f; **~tudo** pausbäckig

cachiporra [-tʃ-] f Knüppel
m; Keule

cacho [-tʃ-] m Brocken;
Scherbe f; Am Horn n
(Huftiere); **~ndeo** m F Riesenspaß; **~ndo** geil, lüstern

cachupín [-tʃ-] m Méj pej
Spanier

cada jeder, jede, jedes; **~
uno, ~ cual** ein jeder

cadáver m Leichnam; Kadaver

cadena f Kette; TV **1ª** ~ 1.
Programm; **~s** pl fig Fesseln; **~ antideslizante**
Schneekette; **~ de montaje**
Fließband n

cadencia [-θ-] f Rhythmus
m; Tonfall m

cadera f Hüfte

cadete m Kadett; Am ~
Laufbursche

caduc|ar verfallen; ablaufen; ungültig werden; **~idad** f Verfall m, p fig
Hinfälligkeit; **~o** bau-,
hinfällig

caer fallen; ab-, aus-fallen
(Blätter, Haare)

café m Kaffee; Café n; (~)

cortado, ~ perico Col, **~
marroncito** Ven Kaffee
mit etwas Milch; **~ solo**
schwarzer Kaffee; **~ con leche** Kaffee verkehrt

cafe|tal m Kaffeepflanzung
f; **~tera** f Kaffeekanne

cag|ada f Tab Scheiße; **~adera** f Tab Dünnschiß m;
~ar Tab scheißen; kaputtmachen; **~arse** in die Hose
machen (a fig); **~ón** m Tab
Scheißkerl, Angsthase

caíd|a f Fall m, Fallen f;
Sturz m; **a la ~ del sol** bei
Sonnenuntergang; **~o** herabhängend; m Gefallene(r)

caja [-xa] f Kiste; Schachtel; Karton m; Packung;
Kasse; **~ de ahorros** Sparkasse; **~ de caudales** Geldschrank m, Tresor m; **~ de
reloj** Uhrgehäuse m; **~ de
seguros contra la enfermedad** Krankenkasse;
Kfz **~ de cambios** Getriebe n

cajero [-x-] m Kassierer

cajón [-x-] m Kasten, große
Kiste f; (Schub-)Lade f

cal f Kalk m; **~a** f Bucht

calabaza [-θ-] f Kürbis m;
dar ~s fig e-n Korb geben

calado m Tiefgang (Schiff);
adj durchnäßt

calamar m Tintenfisch

calambre m Krampf

calamidad f Plage; Unheil
n

calar hinein-, durch-stoßen; eindringen in, durchnässen; *Mar* Tiefgang haben; **~se absaufen** (*Motor*); naß werden (*Person*)

calavera 1. *f* Totenkopf *m*; 2. *m fig* Leichtfuß *m*

calcañar [-ɲ-] *m* Ferse *f*

calcar durchzeichnen

calce|ta [-θ-] *f* Strumpf *m*; **hacer ~ta** stricken; **~tín** *m* Herrensocke *f*

calcio [-θ-] *m* Kalzium *m*

calco *m* Durchzeichnung *f*, Pause *f*; **~manía** *f* Abziehbild *n*

calcul|able zählbar, berechenbar; **~adora** *f* Rechenmaschine; **~adora de bolsillo** Taschenrechner *m*; **~ar** (be)rechnen, kalkulieren

cálculo *m* (Be-)Rechnung *f*; Rechnen *n*, Kalkulation *f*; **~s** *pl biliares* Gallensteine

calde|ar erwärmen; **~ra** *f* Kessel *m*; **~ra de vapor** Dampfkessel *m*; **~rilla** [-ʎa] *f* Kleingeld *n*

caldo *m* Fleischbrühe *f*

calefacción [-θ-] *f* Heizung; Erhitzung; **~ central** Zentralheizung

calendario *m* Kalender *m*

calenta|dor *m* Boiler; **~miento** *m* Wärmen *n*, Erhitzen *n*; **~r** (er)wärmen; heizen; **~rse** s. erhitzen

calentura *f* Fieber *n*

calidad *f* Beschaffenheit, Eigenschaft; Qualität

cálido *Lit, Mal, fig* warm; heiß (*Klima usw*)

calien|taplatos *m* Warm-halteplatte *f*; **~te** warm, heiß; *fig* feurig; **agua** *f* **~te** Warmwasser *n*

califica|ción [-θ-] *f* Benennung; Qualifikation; **~do** fähig, geeignet; **~r** benennen, bezeichnen; qualifizieren; **~tivo** bezeichnend; *m* Beiname

cáliz [-θ] *m* Kelch

calma *f* Ruhe, Stille; Windstille; Gelassenheit; **~nte** beruhigend; *m* schmerzstillendes Mittel *n*; **~r** beruhigen

calor *m* Wärme *f*, Hitze *f*; **hace (mucho) ~** es ist warm (heiß)

calumni|a *f* Verleumdung; **~ar** verleumden; **~oso** verleumderisch

caluroso *fig* hitzig

calv|a *f*, **~icie** [-θ-] *f* Glatze; **~o** kahlköpfig; *m* Kahlkopf

calza|da [-θ-] *f* Fahrbahn; **~do** *m* Schuhwerk *n*; **~dor** *m* Schuhanzieher; **~oncillos** [-θiʎ-] *mpl* Unterhose *f*

calla|do [-ʎ-] schweigend; heimlich; **~r** (ver)schweigen; **¡calla!** sei still!; nanu!

callampa [-ʎ-] *Chi f* Pilz *m*; Elendsviertel *n*

calle [-ʎ-] *f* Straße; **~ lateral (mayor)** Seiten- (Haupt-)straße; **~ con prioridad** Vorfahrtsstraße; **~ ciega** [-θ-] *f Ven* Sackgasse; **~ja** [-xa] *f* Gasse; **~jear** [-x-] durch die Straßen bummeln; **~jero** [-x-] Stra-

canalla

ßen..., Gassen...; streunend (*Hund*); m Straßenverzeichnis n; **~jón** [-x-] m Gasse f; **~jón sin salida** Sackgasse f

callo [-ʎo] m Schwiele f; Hühnerauge n; **~s** pl Kaldaunen fpl

cama f Bett n; **guardar ~** das Bett hüten

camaleón m Chamäleon n

cámara f Kammer; Fot Kamera; **~ de aire** Kfz Schlauch m; **2 de Diputados** Abgeordnetenhaus n

cama|rada m Kamerad; **~rera** f Kellnerin; Zimmermädchen n; auf e-m Schiff Stewardeß f; **~rero** m Kellner; Steward; **~rón** m Garnele f, Krabbe f; **~rote** m Schiffskabine m, Kajüte f; **~rote exterior (individual)** Außen- (Einzel-) kabine f

cambia|ble austauschbar; **~r** (aus)wechseln, tauschen

cambio m Tausch; Wechsel; Wechselgeld n; (Wechsel-)Kurs; Wandel; Umsteigen n; Esb Weiche f; **~ del día** Tageskurs; **~ automático** automatisches Getriebe n; **~ de aceite** Ölwechsel; **~ de marcha** Gangschaltung f

cambista m Geldwechsler

cambur m Ven Banane f

camello [-ʎo] m Kamel n

camilla [-ʎa] f Tragbahre f

camin|ar wandern, gehen; **~o** m Weg; Straße f; Gang

cami|ón m Last(kraft)wagen; **~oneta** f Lieferwagen m

cami|sa f Hemd n; **~sa de noche** Span; **~sa de dormir** Am Nachthemd n; **~seta** f Unterhemd n; **~són** m Nachthemd n

camo|rra f Streit m; **~te** Am Süßkartoffel f

campamento m Mil Lager n; a Camping(platz m) n

campana f Glocke; Rauchfang m; **~da** f Glockenschlag m; **~rio** m Glockenturm

campaña [-ɲa] f Feld n; Feldzug m

campechano [-tʃ-] jovial

campe|ón m Sp Meister; **~onato** m Meisterschaft f

campesin|o bäuerlich, ländlich; m, **~a** f Bauer, Bäuerin

campestre ländlich

camping m Camping(platz m) n; **~sta** m Camper, Zeltler

campo m Land n (nicht Stadt); Feld n; **~ santo** Kirchhof; **~ de deportes** Sportplatz; **tener ~** Col Platz haben; **~s** pl Ländereien fpl

camufla|je [-xe] m Mil Tarnung f; **~r** tarnen (a fig)

cana f weißes Haar n

canal m Meerenge f; Kanal; **~izar** [-θ-] kanalisieren; **~ón** m Dachrinne f

canalla [-ʎa] **1.** f Gesindel n; **2.** m Lump

canast|a f Korb m; Canasta n (Kartenspiel); **~o** m Korb

cancelar [-θ-] (aus)streichen; ungültig machen; Scheck sperren; Am Rechnung zahlen

cáncer [-θ-] m Med Krebs

canciller [-θiʎ-] m Kanzler; Am ~ Außenminister

canción [-θ-] f Gesang m; Lied n; **~ popular** Volkslied n; **~ protesta** Protestsong m

cancha [-tʃa] f Spielplatz m; Am Sportplatz m; (bsd Pferde-)Rennbahn; **tener ~ (en)** Am Erfahrung haben (in)

candado m Vorhängeschloß n

cande|la f Kerze; **dar ~la** Am Feuer geben (Raucher); **~lero** m Leuchter

candida|to m Kandidat; **~tura** f Kandidatur, Bewerbung

cándido einfältig, naiv

canela f Zimt m

cangrejo [-xo] m (Fluß-) Krebs

canguro m Känguruh n; Span Babysitter

cani|cas f/pl Murmeln; **~llita** [-ʎ-] m Rpl, Pe Zeitungsverkäufer

canje [-xe] m Wechsel, Austausch; **~ar** auswechseln

cano|a f Kanu n; **~taje** [-xe] m Kanusport

cansa|do müde, matt; **~r** ermüden; **~rse** müde werden; s. langweilen

cansón Súda lästig

canta|nte su Sänger(in); **~r** singen

cántaro m Krug

cantatriz [-θ] f (Konzert-) Sängerin

cantera f Steinbruch m

cantidad f Anzahl, Menge

cantimplora f Feldflasche

cantina f Kantine; Weinkeller m

canto m Gesang; Kante f; Dicke f; **~** m Sänger

caña [-ɲa] f Rohr n; Stiefelschaft m; kleines Bier; **~ de pescar** Angelrute; **~ de azúcar** Zuckerrohr n

cáñamo [-ɲ-] m Hanf

cañ|ería [-ɲ-] f Wasser-, Gas-leitung; **~o** m Röhre f; Abflußrohr n; Arg Wasserhahn; **~ón** m Gewehrlauf; Kanone f

caoba f Mahagoni-baum m, -holz n

caos m Chaos n

caótico chaotisch

capa f Pelerine, Umhang m; Schicht; **~cidad** [-θ-] f (Leistungs-)Fähigkeit; Kapazität; **~taz** [-θ] m Vorarbeiter; **~z** [-θ] fähig, begabt

capilar haarfein

capilla [-ʎa] f Kapelle

capital hauptsächlich; f Hauptstadt; m Kapital n; **~ismo** m Kapitalismus; **~ista** kapitalistisch; m Kapitalist

capitán m Hauptmann; Kapitän

capitula|ción [-θ-] f Kapi-

carmín

tulation; **~r** kapitulieren
capítulo m Kapitel n
capó m Motorhaube f
caporal m Anführer
capota f Autodeck n
capricho [-tʃo] m Laune f;
~so launisch; wunderlich
cápsula f Kapsel, Hülse
capt|ar erschleichen; erfassen; **~ura** f Festnahme; **~u-rar** fangen
cara f Gesicht n, Miene;
Vorderseite
carabi|na f Karabiner m; **~nero** m Grenzpolizist
caracol m Schnecke f
carácter m Charakter, Art f;
Buchstabe
caracter|ística f Kennzeichen n, Merkmal n; **~ístico** bezeichnend; **~izar** [-θ-] charakterisieren, kennzeichnen
caracú m RPl Knochenmark n
caradura m unverschämter Kerl
carajillo [-xiʎo] m Kaffee mit etwas Schnaps
¡caramba! Donnerwetter!
carátula f Maske, Larve;
Am Titelseite
caravana f Karawane;
Wohnwagen(anhänger) m
carbón m Kohle f
carbon|era f Kohlenmeiler m; **~ero** m Kohlenhändler;
Köhler; **~izar** [-θ-] verkohlen; **~o** m Kohlenstoff
carbura|dor m Kfz Vergaser; **~nte** m Treibstoff
carcajada [-x-] f Gelächter

n
cárcel [-θ-] f Gefängnis n
carcelero [-θ-] m Gefängniswärter
cardenal m Kardinal;
blauer Fleck
cardíaco Herz...; m herzstärkendes Mittel n
care|cer [-θ-] de nicht haben, ermangeln, entbehren; **~ncia** f [-θ-] Mangel m; Fehlen n
careo m Gegenüberstellung f
carestía f Teuerung
careta f Maske
carey m Karettschildkröte f;
Schildpatt
carga f Last, Bürde; Fracht;
Ladung; **~dero** m Ladeplatz, -bühne f; **~dor** m Lader; Ladevorrichtung f;
~mento m Schiffsladung f;
Fracht f; **~nte** lästig, beschwerlich; **~r** (be)laden, belasten
cargo m Last f; Amt f; **hacerse ~ de** übernehmen;
s. klar sein über; **a ~ de ...**
Hdl zu Lasten von ...
carguero [-ge-] m Frachter
caricatura f Karikatur
caricia f [-θ-] Liebkosung
caridad f christliche Nächstenliebe
caries f Karies
cariño [-no] m Zuneigung f;
~so zärtlich
caritativo mildtätig, barmherzig
carlinga f Cockpit n
carmín m Lippenstift

carnaval m Karneval

carne f Fleisch n; **~ro** m Hammel

carnet m: **~ de conducir** Führerschein; **~ de identidad** Personalausweis

carnicer|ía [-θ-] f Metzgerei, Fleischerei; **~o** m Metzger, Fleischer

caro teuer; lieb, wert

carpa f Karpfen m; Am Zelt n

carpeta f Aktendeckel m; Schreibmappe; Pe Schulbank

carpintero m Zimmermann; Schreiner

carrera f Lauf m; Rennen n; zurückgelegte Strecke; Karriere; Laufmasche

carre|ta f Karren m; **~te** m Spule f, Rolle f; Rollfilm; **~tera** f Landstraße

carril m Fahrspur f; Esb Schiene f

carro m Karren; Wagen; Am Auto n; **~ocería** [-θ-] f Karosserie; **~oza** [-θa] f Staatskutsche; **~uaje** [-xe] m Fuhrwerk n; **~usel** m Am Karussell n

carta f Brief m, Schreiben n; Spielkarte; Speisekarte; **~ blanca** Blankoformular n; Blankovollmacht, freie Hand; **~ certificada**, Am a **registrada**, **recomendada** Einschreibebrief m; **~ de crédito** Kreditbrief m; **~ exprés**, **~ urgente** Eilbrief m

cartel m Plakat n; Anschlag;

estar en ~ auf dem Spielplan stehen; **~era** f Anschlagsäule; Vergnügungsanzeiger m (in Zeitungen)

carte|ra f Brieftasche; Aktenmappe; Am a (Damen-)Handtasche; **~ro** m Briefträger

cartón m Pappe f; Pappschachtel f; Stange f (Zigaretten)

cartucho [-tʃo] m Patrone f; Geldrolle f

cartuja [-xa] f Kartäuserkloster n

casa f Haus n; Firma; **~ adosada** Reihenhaus n; **~ de alquiler** Mietshaus n; **~ rodante** Arg Wohnwagenanhänger m

casa|dero heiratsfähig; **~miento** m Heirat f; **~r** verheiraten; jur aufheben; **~se** heiraten

cascada f Wasserfall m

casca|jo [-xo] m Schotter; **~r** zerknacken; verprügeln

cáscara f Schale

casco m Helm; Scherbe f, Splitter; Rumpf; Huf; **~ (de la ciudad)** Stadtkern, Innenstadt f

casero häuslich; hausgemacht

caseta f de baño [-ɲo] Badekabine f

caset(**t**)**e** m s cassette

casi beinahe, fast

casilla f [-ʎa] f Hütte; Fach n; Feld n (Schachbrett); **~ de correos** Am Postfach n; **~ de seguridad** (Bank-)

51

cebar

Schließfach *n*

caso *m* Fall; *Gr* Kasus; **en ~ de que** falls; **hacer ~ a alg** auf j-n hören, eingehen; **~ es que** der Sache ist die, daß

¡cáspita! Donnerwetter!

casquete [-k-] *m* Kappe *f* (*a Tech*)

cassette 1. *m* Kassettenrecorder; *f* (Tonband-) Kassette

casta *f* Rasse, Art; **de ~** reinrassig, Rasse...

casta|ña [-ɲa] *f* Kastanie, *f* Ohrfeige; **~ño** [-ɲo] kastanienbraun; *m* Kastanie (*Baum*); **~ñuela** [-ɲ-] *f* Kastagnette

castellano [-ʎ-] *m* kastilisch; spanisch; *m* Kastilier

castidad *f* Enthaltsamkeit

castigar (be)strafen; **~go** *m* Strafe *f*

castillo [-ʎo] *m* Burg *f*; Schloß *n*

castizo [-θo] rein, echt; **~o** rein; keusch

castrar kastrieren

casual zufällig; **~idad** *f* Zufall *m*; **por ~idad** zufällig(erweise)

catálogo *m* Katalog

catar kosten, probieren

catarata *f* Wasserfall *m*; *Med* grauer Star *m*

catarro *m* Katarrh

catástrofe *f* Katastrophe

cátedra *f* Kathede *n*; Lehrstuhl *m*

catedral *f* Kathedrale, Dom *m*

catedrático *m* Professor

categoría *f* Kategorie; Rang *m*; **de ~** bedeutend, hervorragend

categórico unbedingt, bestimmt

catiro *Ven* blond

católico katholisch; *m* Katholik

catre *m* Feldbett *n*

caución [-θ-] *f* Kaution, Sicherheit

caucho [-tʃo] *m* Kautschuk, Gummi

caudal *m* Vermögen *n*; **un ~ de** eine Menge (von)

caudillo [-ʎo] *m* Anführer

causa *f* Ursache; Grund *m*; Rechtssache; **a ~ de** wegen; **~r** verursachen

cáustico ätzend, brennend

caut|ela *f* Vorsicht, Vorbehalt *m*; **~larse** s. hüten; **~loso** vorsichtig, behutsam

cautiv|ar gefangennehmen; *fig* fesseln, entzücken; **~o** gefangen

cauto vorsichtig u schlau

cavar (be)hacken; graben

caverna *f* Höhle

caviar *m* Kaviar

cavidad *f* Höhlung, Vertiefung

caza 1. *f* Jagd; Wild *n*; **~ submarina** Unterwasserjagd; 2. *m* Jagdflugzeug *n*; **~dor** *m* Jäger

cazuela [-θ-] *f* Tiegel *m*, Kasserolle *f*

ceba [θ-] *f* Mast (*Vieh*); **~da** *f* Gerste; **~r** mästen, füttern; *fig* schüren

cebiche [θebitʃe] *m Süda Gericht aus rohem Fisch, Essig, Zwiebeln usw*

cebo [θ-] *m* Köder; Futter *n*

cebolla [θeβoʎa] *f* Zwiebel; **~eta** *f*, **~ino** *m* Schnittlauch *m*

cebra [θ-] *f* Zebra *n*; **paso de ~** Zebrastreifen

cecear [θeθ-] lispeln

ceder [θ-] *v/t* abtreten; nachgeben; **~ el paso a alg** j-m den Vortritt lassen; **ceda el paso** Vorfahrt beachten!

cédula [θ-] *f* Zettel *m*, Schein *m*; **~ de identidad** *Süda* Personalausweis *m*

cegar [θ-] erblinden; blenden; *fig* verblenden; **~uedad** [-ge-] *f* Blindheit

ceja [θexa] *f* Augenbraue; **~r** zurückweichen; *fig* nachgeben

celda [θ-] *f* Zelle

celebración [θelebraθ-] *f* Feier; Vollziehung; **~r** preisen, feiern; abhalten; **~rse** stattfinden

célebre [θ-] berühmt

celebridad [θ-] *f* Berühmtheit

celeste [θ-] himmlisch; himmelblau; **~ial** *a fig* himmlisch

celibato [θ-] *m* Zölibat *n u m*

celo [θ-] *m* Eifer; Brunst *f*; Tesafilm; **~s** *pl* Eifersucht *f*; **~so** eifrig; eifersüchtig

célula [θ-] *f* (*Gewebs-*)Zelle

celular [θ-] Zell(en)...; **~losa** *f* Zellulose

cementerio [θ-] *m* Fried-

hof; **~to** *m* Zement

cena [θ-] *f* Abendessen *n*; 2 *Rel* Abendmahl *n*; **~dor** *m* Gartenlaube *f*; **~r** zu Abend essen

cenicero [θeniθ-] *m* Aschenbecher; **~za** [-θa] *f* Asche

censo [θ-] *m* Volkszählung *f*; Pachtzins; **~or** *m* Zensor, Kritiker; **~ura** *f* Zensur; Kritik; **~urar** zensieren; tadeln, kritisieren

centavo [θ-] *m* Hundertstel *n*; Centavo (*süda Münze, 1/100 Peso*)

centella [θenteʎa] *f* Funke *m*; Blitz *m*

centenario [θ-] hundertjährig; *m* Jahrhundertfeier *f*

centeno [θ-] *m* Roggen

centésimo [θ-] hundertste(r)

centígrado [θ-] hundertgradig; **dos grados ~s** zwei Grad Celsius

centímetro [θ-] *m* Zentimeter

céntimo [θ-] *m span Münze* (= *1/100 Pesete*)

centinela [θ-] 1. *f* Wache *f*; 2. *m* Wachposten; **estar de ~** Wache stehen

centolla [θentoʎa] *f*, **~o** *m* Meerspinne *f*

central [θ-] zentral; *f* Zentrale; **~ eléctrica** Kraftwerk *n*; **~ nuclear**, **~ atómica** Kernkraftwerk *n*; **~ita** *f* Telefonzentrale (*im Hotel usw*)

céntrico [θ-] Zentral...

ciclo

centr|ifugadora [θ-] f Zentrifuge; **~o** m Mittelpunkt, Zentrum n; **~o comercial** Einkaufszentrum n

ceñi|do [θeɲ-] eng anliegend; **~irse** s. umgürten; fig s. kurz fassen; **~o** m Stirnrunzeln n

cepa [θ-] f Baumstumpf m; Rebstock m

cepill|ar [θepiʎ-] bürsten; hobeln; **~o** m Hobel; Bürste f; **~o de dientes** Zahnbürste f

cera [θ-] f Wachs n

cerámica [θ-] f Keramik (-waren fpl)

cerca [θ-] nahe; f Zaun m; Gehege n; **~ de** bei; ungefähr

cercan|ía [θ-] f Nähe; **~ías** pl Umgebung; **tren ~ de** m Nahverkehrszug; **~o** nah

cerciorarse [θ-] s. vergewissern (**de** gen)

cerco [θ-] m Reif(en) (Faß)

cerd|a [θ-] f Roßhaar n; Borste f; **~o** m Schwein n

cere|ales [θ-] mpl Getreide n; **~belo** m Kleinhirn n; **~bral** Gehirn...; **conmoción ~bral** Gehirnerschütterung; **~bro** m Gehirn n

ceremoni|a [θ-] f Feierlichkeit; Zeremonie; **sin ~a** ohne Umstände; **~al** adj (u m) zeremoniell; **~oso** förmlich

cerez|a [θereθa] f Kirsche; **~o** m Kirsch-baum, -holz n

cerilla [θeriʎa] f Streichholz

n; Ohrenschmalz n; **caja** f **de ~s** Streichholzschachtel

cero [θ-] m Null f

cerquita [θerk-] ganz nahe

cerra|do [θ-] geschlossen; fig verschlossen; **~dura** f (Tür- usw) Schloß n; **~jero** [-x-] m Schlosser; **~r** (ab-, ver-, zu-)schließen; zuklappen; Radio ausschalten

cerro [θ-] m Hügel; Am Berg; **~jo** [-xo] m Riegel

certamen [θ-] m Wettstreit; Leistungsschau f

certe|ro [θ-] treffsicher; treffend, genau; **~za** [-θa] f Gewißheit

certidumbre [θ-] f Gewißheit, Sicherheit

certifica|do [θ-] m Bescheinigung f, Zeugnis n; **~r** bescheinigen, beglaubigen; Brief einschreiben (lassen)

cerve|cería [θerβeθ-] f Bierbrauerei; Bierlokal n; **~za** [-θa] f Bier n

cesa|ción [θesaθ-] f Aufhören n; **dejar ~r** Beamte entlassen; **~r** aufhören; **sin ~r** unaufhörlich

ces|e [θ-] m Einstellung f, Aufgabe f; **~ión** f Abtretung

césped [θ-] m Rasen

ces|ta f, **~to** m Korb m **ch** siehe ab Seite 72

ciática [θ-] f Ischias f u m

cicatriz [θikatriθ] f Narbe; **~ar** vernarben

cicli|smo [θ-] m Radsport; **~ta** su Radfahrer(in)

ciclo [θ-] m Zyklus, Kreis-

ciclón

lauf

ciclón [θ-] m Zyklon

cieg|as [θ-] adv: a ~as blindlings; ~o blind; m, ~a f Blinde(r)

cielo [θ-] m Himmel; ~s pl Rel Himmel m; **a ~ raso** (od **abierto**) im Freien; **~rraso** m Am (Zimmer-)Decke f

cien [θ-] hundert (vor Subst)

cien|cia [θ-] f Wissenschaft; **~cias** fpl Naturwissenschaften; **~tífico** wissenschaftlich; m Wissenschaftler

ciento [θ-] hundert; **el dos por ~** zwei Prozent, 2%

cierre [θ-] m Schluß; Schließung f; Verschluß

cierto [θ-] gewiß; sicher; ~s manche; **estar en lo ~** recht haben

ciervo [θ-] m Hirsch

cifra [θ-] f Ziffer, Zahl; Code m, Chiffre; **~r** verschlüsseln

cigarr|illo [θiɣarríʎo] m Zigarette f; **~o** m Zigarette f; **~puro** Zigarre f

cigüeña [θiɣüeɲa] f Storch m; **~l** m Kurbel(welle) f

cilindra|da [θ-] f Hubraum m; **~dora** f Am Straßenwalze

cilíndrico [θ-] zylindrisch

cilindro [θ-] m Zylinder

cima [θ-] f Gipfel m, Bergspitze; Höhepunkt m

cimentar [θ-] (be)gründen; fundamentieren

cimiento [θ-] m Grundmauer f; **~s** pl Fundament n

cinc [θ-] m Zink n

cincel [θinθ-] m Meißel; **~ado** m Ziselierarbeit f; **~ar** meißeln; stechen

cincha [θintʃa] f Sattelgurt m

cine [θ-] m Kino n; **~ sonoro** Tonfilm

cínico [θ-] zynisch; m Zyniker

cinismo [θ-] m Zynismus

cinta [θ-] f Band n, Streifen m; Rand m; **~ adhesiva** Span., **pegante** Am Klebestreifen m; **~ aislante (magnetofónica)** Isolier- (Ton-)band n; **~ métrica** Zentimetermaß n

cintu|ra [θ-] f Taille; **~rón** m Gürtel; Gurt; **~rón de seguridad** Sicherheitsgurt

ciprés [θ-] m Zypresse f

circo [θ-] m Zirkus

circu|ito [θ-] m Stromkreis; **corto ~ito** Kurzschluß; **~lación** [-θ-] f Kreislauf m (a Med), Umlauf m; Straßenverkehr m; **~lar** kreisförmig; f Rundschreiben n; v/i umlaufen, zirkulieren; Esb verkehren

círculo [θ-] m Kreis (a fig)

circunferencia [θirkumfe-renθ-] f Math Umfang m, Umkreis m

circuns|cribir [θ-] Geom umschreiben; **~tancias** [-θ-] fpl Umstände mpl; Lage f

circunvalación [θirkumba-laθ-] f: **carretera f de ~** Umgehungsstraße

55   coalición

ciruela [θ-] f Pflaume; ~ **se-**
ca, ~ **pasa** Backpflaume
ciru|gía [θirux-] f Chirurgie; ~**jano** [-x-] m Chirurg
cisne [θ-] m Schwan
cisterna [θ-] f Zisterne
cita [θ-] f Verabredung; Zitat n; ~**ción** [-θ-] f Vorladung; Zitat n; ~ **r** vorladen; zitieren; ~**rse** s. verabreden
ciudad [θ-] f Stadt; ~**anía** f
Staatsbürgerschaft; ~**ano**
städtisch; m Bürger; Städter; ~**ela** f Zitadelle
cívico [θ-] (staats)bürgerlich; **deber** m ~ Bürgerpflicht f
civil [θ-] bürgerlich, zivil; m
Zivilist: **guerra** f ~ Bürgerkrieg m; **por lo** ~ standesamtlich; ~**ización** [-θaθ-] f
Zivilisation, Kultur; ~**iza-**
do [-θ-] zivilisiert, gebildet;
~**izar** [-θ-] zivilisieren, erziehen
clandestino heimlich
clara f lichte Stelle (*Haar,*
Wald); Eiweiß n; ~**boya** f
Oberlicht n, Dachluke
clar|ear hell werden; s. aufklären; ~**idad** f Helle; Klarheit; ~**ificar** *Tech* klären;
fig erhellen
clarín m (Signal-)Horn n
claro hell; klar; deutlich;
poner en ~ klarstellen
clase f Art; Klasse (*a Schu-*
le); Unterricht(sstunde f)
m; Vorlesung
clásico klassisch; mustergültig
clasifica|ción [-θ-] f Eintei-

lung, Einordnung; Klassifikation; ~**dor** m Vor-,
Pult-ordner; ~**r** einordnen,
sortieren
claudicar *fig* hinken
claustro m Kreuzgang; ~ **de**
profesores Lehrkörper
cláusula f Klausel
clavar nageln; **F** *Kunden,*
Gäste ausnehmen
clave f *fig* Schlüssel m, Lösung; Code m; **en** ~ chiffriert, verschlüsselt
clavel m Nelke f
clavija [-xa] f Stift m, Bolzen
m; Stecker m
clavo m Nagel; Gewürznelke f
claxon m Hupe f
clemen|cia [-θ-] f Milde,
Gnade; ~**te** mild, gnädig
clérigo m Geistliche(r)
cliente m Klient; Patient;
Kunde; ~**la** f Kundschaft
clima m Klima n; *fig* Stimmung f; ~**tizador** [-θ-] m
Klimaanlage f
clínica f Klinik
clip m Haarklemme f; Ohrclip; Büroklammer f
clisé m Klischee n
cloroformo m Chloroform
clóset m *Méj, Am Cent, Col*
Einbauschrank
club m Klub; ~ **nocturno**
Nachtlokal n
clueca f Glucke
coagular verdicken; ~**se** gerinnen
coalición [-θ-] f *Pol* Koalition; Zs-schluß m

cobard|e feige; m Feigling;
~ía f Feigheit
cobayo m Meerschweinchen
n; fig Versuchskaninchen
n
cober|tizo [-θο] m Schuppen; **~tura** f Überdecke;
Hdl Deckung
cobija [-xa] f Col, Ven
(Woll-)Decke
cobra f Kobra (Schlange)
cobra|ble einziehbar (Geld);
~dor m Kassierer; Schaffner (Bus); **~r** (ein)kassieren; Geld abheben; Gehalt
beziehen; Scheck einlösen
cobre m Kupfer n
cobro m Erhebung f; Einziehung f (Geld), Inkasso m
cocaína f Kokain n
cocer [-θ-] kochen
coci|do [-θ-] m Eintopf(gericht n) m; **~na** f Küche;
~na de gas (eléctrica)
Gas- (Elektro-)herd m; **~nar** kochen; **~nera** f Köchin; **~nero** m Koch
coco m Kokosnuß f; **~drilo**
m Krokodil m
coche m (-tʃe) Wagen; Auto
n; Waggon; **~ de alquiler
(sin chófer)** Leihwagen; **~
de carreras** Rennwagen;
~cama m Schlafwagen; **~
-grúa** m Abschleppwagen;
~literas m Liegewagen; **~
-restaurante** m Speisewagen; **~ro** m Kutscher
cochi|na [-tʃ-] f Sau; **~nada**
f fig Schweinerei; **~nillo**
[-ʎo] m Spanferkel; **~nillo
de Indias** Meerschwein-

chen n; fig Versuchskaninchen n
códice [-θe] m Kodex
codici|a [-θ-] f Habsucht;
~ar sehnlichst wünschen;
~oso habsüchtig
código m Gesetzbuch n
codo m Ellbogen; Tech
Knie(rohr) n; **hablar por
los ~s** F quatschen
codorniz [-θ] f Wachtel
coeficiente [-θ-] f Koeffizient
coexistencia [-θ-] f Koexistenz
cofre m Koffer; Truhe f
coger [-x-] (er)greifen, fassen; RPl Tab vögeln
cogida [-x-] f Obsternte;
Verletzung (durch den
Stier)
coheren|cia [-θ-] f Zs-hang
m; **~te** zs-hängend
cohete m Rakete f
coinci|dencia [-θiden-θ-] f
Zs-treffen n; Gleichzeitigkeit; **~dir** zs-treffen; s.
überschneiden
coj|ín [-x-] m Kissen n; **~inete** m kleines Kissen n; Tech
(Kugel-)Lager n
cojo [-xo] hinkend, lahm;
wackelig (Möbel)
col f Kohl m; **~ de Bruselas**
Rosenkohl m
cola f Leim m; Schwanz m;
hacer ~ Schlange stehen; **a
la ~** am Ende, hinten
colabora|ción [-θ-] f Mitarbeit; **~dor** m Mitarbeiter;
~r mitarbeiten
colación [-θ-] f Imbiß m

colador m Sieb n

colarse s. einschmuggeln

colcha [-tʃa] f Bettdecke

colchón [-tʃ-] m Matratze f; **~ neumático** Luftmatratze f

colec|ción [-θ-] f Sammlung; **~cionar** [-θ-] sammeln; **~tividad** f Gesamtheit; **~tivo** gemeinsam, kollektiv; m Am Streckentaxi n; Kleinbus; RPl a Autobus

colega m Kollege; **~io** [-x-] m Schule f; Kammer f, Kollegium n; **~ir** [-x-] folgern, schließen

cólera 1. f Zorn m; 2. m Cholera f

colga|dor m Kleiderbügel; **~r** (an-, auf-, ein-)hängen; Hörer auflegen

colibrí m Kolibri

cólico m Kolik f

coliflor f Blumenkohl m

colilla [-ʎa] f (Zigaretten-) Stummel m

colina f Hügel m, Anhöhe

colindante angrenzend

colisión f Zs-stoß m

colmo m Übermaß m; fig Gipfel, Höhe f; **¡es el ~!** das ist das Letzte!

coloca|ción [-θ-] f Aufstellung; Anstellung; **agencia** f **de ~ciones** Stellenvermittlung; **~r** an-, auf-stellen

coloni|a f Kolonie; (An-) Siedlung; **~zar** [-θ-] besiedeln, kolonisieren

color m Farbe f; Farbton; **de ~ farbig**; **~ado** farbig; rot; **~ar** färben; **~ete** m Am Lippenstift

colosal riesig, kolossal

columna f Säule; Kolumne; Kolonne; **~ vertebral** Wirbelsäule

columpio m Schaukel f

collar [-ʎ-] m Halsband n, Kette f

comadre f Klatschbase; **~ona** f Hebamme

comandan|cia [-θ-] f Kommandantur; **~te** m Kommandant; Major

comandita f: **sociedad** f **en ~** Hdl Kommanditgesellschaft

comarca f Gegend

comba|te m Kampf; **~ir** kämpfen

combina|ción [-θ-] f Zsstellung; Kombination; Unterrock m; **~r** zs-stellen; kombinieren

combusti|ble brennbar; m Brennstoff; **~ón** f Verbrennung

comedia f Lustspiel n; Schauspielhaus n; **~nte** m Schauspieler

comedor m Eßzimmer n; Speisesaal

comején [-x-] m Am Termite f

comen|tar auslegen, kommentieren; **~zar** [-θ-] anfangen (**a** zu)

comer essen, speisen

comer|cial [-θ-] kaufmännisch; Handels..., Geschäfts...; **~ciante** [-θ-]

comerciar

Kaufmann; **~ciar** [-θ-] handeln; **~cio** [-θ-] *m* Handel; Geschäft *n*; Umgang

comestible eßbar; **~s** *mpl* Eßwaren *m*

cometa 1. *m* Komet; 2. *f* (Papier-)Drachen *m*

cometer *Verbrechen usw* begehen

comida *f* Essen *n*; Mahlzeit; *Col, Chi, Ven* Abendessen *n*

comienzo [-θo] *m* Anfang

comillas [-ʎ-] *fpl* Anführungszeichen *npl*

comi|saría *f* Kommissariat *n*; Polizeirevier *n*; **~sario** *m* Kommissar; **~sión** *f* Auftrag *m*; Kommission

comité *m* Ausschuß

como wie, sowie; (*in der Eigenschaft*) als; ungefähr; ¿*cómo*? wie?; ¿*cómo no*? *Am* natürlich!, klar!, gern(e)!

comodidad *f* Bequemlichkeit

cómodo bequem

compacto kompakt; fest

compa|decer [-θ-] bemitleiden; **~dre** [-ɲ-] *m* Gevatter; **~ñero** *m* Kamerad, Begleiter; Kollege; **~ñía** [-ɲ-] *f Hdl* Gesellschaft; **~ñía aérea** (*de seguros*) Flug- (Versicherungs-)gesellschaft; **~ñía naviera** Reederei; **hacer ~ñía a alg** j-m Gesellschaft leisten

compara|ble vergleichbar; **~ción** [-θ-] *f* Vergleich *m*; **en ~ción de** (*od con*) im Vergleich mit; **~r** verglei-

chen

compare|cer [-θ-] vor Gericht erscheinen; **~ciente** [-θ-] *su* Erschienene(r)

compar|sa 1. *f* Gefolge *n*; 2. *su* Statist(in); **~timiento** *m* Abteilung *f*; *Esb* Abteil *n*

compás *m* Zirkel; *Mus* Takt

compa|sión *f* Mitleid *n*; **~sivo** mitleidig; **~tible** vereinbar

compatriota *su* Landsmann *m*, Landsmännin *f*

compendio *m* Auszug; Abriß, Kurzlehrbuch *n*

compensa|ción [-θ-] *f* Ersatz *m*, Ausgleich *m*; **~r** ausgleichen, ersetzen

compe|tencia [-θ-] *f* Konkurrenz, Wettbewerb *m*; Zuständigkeit; **~tidor** Konkurrenz...; *m* Konkurrent; **~tir** wetteifern, konkurrieren

compla|cerse [-θ-] s. freuen; Gefallen finden (**en** an); **~ciente** [-θ-] gefällig

complemen|tario ergänzend; **~to** *m* Ergänzung *f*

comple|tar vervollständigen; ergänzen; **~to** vollständig; besetzt (*Wagen*); **por ~to** *adv* vollständig

complica|ción [-θ-] *f* Verwicklung; **~r** verwickeln, komplizieren

cómplice [-θe] *su* Mitschuldige(r)

complicidad [-θ-] *f* Mitschuld; Beihilfe

compone|nte *m* Bestandteil; **~r** zs-setzen; *Mus*

komponieren; **~rse** bestehen (**de** aus)

comportar (mit s.) bringen;
~se s. betragen, s. aufführen

composi|ción [-θ-] f Zs-set-
zung; Komposition; **~tor** m
Komponist

compostura f Zs-setzung;
Zierde; Ausbesserung

compota f Kompott n

compra f Kauf m; Einkauf
m; **~dor(a)** f m Käufer(in);
~r kaufen, einkaufen

compren|der verstehen; be-
greifen; **~sible** verständlich; **~sión** f
Verständnis n

compre|sa f Med Umschlag
m; **~sa (higiénica)** (Da-
men-)Binde; **~sión** f Druck
m, Tech Kompression; **~sor**
m Tech Kompressor

comprimi|do m Tablette f;
~r zs-drücken; pressen;
unterdrücken

comproba|ción [-θ-] f Be-
stätigung; Kontrolle; **~nte**
m Beleg; **~r** bestätigen;
nachweisen

comprometer j-n bloßstel-
len; **~se** s. verpflichten

compromiso m Verpflich-
tung f; Kompromiß m

compuesto zs-gesetzt, m
Zs-setzung f

computa|dor(a) f m Com-
puter m; **~r** berechnen

común gemeinsam; ge-
wöhnlich; allgemein; **por
lo ~** adv gewöhnlich

comunal Gemeinde...

comuni|cación [-θ-] f Mit-

teilung; Verbindung; Tel
Anschluß m; **~caciones** pl
Verkehrswege mpl; Nach-
richtenverbindungen; **~car**
mitteilen; verbinden; **~dad**
f Gemeinschaft; Am a jur,
Pol Gemeinde; Am a jur,
munion, Abendmahl n; **~s-
mo** m Kommunismus; **~s-
ta** kommunistisch; su
Kommunist(in)

con mit; durch; bei (Personen); **para ~** gegen, zu
(Beziehung); **~ eso** demnach

cóncavo konkav

conce|bir [-θ-] empfangen
(Frau); begreifen; Gedan-
ken fassen; **~der** gewähren;
zugeben; zugestehen

concej|al [-θex-] m Stadt-,
Gemeinde-rat (Person); **~o**
m Stadt-, Gemeinde-rat
(Körperschaft)

concentrar [-θ-] konzen-
trieren

concep|ción [-θebθ-] f
Empfängnis; Fassungs-
kraft; **~to** m Begriff; Entwurf; Auffassung f

concerni|ente [-θ-] a betref-
fend; **~r** betreffen

concertar [-θ-] Geschäft,
Kauf abschließen; verein-
baren; übereinstimmen

concesión [-θ-] f Bewilli-
gung; Konzession

concien|cia [-θien θ-] f Ge-
wissen n; Bewußtsein n; **~-
zudo** [-θ-] gewissenhaft

concierto [-θ-] m Einklang;
Übereinkunft f; Konzert n

conci|liable [-θ-] vereinbar; **~liación** [-θ-] f Versöhnung; Einigung; jur Vergleich m; **~liante** versöhnlich; vermittelnd; **~liar** ver-, aus-söhnen; in Einklang bringen; **~liar el sueño** einschlafen; **~liarse** s. versöhnen; für s. einnehmen; s. zuziehen; **~lio** m Konzil n

conciso [-θ-] gedrängt; knapp

conciudadan|o [-θ-] m, **~a** f Mitbürger(in)

conclu|ir (ab)schließen; vollenden; folgern; enden; **~sión** [-θ-] f Vollendung; Schlußfolgerung; Abschluß m; **~yente** überzeugend; bündig; schlagend

concorda|ncia [-θ-] f Übereinstimmung; **~r** in Einklang bringen; überstimmen; **~to** m Konkordat n

concre|tar zs-setzen; zs-fassen; vereinbaren; **~to** kurzgefaßt; konkret; m Am San Beton

concubinato m wilde Ehe f

concurr|encia [-θ-] f Zulauf m, Publikum n; Versammlung; Am Wettbewerb m; **~ente** zs-wirkend; m Mitbewerber; Teilnehmer; **~ido** stark besucht; **~ir** zs-kommen; **~ir a** mitwirken bei; teilnehmen an

concurso m Zulauf; Wettbewerb; öffentl. Arbeiten, Stelle Ausschreibung f;

de acreedores Gläubigerversammlung f; **sacar a ~** ausschreiben

concha [-tʃa] f Muschel; Bucht; Souffleurkasten m; Chi, RPl Tab Votze

condecora|ción [-θ-] f Auszeichnung; Orden m; **~r** mit Orden auszeichnen

condena f Urteilsspruch m; Strafe; Verurteilung; **~r** verurteilen; verdammen; **~rse** verdammt werden

condensa|dor m Kondensator m; **~r** verdichten, kondensieren

condescen|dencia [-θen-denθ-] f Herablassung; **~der** s. herablassen; einwilligen; **~diente** herablassend; gefällig

condici|ón [-θ-] f Bedingung; Beschaffenheit; **a ~ón que** vorausgesetzt, daß; **estar en ~ones** de in der Lage sein zu; **~onal** bedingend; bedingt

condiment|ar würzen; **~o** m Gewürz n

condiscípul|o [-θ-] m, **~a** f Mitschüler(in)

condolencia [-θ-] f Beileid n

condominio m Mitbesitz; Am **a** Eigentumswohnung f

conduc|ción [-θ-] f Hinschaffen n; Auto Lenkung; Tech Leitung; **~ir** [-θ-] führen, leiten; Auto lenken, fahren; **~ta** f Führung; Betragen n, Verhalten n; **~tivo** leitend; **~to** m Röhre f; Wasserleitung f; Weg; **~tor**

m Führer, *a* El Leiter; Fahrer

conectar verbinden; einschalten

cone|jillo [-xiʎo] *m* **de Indias** Meerschweinchen *n*; *fig* Versuchskaninchen *n*; **~jo** [-xo] *m* Kaninchen *n*

conexión *f* Verbindung; Schaltung; *Flgw, Esb* Anschluß *m*

confec|ción [-θ-] *f* Anfertigung (*von Kleidern*), Konfektion; *jur* Ausarbeitung; **~ionar** anfertigen

confederarse s. verbünden

confer|encia [-θ-] *f* Konferenz; Vortrag *m*; *Tel* (*mst* Fern-)Gespräch *n*; **~enciante** [-θ-] *m* Vortragende(r); **~enciar** [-θ-] s. besprechen; verhandeln; **~encista** [-θ-] *m Am* Vortragende(r); **~ir** beraten; *Amt* verleihen

confe|sar beichten; bekennen; **~sarse** beichten; **~sión** *f* Beichte; Bekenntnis *n*; **~sionario** *m* Beichtstuhl; **~so** geständig; **~sor** *m* Beichtvater

confia|nza [-θ-] *f* Vertrauen *n*; **de ~nza** zuverlässig; **~r** vertrauen; anvertrauen; **~r en que** hoffen, daß

confiden|cia [-θ-] *f* Vertrauen *n*; vertrauliche Mitteilung; **~cial** [-θ-] vertraulich; **~te** *m* Vertraute(r)

configuración [-θ-] *f* Gestalt (*bsd* Boden)

confirma|ción [-θ-] *f* Bestätigung; Firmung, Einsegnung; **~r** bestätigen

confisca|ción [-θ-] *f* Einziehung, Beschlagnahme; **~r** einziehen, beschlagnahmen

confi|tar überzuckern, mit Zucker einmachen; **~te** *m* Zuckerwerk *n*; **~tería** *f* Süßwarenladen *m*; **~tero** *m* Konditor; **~tura** *f* Eingemachte(s) *n*

conflicto *m* Konflikt, Zsstoß

conflu|encia [-θ-] *f* Zs-fluß *m*; **~ente** zs-fließend; **~ir** zs-fließen; zuströmen

confor|mar in Übereinstimmung bringen; **~marse con** s. begnügen, s. abfinden mit; **~me** übereinstimmend; **¡~me!** einverstanden!; **~me a** gemäß, nach; **~midad** *f* Übereinstimmung, Einwilligung; Ergebung

conforta|nte *m* Stärkungsmittel *n*; **~r** stärken; trösten

confraternidad *f* Brüderlichkeit

confronta|ción [-θ-] *f* Gegenüberstellung; **~r** gegenüberstellen

confu|ndir verwechseln, vermengen; verwirren; beschämen; **~ndirse** in Verwirrung geraten; s. schämen; **~sión** *f* Verwirrung; Beschämung; **~so** verwirrt; beschämt; **~tar** widerlegen

congela|ción [-xelaθ-] *f* Gefrieren *n*; **~dor** *m* Gefrierfach *n*; -schrank; **~rse** gefrieren; gerinnen

congenia|l [-x-] geistesverwandt; **~r** harmonieren, übereinstimmen

congestión [-x-] *f* Stauung (*a Verkehr*); Blutandrang *m*

conglomerar anhäufen

congoja [-xa] *f* Angst; Kummer *m*

congraciarse [-θ-] **con** s. beliebt machen bei

congratula|ción [-θ-] *f* Glückwunsch *m*; **~r** beglückwünschen; gratulieren; **~rse de** (*od* **por**) s. über *et* freuen

congre|gación [-θ-] *f* Kongregation; **~gar** versammeln; **~so** *m* Kongreß; **~so de Diputados** Abgeordnetenhaus *n*

congruen|cia [-θ-] *f* Übereinstimmung; *Geom* Kongruenz; **~te** angemessen, passend; *Geom* kongruent

cónico kegelförmig, konisch

coníferas *fpl* Nadelhölzer *n pl*

conjuga|ble [-x-] abwandelbar; **~ción** [-θ-] *f* Konjugation; **~r** konjugieren; vereinigen

conjunto [-x-] verbunden; *m* Ganze(s); Gefüge *n*; Ensemble *n*; **en ~** im ganzen

conjura|ción [-xuraθ-] *f* Verschwörung; **~do** *m* Verschwörer; **~r** beschwören; **~rse** s. verschwören

conmemoración [-θ-] *f* Gedenkfeier; Gedenken *n*

conmigo mit mir, bei mir

conmo|ción [-θ-] *f* Erschütterung; *fig* Aufruhr *m*; **~ción cerebral** Gehirnerschütterung; **~ver** erschüttern

conmuta|ción [-θ-] *f* Tausch *m*; **~dor** *m El* Umschalter, Schalter; *Am* Telefonzentrale *f*; **~r** tauschen; *jur Strafe* umwandeln; *El* umschalten

cono *m* Kegel; (Tannen-) Zapfen

cono|cer [-θ-] (er)kennen; (**llegar a**) **~cer** kennenlernen; **~cido** bekannt; **~cimiento** *m* Kenntnis *f*; Bekanntschaft *f*; Bewußtsein *n*

conque [-ke] also, nun

conquista [-k-] *f* Eroberung; **~dor** *m* Eroberer; **~r** erobern; für s. gewinnen

consabido bewußt

consagrar weihen, einsegnen; widmen; **~se** a s. widmen

consanguíneo [-gi-] blutsverwandt

cons|ciente [-θ-] bewußt; **~cripción** [-θ-] *f Mil* Aushebung

consecu|encia [-θ-] *f* Folge; **en ~encia de** gemäß, zufolge; **~ente** folgerichtig; konsequent; **~tivo** aufea-folgend; **tres veces ~tivas** dreimal nachea

conseguir [-gir] erlangen; erreichen

conse|jero [-x-] *m* Rat (*Ti-*

tel); Ratgeber, Berater; **~jo**
[-xo] m Rat(schlag); Rats-
versammlung f; **~jo de mi-
nistros** Ministerrat, Kabinett n

consenti|do wissentlich be-
trogen (*Ehemann*); ver-
wöhnt (*Kind*); **~miento** m
Einwilligung f, Zustim-
mung f; **~r** gestatten, billigen; zustimmen; *Am* ver-
wöhnen; *Am* liebkosen

conserje [-x-] m Hausmei-
ster, Portier

conserva f Konserve; **~dor**
erhaltend, konservativ; m
Kustos, Konservative(r);
~r erhalten, bewahren; auf-
bewahren; *Früchte* einma-
chen; konservieren; **~rse
bien** s. pflegen; **~atorio** m
Konservatorium

considera|ble ansehnlich,
beträchtlich; **~ción** [-θ-] f
Betrachtung, Erwägung;
Berücksichtigung; Hoch-
achtung; **en ~ción a** in Anbetracht (*gen*); **tomar en
~ción** in Erwägung ziehen;
~r bedenken, erwägen;
hochachten

consigna f Losung, Weisung; Gepäckaufbewah-
rung; **~ automática** *Esb,
Flgw* Schließfach n; **~ción**
[-θ-] f Anweisung; Kau-
tion; **~r** anweisen; *Gepäck*
zur Aufbewahrung geben;
Am Scheck in Zahlung geben

consigo mit sich, bei sich
consiguiente [-gĭ-] **~a** s.

ergebend aus; entspre-
chend; **por** ~ folglich

consis|tencia [-θ-] f Dauer,
Bestand m; Festigkeit;
~tente fest, stark; **~tir en**
bestehen aus; beruhen auf

consolar trösten

consolida|ción [-θ-] f Siche-
rung, Befestigung; **~r** si-
chern, befestigen

consomé m Kraftbrühe f

consonan|cia [-θ-] f Ein-
klang m, Übereinstim-
mung; **~te** zs-stimmend;
reimend; f Konsonant m

consor|cio [-θ-] m Verband;
Konsortium n; **~te** su Genosse, Genossin; Ehega-
te, -gattin

conspira|ción [-θ-] f Ver-
schwörung; **~dor** m Ver-
schwörer; **~r** s. verschwö-
ren (**contra** gegen); **~r a**
hinwirken auf

constancia [-θ-] f Beharrlichkeit, Ausdauer

consta|nte standhaft; kon-
stant; **~r** gewiß sein; bestehen (**de** aus); **me consta**
ich weiß sicher; **hacer ~r**
feststellen

conste|lación [-θ-] f Stern-
bild n; **~rnarse** bestürzt
werden

constipado m Schnupfen

constitu|ción [-θ-] f Be-
schaffenheit, Zustand m;
Pol, Med, jur Verfassung;
~cional [-θ-] verfassungs-
mäßig; **~ir** bilden, errichten; einsetzen; **~yente** be-
gründend; verfassungge-

bend
constru|cción [-θ-] f Konstruktion; Bau m; Gr Satzbau m; **~ctor** m Erbauer; **~ir** bauen; errichten
consuelo m Trost
cónsul m Konsul
consula|do m Konsulat n; **~r** konsularisch
consult|a f Beratung; Befragung; Gutachten n; (Arzt-)Praxis; **hora de ~a** Sprechstunde (Arzt); **~ar** um Rat fragen; konsultieren; **~orio** m bds Am (Arzt-)Praxis f
consu|mar vollbringen; **~midor** m Abnehmer, Verbraucher; **~mir** auf-, verzehren; verbrauchen; **~mo** m Verbrauch; Konsum
conta|bilidad f Buchführung; **~ble** m Buchhalter
contacto m Berührung f; Kontakt
conta|do: al ~do bar (Geld); **~dor** m Rechnungsführer; Mar Zahlmeister; Tech Zähler; Am Buchhalter; **~duría** f Buchhaltung; Thea Vorverkauf(skasse f) m; **~giar** [-x-] anstecken; **~giarse** angesteckt werden; **~gio** [-x-] m Ansteckung f; **~gioso** [-x-] ansteckend
contaminación [-θ-] f Ansteckung; Verseuchung; **~ambiental** Umweltverschmutzung
conta|nte bar (Geld); **~r** zählen; rechnen; erzählen; **~r con** zählen auf; besitzen
contempla|ción [-θ-] f Be-

trachtung; **~r** betrachten
contemporáneo zeitgenössisch; m Zeitgenosse
contenedor m Container
conten|er enthalten; **~erse** s. beherrschen, an s. halten; **~ido** m Inhalt; Gehalt; **~tar** befriedigen; **~tarse con** vorliebnehmen mit; **~to** zufrieden
contesta|ble bestreitbar, fragwürdig; **~ción** [-θ-] f Antwort; **~r** (be)antworten; in Frage stellen
contienda f Zank m, Streit m
contigo mit dir; bei dir
contiguo anstoßend; nebeneinanderliegend
continen|cia [-θ-] f Enthaltsamkeit; **~tal** kontinental; **~te** m Festland n; Kontinent
continu|ación [-θ-] f Fortsetzung; **a ~ación** nachher, dann; **~ar** fortsetzen; fortfahren; **~o** ständig, fortwährend
contor|near umkreisen; umreißen; **~no** m Umgegend f; Umriß; Gastr Beilage f; **en ~no** ringsumher; **~sión** f Verdrehung; Med Verrenkung
contra gegen; gegenüber (dat); en ~ entgegen; dagegen; **el pro y el ~** das Für und Wider; **~bandista** m Schmuggler; **~bando** m Schmuggel; **pasar de ~bando** ein-, durchschmuggeln
contracción [-θ-] f Zs-zie-

hung

contra|ceptivo [-θ-] empfängnisverhütend; *m* Empfängnisverhütungsmittel *n*; **~corriente** *f* Gegenströmung, -strom *m* (*El*)

contra|decir [-θ-] widersprechen; **~dicción** [-θ-] *f* Widerspruch *m*; Unvereinbarkeit

contraer zs-ziehen; *Hdl* (ab-)schließen; *Schulden* machen

contralto *m Mus* Alt

contraluz *f Fot* Gegenlicht *n*

contra|maestre *m* Werkmeister; *Mar* Bootsmann; **~marca** *f* Gegenzeichen *n*; Zollmarke; **~medida** *f* Gegenmaßnahme; **~orden** *f* Gegenbefehl *m*; **~prueba** *f* Gegenprobe

contrario entgegengesetzt; widrig; *m* Gegner; **al ~ por el ~** im Gegenteil; **de lo ~** andernfalls; **en ~** dagegen

contrase|ntido *m* Widersinn; **~ña** [-ɲa] *f Thea* Garderobenmarke

contrast|ar einen Gegensatz bilden; im Widerspruch stehen (**con** zu); **~e** *m* Gegensatz; Kontrast; Eichamt

contrata *f* Vertrag *m*; **~nte** *m* Vertragsschließende(r); **~r** einen Vertrag schließen; engagieren, einstellen

contra|tista *m* (Bau-)Unternehmer; **~to** *m* Vertrag

contraven|ción [-θ-] *f*

Übertretung; **~eno** *m* Gegengift *n*; Gegenmittel *n*; **~ir** zuwiderhandeln (**dat a**)

contra|ventana *f* Fensterladen *m*; **~vidriera** *f* Doppelfenster *n*

contribu|ción [-θ-] *f* Beitrag *m*; Steuer, Abgabe; **~ir** beitragen, beisteuern (**a** zu); mitwirken; **~yente** steuerpflichtig; *m* Steuerzahler

control *m* Kontrolle *f*, Überwachung *f*; **~ aéreo** Flugsicherung *f*; **~ador** *m* Kontrolleur; **~ador aéreo** Fluglotse; **~ar** kontrollieren

controver|sia *f* Kontroverse, Wortwechsel *m*; **~tible** strittig

contuma|cia [-θ-] *f* Hartnäckigkeit; **~z** [-θ] hartnäckig

contusión [-θ-] *f* Quetschung

convale|cencia [-θenθ-] *f* Genesung; **~r** genesen

conven|cer [-θ-] überzeugen; überreden; **~cimiento** [-θ-] *m* Überzeugung *f*; **~ción** [-θ-] *f* Übereinkunft; **~cional** [-θ-] herkömmlich; **~iencia** [-θ-] *f* Schicklichkeit; Nutzen *m*; Bequemlichkeit; **~iente** schicklich; angemessen; **~io** *m* Übereinkunft *f*; Abkommen *n*; **~ir** übereinkommen; zusagen (*dat*)

convento *m* Kloster *n*

conversa|ción [-θ-] *f* Unterhaltung, Gespräch *n*; **~r** s. unterhalten

conver|sión f Umkehrung;
Bekehrung; *Hdl* Konver-
tierung; **~tir** umwandeln;
bekehren
convex|idad f Wölbung; **~o**
konvex
convic|ción [-θ-] f Überzeu-
gung; **~to** *jur* überführt
convida|do m Eingelade-
ne(r), Gast; **~r** einladen
convocar einberufen; **~to-
ria** f Einberufung
convoy m Geleit(zug *m*) n;
(Eisenbahn-)Zug
convulsión f Zuckung,
Krampf *m*; **~vo** krampfhaft
conyugal ehelich
cónyuge [-xe] *su* Ehe-gatte
m, -gattin *f*
coñ|a [-na] *Tab*: **es la ~** a so
e-e Scheiße; **~o** *Tab* m
Votze *f*; *Chi* Spanier; **¡~o!**
excl Mensch!, Donnerwetter!
coopera|ción [-θ-] f Mitwir-
kung, Zs-arbeit; **~r** mitwir-
ken, mitarbeiten; **~tiva** f
Genossenschaft; **~tivo** mit-
wirkend
coordinar koordinieren;
aufea abstimmen
copa f Pokal; Glas *n* (*mit
Stiel*); Baumkrone; **to-
mar(se) una ~** e-n Drink
nehmen; **~r** besetzen; mo-
nopolisieren
copia f Abschrift; Abbild *n*;
Durchschlag *m*; *Fot* Abzug
m; **~dor** m Kopiergerät *n*;
~r abschreiben; kopieren;
nachahmen
copioso reichlich

copla f Strophe; Liedchen *n*
copo m Flocke *f*
copulativo verbindend
coque [-ke] m Koks
coquet|a [-k-] *adj f* kokett;
~ear kokettieren; liebäu-
geln
cora|je [-xe] m Mut; Zorn,
Wut *f*; **~judo** [-x-] jähzornig
coral 1. m Koralle *f*; 2. f
Choral *m*
corazón [-θ-] m Herz *n*;
Mut; **de ~** herzlich
corbata f Krawatte
corcova f Höcker *m*; **~do**
höckerig
corchete [-tʃ-] m Haken mit
Öse
corcho [-tʃo] m Kork; **~s de
baño** Schwimmgürtel *m*
cordel m Schnur *f*, Bindfa-
den; **~ería** f Seilerei
cordero m Lamm *n* (*a fig*)
cordial herzstärkend; herzlich; *m* Magenlikör
cordillera [-ʎ-] f Gebirgs-
kette
cordón m Schnur *f*; Band *n*;
Schnürsenkel; Postenkette
f
cordura f Verstand *m*, Um-
sicht
cornada f Hornstoß *m*
córnea f Hornhaut (*des
Auges*)
corneja [-xa] f Krähe
córner m Eckball
corneta 1. f *Mus* Horn *n*;
Ven Kfz Hupe; *m* Hor-
nist
cornudo gehörnt (*a fig*)

coro *m* Mus Chor; Choral; *Arch* Chor

corona *f* Krone; Kranz *m*; Tonsur; Zahnkrone; Hof *m* (*um den Mond*)

coronel *m* Oberst

coronilla *f* Haarwirbel *m*; **estar hasta la ~** F die Schnauze voll haben

corpiño [-ɲo] *m* Mieder *n*; *RPl* Büstenhalter

corporación [-θ-] *f* Körperschaft; Innung

Corpus *m* Fronleichnam

corral *m* Hof, Hühnerhof; Gehege *n*; Stall

correa *f* Riemen *m*; Gürtel *m*; **~ motriz** *Am a* Treibriemen *m*; **~ del ventilador** *Kfz* Keilriemen *m*

correc|ción [-θ-] *f* Verbesserung; Tadel *m*; **~tivo** verbessernd; *m* mildernder Ausdruck; **~to** fehlerfrei, korrekt; **~tor** *m* Korrektor

corre|dor leichtfüßig; *m* Läufer; Rennfahrer; Makler; Korridor; **~gible** [-x-] verbesserungsfähig; **~gir** [-x-] (ver)bessern; tadeln

correla|ción [-θ-] *f* Wechselwirkung; **~tivo** wechselseitig

correo *m* Bote; Post *f*; **~s** *pl* Postamt *n*; **a vuelta de ~** postwendend

correr laufen; fließen; ver-; um-gehen; *Risiko* eingehen

correspon|dencia [-θ-] *f* Briefwechsel *m*; *Esb* Anschluß *m*; **~der** erwidern; entsprechen; zukommen

~diente entsprechend; **~sal** *m* Geschäftsfreund; Korrespondent

corretaje [-xe] *m* Maklergeschäft *n*; Maklergebühr *f*

corrida *f* Hetze; Lauf *m*; **~ de toros** Stierkampf *m*

corriente 1. *adj* laufend; gewöhnlich, alltäglich; **~** fließendes Wasser; **estar al ~** auf dem laufenden sein (**de** über); **¡~!** gut!; 2. *f* Strömung, Strom *m*; **~ alterna** (**continua**) Wechsel- (Gleich-)strom *m*

corroborar bestärken, bekräftigen

corro|er zer-, an-fressen; *fig* nagen an; **~mper** verderben; *fig* bestechen; verführen; **~mperse** verfaulen; *fig* verkommen; **~sivo** ätzend; *m* Ätzmittel *n*

corrup|ción [-θ-] *f* Verderben *n*; Verwesung; Fäulnis; Korruption; Bestechung; **~tela** *f* Mißbrauch *m*; **~tible** bestechlich; **~to** *fig* verdorben, korrupt; **~tor** verderblich; sittenverderbend; *m* Verderber; Verführer

corsario *m* Korsar, Freibeuter

corsé *m* Korsett *n*

corta|césped [-θ-] *m* Rasenmäher; **~circuito** [-θ-] *m El* Sicherung *f*; **~do** *m* Espresso mit et Milch; **~lápices** [-θ-] *m* Bleistiftspitzer; **~plumas** *m* Federmesser *n*; **~r** schneiden; unterbre-

2*

chen; **~se** verlegen werden; steckenbleiben

corte 1. *m* Schneiden *n*; Schnitt; Zuschnitt (*Stoff*); **2.** *f* (Königs-)Hof *m*; *Am* (höheres) Gericht *n*

cort|és höflich; **~esía** *f* Höflichkeit

corteza [-θa] *f* Baumrinde; Kruste (*Brot*); Schwarte

cortijo [-xo] *m* Gehöft *n*

cortina *f* Gardine; Vorhang *m*; **~ de hierro** *Am* Eiserner Vorhang *m*

corto kurz; klein; **~ (de alcances)** (geistig) beschränkt; **~ de vista** kurzsichtig; **~circuito** [-θ-] *m El* Kurzschluß; **~metraje** [-xe] *m* Kurzfilm

corva *f* Kniekehle

corzo [-θo] *m* Reh(bock *m*) *n*

cosa *f* Sache, Ding *n*; **¡~ rara!** seltsam!

cosech|a [-tʃa] *f* Ernte; Ausbeute; **~ar** ernten; **~ero** *m* Erntearbeiter; Pflücker

coser nähen; heften; **máquina** *f* **de ~** Nähmaschine

cosido *m* Nähen *n*; Zs-heften *n*

cosmético *m* Schönheitsmittel *n*

cosmopolita kosmopolitisch; *m* Weltbürger

coso *m* Stierkampfarena *f*

cosquillas [-kiʎ-] *fpl*: **hacer ~** kitzeln

costa *f* Küste; Kosten *pl*; **~s** *pl* Gerichtskosten; **~ do** *f* Seite *f*; **dolor** *m* **de ~do** Seitenstechen *n*; **~r** kosten;

schwerfallen; **~r caro** teuer sein

coste *m* Preis, Kosten *pl*; **~ de vida** Lebenshaltungskosten *pl*

costilla [-áa] *f* Rippe

costoso kostspielig

costra *f* Kruste, Rinde; *Med* Schorf *m*

costumbre *f* Gewohnheit; Sitte, Brauch *m*; **mala ~** schlechte Angewohnheit; **de ~** gewöhnlich

costu|ra *f* Naht; Nähen *n*; **~rera** *f* Näherin, Schneiderin

cote|jar [-x-] vergleichen; **~jo** [-xo] *m* Vergleich

cotidiano (all)täglich

cotización [-θaθ-] *f* (Börsen-)Notierung, Kurs *m*

coto *m* Jagdrevier *n*; *Süda Med* Kropf

cráneo *m* Schädel

cráter *m* Krater

cre|ación [-θ-] *f* Schöpfung; **~ador** schöpferisch; **~ador** *m* Schöpfer; **~ar** (er)schaffen; **~cer** [-θ-] wachsen; zunehmen; **~cida** [-θ-] *f* Hochwasser *n*; **~ciente** [-θ-] wachsend, steigend; **~cimiento** [-θ-] *m* Wachstum *n*; Zunahme *f*

crédito *m* Kredit; Ansehen *n*; **de ~** glaubwürdig, vertrauenswürdig

cre|dulidad *f* Leichtgläubigkeit; **~er** glauben; meinen; **~íble** glaubhaft

crema *f* Rahm *m*; Creme *f*; **~ de afeitar (bronceadora)**

Rasier- (Sonnen-)creme; **~ para el cutis** Hautcreme
cremación [-θ-] f (Leichen-) Verbrennung
cremallera [-ʎ-] f Reißverschluß m; **ferrocarril m de ~** Zahnradbahn f
crepitar prasseln, knistern
crep|uscular dämmerig; **~úsculo** m (Abend-)Dämmerung f
cresa f Made
crespo kraus; aufgeregt; *Am* a lockig
cría f Zucht; (Tier-)Junge(s) n
cria|da f Magd; Hausgehilfin; **~dero** m Züchterei f; fig Brutstätte f; **~dillas** [-ʎ-] f/pl Gastr Hoden m/pl; **~do 1.** **bien ~** wohlerzogen; **2. m** Diener; Knecht; **~dor** m Züchter; **~r** erzeugen; säugen; züchten; **~rse** aufwachsen; **~tura** f Kreatur; F Kind n
criba f Sieb n; **~r** sieben
crim|en m Verbrechen n; **~inal** verbrecherisch; m Verbrecher
criollo [-ʎo] kreolisch; *Am* einheimisch; m Kreole
crisis f Wendepunkt m; Krise
cristal m Kristall n; Kristall m; Fensterscheibe f; **~izar** [-θ-] kristallisieren
cristia|nar taufen; **~ndad** f Christenheit; **~nismo** m Christentum n; **~nizar** [-θ-] christianisieren; **~no** christlich; m Christ

Cristo m Christus
criterio m Kriterium n, Gesichtspunkt; Urteil n
crítica f Kritik
criticar kritisieren, beurteilen; tadeln
crítico kritisch; entscheidend; m Kritiker
crónic|a f Chronik; Bericht m (Zeitung); **~o** chronisch
cron|ista m Chronist; **~ológico** [-x-] chronologisch; **~ómetro** m Zeitmesser; Sp Stoppuhr f
croqueta [-k-] f Krokette
croquis [-k-] m Skizze f
cruce [-θe] m Kreuzung f; **~ro** m Mar Kreuzer; Kreuzfahrt f
cruci|ficar [-θ-] kreuzigen; **~grama** m Kreuzworträtsel n
crudeza [-θa] f Roheit, Strenge
crudo roh, ungekocht
cruel grausam; **~dad** f Grausamkeit
cruji|ente [-x-] knusprig; **~r** krachen; knirschen
cruz [-θ] f Kreuz n; fig Leid n; **~ar** kreuzen; durchstreichen
cuaderno m Heft n; Notizbuch n
cuadra f Pferdestall m; *Am* Entfernung zwischen zwei Querstraßen; **~do** viereckig; Quadrat...; m Viereck n; Quadrat(zahl f) n; **~nte** m Quadrant; Sonnenuhr f
cuadrilla [-ʎa] f Trupp m;

cuadro

70

Team *n*; *Stk* Mannschaft
cuadro *m* Quadrat *n*; Gemälde *n*; Rahmen; Tabelle
f; Tafel *f*; **de ~s** kariert
cuadrúpedo *m* Vierfüßler
cuádrupl|e vierfach; **~o** *m*
Vierfache(s) *n*
cuaja|da [-x-] *f* geronnene
Milch; **~r** gerinnen, verdicken
cual: el, la, lo ~ der, die, das;
welche(r); **~ si** als ob;
¿cuál? wer?, welcher?
cualesquier(a) [-k-] *pl v*
cualquier(a)
cualidad *f* Qualität, Eigenschaft; Fähigkeit
cualquier|(a) [-k-] irgend-
ein (*usw*); jeder beliebige;
jemand; **~ día** irgendwann
cuando wann; *cj* wenn; als;
de ~ en ~ von Zeit zu Zeit; **~
quiera** jederzeit; **¿cuándo?** wann?
cuant|ía *f* Summe; Bedeu-
tung, Belang *m*; **~ioso** zahlreich, bedeutend
cuanto wieviel; alles was;
soviel als; **~ antes** möglichst bald; **en ~ a** was anbetrifft; **~ más que** um so
mehr als; **~ menos** um so
weniger; **¿cuánto?** wieviel?; **¿a cuántos esta-
mos?** der wievielte ist
heute?
cuarentena *f* Quarantäne
cuaresma *f* Fasten *n*
cuartel *m* Quartier *n*; Kaserne *f*; **no dar ~** keinen
Pardon geben
cuarto vierte(r); *m* Viertel *n*;

Zimmer *n*; **~s** *m pl* F Geld *n*,
Zaster *m*; **~ de hora** Vier-
telstunde *f*
cuatro vier; *fig* ein paar
cuba *f* Faß *n*; Kübel *m*
cube|ro *m* Küfer; **~ta** *f*
Holzzuber *m*; Kübel *m*;
Schale
cúbico kubisch; Kubik...
cubier|ta *f* Decke; Buch-
deckel *m*; *Mar* Deck *n*; **~to**
bedeckt; *m* Dach *n*; Besteck
n; Gedeck *n*
cubilete *m* Würfelbecher
cub|ito *m* kleiner Würfel; **~to
de hielo** Eiswürfel; **~o** *m*
Würfel; Kubikzahl *f*; Eimer; *Tech* Nabe *f*
cubrir (be-, ver-, zu-, über-)
decken; **se ~** sich bedecken;
den Hut aufsetzen
cucaracha [-tʃa] *f* Kakerlak
m
cuclillas [-ʎ-]: **en ~** hockend
cuco *m* Kuckuck; *adj* schlau,
niedlich, nett
cucurucho [-tʃo] *m* Papier-
tüte *f*
cucha|ra [-tʃ-] *f* Löffel *m*;
~rada *f* Löffelvoll *m*; **~rilla**
[-ʎa], **~rita** *f* Kaffeelöffel *m*;
~rón *m* Schöpflöffel
cuchichear [-tʃitʃ-] flüstern, tuscheln
cuchilla [-tʃiʎa] *f* Hackmes-
ser *n*; Schneide *f*; *bsd Am*
Rasierklinge; **~o** *m* Messer
n
cuello [-ʎo] *m* Hals; Kragen
cuenca *f* tiefes Tal *n*; Becken
n (*Fluß*)
cuenta *f* Rechnen *n*; Rech-

cuneta

nung; Konto n; **~ corriente** laufendes Konto; **darse de** et bemerken, s. über et klarwerden; **echar la ~** abrechnen; **tener en ~** in Betracht ziehen; **~ gotas** m Tropfenzähler; **~ kilómetros** m Kilometerzähler

cuen|tista m Erzähler; aufschneider; **~to** m Erzählung f; Märchen n; Gerede n; **~to chino** F Ammenmärchen n

cuerda f Seil n; Leine; Geom Sehne; Mus Saite; **dar ~** (al **reloj**) die Uhr aufziehen

cuerdo klug, vernünftig

cuerno m a Mus Horn n; **mandar al ~** F zum Teufel schicken

cuero m Haut f; Leder n; **en ~s** F splitternackt

cuerpo m Körper, Leib; Körperschaft f; **~ docente** Lehrkörper

cuervo m Rabe

cuesta f (Ab-)Hang m; Anhöhe; Steigung

cuestión f (Streit-)Frage

cuestionar erörtern; in Frage stellen; **~io** m Fragebogen

cueva f Höhle; Keller m

cuida|do m Sorge f; Aufmerksamkeit f; Pflege f; **tener ~** achtgeben, s. vorsehen; **de ~** gefährlich, mit Vorsicht zu genießen; **sin ~** unbesorgt; **¡~do!** Achtung!; **~doso** sorgfältig; **~r** besorgen; pflegen; **~rse de** s. hüten vor; s.

kümmern um

culata f Gewehrkolben m; Kfz Zylinderkopf m

culebra f Schlange; Col F Gläubiger m

culminante überragend

culo m F Hintern; Unterteil n, Boden

culpa f Schuld (an et); **echar la ~ a** u/c a alg j-m die Schuld an et geben; **tener la ~ de** schuld sein an; **~ble** strafbar; schuldig; **~r** beschuldigen

cultiv|able anbaufähig; **~ador** m Züchter; Pfleger; Landmann; **~ar** anbauen; kultivieren; **~o** m Anbau; Pflege f; Kultur f

culto gebildet; m Kult; Gottesdienst

cultura f Kultur; Bildung

cumbre f (Berg-)Gipfel m; **~ra** f Dachfirst m

cumpleaños [-ɲ-] m Geburtstag

cumplido vollkommen; höflich; pflichtbewußt; m Glückwunsch; Kompliment n; **sin ~s** ohne Umstände; **~r** Am gewissenhaft, pflichtbewußt

cumpli|mentar begrüßen; beglückwünschen; **~miento** m Erfüllung f; Vollziehung f; **~r** erfüllen; ausführen: **~r 40 años** 40 Jahre (alt) werden; **~r el deber** s-e Pflicht tun

cuna f Wiege (a fig); Krippe; Kinderbett n (Hotel)

cuneta f Straßengraben m

cuña

cuña [-ɲa] *f* Keil *m*; **tener ~s gute Beziehungen haben; ~da** *f* Schwägerin; **~do** *m* Schwager

cuota *f* Quote; Beitrag *m*

cupé *m* Coupé *n*; **~o** *m* Kontingent *n*, Anteil; **~ón** *m* Zinsschein; Kupon

cúpula *f* Kuppel

cura 1. *f* Kur; **~ termal** Bäderkur; 2. *m* Pfarrer; **este~** *f* ich; **~ble** heilbar; **~ción** [-θ-] *f* Heilung; **~r** heilen; behandeln; **~rse** genesen; **~tivo** heilend

curí *m* Col Meerschweinchen *n*

curia *f* Kurie

curio|sidad *f* Neugierde; Sehenswürdigkeit; **~so** neugierig; merkwürdig

curita *f Am* Schnellverband *m*

curs|ar *Fach* studieren; *Te-*

legramm aufgeben; *Gesuch* einreichen; **~i** kitschig, geschmacklos; affektiert; **~ilería** *f* Kitsch *m*; Getue *n*; **~illista** *m* Snobismus *m*; **~illo** [-ʎ-] *su* Kursteilnehmer(in); **~illo** [-θo] *m* Kurs, Lehrgang; **~o** *m* Lauf; Gang; Lehrgang, Kurs(us)

curti|do abgehärtet; sonnengebräunt; *m* Gerben; **~r** gerben; *fig* abhärten

curv|a *f* Kurve; **~o** krumm, gebogen

cúspide *f* Spitze

custodia *f* Aufbewahrung; Gewahrsam *m*; Obhut; **~r** bewachen, beaufsichtigen

cutáneo Haut...

cutis *m* Haut *f*

cuy *m Pe* Meerschweinchen *n*

cuy|o, ~a dessen, deren; **¿cúyo?** wessen?

Ch

chabacano [tʃ-] geschmacklos; *m Méj* Aprikose *f*

chabola [tʃ-] *f* Hütte; *Span* Elendsquartier *n*

chacal [tʃ-] *m* Schakal

chacra [tʃ-] *f Süda* kleine Farm

chacha [tʃatʃa] *f* F Dienstmädchen *n*

cháchara [tʃatʃ-] *f* (leeres) Geschwätz *n*

chafar [tʃ-] zerknittern

chaflán [tʃ-] *m* Schrägkante *f*

chal [tʃ-] *m* Schultertuch *n*;

~ado F bekloppt

chalán [tʃ-] gerissen; *m* Pferdehändler

chaleco [tʃ-] *m* Weste *f*; **~ salvavidas** Schwimmweste *f*

chalet [tʃ-] *m* Villa *f*, Bungalow, Landhaus *n*

chalupa [tʃ-] *f Mar* Schaluppe

chama|ca [tʃ-] *f Méj* Mädchen *n*; **~co** *m Méj* Junge

chamba [tʃ-] *f Glückstreffer *m*; *fig* Schwein *n*

chambón [tʃ-] *m* Stümper

Glückspilz

cham|pán [tʃ-] *m*, **~paña** [-ɲa] *m* Champagner, Sekt

champú [tʃ-] *m* Shampoo *n*

chamuscar [tʃ-] ansengen, abbrennen

chance [tʃanθe] *m Am* Glück *n*; Glücksspiel *n*; Chance *f*

chancleta [tʃ-] *f* Pantoffel *m*

chanclo [tʃ-] *m* Gummischuh, Überschuh

chan|cho [tʃantʃo] *m Süda* Schwein *n*, **~chullo** [-tʃuʎo] *m* Schwindel, Schiebung *f*

chándal [tʃ-] *m* Trainingsanzug

changador [tʃ-] *m Arg* Dienstmann

chango [tʃ-] *m Méj* Affe; *Arg* Junge, Kind *n*; *adj Chi* lästig

chantaje [tʃantaxe] *m* Erpressung *f*; **~ar** erpressen

chanza [tʃanθa] *f* Scherz *m*, Spaß *m*

chapa [tʃ-] *f* Blech *n*; Platte; Blechmarke; *Am* Türschloß *n*; *RPl* Kfz (polizeiliches) Kennzeichen *n*

chaparrón [tʃ-] *m* Regenguß

chapetón [tʃ-] *m Col, Ven pej* Spanier

chapista [tʃ-] *m Span* Autospengler

chapotear [tʃ-] plan(t)schen; plätschern

chapuce|ar [tʃapuθ-] pfuschen; **~ro** stümperhaft; *m* Pfuscher

chapuz [tʃapuθ] *m*, **~a** *f*

Pfuscharbeit *f*; **~ar** untertauchen; **~ón** *m* Tauchen *n*

chaqu|é [tʃake] *m* Cut(a-way); **~eta** *f* Jacke, Jackett *n*; **~eta de punto** Strickjacke

charc|a [tʃ-] *f* Tümpel *m*; **~o** *m* Pfütze *f*, Lache *f*

charla [tʃ-] *f* Plauderei; **~r** schwatzen, plaudern

charol [tʃ-] *m* Lack; Glanzleder *n*

charqui [tʃarki] *m Pe, Bol, Chi* Dörrfleisch *n*

chárter [tʃ-]: **vuelo** *m* **~** Charterflug

chasco [tʃ-] *m* Streich, Possen; Hereinfall; **llevarse un ~** hereinfallen

chasis [tʃasi(s)] *m* Fahrgestell *n*; *Fot* Kassette *f*

chasquear [tʃask-]: **~ los dedos** mit den Fingern schnalzen

chato [tʃ-] flach; stumpfnasig; klein, untersetzt (*Person*); *m* breites Weinglas *n*; **tomar un ~** s. ein Gläschen genehmigen

chaucha [tʃautʃa] *f RPl* grüne Bohne

chaval [tʃ-] *m* F Junge; **~a** *f* F Mädchen *n*

chaveta [tʃ-] *f* Keil *m*, Splint *m*; **perder la ~** F den Kopf verlieren

chelín [tʃ-] *m* Schilling

chepa [tʃ-] *f* F Buckel *m*; *adj* F buckelig

cheque [tʃeke] *m* Scheck; **~ de viaje** Reisescheck; **~ postal** Postscheck; **~ar**

überprüfen; *Med* untersuchen; **~o** *m* Überprüfung *f*; *Med* Generaluntersuchung *f*

chic|a [tʃ-] *f* Kleine, Mädchen *n*; *~o m* Mexikaner, der in den USA lebt; **~le** *m* Kaugummi; **~o** klein; *m* Kleine(r), Junge

chicote [tʃ-] *m Am* Peitsche *f*; *Col* a Zigarettenstummel *m*

chicha [tʃitʃa] *f Am* Maisbranntwein *m*; **ni ~ ni limonada** weder Fisch noch Fleisch

chícharo [tʃitʃ-] *m Méj* Erbse *f*

chichón [tʃitʃ-] *m* Beule *f* (*bsd am Kopf*)

chifa [tʃ-] *f Pe* chinesisches Restaurant *n*

chifla|do [tʃ-] *F* bescheuert; **~rse por u/c** nach u verrückt sein

chile [tʃ-] *m Méj* scharfer Pfeffer

chill|ar [tʃiʎ-] *v* kreischen; heulen; *m* grell, auffällig (*Farbe*); *m Kind* Schreihals *m*

chimenea [tʃ-] *f* Kamin *m*; Schornstein *m*

china [tʃ-] *f* Kieselstein *m*; *Súda* Mädchen *n*; *PR* Orange; *Col* Fächer *m* (*für das Feuer*)

chinchar [tʃintʃ-] *F* belästigen

chinche [tʃintʃe] *f* Wanze; Reißzwecke; *fig* lästiger Mensch *m*; **~ta** *f* Reißzwecke

chincho|rro [tʃintʃ-] *m Col, Ven* Hängematte *f*; **~so** zu-

dringlich

chino [tʃ-] *m Súda* Junge

chiquill|ada [tʃikiʎ-] *f* Kinderei; **~ería** *f* Haufen *m* kleiner Kinder; **~o** *m*, **~a** *f* kleines Kind *od* Mädchen *n*

chiri|moya [tʃ-] *f* Chirimoya (*Frucht*); **~pa** *f* Zufall *m*

chirona [tʃ-] *f P* Knast *m*

chirriar [tʃ-] knarren, quietschen

chisme [tʃ-] *m* Klatsch; Dingsda *n*

chisp|a [tʃ-] *f* Funke *m*; **~ear** funkeln; rieseln; **~orrotear** Funken sprühen; spritzen

chist|e [tʃ-] *m* Scherz, Witz; **~oso** witzig

¡chito!, **chitón!** [tʃ-] pst!, Ruhe!

chiv|ar [tʃ-] *F* verpetzen; **~ato** *m* F Petzer; **~era** *f Am* Spitzbart *m*; **~o** *m* Zicklein *n*

choca|nte [tʃ-] anstößig; auffällig; **~r** an-, zs-stoßen; aufprallen (**contra** gegen); Anstoß erregen, schockieren; **~r los vasos** anstoßen

choclo [tʃ-] *m* Holzschuh; *Súda* Maiskolben *m*

chocolate [tʃ-] *m* Schokolade *f*

choch|a [tʃotʃa] *f Span* Schnepfe; *PR Tab* weibl. Geschlechtsorgan *n*; **~o** schwachköpfig, tatterig

chófer [tʃ-]; *Am* a **chofer** *m* Fahrer, Chauffeur

chompa [tʃ-] *f Súda* Pullover *m*

choque [tʃoke] *m* Stoß; Zu-

sammenstoß
chorizo [tʃoriθo] m Paprikawurst f
chorr|ear [tʃ-] triefen; rie-
seln; **~o** m Wasserstrahl;
Guß, Strom; fig Schwall
choza [tʃoθa] f Hütte
christmas [k-] m Weih-
nachtskarte f
chubasco [tʃ-] m (Regen-)
Schauer
chucrut [tʃ-] m Sauerkraut n
chufa [tʃ-] f Erdmandel
chul|eta [tʃ-] f Kotelett n; **~**
m Zuhälter; Angeber; Stk
Gehilfe; adj Méj hübsch,
nett
chumb|era [tʃ-] f Feigen-
kaktus m; **~o: higo m ~o**
Kaktusfeige f

chup|ada [tʃ-] f Zug m (beim
Rauchen, Trinken); **~ar** lut-
schen, saugen; **~ar del bote**
von et mit profitieren (bsd
Pfründe); **~ete** m Schnuller
churr|asco [tʃ-] m Süda
Fleisch n vom Grill; **~o**
grobwollig;   m   Art
Schmalzgebäck n; Col gut-
aussehender Mann
chus|co [tʃ-] m drollig; Col
gutaussehend; **~ma** f Pack
n, Gesindel n
chut|ar [tʃ-], Am a **~ear**
Fußball schießen; **esto va
que ~a** Span das klappt
prima
chuz|ar [tʃuθ-] Col stechen;
~o m Spieß; Col Bratspieß

D

dactilografiar mit der Maschine schreiben, tippen
dado m Würfel; **~ que** gesetzt den Fall, daß
dall|ar [-ʎ-] mähen; **~e** m
Sense f
dama f Dame (a Spiel); **~-**
juana [-x-] f große Korb-
flasche
damasco m Damast; Süda
Aprikose f
damnificar (be)schädigen
danza [-θa] f Tanz m; **~r**
tanzen
dañ|ado [-ɲ-] verdorben;
~ar beschädigen; schädigen;
~arse Schaden leiden; verderben (v/i); **~ino** schädlich; **~o** m Schaden, Ver-

lust; Verletzung f; **hacer
~o** Schaden anrichten;
schmerzen (Wunde usw);
hacerse ~o s. verletzen; s.
wehtun
dar geben; schenken; Schrei
ausstoßen; **a la calle** nach
der Straße gehen (Fenster);
dan las cinco es schlägt
fünf (Uhr); **me da igual
(lo mismo)** das ist mir
egal; **~se de alta** s. anmelden; **~se de baja** s. abmelden
dársena f Hafenbecken n;
Dock n
datar datieren
dátil m Dattel f
datos mpl Angaben fpl,

Daten *npl*; ~ **personales**
Personalien *pl*

de von; aus; **un vaso ~ agua**
ein Glas Wasser; ~ **20 años**
zwanzigjährig; ~ **miedo**
aus Furcht; *adverbial:* ~ **ve-**
ras im Ernst; ~ **niño** als
Kind; ~ **noche** bei Nacht,
nachts; **pobre ~ mí!** ich
Armer!

deba|jo [-xo] unten, unter-
halb; ~**jo de** unter; ~**te** *m*
Debatte *f*, Besprechung *f*;
~**tir** erörtern

deb|er 1. *m* Pflicht *f*; ~**eres**
Hausaufgaben *fpl*; 2. *v/t, v/i*
schulden; verdanken; müs-
sen (*Pflicht, mit inf*); ~**er de**
(eigentlich) müssen, sollen;
~**erse** s. gehören; ~**ido** ge-
bührend; ~**ido a** wegen

débil schwach

debili|dad *f* Schwäche *f*; ~**tar**
schwächen

débito *m* Schuld *f*; Ver-
pflichtung *f*

década *f* Dekade *f*; Jahrzehnt
n

deca|dencia [-θ-] *f* Verfall
m, Niedergang *m*, Deka-
denz; ~**dente** dekadent;
~**er** in Verfall geraten; abnehmen; ~**imiento** *m* Verfall

decapitar enthaupten

decena [-θ-] *f* (etwa) zehn;
~**l** zehnjährig

decen|cia [-θenθ-] *f* Anstand
m; Schicklichkeit *f*; ~**io** *m*
Jahrzehnt *n*; ~**te** anständig;
F ganz ordentlich, gut

decepción [-θebθ-] *f* Ent-

täuschung *f*; ~**onar** enttäu-
schen

deceso [-θ-] *m Am* Tod,
Sterbefall

decid|i [-θ-] entschlossen,
entschieden; ~**r** entscheiden; ~**rse** s. entschließen (**a**
zu)

décima [-θ-] *f* Zehntel *n*

decimal [-θ-] Dezimal...

décimo [-θ-] zehnt

decir [-θ-] sagen, sprechen;
es ~ das heißt; **se dice que**
es heißt daß ...; **¡diga!** Tel
Hallo! (*Angerufener*); **por**
así ~lo sozusagen

decis|ión [-θ-] *f* Entschei-
dung; Entschlossenheit; ~**-**
vo entscheidend

declamar vortragen, dekla-
mieren

declara|ción [-θ-] *f* Erklä-
rung, Aussage; ~**ción de**
aduana Zollerklärung; ~**r**
erklären, aussagen; ~**rse**
ausbrechen (*Feuer usw*)

declina|ción [-θ-] *f* Deklina-
tion; Abweichung (*Gesti-*
ne); *~r Gr* deklinieren; ablehnen; s. neigen

declive *m* Abhang; *m* abschüssig

decolaje [-xe] *m Am Flgw*
Start; *~r Am Flgw* starten

decolorar entfärben

decora|ción [-θ-] *f*, ~**do** *m*
Ausschmückung *f*; Büh-
nenbild *n*; ~**r** dekorieren

decoro *m* Anstand

decrecer [-θ-] abnehmen

decrepitud *f* Altersschwä-
che

delicia

decret|ar verordnen; **~o** *m* Verordnung *f*, Erlaß

dedal *m* Fingerhut

dedica|ción [-θ-] *f* Weihung; Widmung; **~r** widmen, zueignen; **~rse a** s. e-r *Sache* widmen, s. mit *et* befassen; **~toria** *f* Widmung

dedo *m* Finger; **~ (del pie)** Zehe *f*; **~ del corazón** Mittelfinger; **~ gordo** Daumen

deduc|ción [-θ-] *f* Ableitung; Abzug *m*; **~ir** [-θ-] folgern; *Kosten usw* abziehen

defec|to *m* Fehler, Mangel; **~tuoso** fehlerhaft

defen|der *m* Fehler, beschützen; **~sa 1.** *f* Verteidigung; Schutz *m*; *Méj Kfz* Stoßstange; **2.** *Sp* Verteidiger; **~sivo** verteidigend; **~sor** (*a f*) *m* Verteidiger(in)

deferencia [-θ-] *f* Nachgiebigkeit; Entgegenkommen *n*

deficien|cia [-θienθ-] *f* Mangel *m*; Fehlerhaftigkeit; **~te** mangelhaft

déficit [-θ-] *m* Defizit *n*

defini|ble bestimmbar; **~ción** [-θ-] *f* Erklärung; Definition; **~r** definieren; **~tivo** endgültig

deform|ar entstellen; **~e** unförmig

defrauda|ción [-θ-] *f* Unterschlagung; Hinterziehung; **~r** veruntreuen; betrügen (*um et*)

defunción [-θ-] *f* Tod(esfall)

m

degenerar [-x-] entarten

degollar [-ʎ-] köpfen

degrada|ción [-θ-] *f* Degradierung; Erniedrigung

degusta|ción [-θ-] *f* Probe, Kosten *n*; **~r** probieren, kosten

dehesa *f* Weide (*für Vieh*)

deja|dez [-xadeθ] *f* Lässigkeit; Schlamperei; **~do** (nach)lässig; schlaff; **~r** lassen; weg-, hinter-, los-, zulassen; **no ~r de ...** unaufhörlich ...; **¡déjame en paz!** laß mich in Ruhe!; **~rse** s. gehenlassen

delantal *m* Schürze *f*

delante vorn, voran; **~ de** vor, in Gegenwart von; **~ra** *f* Vorderteil *n*; **~ro** Vorder...; *m Sp* Stürmer

dela|tar anzeigen; **~tor** *m* Denunziant

delco *m Kfz* Verteiler

delectación [-θ-] *f* Ergötzen *n*

delega|ción [-θ-] *f* Abordnung; Delegation; **~do** *m* Abgeordnete(r)

deleit|ar ergötzen; **~e** *m* Wonne *f*

deletrear buchstabieren

delfín *m* Delphin

delga|dez [-θ] *f* Dünne, Feinheit; **~do** dünn; fein; schlank

deliberar beraten; erwägen

delica|deza [-θa] *f* Zartheit; Takt *m*; **~do** zart, fein, empfindlich; heikel

delici|a [-θ-] *f* Vergnügen *n*;

Lust; ~oso köstlich

delinea|ción [-θ-] f Umriß m; ~dor m Augenbrauenstift; ~nte m technischer Zeichner; ~r umreißen; fig entwerfen

delir|ante wahnsinnig, irreredend; stürmisch (Beifall); ~io m Delirium n; Raserei f

delito m Vergehen n; Verbrechen n

demanda f Forderung; jur Klage; Hdl Nachfrage; ~do m, ~da f Beklagte(r); ~nte su Kläger(in); ~r fordern; jur verklagen

demarca|ción [-θ-] f Abgrenzung; ~r abgrenzen

demás übrig; ander; lo ~das übrige; los ~ die anderen; estar ~ überflüssig sein; por lo ~ im übrigen; y ~ und so weiter

demasiado zu viel; zu, zu sehr

demen|cia [-θ-] f Wahnsinn m; ~te wahnsinnig; su Geistesgestörte(r)

democracia [-θ-] f Demokratie

demócrata su Demokrat(in)

demo|ler zerstören; ~lición [-θ-] f Zerstörung; Bau Abbruch m

demonio m Dämon; Teufel; ¿qué ~s ...? was zum Teufel ...?

demora f Verzögerung; Verzug m; ~r verzögern; aufschieben

demostra|ción [-θ-] f Be-

weis m; Darlegung; ~r beweisen; darlegen; bekunden; ~tivo beweisend, demonstrativ

denegar verweigern, abschlagen

denigrar fig anschwärzen

denomina|ción [-θ-] f Benennung; ~r benennen

denotar bedeuten, bezeichnen

den|sidad f Dichte; ~so dicht; dick (Flüssigkeit)

den|tadura f Gebiß n; ~tición [-θ-] f Zahnen n (der Kinder); pasta f ~tífrica Zahnpasta; ~tista su Zahnarzt, -ärztin; ~ón m Zo, Gastr Zahnbrassen

dentro darin, drinnen; ~ de innerhalb (gen); por ~ (dr)innen, im Innern

denuncia [-θ-] f, ~ción [-θ-] f Anzeige; ~r anzeigen; Vertrag kündigen

departamento m Abteilung f; Esb Abteil n; Méj Wohnung f

depen|dencia [-θ-] f Abhängigkeit; ~der de abhängen von; ~de das kommt darauf an; ~diente abhängig; m Untergebene(r); Angestellte(r); Verkäufer

deplora|ble bedauerlich; ~r beklagen; bejammern

deponer abberufen; niederlegen

deport|e m Sport; ~ista su Sportler(in); ~ivo sportlich; Sport...

deposición [-θ-] f Med Stuhl(gang) m; jur (Zeugen-)Aussage

deposi|tar hinterlegen, deponieren

depósito m Depot n; Behälter; Hdl Einlage f; **~ de gasolina** Benzintank

deprava|ción [-θ-] f Verderbnis, Sittenlosigkeit; **~do** lasterhaft

depre|ciación [-θiaθ-] f Entwertung (a Geld); **~ciar** [-θ-] entwerten; herabsetzen; **~sión** f Hdl, Med Depression

deprimi|do deprimiert; **~r** niederdrücken; demütigen

depura|ción [-θ-] f Reinigung; Klärstellung (von Tatsachen); **~r** reinigen, läutern

derech|a [-tʃa] f rechte Hand; Pol Rechte; **a la ~** (nach) rechts; **~ista** Pol rechtsstehend, der Rechten; **~o** recht; gerade; aufrecht; m Recht n; **~os** pl Steuer f; Zoll m; Gebühren fpl

deriva|ción [-θ-] f Ableitung; **~r** ableiten; Mar abtreiben (v/i)

derram|ar vergießen; **~arse** s. ergießen; auslaufen; **~e** m Auslaufen n; Med Erguß

derrapar schleudern (Auto)

derrengarse s. verrenken; fig s. abrackern

derretir schmelzen; **~se** schmelzen (v/i, a fig)

derribar ein-, ab-reißen; zu Boden werfen; Flugzeug

abschießen; abwerfen (Pferd)

derroch|ador(a f) [-tʃ-] m Verschwender(in); **~ar** verschwenden; **~e** m Verschwendung f

derrota f Niederlage; Mar, Flgw Kurs m; **~r** vernichten, schlagen; ruinieren

derrumb|amiento m Erdrutsch; Einsturz; **~arse** einstürzen; **~e** m Am Einsturz; Erdrutsch

desabotonar aufknöpfen

desabri|do fade, geschmacklos; langweilig; **~gado** ungeschützt

desabrochar [-tʃ-] aufhaken, aufknöpfen

desaca|tar unehrerbietig behandeln; **~to** m Unehrerbietigkeit f, Mißachtung f

desa|certar [-θ-] (s.) irren; **~consejar** [-x-] abraten; **~coplar** auskuppeln; **~costumbrar** et abgewöhnen (j-m); **~creditar** in Mißkredit bringen; **~cuerdo** m Unstimmigkeit f; Meinungsverschiedenheit f

desafi|ador m Herausforderer, Duellant; **~ante** herausfordern; trotzen (dat); **~ar** falsch spielen, singen

desafío m Herausforderung f

desafor|ado gewalttätig; **~tunado** unglücklich

desagra|dable unangenehm; **~decido** [-θ-] undankbar

desa|guar entwässern;

münden (*Fluß*); **~güe** m Wasserabfluß; Entwässerung f

desahoga|do bequem, zwanglos; **~r** erleichtern, Linderung verschaffen

desahuciar [-θ-] *Kranken* aufgeben; *jur* zwangsräumen

desai|rar zurücksetzen; herabsetzen; **~re** m Zurücksetzung f, Kränkung f

desalentar entmutigen; **~liento** m Mutlosigkeit f

desaliñado [-ɲ-] verwahrlost

desal|mado herzlos; m Bösewicht

desaloja|miento [-x-] m Vertreibung f, Räumung f (*Wohnung, Stellung*); **~r** aus-, ver-treiben; ausziehen; *Wohnung, Zimmer* räumen

desampar|ado hilflos, verlassen; **~o** m Schutzlosigkeit f, Verlassenheit f

desandar: ~ el camino den Weg zurückgehen

desangrar *fig* ausbeuten; **~se** verbluten

desanimar entmutigen; **~se** den Mut verlieren

desapacible [-θ-] unangenehm; barsch; unfreundlich (*Wetter*)

desapar|ecer [-θ-] verschwinden; **~ición** [-θ-] f Verschwinden n

desapercibido [-θ-] unvorbereitet; unbemerkt

desaprob|ación [-θ-] f Mißbilligung f; **~ar** mißbilligen

desaprovecha|do [-tʃ-] unnütz; zurückgeblieben (*Schüler*); **~r** versäumen, ungenutzt lassen; zurückbleiben

desar|mador m *Pe* Schraubenzieher; **~mar** entwaffnen; abmontieren; abrüsten; **~me** m Entwaffnung f; Abrüstung f; **~raigar** entwurzeln; ausrotten; **~raigo** m Entwurzelung f; Ausrottung f

desarr|eglar in Unordnung bringen; **~eglo** m Unordnung f; **~ollar** [-ʎ-] entwickeln; abspulen; *fig* entwickeln; **~ollarse** s. entwickeln; **~ollo** m [-ʎo] m Entwicklung f; Ablauf; Erklärung f

desa|seado unsauber; **~seo** m Unsauberkeit f; Schlamperei f

desasir loslassen; **~se de** entsagen; verzichten auf

desaso|segar beunruhigen; **~siego** m Unruhe f

desas|tre m Katastrophe f; **~troso** schrecklich, katastrophal

desatar losbinden; lösen

desaten|ción [-θ-] f Unaufmerksamkeit; Unhöflichkeit; **~der** vernachlässigen; nicht beachten; **~to** unaufmerksam; unhöflich

desatin|ado unsinnig; **~ar** Unsinn reden; **~o** m Unsinn; Fehlgriff

desa|tornillar [-ʎ-] ab-, losschrauben; **~venencia** [-θ-]

f Uneinigkeit; Streit m
desayu|nar frühstücken;
  ~no m Frühstück n
desba|ratar zerstören; zu-
  nichte machen; **~star** ab-
  hobeln; *fig* Schliff beibringen (*dat*)
desbordar überlaufen;
  überfließen
descabezar [-θ-] köpfen
desca|feinado koffeinfrei;
  ~labro m Widerwärtigkeit
  f; *Mil* Schlappe f; **~lificar**
  disqualifizieren
descalz|ar [-θ-] (Schuhe,
  Strümpfe) ausziehen; **~o**
  barfuß
descans|ar ausruhen, ra-
  sten; **~o** m Rast f, Ruhe f;
  Thea Pause f
descapotable m *Kfz* Kabriolett n
descarado unverschämt
descarga f Entladung; *Mar*
  Löschen n; Salve; **~dor** m
  Ablader; **~r** abladen; löschen; *Waffe* entladen; ab-
  feuern; *Schlag* versetzen;
  fig entlasten
descar|go m Entlastung f;
  ~gue [-ge] m Abladen n,
  Löschen n; **~o** m Unver-
  schämtheit f
descarrila|miento m Ent-
  gleisung f; **~r** entgleisen
descartar ausschließen
descen|dencia [-θendenθ-] f
  Nachkommen(schaft); Ab-
  stammung; **~dente** abstei-
  gend; fallend; **~der** herab-
  steigen; abstammen; sinken; **~diente** abstammend;

m Nachkomme; **~so** m Her-
  untersteigen n; *Hdl* Fallen
  n
descifrar [-θ-] entziffern,
  enträtseln
descolgar *et* abhängen, abnehmen
descolo|rar entfärben; **~ri-
  do** blaß, farblos
descomedido unhöflich
descompo|ner zerlegen,
  zergliedern; **~nerse** s. zer-
  setzen, verwesen; **~sición**
  [-θ-] f Zersetzung, Verwe-
  sung
descompuesto unordent-
  lich; zersetzt; verstört
desconcerta|do [-θ-] ver-
  blüfft; zerrüttet; **~r** stören;
  entzweien; verwirren; verrenken
desconectar aus-, ab-schal-
  ten
desconfia|do mißtrauisch;
  ~nza [-θa] f Mißtrauen n;
  ~r de mißtrauen (*dat*)
descongelar [-x-] *Kost* auftauen; *Kühlschrank* abtau-
  en; enteisen; *Löhne, Mieten*
  freigeben
descono|cer [-θ-] nicht ken-
  nen; nicht wissen; **~cido**
  [-θ-] unbekannt; m Unbe-
  kannte(r); **~cimiento** [-θ-]
  m Unkenntnis f
desconsola|dor trostlos;
  hoffnungslos; **~r** betrüben;
  ~rse untröstlich sein
desconsuelo m tiefe Betrüb-
  nis f, Enttäuschung f
descon|tar herabsetzen; ab-
  ziehen; diskontieren; **~ten-**

to unzufrieden; mißvergnügt; *m* Unzufriedenheit *f*

descorch|ador [-tʃ-] *m* Korkenzieher; **~ar** entkorken

descorrer Vorhang, Riegel zurück-ziehen, -schieben

descor|tés unhöflich; **~tesía** *f* Unhöflichkeit

descoser Naht auftrennen; **~se** aufgehen

descrédito *m* Verruf

descri|bir beschreiben; **~p-ción** [-θ-] *f* Beschreibung; **~ptivo** beschreibend

descubierto unbedeckt; *Hdl* überzogen; ungedeckt; *m* Rückstand; Kontoüberziehung *f*; **al ~** im Freien; *Hdl* ungedeckt

descubri|dor *m* Entdecker; **~miento** *m* Entdeckung *f*; **~r** entdecken, finden; **~rse** den Hut abnehmen

descuento *m* Abzug, Skonto *n*; **(tipo *m* de) ~** Diskont (-satz)

descui|dado nachlässig; **~dar** vernachlässigen; **¡des-cuide!** seien Sie unbesorgt; **~darse** nachlässig sein; **~do** *m* Nachlässigkeit *f*; **por ~do** aus Versehen

desde seit, von ... an, von, von ... aus; **~ aquí** von hier aus; **~ hace un año** seit e-m Jahr

desdecirse [-θ-] widerrufen

desdén *m* Verachtung *f*

desdeñ|ar [-ɲ-] geringschätzen, verschmähen; **~oso** verächtlich

desdicha [-tʃa] *f* Unglück *n*,

Elend *n*; **~do** unglücklich, elend; *m* armer Teufel

deseable wünschenswert; begehrenswert; **~r** wünschen, ersehnen; wollen

deseca|ción [-θ-] *f* Trockenlegung; **~r** trocknen; entwässern

dese|char [-tʃ-] wegwerfen; verwerfen; **~cho** [-tʃo] *m* Abfall; Ausschuß

desembalar auspacken

desembar|car ausschiffen; ausladen; *v/i* an Land gehen; **~co** *m* Ausschiffung *f*; **~que** [-ke] *m* Landung *f*; *Hdl* Löschen *n*

desembo|cadura *f* Mündung; **~car** münden; **~lsar** *Geld* ausgeben, auszahlen; auslegen; **~lso** *m* Zahlung *f*; Ausgabe *f*

desembra|gar auskuppeln; ausschalten; **~gue** [-ge] *m* Auskuppeln *n*; Auslösung *f*

desempa|car *Am* auspakken; **~cho** [-tʃo] *m* Dreistigkeit *f*; **~quetar** [-k-] auspacken

desempate *m* Stichentscheid

desempe|ñar [-ɲ-] *Pfand* auslösen; *Pflicht* erfüllen; *Amt* ausüben; *e-e Rolle* spielen; **~ño** [-ɲo] *m* Einlösen *n*; Pflichterfüllung *f*; Erledigung *f*

desempleo *m* Arbeitslosigkeit *f*

desempolvar abstauben

desencadenar entfesseln; **~se** losbrechen, wüten

deshielo

desencan|tar entzaubern, ernüchtern; ~to m Entzauberung f, Enttäuschung f

desenfadado ungezwungen; ~o m Ungezwungenheit f

desenfreno m Zügellosigkeit f; Ungestüm m

desenga|nchar [-tʃ-] aus-, los-haken; Pferde ausspannen; ~ñar [-ɲ-] enttäuschen; j-m die Augen öffnen; ~ñarse e-e Enttäuschung erleben; ~ño [-ɲo] m Enttäuschung f

desenlace [-θe] m Lösung f, Ausgang m

desenredar [-rr-] entwirren

desen|voltura f Unbefangenheit, Ungezwungenheit; ~volver auf-, los-, aus-wickeln; fig entwickeln, darlegen; ~vuelto ungezwungen

deseo m Wunsch; Verlangen n; ~so de begierig nach

desequilibrar [-k-] aus dem Gleichgewicht bringen

deser|ción [-θ-] f Abfall m; Fahnenflucht; ~tar desertieren; ~tor m Deserteur, Fahnenflüchtige(r)

desespera|ción [-θ-] f Verzweiflung; ~do hoffnungslos; verzweifelt; ~r zur Verzweiflung bringen; ~rse verzweifeln (de an); ~rse alle Hoffnung aufgeben

desestimar verachten, geringschätzen; jur Klage abweisen

desfacha|tado [-tʃ-] frech;

~tez [-θ] f Frechheit

desfalle|cer [-ʎeθ-] schwächen; in Ohnmacht fallen; ~cimiento [-θ-] m Ohnmacht f; Schwäche f

desfavorable ungünstig

desfigurar verzerren; entstellen

desfil|adero m Engpaß; Hohlweg; ~ar vorbeimarschieren; ~e m Vorbeimarsch, Zug m; Parade f; ~e de modelos, Am ~e de modas Modenschau f

desflorar entjungfern

desgana f Appetitlosigkeit, Unlust; a ~ ungern

desgarr|ado frech, schamlos; ~ador herzzerreißend; ~ar zerreißen; ~o m Frechheit f; Riß

desgas|tado abgenützt, abgetragen; ~tar abnutzen; ~te m Abnutzung f, Verschleiß

desgracia [-θ-] f Unglück n; adv por ~ leider; ~do unglücklich; unbeholfen

desgrasar Fett entziehen (dat), entfetten

desgreñar [-ɲ-] zerzausen

desguazar [-θ-] verschrotten

deshacer [-θ-] auseinandernehmen; zerteilen; Koffer auspacken; ~se entzweigehen; s. auflösen

deshelar auftauen; deshiela es taut

desheredar enterben

deshielo m Auftauen n; Tauwetter n (a fig)

deshojar [-x-] entblättern
deshonr|a [-rra] f Ehrverlust m; Schande; **~ar** entehren; schänden; **~oso** schändlich
deshora f: **a ~** zur Unzeit
deshuesar Fleisch entbeinen; Obst entkernen
desierto öde, leer, verlassen; m Wüste f
designa|ción [-θ-] f Bezeichnung; Ernennung; **~r** bezeichnen; bestimmen; ernennen
desigual ungleich; uneben; fig unbeständig; **~dad** f Ungleichheit
desilu|sión f Enttäuschung; **~sionar** enttäuschen
desinfec|ción [-θ-] f Desinfektion; **~tante** m Desinfektionsmittel n; **~tar** desinfizieren
desintegra|ción [-θ-] f Zerfall m; **~rse** a fig zerfallen
desinte|rés m Uneigennützigkeit f; Mangel an Interesse; **~resado** selbstlos; desinteressiert
desistir (de) verzichten (auf); Abstand nehmen (von); zurücktreten (von)
desleal treulos; **~tad** f Treulosigkeit
desleír auflösen; **~se** zergehen
deslenguado unverschämt
desli|ar aufbinden; **~gar** aufbinden; von einer Pflicht entbinden; **~ndar** abgrenzen; **~z** [-θ] m Ausgleiten n; Fehltritt

desliza|dor [-θ-] m: **~dor acuático** Luftkissenboot n; Am a Motorboot n; **~r** ab-, aus-gleiten; ausrutschen; gleiten lassen
deslu|cido [-θ-] unscheinbar; glanzlos; **~ir** den guten Eindruck verderben; **~irse** unscheinbar werden; Glanz verlieren
deslumbrar (ver)blenden
desmán m Ausschreitung f; Übergriff
desmaquillar [-λ-] abschminken
desma|yado schwach, matt; ohnmächtig; **~yarse** ohnmächtig werden; **~yo** m Ohnmacht f, Schwäche f
desme|dido übermäßig; **~jorar** [-x-] verschlechtern; **~mbrar** zergliedern, (ab-) trennen
desmenti|da f Dementi n; **~r** Lügen strafen; dementieren
desmesura f Maßlosigkeit; **~do** übermäßig; unverschämt
desmont|ar abholzen, roden; abreißen; demontieren; **~e** m Demontage f; Rodung f, Holzfällen n
desnatar Milch entrahmen
desnaturaliza|ción [-θaθ-] f Ausbürgerung; **~do** entartet; **~r** entstellen; denaturieren; vergällen; ausbürgern
desnivel m Höhenunterschied; Gefälle n (a fig)
desnu|dar entblößen; ent-

kleiden; **~darse** s. ausziehen; **~dez** [-θ-] f Nacktheit,
Blöße; **~dismo** m Freikör-
perkultur f (FKK); **~do**
nackt, bloß; kahl; m Mal
Akt

desobe|decer [-θ-] nicht ge-
horchen; **~diencia** [-θ-] f
Ungehorsam m; **~diente**
ungehorsam

desocupa|ción [-θ-] f Un-
tätigkeit; Arbeitslosigkeit;
~do müßig; frei; arbeitslos;
~r (aus)räumen; **~rse** frei
werden (Wohnung)

desodorante m Deodorant n

desol|ación [-θ-] f Verhee-
rung; Trostlosigkeit; **~ar**
verheeren; **~arse** untröstlich sein

desorden m Unordnung f;
~ar in Unordnung bringen

desorganiza|ción [-θaθ-] f
Zerrüttung; **~do** unordent-
lich; schlecht organisiert;
~r zerrütten

desorientarse die Richtung
verlieren; s. verirren

desovar laichen

despaci|o [-θ-] langsam,
sachte; **~to** ganz sachte

despach|ar [-tʃ-] abferti-
gen; erledigen, ausführen;
(ab)senden; m Abfertigung
f; Erledigung f; Ge-
schäftszimmer n; Büro n;
Verkauf m; **~o de billetes**
Fahrkartenschalter; **~o de
equipajes** Gepäckabferti-
gung f; **~o de bebidas** Aus-
schank

desparramar zerstreuen;

verschwenden; **~se** s. ausbreiten

despedazar [-θ-] zerstü-
keln; zerreißen, zerfetzen

despedi|da f Abschied m;
Verabschiedung; Entlas-
sung; **~r** verabschieden;
entlassen, kündigen; **~rse**
Abschied nehmen

despeg|ar (ab-, los)lösen;
Flgw abheben, starten; **~ue**
[-ge] m Flgw Abheben n,
Start

despejado [-x-] hell, wolkenlos; munter, unbefan-
gen

despensa f Speisekammer

desper|dicio [-θ-] m Ver-
schwendung f; Abfall m;
~dicios pl Abfall m; **~fecto**
m Fehler

desperta|dor m Wecker
(Uhr); **~r** (auf)wecken; aufmuntern; **~r(se)** aufwachen

despido m Entlassung f

despierto wach; aufgeweckt

despilfarrar verschwenden

desplante m Frechheit f

desplaza|miento [-θ-] m
Verschiebung f; Verlage-
rung f; Fahrt f; Reise f; **~r**
verschieben; **~rse** s. begeben zu, nach

desplegar entfalten; ausbreiten

desplomarse zs.-sinken;
einstürzen (Wand)

desplumar rupfen (a fig);
fig ausnehmen

despobla|do m Einöde f;
unbewohnter Ort m; **~r**
entvölkern

despojar [-x-] berauben (de

gen)

despreci|ar [-θ-] verachten; verschmähen; **~o** *m* Verachtung *f*

despren|der losmachen; **~derse** s. lösen; **~dimiento** *m* Erdruisch

desprevenido ahnungslos, unvorbereitet

después nachher, dann; darauf; *prp* **~ de** nach; *cj* **~ de que** nachdem, als

desquit|arse [-k-] **de** s. für et rächen; s. für et schadlos halten; **~e** *m* Vergeltung *f*; *Spiel* Revanche *f*

destacar abkommandieren; hervorheben

destajo [-xo] *m* Akkordarbeit *f*; **a ~** im Akkord

destap|ar aufdecken; *Flasche* öffnen; **~e** *m* Striptease

dest|errar verbannen; **~ierro** *m* Verbannung *f*

destila|ción [-θ-] *f* Destillation; **~r** destillieren

desti|nación [-θ-] *f* Bestimmung; **~nar** bestimmen; ausersehen; **~natario** *m* Empfänger; **~no** *m* Schicksal *n*; Bestimmung(sort *m*) *f*, Ziel *n*

destornilla|dor [-ɹ-] *m* Schraubenzieher; **~r** ab-, los-, heraus-schrauben

destreza [-θa] *f* Geschicklichkeit, Fertigkeit

destrozar [-θ-] zerstückeln; zerreißen

destru|cción [-θ-] *f* Zerstörung; **~ctivo** zerstörend; **~ir** zerstören, vernichten

desunión *f* Uneinigkeit

desván *m* Dachboden

desvel|ar wach halten; **~arse** besorgt sein; **~o** *m* Schlaflosigkeit *f*; Sorge *f*

desven|taja [-xa] *f* Nachteil *m*; **~tajoso** [-x-] nachteilig, ungünstig; **~tura** *f* Unglück *n*; **~turado** unglücklich; einfältig

desvergonzado [-θ-] unverschämt

desvia|ción [-θ-] *f* Abweichung; Umleitung; Ablenkung; **~r** umleiten

detall|ar [-ʎ-] ausführlich beschreiben; **~e** *m* Einzelheit *f*; Einzelhandel; **~ista** *m* Einzelhändler

deten|ción [-θ-] *f* Verhaftung; Haft; **~er** verhaften; an-, auf-halten; verweilen; **~erse** stehenbleiben; verweilen

detergente [-x-] *m* Waschmittel *n*; Detergens *n*

deteriorar beschädigen

determina|ción [-θ-] *f* Bestimmung; Entschluß *m*; **~do** entschlossen; bestimmt; **~r** bestimmen; **~rse** s. entschließen (**a** zu)

detestar verabscheuen

detrás hinten; **por ~** von hinten; *prp* **~ de** hinter; **uno ~ de otro** hinterea

detrimento *m* Schaden

deud|a *f* Schuld; **~or(a** *f*) *m* Schuldner(in)

devastar verwüsten

devoción [-θ-] *f* *Rel* Andacht; Frömmigkeit

devolver zurückgeben, er-

digno

statten

devoto andächtig; fromm; ergeben

día m Tag; **~ festivo** Feiertag; **de ~** tagsüber; **un ~** eines Tages; **el otro ~** neulich; **al ~** auf dem laufenden; **¡buenos ~s!** guten Morgen (Tag)!

diab|etes f Zuckerkrankheit; **~ético** zuckerkrank; m Diabetiker

diablo m Teufel; Teufelskerl; **¿qué ~s...?** was zum Teufel ...?

diafragma m Anat Zwerchfell n; Fot Blende f; Schalldose f

diagnóstico m Diagnose f

diamante m Diamant

diámetro m Durchmesser

diapositiva f Fot Dia(positiv) n

diario täglich; Tages...; m Tagebuch n; Tages-Zeitung f; **~ hablado** Nachrichten fpl

diarrea f Med Durchfall m

dibu|jante [-x-] m Zeichner; **~jar** [-x-] zeichnen; **~jarse** s. abzeichnen; **~jo** [-xo] m Zeichnung f; Zeichnen n; **~jos** fpl **animados** Zeichentrickfilm m

diccionario [-θ-] m Wörterbuch n; Lexikon n

diciembre [-θ-] m Dezember

dictado m Diktat n; **al ~** nach Diktat; **~r** m Diktator

dictam|en m Meinung f; Gutachten n; **~inar** ein Gutachten abgeben

dictar diktieren; vorschreiben; Gesetze usw erlassen; Vortrag halten

dicha [-t∫a] f Glück n; **por ~** zum Glück

dicho [-t∫o] genannt, besagt; m Ausspruch m; **~so** glücklich; verflixt

diente m Zahn; Zacken

diestro geschickt; m Torero

dieta f Diät; **~ cruda** Rohkost

difama|ción [-θ-] f Verleumdung; **~dor(a** f) m Verleumder(in); **~r** verleumden; **~torio** verleumderisch

dife|rencia [-θ-] f Unterschied m; Streit m; **~rencial** [-θ-] f Differential n; **~renciar** [-θ-] unterscheiden; **~rente** verschieden; **~rir** verzögern; aufschieben; differieren, abweichen

difícil [-θ-] schwer, schwierig

dificult|ad [-θ-] f Schwierigkeit; **~ar** erschweren

difteria f Diphtherie

difunto verstorben, tot

digerir [-x-] verdauen

digesti|ble [-x-] verdaulich; **~ón** f Verdauung; **~vo** m verdauungsförderndes Mittel n

digna|rse + inf geruhen zu + inf; **~tario** m Würdenträger

dign|idad f Würde; Anstand m; **~o** würdig (**de gen**); angemessen; wert

dije [-xe] *m* Anhänger (*Schmuck*)

dila|pidar verschwenden; **~table** dehnbar; **~tación** [-θ-] *f* Erweiterung; Ausdehnung; **~tar** ausdehnen; ausweiten; **~torio** aufschiebend

diligen|cia [-xenθ-] *f* Fleiß *m*, Eifer *m*; *bsd Am* Besorgung, Behördengang *m*; **~te** fleißig, sorgfältig; flink

diluir auflösen; verdünnen

dimensión *f* Ausdehnung

diminutivo *Gr* verkleinernd

dinamita *f* Dynamit *n*

dínamo *f* Lichtmaschine

dinero *m* Geld *n*; **~ efectivo** (**suelto**) Bar- (Klein-)geld *n*

Dios *m* Gott; **¡~ (mío)!** (mein) Gott!; **¡por ~!** um Gottes willen!

dios *m* heidnischer Gott; **~a** *f* Göttin

diputa|ción [-θ-] *f* Abordnung; **~do** *m* Abgeordnete(r)

dique [-ke] *m* Damm; Dock *n*

direc|ción [-θ-] *f* Leitung; Richtung; Anschrift; **~tivo** leitend; *m* Führer, Manager; **~to** unmittelbar; gerade, direkt; **tren ~** direkt; **tor** *m* Leiter; **~tor de orquesta** Dirigent; **~torio** *m* Direktorium *n*; Leitung *f*; *Am* Adreß-, Telefon-buch *n*; **~triz** [-θ] *f* Richtlinie; Direktorin

dirigir [-x-] leiten; lenken, steuern; **~se** s. wenden (**a** an); s. begeben (**a** nach)

discípulo [-θ-] *m* Schüler, Jünger

disco *m* Scheibe *f*; Diskus; Schallplatte *f*; Span (Verkehrs-)Ampel *f*; **~ microsurco** Langspielplatte *f*; **~ de(l) embrague** Kupplungsscheibe *f*; **~ de horario** Parkscheibe *f*

discontinuo unterbrochen

discordar nicht übereinstimmen

discoteca *f* Diskothek

discre|ción [-θ-] *f* Urteilskraft; Takt *m*, Diskretion; **~to** klug; diskret

disculpa *f* Entschuldigung; **~r** entschuldigen

discur|so *m* Rede *f*; Abhandlung *f*; **~sión** *f* Diskussion, Erörterung; **~tir** erörtern, diskutieren

disentería *f* Ruhr

diseño [-ɲo] *m* Entwurf; Zeichnung *f*

disfraz [-θ] *m* Verkleidung *f*; (Masken-)Kostüm *n*; **~arse de** s. verkleiden als

disfrutar (**de**) genießen; s. erfreuen (*gen*)

disgus|tar verdrießen; **~tarse** s. ärgern; **~to** *m* Verdruß; **a ~** widerwillig

disimular verhehlen; übersehen

disipar verschwenden

dislocación [-θ-] *f* *Med* Verrenkung

disminuir ver-kleinern,

-mindern; *Preise* senken

disol|ución [-θ-] *f* Auflösung; **~ver** auflösen; trennen

dispara|dor *m* Drücker, Abzug; *Fot* Auslöser; **~dor automático** Selbstauslöser; **~r** abdrücken, abschießen; schießen, feuern

disparate *m* Unsinn

disparo *m* Schuß

dispens|ar befreien, entbinden (**de** von); gewähren; **~e (Vd.)** entschuldigen Sie

dispersar zerstreuen

dispo|ner (an)ordnen; verfügen (**de** über); **~nible** verfügbar; **~sición** [-θ-] *f* Anordnung; Verfügung; **~sitivo** *m* Vorrichtung; **~sitivo** (**a**) geneigt (zu); bereit (zu)

disput|a *f* Wortstreit *m*, Disput *m*; **~r** streiten

dista|ncia [-θ-] *f* Entfernung; **~ncia focal** *Fot* Brennweite; **~nte** entfernt; **~r** entfernt sein

distin|guido [-gi-] ausgezeichnet; vornehm; **~guir** [-gir] unterscheiden; **~guirse** s. auszeichnen; **~tivo** *m* Merkmal *n*; **~to** unterschiedlich; deutlich

distorsión *f* Zerrung, Verstauchung

distra|cción [-θ-] *f* Zerstreutheit; Zerstreuung; **~er** zerstreuen, unterhalten; **~ído** zerstreut

distribu|ción [-θ-] *f* Verteilung; Briefzustellung; **~i-**

dor *m* (**automático**) Automat; **~r** aus-, ver-teilen; *Hdl* vertreiben

distrito *m* Bezirk

disuadir abraten; ausreden

diurno täglich; Tag(es)...

divagar abschweifen, vom Thema abkommen

diván *m* Diwan

diver|sidad *f* Verschiedenheit; **~so** verschieden(artig)

diverti|do lustig, unterhaltsam; **~miento** *m* Vergnügen *n*; **~r** unterhalten, ablenken; **~rse** s. unterhalten

dividir teilen; dividieren

divino göttlich; himmlisch

divisa *f Hdl, fig* Devise

divi|sible teilbar; **~sión** *f Math, Mil* Division; **~sor** *m* Teiler

divorci|ado [-θ-] geschieden; **~arse** s. scheiden lassen; **~o** *m* (Ehe-)Scheidung *f*

divulgar *Gerücht usw* verbreiten

doblar verdoppeln; biegen; falten; *Film* synchronisieren; **~ la esquina** um die Ecke gehen, biegen

doble doppelt; Doppel...; **~** *m* Doppelgänger *m*; Double *n*; **~z** [-θ] *m* Falte *f*; *a f fig* Falschheit *f*

docena [-θ-] *f* Dutzend *n*

dócil [-θ-] gelehrig; geschmeidig

doctor *m* Doktor; *F* Arzt, Doktor

documen|tación [-θ-] *f* Unterlagen *fpl*; (Ausweis-

Papiere npl; **~tal** m Kulturfilm; **~tar** urkundlich belegen; **~to** m Urkunde f; Beweis; **~to de identidad** Span Kennkarte f

dog|ma m Lehrsatz; **~mático** dogmatisch; **~matista** m Dogmatiker

dogo m Dogge f

dólar m Dollar

dol|encia [-θ-] f Leiden n; **~er** weh tun, schmerzen; fig leid tun; **~erse** klagen (de über); **~or** m Schmerz; **~oroso** schmerzhaft; kläglich; **~oso** betrügerisch

domador m Dompteur

domar zähmen, bändigen

doméstico häuslich; m Dienstbote; **animal m ~** Haustier m

domici|liado [-θ-] wohnhaft; **~liar** ansiedeln; **~lio** m Wohnung f; Wohn-ort, -sitz

domin|ación [-θ-] f Herrschaft; **~ante** dominierend; herrschsüchtig; **~ar** beherrschen; vorherrschen

domingo m Sonntag

dominio m Herrschaft f; Gebiet n; Eigentum n

don m Don (Titel vor Vornamen v Männern); Herr; Gabe f, Talent n

donaire m Anmut f

doncella [-θ-] f Zofe

donde wo; **a ~** wohin; **de ~** woher, von wo; **en ~** wo; **hacia** (od **para**) **~** wohin; **por ~** woher, woraus; **¿dónde?** wo?; **vamos**

Juan Am gehen wir zu Juan; **~quiera** adv überall

doña [-ɲa] f (con dem Vornamen der Verheirateten) Frau

dorado golden; m Vergoldung f

dormi|lón m (im Schlafen; m Langschläfer; **~r** schlafen; einschläfern; **~rse** einschlafen; **~torio** m Schlafzimmer n

dorso m Rücken; Rückseite f

dosis f Dosis

dotar ausstatten; stiften

dote f u m Mitgift f; Begabung f

draga f Bagger m; **~r** (aus-) baggern

drama m Drama n; **~tizar** [-θ-] dramatisieren; **~turgo** m Dramatiker

drena|je [-xe] m Entwässerung f, Drainage f; **~r** entwässern

droga f Droge; Rauschgift n; **~dicto** drogensüchtig

droguería [-ge-] f Drogerie; Am a Apotheke

dúctil dehnbar; geschmeidig

ducha [-tʃa] f Dusche; **~rse** (s.) duschen

ducho [-tʃo] erfahren, bewandert (en in)

du|da f Zweifel m; Ungewißheit; **sin ~da** sicherlich; **~dar** bezweifeln (de ac), zweifeln (de an); unschlüssig sein; **~doso** zweifelhaft; fragwürdig

duelo m Trauer f; Duell n

edificio

duende *m* Kobold
dueña [-ɲa] *f* Eigentümerin; Herrin; **~o** *m* Eigentümer; Herr; Wirt
dul|ce [-θe] süß; lieblich; sanft; *m* Zuckerwerk *n*; Kompott *n*; **~ces** *pl* Süßigkeiten *fpl*; **~cificar** [-θ-] (ver)süßen; **~zura** [-θ-] *f* Süße; Sanftmut
dupli|cado *m* Duplikat *n*, Zweitschrift *f*; **~car** verdoppeln; **~cidad** [-θ-] *f* Doppelzüngigkeit

duque [-ke] *m*, **~sa** *f* Herzog(in)
dura|ble dauerhaft; **~ción** [-θ-] *f* Dauer; **~dero** dauerhaft; **~nte** während; **~r** dauern; **~zno** [-θ-] *m* Herzpfirsich; *Süda* Pfirsich
dureza [-θa] *f* Härte
durmiente *m* *Esb* *Am* Schwelle *f*
duro hart; hartherzig; *Am a* laut; *m* Duro *m* (*Münze* = 5 *Pesetes*); **~ de oído** schwerhörig

E

e und (*statt* **y** *vor* **i** *und* **hi**)
ebanis|ta *m* Kunsttischler; **~tería** *f* Kunsttischlerei
ebrio trunken, berauscht
ebullición [-ʎiθ-] *f* Sieden *n*; *fig* Aufwallung
eclesiástico kirchlich; *m* Geistliche(r)
eclipse *m* (Sonnen-, Mond-) Finsternis *f*
eco *m* Echo *n*; Widerhall
ecolo|gía [-x-] *f* Ökologie; **~ógico** [-x-] ökologisch; Umwelt...; **~ogista** [-x-] *su* Umweltschützer *m*
ecólogo *m* Ökologe
economía *f* Wirtschaft; Sparsamkeit; **~as** *pl* Ersparnisse; **~política** Volkswirtschaftslehre
económico wirtschaftlich; haushälterisch, sparsam; billig
economi|sta *m* Volkswirt; **~zar** [-θ-] sparsam umge-

hen; (ein)sparen
ecuador *m* Äquator
eczema [-θ-] *m* Ekzem *n*
echado [etʃ-] liegend; **estar ~** liegen
echar [etʃ-] werfen; wegwerfen; wegjagen, hinauswerfen; eingießen; *Benzin* tanken; *Angestellten* feuern; *Film* vorführen, zeigen; *Blick* werfen; **~ a** anfangen zu; **~ de menos** vermissen; **~se** s. hinlegen; s. legen (*Wind*); **F** s. **~ en Freund** anlachen; **~se a perder** verderben (*v/i*)
edad *f* Alter *n*; Zeitalter *n*; **Ӗ Media** Mittelalter *n*
edición [-θ-] *f* Ausgabe, Auflage
edicto *m* Verordnung *f*
edifi|cación [-θ-] *f* Erbauung; **~car** (er)bauen (*a fig*); **~cio** [-θ-] *m* Gebäude *n*, Bauwerk *n*; *bsd* *Am*

editar

Hochhaus n, großes Mietshaus n

edi|tar Werk herausgeben; **~tor** m Herausgeber; Verleger; **~torial 1.** m Leitartikel; **2.** (casa f) **~torial** f Verlagshaus n

edredón m Steppdecke f; Federbett n

educa|ción [-θ-] f Erziehung; Bildung; **~ción física** Turnen n; **~r** erziehen, unterrichten

efec|tivo wirklich; **en ~tivo** in bar; **~to** m Wirkung f; **en ~to** in der Tat; **hacer mal ~to** e-n schlechten Eindruck machen; **~tuar** bewirken; ausführen

efi|cacia [-θ-] f Wirksamkeit; **~caz** [-θ] f wirksam; leistungsfähig; **~ciencia** [-θienθ-] f Wirksamkeit; Leistungsfähigkeit; **~ciente** [-θ-] f wirkend; leistungsfähig, tüchtig

efigie [-x-] f Bildnis n

efusión f Ergießen n; **~vo** herzlich

egoís|mo m Egoismus; **~ta** selbstsüchtig; su Egoist (-in)

egregio [-x-] vortrefflich; erlaucht

egres|ado m Am Hochschulabsolvent; **~ar** Am hinausgehen; e-n Hochschulabschluß erreichen; **~o** m Am Ausgang; Hochschulabschluß

eje [exe] m Achse f; Tech Welle f

ejecu|ción [exekuθ-] f Ausführung, Vollziehung; Hinrichtung; **~tar** ausführen; pfänden; hinrichten

ejempl|ar [ex-] musterhaft; m Exemplar n; **~o** m Beispiel n; Vorbild n; **por ~o** zum Beispiel

ejer|cer [exerθ-] ausüben; Amt bekleiden; praktizieren; **~cicio** [-θiθ-] m Übung f; Aufgabe f

ejército [exerθ-] m Heer n; Armee f

ejido [ex-] m Am Gemeindeland n; kommunale Agrargenossenschaft f

ejote [ex-] m Méj grüne Bohne f

el der; **él** er

elaborar ausarbeiten

elasticidad [-θ-] f Elastizität

elástico elastisch; m Gummiband n

elec|ción [-θ-] f Wahl; Auswahl; **~to** auserlesen; **~tor(a** f) m Wähler(in)

electrici|dad [-θ-] f Elektrizität; **~sta** m Elektriker

eléctrico elektrisch

electr|izar [-θ-] elektrisieren; fig begeistern; **~odomésticos** mpl Elektrogeräte npl; **~omotor** m Elektromotor; **~ónica** f Elektronik; **~ónico** elektronisch

elefante m Elefant

elegan|cia [-θ-] f Eleganz; **~te** elegant

elegía [-x-] f Klagelied n

elegi|ble [-x-] wählbar; **~r** wählen; aussuchen

93   **embriaguez**

elemento *m* Element *n*, Bestandteil; Grundbegriff

eleva|ción [-θ-] *f* Erhebung; Beförderung; Erhöhung; **~do** hoch, erhaben; **~dor** *m* Elevator; Hebebühne *f*; *Am a* Aufzug; **~r** erheben; steigern; **~rse a** s. belaufen auf

elimi|nar entfernen; ausschließen; (**prueba**) **~toria** *f Sp* Ausscheidungskampf *m*

elocuen|cia [-θ-] *f* Beredsamkeit; **~te** beredt

elogi|ar [-x-] loben, preisen; **~o** *m* Lob(rede *f*) *n*

elote *m Méj* unreifer Maiskolben

eludir *Schwierigkeiten* umgehen

ella(s) [eʎ-] sie (*fpl*)

ello [eʎ] es; **~s** *mpl* sie

emana|ción [-θ-] *f* Ausströmen *n*; **~r** ausfließen; entströmen

emancipa|ción [-θipaθ-] *f* Emanzipation; Befreiung; **~r** emanzipieren

embadurnar beschmieren

embaja|da [-x-] *f* Botschaft; **~dor** *m* Botschafter

embala|je [-xe] *m* Verpackung *f*; **~r** verpacken

embalse *m* Stausee

embaraz|ada [-θ-] schwanger; **~ar** versperren; behindern; verwirren; **~o** *m* Hindernis *n*; Schwangerschaft *f*; **~oso** hinderlich; peinlich

embar|cación [-θ-] *f* Verschiffung; Schiff *n*; **~cade-**

ro *m* Landungs-steg, -brücke *f*; **~car** verschiffen; **~carse** s. einschiffen; **~co** *m* Einschiffung *f* (*von Reisenden*)

embar|gar beschlagnahmen; **~go** *m* Beschlagnahme *f*; **sin ~go** jedoch; **~que** [-ke] *m* Verschiffung *f*

embaucar verlocken; betrügen

embelesar berücken

embellecer [-ʎeθ-] verschönern

embestir anfallen, angreifen

emblema *m* Sinnbild *n*; Abzeichen *n*

embola|dor *m Col* Schuhputzer; **~r** *Col Schuhe* putzen; **~tar** *Col* hereinlegen

émbolo *m* Stempel, Kolben

embolsar einnehmen; einstecken

emboquillado [-kiʎ-] *m* Filterzigarette *f*

emborrachar [-tʃ-] berauschen; **~se** s. betrinken

emborronar beklecksen

emboscada *f* Hinterhalt *m*

embotar abstumpfen

embotella|miento [-ʎ-] *m* Verkehrsstau(ung *f*) *m*; **~r** auf Flaschen ziehen, abfüllen

embra|gar *Tech* kuppeln; **~gue** [-ge] *m* Kupplung *f*

embravecerse [-θ-] wütend werden

embria|gar berauschen; entzücken; **~guez** [-geθ] *f* Trunkenheit

embrollar

embro|llar [-ʎ-] verwirren; entzweien; **~llo** [-ʎo] *m* Verwirrung *f*; **~mar** spaßen; verulken

embru|jar [-x-] behexen; **~tecido** [-x-] verroht; verdummt

embudo *m* Trichter

embuste *m* Betrügerei *f*; **~ro** lügnerisch; *m* Lügner

embuti|do *m* Intarsie *f*; **~dos** *pl* Wurstwaren *fpl*; **~r** füllen; hineinstopfen

emergencia [-xenθ-] *f* Vorkommnis *n*; Notfall *m*; Pol, jur Notstand *m*; **~er** auftauchen

emigra|ción [-θ-] *f* Auswanderung; **~do** *m* Emigrant; **~nte** *su* Auswanderer; **~r** auswandern

eminente hervorragend

emi|sión *f von Banknoten usw* Ausgabe; *Radio* Sendung; **~sora** *f* Sender *m*; **~tir** Banknoten *usw* ausgeben; senden (*Radio*); *Stimme* abgeben

emoción [-θ-] *f* Gemütsbewegung

empacar *bsd Am* verpakken; *Koffer* packen

empalago *m* Ekel; **~so** zudringlich

empal|mar verbinden; Anschluß haben; **~me** *m Esb* Knotenpunkt; Anschluß (-station *f*) *m*

empanada *f* (Teig-)Pastete (*mit Füllung*)

empapa|do durchnäßt; **~r** eintauchen, tunken

empapelar tapezieren

empaque [-ke] *m* Aufmachung *f*; Verpackung *f*; *Am Tech* Dichtung *f*; **~tador** *m* Packer; **~tar** einpacken

empare|dado *m* Sandwich *n*; **~jar** [-x-] gleichrichten, gleichmäßig machen

emparr|ado *m* Weinlaube *f*; **~illado** [-ʎ-] *m* Rost

empast|ar *Zähne* plombieren; verkleben; **~e** *m* (Zahn-)Plombe *f*

empat|ar unentschieden ausgehen; **~e** *m Sp* Unentschieden *n*

empedernido eingefleischt, leidenschaftlich

empedra|do *m* Pflaster *n*; **~r** pflastern

empeine *m* Spann

empe|ñar [-] verpfänden; zwingen; **~ñarse** *f* darauf bestehen (zu); **~ño** [-ɲo] *m* Verpfändung *f*; Bestreben *n*; con **~ño** beharrlich

empeora|miento *m* Verschlimmerung *f*; **~r** verschlimmern; verschlechtern

empera|dor *m* Kaiser; **~triz** [-θ-] *f* Kaiserin

emperrarse F stur werden

empezar [-θ-] anfangen, beginnen (a zu)

empina|do steil; **~rse** s. auf die Fußspitzen stellen; s. aufbäumen

emplasto *m Med* Pflaster *n*

emple|ado *m* Angestellte(r); **~ar** anwenden; benutzen; **~o** *m* Anwendung *f*; Stellung f; Amt n

empo|brecer [-θ-] arm machen (u werden); **~lvar** mit Staub bedecken; pudern; Gastr bestäuben; **~llar** [-ʎ-] aus-, be-brüten; fig F büffeln; **~llón** [-ʎ-] m Schule Streber

empre|nder unternehmen; **~sa** f Unternehmen n, Betrieb m

empréstito m Anleihe f

empu|jar [-x-] stoßen; drücken, schieben; **~je** [-xe] m Stoß; Wucht f; Tech Schub; Person Schwung; **~ñar** [-ɲ-] bsd Waffe ergreifen, packen

en in; an; auf; bei

enaguas fpl Unterrock m

enajenar [-x-] veräußern; entfremden; von Sinnen bringen

enamora|do verliebt; **~rse** s. verlieben

enano m Zwerg

enarbolar hissen

encabezamiento [-θ-] m Kopf (Brief usw)

encabritarse s. bäumen

enca|jar [-x-] einfügen; inea passen; Schlag versetzen; **~je** [-xe] m Einfügen n; **~jes** pl Spitze f (Kleidung usw)

enca|lar weißen, kalken; **~llar** [-ʎ-] Mar stranden, auflaufen; fig stocken; **~minar** auf den Weg bringen

encanta|do entzückt; **~do de conocerle** es freut mich, Sie kennenzulernen; **~dor**

bezaubernd; m Zauberer; **~r** bezaubern, entzücken

encanto m Zauber; Charme; Entzücken n

encapotarse s. bedecken (Himmel)

encarcelar [-θ-] einkerkern

encare|cer [-θ-] verteuern; ans Herz legen; **~cerse** teu(r)er werden; **~cidamente** [-θ-] inständig; **~cimiento** [-θ-] m Verteuerung f; Nachdruck

encar|gado beauftragt; m Beauftragte(r); Leiter, Verwalter; **~gar** beauftragen; übergeben; **~garse de** übernehmen; **~go** m Auftrag; Amt n

encarn|ado (hoch)rot; **~ar** verkörpern

encartonar kartonieren

encen|dedor [-θ-] m Feuerzeug n; **~der** anzünden; Motor zünden; Licht anmachen; fig entflammen; **~dido** m Zündung f

encera|do [-θ-] m Wandtafel f; Bohnern n; Ski Wachsen n; **~r** Fußboden bohnern; Ski wachsen

encerrar [-θ-] einschließen; Schach matt setzen

encía [-θ-] f Zahnfleisch n

enciclopedia [-θ-] f Enzyklopädie, Konversationslexikon n

encierro [-θ-] m Einschließen n; Stk Eintreiben n

encima [-θ-] oben; obendrein; darauf; por **~** oberflächlich; **~ de** auf; über

encina [-θ-] f Steineiche

encinta [-θ-] schwanger

enclenque [-ke] schwächlich

encogerse [-x-] ein-gehen; -laufen (*Stoff*); ~ **de hombros** die Achseln zucken

encom|endar beauftragen; anvertrauen; **.ienda** f Auftrag m; *Süda* **.ienda postal** Postpaket n

encontrar finden, treffen; **.se** s. (be)finden; zs-treffen

encorva|do gebeugt, gekrümmt; **.dura** f Biegen n; Krümmung; **.r** krümmen; biegen

encuaderna|ción [-θ-] f Einbinden n; Einband m; **.dor** m Buchbinder; **.r** (ein)binden

encubri|dor m Hehler; **.r** verbergen, verhehlen

encuentro m Begegnung f; **ir al ~ de** j-m entgegengehen

encuesta f Umfrage, Untersuchung

encurtidos mpl Mixed Pickles pl

enchu|far [-tʃ-] El anschließen; **.fe** m Steckdose f; Anschluß; f Pöstchen n; f gute Beziehungen fpl

ende: por ~ deswegen

endeble schwach, kraftlos

enderezar [-θ-] geraderichten; (auf)richten

endeudarse s. in Schulden stürzen

endosar Hdl indossieren

endulzar [-θ-] (ver)süßen,

mildern

endurecer [-θ-] (ver)härten; **.se** hart werden (*a fig*)

enebro m Wacholder

eneldo m Dill

enemi|go feindlich; m Feind; **.stad** f Feindschaft

energ|ético [-x-] Energie...; **.ía** f Energie; **sin .ía** kraftlos; **.ía nuclear** Kernenergie

enérgico [-x-] tatkräftig, nachdrücklich

enero m Januar

enervar v/t auf die Nerven gehen (*dat*)

enfad|ar ärgern; **.arse** s. ärgern, böse werden; **.o** m Ärger

enfático nachdrücklich

enfer|mar erkranken; **.medad** f Krankheit; **.mería** f Kranken-station, -zimmer n; **.mero** m, **.mera** f Kranken-wärter, -schwester; **.mo** krank

enfilar aufreihen

enflaquecer [-keθ-] schwächen; v/(se) abmagern

enfo|cador m Fot Sucher; **.car** Fot einstellen; fig an et herangehen; **.que** [-ke] m Fot Einstellung f; Problemstellung f

enfrenar zäumen; zügeln

enfrente (de) gegenüber

enfriar (ab)kühlen; **.se** s. abkühlen; kalt werden

enfurecerse [-θ-] wütend werden; toben

engan|char [-tʃ-] anhaken, koppeln; *Pferde* anspan-

nen; anwerben; **∼che** [-tʃe]
m Ankoppeln n; *Mil* An-
werbung f

engañ|ar [-ɲ-] betrügen;
täuschen; **∼o** m Betrug,
Täuschung f; **∼oso** (be)trü-
gerisch

∼de m Mast f

engatusar F um den Finger
wickeln, bezirzen

engendrar [-x-] (er)zeugen

englobar einbegreifen

engomar gummieren

engor|dar mästen; v/i dick
werden; **∼de** m Mast f

engrana|je [-xe] m Verzah-
nung f; **∼r** verzahnen; inea-
-greifen

engrandecer [-θ-] vergrößern; loben; übertreiben

engras|ar einfetten, ölen,
schmieren; **∼e** m (Ab-)
Schmieren n

engreído eingebildet

engrosar vermehren, vergrößern; v/i dick werden

engrudo m Kleister

enhorabuena f Glück-
wunsch m; **dar la ∼ a alg**
j-m gratulieren

enig|ma m Rätsel n; **∼máti-
co** rätselhaft

enjabonar [-x-] einseifen

enjambre [-x-] m (Bie-
nen-)Schwarm

enjaular [-x-] in e-n Käfig
sperren

enjua|gar [-x-] Mund, Wä-
sche (aus)spülen; **∼gue** [-ge]
m Spülen n

enjuto [-x-] trocken, dürr

enla|ce [-θe] m Verbindung
f; Heirat f; *Mil, Pol* Verbin-

dungsmann; *Esb* An-
schluß f; **∼zar** [-θ-] verknüp-
fen; verbinden; *Esb* An-
schluß haben; **∼zarse** s.
verheiraten

enloquecer [-keθ-] verrückt
machen *od* werden

enlutado in Trauer(kleidung)

enmarañar [-ɲ-] verwirren, verwickeln

enmendar (ver)bessern;
gutmachen; *Gesetz usw* ab-
ändern

enmienda f (Ver-)Besse-
rung; Entschädigung f; *Pol*
Abänderung(santrag m) f

enmohecerse [-θ-] (ver-)
schimmeln; (ein)rosten

enmudecer [-θ-] zum
Schweigen bringen; ver-
stummen

ennegrecer [-θ-] schwär-
zen; **∼se** fig s. verfinstern

enoj|ar [-x-] erzürnen; **∼ar-
se** s. ärgern; **∼o** m Zorn,
Ärger; **∼oso** ärgerlich

enorme ungeheuer, enorm

enred|ar [-rr-] verwickeln,
verstricken; **∼o** m Verwir-
rung f; **∼os** pl Zeug n; Ränke pl; **∼oso** verwickelt, heikel

enreja|do [-rrex-] m Gitter-
werk n; Geflecht n; **∼r** ver-
gittern

enriquecer [-rrikeθ-] bereichern; **∼se** s. bereichern;
reich werden

enrojecer [-rroxeθ-] röten;
∼se erröten

enrollar [-rroʎ-] (auf)rollen

ensaimada f typisch mallor-
kinisches Blätterteiggebäck
n

ensalada f Salat m

ensanch|ar [-tʃ] erweitern;
~**e** m Ausbau; Erweiterung
f; Ausdehnung f

ensañarse [-ɲ-] **con** od **en**
s-e Wut auslassen an

ensa|yar versuchen; Thea
proben; ~**yo** m Versuch,
Probe f; Lit Essay; Chem
Experiment n

ensenada f Bucht, Bai

enseñ|anza [-naɳθa] f Un-
terricht m; Bildungswesen
n; ~**ar** unterrichten; zeigen

enseres mpl Gerätschaften f
pl; Sachen fpl

ensillar [-ʎ-] satteln

ensimisma|do gedanken-
verloren; ~**rse** grübeln

ensordecer [-θ-] betäuben

ensuciar [-θ-] beschmut-
zen; ~**se** F in die Hose machen

ensueño [-no] m Traum

entablar täfeln; dielen; Prozeß einleiten; Verbindungen
anknüpfen

entalla|do f [-ʎ-] tailliert
(Hemd); ~**dura** f Ein-
schnitt m, Kerbe f; ~**r**
schnitzen; in Stein hauen;
ein-kerben, -schneiden

entarima|do m Parkettbo-
den; Täfelung f; ~**r** täfeln;
Parkett legen

ente m Wesen n; komischer
Kauz

entender verstehen; Sprache können; meinen; **a mi** ~

meiner Meinung nach; ~**se**
s. verstehen; s. verständi-
gen (**con mit**)

entendi|do verständig; be-
schlagen; m Kenner; ~
miento m Verständnis n;
Verstand; Begriffsvermö-
gen n

entera|do erfahren; auf dem
laufenden; ~**mente** ganz;
gänzlich; ~**r** unterrichten,
informieren; ~**rse de** von et
erfahren, Kenntnis erhal-
ten

entereza [-θa] f Vollständig-
keit; Charakter Integrität

enteritis f Darmkatarrh m

entero ganz; gesund; **por** ~
adv ganz, vollständig

enterra|dor m Totengräber;
~**miento** m Begräbnis n; ~**r**
begraben

enti|bar stützen, versteifen;
~**dad** f Wesen n; Verein m,
Körperschaft

entierro m Begräbnis n

entolda|do m Sonnendach n;
Festzelt n

entona|ción [-θ-] f Intona-
tion; ~**r** anstimmen

entonces [-θ-] damals;
dann; da; **desde** ~ seitdem

entorpe|cer [-θ-] lähmen,
erschweren; ~**cimiento**
[-θ-] m Lähmung f; Hem-
mung f; Behinderung f

entrada f Eingang m; Diele,
Vestibül m; Eintritt m; Einreise; Einfahrt; Eintrittskarte; Hdl Eingang m; Einfuhr; Gastr erster Gang m;
~**s** fpl Einnahmen; F Ge-

heimratsecken
entramado *m* Fachwerk *n*
entrante: mes *m* ~ kommender Monat
entrañas [-ɲ-]*fpl* Eingeweide *npl*
entrar [einfristen]; hineingehen; ~ **en años** (**en carnes, en razón**) alt (dick, vernünftig) werden; ~ **en relaciones** (**con**) Beziehungen aufnehmen (mit, zu); **me entra miedo** ich bekomme Angst
entre zwischen, unter; ~**acto** *m* Zwischenakt; ~**cortado** stoßweise, stockend
entredicho [-tʃo] *m* Verbot *n*; Kirchenbann; **poner en** ~ in Abrede stellen
entrega *f* Übergabe; Lieferung; ~ **inmediata** *Col Post* Eilzustellung; **plazo** *m* **de** ~ Lieferfrist *f*; ~**r** (ab)liefern; aushändigen, übergeben; ~**rse** s. ergeben; s. hingeben (**a** *dat*)
entrelazar [-θ-] verflechten
entreme|ses *mpl* Vorspeisen *fpl*; ~**ter** einschieben; ~**terse** s. einmischen
entrena|miento *m* Training *n*; ~**r** trainieren
entre|sacar aus-, heraus-suchen; listen; ~**suelo** *m* Hochparterre *n*; ~**tanto** unterdessen
entretejer [-x-] durch-, ein-, ver-weben; einstreuen
entrete|ner hinhalten; unterhalten; ablenken; Ge-

liebte aushalten; ~**nerse** s. vergnügen (**con** mit); ~**nido** unterhaltend; ~**nimiento** *m* Unterhaltung *f*, Zeitvertreib; Wartung *f*
entretiempo *m* Übergangszeit *f* (*Frühling od Herbst*)
entrever undeutlich sehen; ahnen
entrevista *f* Zs-kunft; Besprechung; Interview *n*; ~**r** interviewen
entristecer [-θ-] betrüben
entumecerse [-θ-] einschlafen (*Glieder*); anschwellen (*Fluß*)
enturbiar trüben
entusias|mar begeistern; ~**marse por** s. begeistern für; ~**mo** *m* Begeisterung *f*
enumerar auf-, her-zählen
enunciar [-θ-] äußeren, eröffnen
enva|sar *Flüssigkeiten* ab-, ein-füllen; ~**se** *m* Füllen *n*; Gefäß *n*, Behälter; Verpackung *f*; ~**se perdido** *od* **no recuperable**, *Am a* **desechable** Einweg-, Wegwerf-packung *f*
envejecer [-xeθ-] alt machen; *v/i* alt werden
envenenar vergiften
envia|do *m* Bote; ~**r** (ab)senden, schicken
envidi|a *f* Neid *m*; ~**ar** beneiden; mißgönnen; ~**oso** neidisch; *m* Neider
envío *m* Sendung *f*; Versand
envite *m* *Spiel* Bieten *n*
envol|torio *m* Bündel *n*; Verpackung *f*; ~**tura** *f* Hül-

envolver

le, Packung; **~tura hermé-
tica** Frischhaltepackung;
~ver einwickeln, einpacken
enyesar ver-, ein-, zu-gip-
sen
epidemia f Epidemie
epil|epsia f Epilepsie; **~ép-
tico** epileptisch
epílogo m Nachwort n
episcopal bischöflich
episodio m Episode f; Thea,
fig Nebenhandlung f
época f Zeitraum m, Epoche
equili|brar [ek-] ins Gleich-
gewicht bringen; Reifen
auswuchten; **~brio** m
Gleichgewicht n
equinoccio [ekinoθ-] m
Tagundnachtgleiche f
equipaje [ek-] m Ge-
päck n; **~ libre (de mano)**
Frei- (Hand-)gepäck n
equip|ar [ek-] ausrüsten; **~o**
m Ausrüstung f; Tech Anla-
ge f; Sp Mannschaft f,
Team m; Besatzung f;
Schicht f
equita|ción [ekitaθ-] f Reit-
kunst, -sport m; **~tivo** recht
u. billig
equivale|ncia [ekibalenθ-] f
Gleichwertigkeit; **~nte**
gleichwertig; äquivalent; m
Gegenwert; **~r** gleichwertig sein
equivoca|ción [ekibokaθ-] f
Irrtum m; Verwechslung;
~do irrtümlich; **estar ~do**
falsch sein, nicht stimmen;
s. irren; **~r** verwechseln;
~rse s. irren
equívoco [ek-] doppelsin-

nig; zweideutig; m Doppel-
sinn, Wortspiel n; Irrtum
era f Zeitalter n; Tenne;
Gartenbeet n
erario m Staatskasse f
erección [-θ-] f Errichtung;
Erektion
erguir [-gir] auf-, er-richten
erial m öde, wüst; m Ödland n
erigir [-x-] errichten, gründen
eriza|do [-θ-] borstig; fig **~-
do de** starrend von; **~rse** s.
sträuben
erizo [-θo] m Igel; fig Kratz-
bürste f; **~ de mar** Seeigel
ermita f Wallfahrtskapelle
f; **~ño** [-ɲo] Eremit; Ein-
siedlerkrebs
er|ótico erotisch; **~otismo** m
Erotik f
erra|bundo umher-irrend,
-schweifend; **~r** irren; ver-
fehlen; **~ta** f Druckfehler m
erróneo irrig
error m Irrtum; Fehler; **~ de
cálculo** Rechenfehler
eructar aufstoßen, F rülpsen
erudito gelehrt; m Gelehr-
te(r)
erupción [-θ-] f Ausbruch
m; **~ cutánea** Hautaus-
schlag m
esbel|tez [-θ] f schlanker
Wuchs m; **~to** schlank
esbo|zar [-θ-] skizzieren; **~-
zo** [-θo] m Skizze f
escabe|char [-tʃ-] marinie-
ren, sauer einlegen; **~che**
[-tʃe] m Marinade f; mari-
nierter Fisch
escabroso holprig; heikel

escabullirse [-ʎ-] entwischen

escafandra f Taucheranzug m

escala f Treppe; Skala; Tonleiter; **hacer ~** e-n Hafen anlaufen; *Flgw* zwischenlanden; **~da** f Besteigung; *Pol* Eskalation

escaldar ab-, ver-brühen

escalera f Treppe; Leiter; **~ automática** Rolltreppe

escalofrío m Schauer; Schüttelfrost

escalón m Sprosse f, Stufe f; Etappe f; **~ lateral** Randstreifen (*Straße*)

escalo|pa f, **~pe** m Schnitzel n

escama f Schuppe; Groll m; **~r** *Fische* schuppen

escamo|tear verschwinden lassen; wegzaubern; **~teo** m Taschenspielertrick

escanciar [-θ-] *Wein usw* einschenken

escandaliza|do [-θ-] entrüstet; ~r Ärgernis erregen; **~rse** s. empören

escándalo m Ärgernis n; Skandal; Krach, Lärm

escandaloso unerhört, skandalös; anstößig

escaño [-ɲo] m Bank f mit Lehne; *Pol* Sitz

escapa|da f Entwischen n, Ausreißen n; **~r** entrinnen; entwischen, entkommen; entschlüpfen (*Wort*); **~rse** entweichen; **~rate** m Glasschrank; Schaufenster n

escape m eilige Flucht f; *Kfz*

Auspuff; **a ~** eilig

escaque [-ke] m (Schach-) Feld n

escar|abajo [-xo] m Käfer; **~bar** scharren; **~cha** f [-tʃa] f Rauhreif m; **~dar** jäten

escarlat|a f Scharlach m; *adj* (scharlach)rot; **~ina** f *Med* Scharlach m

escarmenta|do gewitzt; **~r** durch Schaden klug werden

escarnecer [-θ-] verhöhnen

escarola f Endivie(nsalat m)

escarpa f Abhang m; Böschung; **~do** steil; abschüssig

esca|sear selten sein (*od* vorkommen); knapp sein; **~sez** [-θ] f Kargheit, Mangel m; **~so** knapp

escayola f Gips m; Stuck m; **~r** a *Med* ein-, ver-gipsen

escena [-θ-] f Bühne; Szene, Auftritt m; **poner en ~** inszenieren; **~rio** m Bühne f; Schauplatz

esc|epticismo [-θeptiθ-] m Skepsis f; **~éptico** skeptisch

esclarecer [-θ-] erleuchten; aufklären; hell werden

escla|vitud f Sklaverei; **~vo** m Sklave

esclusa f Schleuse

esco|ba f Besen m; [-θ-] brennen; jucken; **~fina** f Raspel; **~ger** [-x-] auswählen

escolar m Schüler; *adj* **en edad ~** schulpflichtig

escolta f Eskorte, Geleit n; **~r** eskortieren, begleiten

esco|llo [-λo] m Klippe f (a fig); **~mbros** mpl Bauschutt m

esconder verstecken, verbergen; verheimlichen

escondi|das: a ~das im geheimen; **~te** m Versteck n

escopeta f Flinte

escoplo m Meißel

escor|buto m Skorbut; **~ia** f Schlacke; **~pión** m Skorpion

esco|tado ausgeschnitten, dekolletiert; **~te** m Ausschnitt; Dekolleté n

escotill|a [-λa] f Schiffsluke; **~ón** m Falltür f

escri|banía f Kanzlei; Am Notariat n; **~bano** m Am Notar; **~biente** m Schreiber; **~bir** schreiben; verfassen; **~to** geschrieben; m Schrift f, Schreiben n; Werk n; **por ~to** schriftlich; **~tor(a** f) m Schriftsteller(in); **~torio** m Büro n; Schreibtisch; **~tura** f Schrift f Schreiben n; Schrift; Urkunde

escrúpulo m Skrupel, Bedenken n

escrupulo|sidad f Gewissenhaftigkeit; **~so** gewissenhaft, peinlich genau

escrutar Stimmen zählen

escuadra f Geschwader n

escuchar [-tʃ-] zu-, an-, mit-hören

escudo m Schild; Wappen n

escuela f Schule; Schulge-

bäude n; **~ preparatoria** Vorschule; **~ elemental** (od **primaria**) Grundschule; **~ superior** Hochschule; **~ de párvulos** Kindergarten m

escul|tor(a f) m Bildhauer(in); **~tura** f Skulptur

escupi|dera f Spucknapf m; Chi, Arg Nachttopf m; **~r** (aus)spucken

escurrir abtropfen lassen; **~se** ausrutschen

ese, esa, eso, pl **esos, esas** diese(r, -s); **eso es** ganz richtig!; **por eso** deswegen

esencia [-θ-] f Wesen n; Essenz; Benzin n; **~l** wesentlich

esfer|a f Sphäre, Kugel; Zifferblatt n; Bereich m; **~o** m Col Kugelschreiber

esforza|do [-θ-] tapfer; **~r** ermutigen; verstärken; **~se** s. anstrengen

esfuerzo [-θo] m Anstrengung f; **sin ~** mühelos

esgri|ma f Fechtkunst; **~mir** fechten; Argument vorbringen

eslabón m (Ketten-)Glied n; fig (Zwischen-)Glied n

esmal|tar emaillieren; **~te** m Email n; Nagellack

esmera|do sorgfältig; **~lda** f Smaragd m; **~rse** s. Mühe geben

esmerilar schmirgeln

esmero m Sorgfalt f

esófago m Speiseröhre f

espabilado aufgeweckt

espaci|al [-θ-] Raum...; **vuelo** m **~al** Raumflug; **~o**

m Raum; Zeitraum; Zwischenraum; *TV* Sendereihe *f*; **~oso** weit; geräumig

espada 1. *f* Degen *m*; **2.** *m* Matador

espagueti [-ge-] *m* Spaghetti *pl*

espalda *f* Rücken *m*; Rückseite; **a ~s de** hinter dem Rücken von; **por la ~** von hinten

espan|tar erschrecken; **~to** *m* Schrecken, Entsetzen *n*; **~toso** schrecklich; erstaunlich

españolada [-ɲ-] *f* falsches, einseitig folkloristisches Spanienbild

esparadrapo *m* Heftpflaster *n*

esparci|do [-θ-] *fig* aufgeräumt; **~r** ausstreuen, verbreiten; **~rse** s. zerstreuen (*a fig*)

espárrago *m* Spargel

esparto *m* Espartogras *n*

espasmo *m* Krampf

especia [-θ-] *f* Gewürz *n*

especial [-θ-] besonder; eigentümlich; **~idad** *f* Besonderheit; Fachgebiet *n*; **~ista** *m* Spezialist; Facharzt; **~mente** besonders

especie [-θ-] *f* Art; Sorte; falsche Nachricht, Gerücht *n*

espec|ificar [-θ-] im einzelnen angeben; spezifizieren; **~ífico** spezifisch

espect|áculo *m* Schauspiel *n*; Vorstellung *f*; **~ador(a** *f*) *m* Zuschauer(in); **~ro** *m*

Phys Spektrum *n*; *fig* Gespenst *n*

especula|ción [-θ-] *f* Spekulation; Mutmaßung; **~r** spekulieren

espejo [-xo] *m* Spiegel

espera *f* Warten *n*; Erwartung; **~nza** [-θa] *f* Hoffnung; **~r** (er)warten, hoffen

esperma *f* Sperma *n*; *Col* Kerze

espeso dick; gedrängt; dicht; **~r** *m* Dicke *f*, Stärke *f*

espía *su* Spion(in)

espi|ar (aus)spionieren; **~char** [-tʃ-] *Am* (zer)drükken, zerknautschen; **~ga** *f* Ähre; *Tech* Zapfen *m*, Stift *m*

espina *f* Dorn *m*, Stachel *m* (*a Anat*); *Fisch* Gräte; **~dorsal** Rückgrat *n*

espinacas *fpl* Spinat *m*

espionaje [-xe] *m* Spionage *f*

espira|l spiralförmig; *f* Spirale; **~r** (aus)atmen

espíritu *m* Geist; Seele *f*; Spiritus

espiritual geistig; geistlich

espl|éndido prächtig; glänzend; **~endor** *m* Glanz, Pracht *f*

espliego *m* Lavendel

esponja [-xa] *f* Schwamm *m*; **~r** aufblähen; **~rse** aufgehen (*Teig*); s. brüsten

espontáneo spontan

espos|as *fpl* Handschellen; **~o** *m*, **~a** *f* Gatte, Gattin

espum|a *f* Schaum *m*; **~ar** (ab)schäumen; **~oso** schaumig

esputo

esputo m Speichel; Med Auswurf

esque|**la** [-k-] f **de defunción** [-θ-] Todesanzeige; **~leto** m Skelett n; **~ma** m Schema n

esquí [-ki] m Ski; **~ acuático** Wasserski; **~iador** m Skifahrer; **~iar** Ski laufen

esqui|**lar** [-k-] Schafe usw scheren; **~na** f Ecke, Straßenecke; **~rol** m Streikbrecher

esquivar [-k-] v/t vermeiden; ausweichen (dat)

esta|**bilidad** f Beständigkeit; Stabilität; **~ble** beständig, fest; **~blecer** [-θ-] errichten, gründen; herstellen; **~blecimiento** [-θ-] m Festsetzung f; Niederlassung f; Anstalt f; Geschäft n; **~blo** m (Rinder-)Stall

esta|**ción** [-θ-] f Station, Stelle; Stätte; Jahreszeit; Bahnhof m; **~ción de invierno** Winterkurort m; **~ción de servicio** Tankstelle; **~ción terminal** Endstation; **~cionamiento** [-θ-] m Parken n; **~cionarse** [-θ-] stehenbleiben; parken; **~día** f Am Aufenthalt m; **~dio** m Stadion n

estado m Stand; Zustand; 2 Staat

estafa f Betrügerei, Gaunerei; **~dor(a** f) m Gauner(in); **~** betrügen

estafeta f Nebenpostamt n

estallar [-λ-] explodieren; knallen; ausbrechen

(Krieg)

estampa f Druck m; Stich m; **~r** prägen; Unterschrift setzen (en auf, unter)

estampilla [-λa] f Stempel m; Súda Briefmarke

estan|**car** hemmen; stauen; **~carse** stagnieren; **~cia** [-θ-] f Aufenthalt m; Súda Farm, Besitzung; **~ciero** [-θ-] m Súda Großgrundbesitzer; **~co** m Monopol n; Span Tabakladen

estandarte m Standarte f

estanque [-ke] m Teich

estantería f Gestell n, Regale npl

estaño [-ɲo] m Zinn n

estar sein; s. befinden; **~ de viaje** verreist sein; **¿cómo está usted?** wie geht es Ihnen?; **~ leyendo** gerade lesen; **~ para** + inf im Begriff sein zu + inf; **~ por** Lust haben zu

estatua f Statue

estatutos mpl Satzung f

este m Osten

este, esta, esto, 2, pl **estas, estos** dieser, diese, dieses; diese

estera f (Fuß-)Matte

estercolar düngen

estereo|**fonía** f Stereophonie; **~fónico** stereophon; Stereo...

estéril unfruchtbar

esterilizar [-θ-] unfruchtbar machen; sterilisieren

esterlina: libra ~ Pfund n Sterling

estero m Am sumpfiges Ge-

estridente

lände n
estertor m Röcheln n
estéti|ca f Ästhetik; **~co** ästhetisch
estiércol m Dung, Mist
estigma m Stigma n; Med Narbe f
estil|o m Stil; **~ográfica** Span f, **~ógrafo** Am m Füllfederhalter
estima|ble schätzbar; achtenswert; **~ción** [-θ-] f Schätzung; **~do** geehrt; **~r** schätzen; taxieren; (hoch)achten; meinen
estimula|nte anregend; m Stimulans n; **~r** Med u fig anregen; anspornen
estímulo m fig Anreiz, Ansporn
estío Lit m Sommer
estipula|ción [-θ-] f jur Bestimmung; **~r** vereinbaren
estir|ado feingekleidet; hochnäsig; knauserig; **~ar** ziehen, strecken; recken; **~ar la pata** F abkratzen, verrecken; **~arse** s. strekken; **~ón** m Ruck
estival sommerlich
estocada f Degenstoß m
estofado m mit Zwiebeln geschmortes Fleisch (in Stükken)
estomacal m Magenbitter
estómago m Magen
estor|bar stören, behindern; **~bo** m Störung f; Hindernis n
estornudar niesen
estrag|ar verheeren; **~o** m Verheerung f

estrambótico extravagant
estrangula|ción [-θ-] f Erdrosselung; Tech Drosselung; **~r** erdrosseln; Ader abklemmen; Tech drosseln
estraperlo m Schwarz-, Schleich-handel
estrata|gema [-x-] f Kriegslist; Streich m; **~tegia** [-x-] f Strategie; **~tégico** [-x-] strategisch
estrech|ar [-tʃ-] verengen; enger verbinden; Hand drücken; **~o** eng, schmal; m Meerenge f, Straße f
estrella [-λa-] f Stern m; (Film-)Star m; **~ de mar** Seestern m; **~do** gestirnt; **~rse** zerschellen; **~rse contra un árbol** gegen e-n Baum fahren
estreme|cer [-θ-] erschüttern; **~cerse** (er)zittern, schaudern; **~cimiento** [-θ-] m Zittern n, Schauder m
estre|nar zum erstenmal benutzen; Thea erstmalig aufführen; **~no** m Einweihung f; Thea Erstaufführung f, Premiere f
estreñimiento [-ɲ-] m (Stuhl-)Verstopfung f
estré|pito m Lärm, Getöse n; **~pitoso** lärmend
estriba|ción [-θ-] f Ausläufer m (Gebirge); **~r en** s. stützen auf, beruhen auf
estribo m Steigbügel; Trittbrett n; Stütze f; **~r** m Mar Steuerbord n
estricto sreng; strikt
estridente schrill, gellend

estropea|do defekt, kaputt; ~r beschädigen; verstümmeln

estructura f Bau m, Struktur; ~r strukturieren, gestalten

estruendo m Getöse n

estrujar [-x-] zerdrücken; Frucht auspressen; fig aussaugen

estuco m Stuck

estuche [-tʃe] m Futteral n; Etui n; ~ de aseo Reisenecessaire f

estudia|nte su Student(in); F Schüler(in); ~r studieren

estudio m Studium n; Studie f; Fleiß; Atelier n; Studio n; Büro n; (Einzimmer-)Appartement n; Chi, Arg Anwaltskanzlei f

estufa f Ofen m; Am a (Gas-, Elektro-)Herd m; Bot Treibhaus n

estupefa|ciente [-θ-] m Rauschgift n; sprachlos

estupendo fabelhaft, toll

estupidez [-θ] f Dummheit

estúpido dumm, stumpfsinnig

estupro m Notzucht f

etapa f Etappe; Phase

éter m Äther

etern|idad f Ewigkeit; ~o ewig

etiqueta [-k-] f Etikette; Etikett n

eucaristía f Rel Abendmahl n

eufonía f Wohlklang m

evacua|ción [-θ-] f Räu-

mung; ~ción (de vientre) Stuhlgang m; ~r leeren; räumen

evadir vermeiden; aus dem Wege gehen; ~se fliehen; entweichen; F s. drücken

evalua|ción [-θ-] f Einschätzung, Bewertung; ~r schätzen, bewerten

evangelio [-x-] m Evangelium

evapor|ación [-θ-] f Verdunstung; ~arse verdunsten

evasi|ón f Entweichen n, Flucht; ~va f Ausrede; ~vo ausweichend

evento m bsd Am Ereignis n; a todo ~ jedenfalls

eventual möglich; ~idad f Möglichkeit

eviden|cia f Offenkundigkeit; ~te offenkundig, klar; ser ~te einleuchten

evita|ble vermeidbar; ~r vermeiden

evocar heraufbeschwören, erinnern an

evolu|ción [-θ-] f Entwicklung; ~cionar [-θ-] s. weiterentwickeln, s. ändern

exac|titud [-θ] f Genauigkeit; Richtigkeit; ~to genau, richtig; pünktlich

exagera|ción [-xeraθ-] f Übertreibung; ~r übertreiben

exalta|do überspannt; ~rse s. steigern; in Hitze geraten; schwärmen

examen m Prüfung f; Untersuchung f

examina|dor m Prüfer; **~n-do** m Prüfling; **~r** prüfen; untersuchen

exánime leblos; entseelt

excava|dora f Bagger m; **~r** aus·höhlen, ·graben

excede|nte [-θ-] überzählig; m Überschuß; **~r** übersteigen; übertreffen

excelen|cia [-θelenθ-] f Exzellenz; **~te** vortrefflich

excep|ción [-θeθ̃θ-] f Ausnahme; **~cional** [-θ-] außerordentlich; **~to** adv außer, ausgenommen; **~tuar** ausnehmen

exce|sivo [-θ-] übermäßig; maßlos; **~so** m Übermaß n; Ausschreitung f; **~so de equipaje** Flgw Übergepäck n; **~so de peso** Übergewicht n

excita|ción [-θitaθ-] f Anregung; Reiz m; Erregung; **~nte** erregend; m Anregungsmittel n; **~r** anregen; erregen; anstacheln; (auf·)reizen

exclamar ausrufen

exclu|ir ausschließen; **~sión** f Ausschluß m; **~siva** f Allein·verkauf m, ·vertretung; **~sivo** ausschließlich

excomulgar exkommunizieren

excremento m Ausscheidung f

excursión f Ausflug m; **~ en coche** Autotour

excusa f Entschuldigung; **~r** entschuldigen; vermeiden

exento de frei von

exhausto erschöpft

exhortar ermahnen

exig|encia [-xenθ-] f Forderung, Erfordernis n; **~ente** anspruchsvoll; **~ir** (er)fordern

exil|(i)ar verbannen; **~arse** ins Exil gehen; **~o** m Exil n

exis|tencia [-θ-] f Dasein n; **~tencias** pl Hdl Bestände m pl; Vorrat m; **~tencialismo** [-θ-] m Existentialismus; **~tir** bestehen; dasein; leben

éxito m Erfolg; Ausgang

exótico fremdartig, exotisch

expansi|ón f Ausdehnung; **~vo** expansiv; fig überschwenglich

expatriarse auswandern

expecta|ción [-θ-] f Erwartung; **~tiva** f sichere Erwartung; Anwartschaft

expectorante m Med schleimlösendes Mittel n

expedi|ción [-θ-] f Beförderung, Versand m; Abfertigung; Expedition; **~dor** m Absender; **~ente** m Akten pl; Rechtssache f; (Akten-) Vorgang; **~r** absenden; erledigen; ausstellen

experi|encia [-θ-] f Erfahrung; Versuch m; **~mentar** erproben; erfahren, erleiden; **~mento** m Experiment n

experto sachkundig, erfahren; m Fachmann, Sachverständige(r)

expia|ción [-θ-] f Sühne; **~r** sühnen; Strafe verbüßen

expirar sterben; ablaufen

(Frist)

explanar einebnen; erklären

explica|ble erklärlich; **~ción** [-θ-] f Erklärung; **~r** erklären; **~tivo** erläuternd

explora|ción [-θ-] f Erforschung; **~dor** m Forscher; Span Pfadfinder; **~r** erforschen; auskundschaften

explosi|ón f Ausbruch m; Explosion; **~vo** explosiv; Spreng...; m Sprengstoff

explota|ción [-θ-] f Ausbeutung; Ausnutzung; Abbau m; **en ~ción** in Betrieb; **~r** ausnutzen; ausbeuten; betreiben; explodieren

exponer darlegen; ausstellen; Kind aussetzen; Fot belichten; **~se** s. aussetzen (e-r Gefahr usw)

exporta|ción [-θ-] f Ausfuhr, Exm Exporteur; **~r** Hdl ausführen

expo|sición [-θ-] f Ausstellung; Darlegung; Fot Belichtung; **~símetro** m Fot Belichtungsmesser

expre|sar ausdrücken; **~sarse** s. äußern; **~sión** f Ausdruck m; **~sivo** ausdrucksvoll; **~so** ausdrücklich; **por ~so** durch Eilboten; Esb (**tren**) **~so** m Schnellzug

exprimi|dor(a f) m (Zitronen-)Presse f; **~r** auspressen

expropiar enteignen

expuesto ausgesetzt, preisgegeben

expuls|ar vertreiben; ausstoßen; ausweisen; **~ión** f Ausweisung, Vertreibung

exquisito [-k-] erlesen, vortrefflich

éxtasis m Verzückung f

exten|der erweitern; erweitern; ausdehnen; Schriftstücke ausfertigen; ausstellen; **~derse** s. erstrecken; s. ausbreiten; **~sión** f Ausdehnung, Umfang m; Ausbreitung; Am Verlängerungsstunde; Am Tel Nebenstelle

exterior äußerlich; m Äußere(s) n; Aussehen n; **~es** mpl Film Außenaufnahmen fpl

exter|minar ausrotten; **~no** äußerlich; extern; m Schule Externe(r)

extin|guir [-gir] (aus)löschen; tilgen; **~tor** m Feuerlöscher

extrac|ción [-θ-] f Ausziehen n (Zahn, Chem); Ziehung (Lotterie); Förderung; **~to** m Auszug

extraer (heraus)ziehen

extranje|ro [-x-] fremd, ausländisch; m Ausland n; m, **~ra** f Ausländer(in)

extra|ñar [-ɲ-] erstaunt sein über; entfremden; vermissen; **~ñarse de** s. wundern über; **~ño** [-ɲo] fremd; sonderbar, seltsam; **~ordinario** außergewöhnlich; **~viar** irreführen; Gegenstand verlegen; **~viarse** s. verirren; abhanden kommen

extra|mar übertreiben; **~maunción** [-θ-] _f Rel_ letzte Ölung; **~midad** _f_ äußerstes Ende _n_; **~mismo** _m_ Extremismus; **~mista** _su_ Extre-

mist _m_; **~mo** äußerst; letzt; _m_ Ende _n_; Punkt, Angelegenheit _f_

exuberante üppig

F

fabada _f typisch asturisches Gericht aus Saubohnen, Speck, Würsten usw_

fábrica _f_ Fabrik; Mauerwerk _n_; **de ~** gemauert

fabrica|ción [-θ-] _f_ Fabrikation, Herstellung; **~nte** _m_ Fabrikant; **~r** fabrizieren, (an)fertigen

fácil [-θ-] leicht

facili|dad [-θ-] _f_ Leichtigkeit; Fertigkeit; **~dades** _pl_ Erleichterungen; **~tar** erleichtern; be-, verschaffen

factura _f_ Warenrechnung; **~r** _Hdl_ die Rechnung ausstellen; _Gepäck_ aufgeben

facultad _f_ Fähigkeit; (_Universität_) Fakultät

facha [-tʃa] F **1.** _m_ Faschist; **2.** _f_ Visage; **~da** _f_ Fassade

faena _f_ Arbeit; _Stk_ Stil _m_ (_des Toreros_); **~r** _Arg_ schlachten

faisán _m_ Fasan

faja [-xa] _f_ Leibbinde; Schärpe; Hüftgürtel _m_; _Post_ Kreuzband _n_

falaz [-θ] trügerisch

falda _f_ (Damen-)Rock _m_; **~pantalón** _f_ Hosenrock _m_

falsedad _f_ Falschheit

falsifica|ción [-θ-] _f_ Fälschung; **~r** fälschen

falso falsch; unwahr

falta _f_ Fehler _m_; Mangel _m_; Schuld; **a** (_od_ **por**) **~ de** mangels (_gen_); **hacer ~** nötig sein; **~r** fehlen; ausbleiben; **~r a** verstoßen gegen

falla [-ʎa] _f Am_ Versagen _n_, Fehler _m_; **~r** entscheiden, ein Urteil fällen; fehlschlagen; _a Tech, Med_ versagen

falleba [-ʎ-] _f_ Tür-, Fenster-riegel _m_

falle|cer [-ʎeθ-] sterben, verscheiden; **~imiento** _m_ Tod

fallo [-ʎo] _m a Med, Tech_ Versagen _n_; _jur_ Urteil _n_; Spruch

fama _f_ Ruf _m_; Ruhm _m_; _Col_ Metzgerei, Fleischerei; **de ~** berühmt

familia _f_ Familie; **~r** familiär; vertraut, bekannt; _m_ Verwandte(r), Angehörige(r); **~ridad** _f_ Vertraulichkeit; **~rizar** [-θ-] vertraut machen

famoso berühmt

fanático fanatisch

fanatismo _m_ Fanatismus

fanega _f_ Getreidemaß = 55,5 l

fanfarr|ón _m_ Angeber, Aufschneider; **~onear** aufschneiden, großtun

fango m Schlamm

fantas|ía f Einbildung; Phantasie; **de ~ía** bunt, gemustert (*Stoff*); **~ma** m Trugbild n; Gespenst n

fantástico phantastisch, unglaublich, F super, toll

fantoche f [-tʃe] Ballen; Last f

fantoche m Marionette(nfigur f) f (*a fig*)

farándula f Komödiantentruppe; *bsd Am* Welt des Theaters, Kabaretts *usw*, Showbusiness n

fardo m Ballen; Last f

farma|céutico [-θ-] m Apotheker; **~cia** [-θ-] f Apotheke

faro m Leuchtturm; *Kfz* Scheinwerfer; *fig* Leuchte f; **~l** m Laterne f; Straßenlaterne f

farra f *Am* lärmendes Fest n, Kneipenbummel m; **irse de ~** s. toll amüsieren

farsa f *Thea* Posse

fascis|mo [-θ-] m Faschismus; **~ta** faschistisch; m Faschist

fase f Entwicklungsstufe; Phase

fastidi|ar anöden; **~o** m Ekel; Überdruß; **~oso** ekelhaft; lästig, langweilig

fatal verhängnisvoll; schlimm; **~idad** f Verhängnis n

fatig|a f Ermüdung; Mühsal; **~ar** ermüden; anstrengen; **~oso** mühselig

fatuo eingebildet

favor m Gunst f; Gefällig-

keit f, Gefallen; **a ~ de** zugunsten von; **por ~** bitte!;

hacer el ~ de die Güte haben zu; **~able** günstig; **~ecer** [-θ-] begünstigen; *Hdl* beehren; **~ito** m Günstling, Favorit

faz [-θ] f Antlitz n; Vorderseite

fe f Glaube m; **buena ~** Ehrlichkeit; **mala ~** Unredlichkeit; **de buena ~** im guten Glauben, gutgläubig

fealdad f Häßlichkeit

febrero m Februar

febrífugo m fiebersenkendes Mittel n

febril fieberhaft (*a fig*)

fecun|dar befruchten; **~didad** f Fruchtbarkeit; **~do** fruchtbar (*a fig*)

fecha [-tʃa] f Datum n; Termin m; *Hdl* **a dos meses ~** zwei Monate dato; **a partir de esta ~** seit damals, von diesem Tage an; **~r** datieren

federa|ción [-θ-] f Föderation; Bund m; **~l** Bundes...

felici|dad [-θ-] f Glück n; **¡muchas ~dades!** herzlichen Glückwunsch!; **~tación** [-θ-] f Glückwunsch m; **~tar** beglückwünschen; gratulieren (*dat*)

feliz [-θ] glücklich; **~mente** *adv* glücklicherweise

felpa f Plüsch m

femenino weiblich; m *Gr* Femininum n

feminista su Feminist(in)

fen|omenal F toll, Klasse;

111   **finalmente**

~ómeno m Phänomen n (a fig); Erscheinung f
feo häßlich; schändlich
feria f Jahrmarkt m, Volksfest n; Ruhetag m; Hdl Messe; Am a (Lebensmittel-)Markt m
fermenta|ción [-θ-] f Gärung; **~r** gären lassen; gären
fero|cidad [-θ-] f Wildheit; **~z** [-θ] wild, grausam
férreo eisern; fig hart
ferrería f Eisenwarenhandlung
ferro|carril m Eisenbahn f; **~viario** Eisenbahn...; m Eisenbahner
fértil fruchtbar; ertragreich
fertilizar [-θ-] f fruchtbar machen; düngen
ferviente heftig, inbrünstig
festival m Festspiele npl, Festival n
festivo scherzhaft; festlich; **día ~** m Feiertag
fétido stinkend
fiado geborgt; **al ~** F auf Pump; **~r** m Bürge; **salir ~r de** für j-n bürgen
fiambre m Aufschnitt; P Leiche f
fia|nza [-θa] f Bürgschaft; Kaution; **~r** verbürgen; anschreiben (Wirt); **~rse de** j-m vertrauen; bauen auf
fibra f Faser
fich|a [-tʃa] f Spielmarke, Jeton m; Telefonmarke; Karteikarte; **~ero** m Kartei f
fidelidad f Treue

fideos mpl Fadennudeln fpl
fiebre f Fieber n
fiel treu; gläubig
fieltro m Filz
fiera f wildes Tier n
fiesta f Fest n; Feiertag m; **~ brava** Stierkampf m; **~ mayor** Patronatsfest n; **~ hacer ~** blaumachen
figura f Figur; Gestalt; Bild n; **~do** figürlich; sinnbildlich; **~nte** m Statist m; **~r** vorkommen, stehen (en auf, in); **~rse** s. et vorstellen
fija|ción [-xaθ-] f Festsetzung; Fot Fixierung; Ski Bindung; **~dor** m, **~pelo** m Haarfestiger; **~r** befestigen, ankleben; festsetzen; Plakate ankleben; Fot fixieren; Aufmerksamkeit richten (en auf); **~rse en** bemerken, achten auf
fijo [-xo] fest
fila f Reihe; **en ~ india** im Gänsemarsch
film m Film; **~ación** [-θ-] f Verfilmung; **~ar** filmen
fil|osofía f Philosophie; **~ósofo** m Philosoph
filtrar filtern; **~se** einsickern
filtro m Filter; **~ amarillo (de aire)** Gelb-(Luft-)filter
fin m Ende n; Ziel n, Zweck; **dar ~ a** vollenden; **a ~es de mayo** Ende Mai; **al (od por) ~** endlich; **a ~ de** um zu
final schließlich; End...; m Ende n; f Sp Endrunde, Finale n; **~izar** [-θ-] beendigen; **~mente** endlich

financiación [-θiaθ-] f Finanzierung

finca f Grundstück; ~ (rural) Landgut n

fineza [-θa] f Feinheit; Aufmerksamkeit

fingir [-x-] vortäuschen, tun als ob

fino fein; höflich; ~ura f Feinheit; Höflichkeit

fique [-ke] m Am Agave(nfaser f) f; Schnur f

firma f Unterzeichnung; Unterschrift; Hdl Firma; ~nte m Unterzeichner; ~r unterzeichnen

firme fest, beständig; sicher; m (Straßen-)Belag, Decke f; ~za [-θa] f Festigkeit; Beharrlichkeit

fiscal fiskalisch; m Staatsanwalt; ~izar [-θ-] kontrollieren

física f Physik; ~ca nuclear Kernphysik; ~co körperlich, physisch; physikalisch; m Physiker

flaco schlaff, schwach; mager

flamenco flämisch; fig angeberisch; m Zo Flamingo; (cante) ~ Flamenco (Gesang)

flaqueza [-keθa] f Schwäche

flash m Blitzlicht n

flauta f Flöte; ~ta dulce Blockflöte; ~tista su Flötenspieler(in)

flecha [-tʃa] f Pfeil m

fletar befrachten; chartern

flete m Fracht f; Frachtgebühr f

flexibilidad f Biegsamkeit; Anpassungsfähigkeit; ~ble biegsam; nachgiebig

flirte|ar flirten; ~o m Flirt

flojo [-xo] schlaff, schwach; faul; flau

flor f Blume; Blüte; das Feinste; ~ecer [-θ-] blühen; ~ecimiento [-θ-] m Blühen n; Gedeihen n; ~ero m Blumenvase f

florista su Blumenhändler(in); ~tería f Blumengeschäft n

flota f Flotte; Col Überlandbus m; ~ble schwimmfähig; ~dor m Tech Schwimmer; ~r schwimmen, treiben; (in der Luft) schweben

fluctuación [-θ-] f Schwankung; ~nte schwankend; ~r schwanken

fluido flüssig; fließend

flujo [-xo] m Fluß, Fließen n

fluvial Fluß...

flux m Ven (Herren-)Anzug

foca f Seehund m

foco m Brennpunkt; Am Glühbirne f; Am Scheinwerfer

fogón m Herd (Küche)

fogonero m Heizer

fólder m Am Aktendeckel

follaje [-ʎaxe] m Laubwerk n

folleto [-ʎ-] m Broschüre f, Prospekt

fomentar fördern, begünstigen; ~to m Förderung f; Pflege f

fonda f Gasthaus n; Bahnhofsgaststätte

fondear loten; ankern

fond|ero m Am, **.ista** m Span m Gastwirt

fondo m Grund, Boden; Meeresgrund; Hintergrund; Fonds; Am a Unterrock; **esqui** m **de ~** Sp Langlauf; **a ~** gründlich; **irse a ~** untergehen; **~s** pl Vermögen n

fontanero m Klempner, Spengler

forastero fremd, auswärtig

forestal Forst..., Wald...

forjar [-x-] schmieden

forma f Form; Gestalt; **estar en ~** in Form sein; **~ción** [-θ-] f Bildung; **~l** formal; förmlich; solide; **~lidad** f Förmlichkeit; Formalität; **~r** bilden

formidable furchtbar; F toll, prima

fórmula f Formel

formula|r formulieren; **~rio** m Formular n

foro m Forum n; Thea Hintergrund

forr|aje [-xe] m Futter n; **~ar** Kleid usw füttern; **~o** m Futter n (Kleidung); Überzug

fortale|cer [-θ-] stärken; befestigen; **~za** [-θa] f Festung

fortifica|ción [-θ-] f Befestigung; **~r** befestigen

fortu|ito zufällig; **~na** f Schicksal n, Geschick n; Glück n; Vermögen n; **por ~na** zum Glück

forz|ado [-θ-] Zwangs..., ge-, er-zwungen; **trabajo** m **~ado** Zwangsarbeit f; **~ar** (er)zwingen; Tür usw aufbrechen; **~oso** zwingend; Not...

fosa f Grab n

fósforo m Phosphor; Am Streichholz n

foso m Grube f; Thea Versenkung f

foto f Foto n; **~copia** f Fotokopie; **~copiar** fotokopieren; **~grafía** f Fotografie, Lichtbild n; **~grafiar** fotografieren; **~gráfico** fotografisch

fotó|grafo m Fotograf; **~metro** m Belichtungsmesser

fraca|sar scheitern; mißlingen; Thea durchfallen; **~so** m Scheitern n

fracción [-θ-] f Math Bruch m; (Bruch-)Teil m

fractura f (Knochen-) Bruch m; **robo** m **con ~** Einbruch

frágil [-x-] zerbrechlich; vergänglich

fragilidad [-x-] f Zerbrechlichkeit; Vergänglichkeit

fragua f Schmiede, Esse; **~r** schmieden

fraile m Mönch

frambuesa f Himbeere

francmasón m Freimaurer

franco frei; offenherzig; **~ de porte** portofrei

franela f Flanell

franja f Franse

franque|ar [-k-] a Briefe freimachen; **~o** m Porto n; **~za** [-θa] f Offenheit

frasco m Flakon, Fläschchen n

frase f Satz m; Redensart

frater|nal brüderlich; **~nidad** f Brüderlichkeit; **~nizar** [-θ-] v/i s. verbrüdern

fraude m Betrug m; **~ulento** betrügerisch

fray m Rel Bruder (vor dem Namen)

frazada [-θ-] f Süda (Woll-)Decke

frecuen|cia [-θ-] f Häufigkeit; Frequenz; **con ~cia** häufig; **~tar** (häufig) besuchen; **~te** häufig

fregar scheuern; abwaschen; Am a F belästigen, ärgern

freír backen, braten

frenar bremsen

freno m Tech Bremse f; Zügel, Zaum (a fig) m; **~ de mano (de alarma)** Hand-(Not-)bremse f

frente 1. f Stirn; Antlitz n; 2. m Vorderseite f; Front f; **de ~** von vorn, frontal; geradeaus; **en ~** gegenüber; **~ a** prp gegenüber (dat)

fresa f Erdbeere

fres|co frisch; kühl; neu; frech; m Kühle f; **~cura** f Frechheit

frialdad f Kälte, Gleichgültigkeit

fricción [-θ-] f, **friega** f Frottieren n; Einreibung

frigorífico [-θ-] m Kühlschrank; Süda Kühlhaus n

frijol [-x-] Col, **frijol** [-x-] m weiße Bohne f

frío kalt; m Kälte f; **tengo ~** mich friert; **coger ~** s. erkälten

frío|nto Am, **~ro** Span verfroren; fig frostig

frito gebacken; m Gebackene(s) n; **estar ~** F aufgeschmissen sein

fronte|ra f Grenze; **~rizo** [-θo] angrenzend, Grenz...

frotar ab-, ein-reiben; frottieren

fructuoso fruchtbringend; einträglich

fruncir [-θ-] runzeln

fru|ta f Obst n; Frucht; **~tal** m Obstbaum; **~tería** f Obsthandlung; **~tero** m, **~tera** f Obsthändler(in); **~tilla** f [-ʎa] f Süda RPl, Chi, Pe Erdbeere; **~to** m Frucht f; fig Ausbeute f, Nutzen

fuego m Feuer n; Gewehrfeuer n; **~s** pl artificiales Feuerwerk n

fuelle [-ʎe] m (a Blase-)Balg; faltbares Wagenverdeck f

fuente f Quelle, Brunnen m; Schüssel

fuera adv außen; auswärts, außerhalb; heraus; prp **~ de** außer; **~ de eso** außerdem; **~ de servicio** außer Betrieb; **¡~!** hinaus!, fort!; **~borda** f Außenborder m; **~bordo** m Außenbordmotor

fuerte stark; kräftig; hart; m Fort n; fig starke Seite f

fuerza [-θa] f Kraft; Gewalt; Wirksamkeit; **~s** fpl armadas Streitkräfte; **a la**

(*od por*) ~ mit Gewalt; notgedrungen

fuete *m Súda* Peitsche *f*

fuga *f* Flucht; *Mus* Fuge; **~rse** fliehen

fugitivo [-x-] flüchtig; *m* Flüchtling

fulan|a *f* Nutte; **~o** *m* Kerl, Typ; **~o de tal** Herr Soundso

fulmina|nte blitzartig; heftig; **~r** blitzen; schleudern; *fig* wettern; *Strafe* verhängen

fuma|dor(a *f*) *m* Raucher(in); **~r** rauchen

funci|ón [-θ-] *f* Funktion; Amt *n*; Tätigkeit; Feier; *Thea* Vorstellung; **~onar** gehen, funktionieren; sein Amt ausüben; **no ~ona** außer Betrieb; **~onario** *m* Beamte(r)

funda *f* Überzug *m*; Futteral *n*; Bezug *m*

funda|ción [-θ-] *f* Gründung; Stiftung; **~dor(a** *f*) *m* Gründer(in), Stifter(in); **~mental** grundlegend; **~mentar** gründen; stützen; **~mento** *m* Grund; Grundlage *f*; **~r** gründen

fundi|ble schmelzbar; **~ción** [-θ-] *f* Gießen *n*; Gießerei; **~r** schmelzen, gießen

fúnebre Trauer..., Grab...

funera|l *m* Begräbnis *n*; **~ria** *f* Bestattungsinstitut *n*

funicular *m* Drahtseilbahn *f*

furcia [-θ-] *f* F Nutte

furgón *m Esb* Gepäckwagen; *Kfz* Lieferwagen

furia *f* Wut, Raserei; **~oso** rasend; heftig

furor *m* Raserei *f*; Wut *f*; **hacer** ~ Furore machen, einschlagen

furtivo heimlich; **cazador** *m* ~ Wilderer

fusible schmelzbar; *m El* Sicherung *f*

fusil *m* Gewehr *n*; Flinte *f*; **~amiento** *m* Erschießung *f*; **~ar** erschießen; **~azo** [-θo] *m* Gewehrschuß

fusión *f* Schmelzen *n*; *fig* Verschmelzung, Fusion

fustán *m Súda* Unterrock *m*

fútbol *m* Fußballspiel *n*; Fußball

futbolista *m* Fußballer

futuro künftig; *m* Zukunft *f*; F Bräutigam

G

gabacho [-tʃo] *m desp* Franzose; *Am* Schweiß; *adj RPl* schmutzig

gabán *m bsd Am* Mantel

gabardina *f* Gabardine *m*; *Span* Regenmantel *m*

gabinete *m* Kabinett *n*

gach|í [-tʃi] *f P* Mädchen *n*, Biene; **~ó** *m P* Mann, Typ; **~upín** *m Méj pej* Spanier

gafas *f/Pl* Brille *f*; ~ **de sol** Sonnenbrille *f*

gago *m Am* Stotterer; *adj* stotternd

gaita f Dudelsack m
gala f Festkleidung; Prunk m; **de ~** in Gala
galán m Thea Liebhaber; Verehrer
galante galant, fein; **~ría** f Höflichkeit
galardón m Lit Lohn
gale|ra f (Am Galeere; Süda F Zylinder(hut m) m f; **~ría** f Galerie; Stollen m
galgo m Windhund
galón m Gallone f; **~onera** f Pe (Benzin-)Kanister m
galop|ar galoppieren; **~e** m Galopp
galpón m Am Schuppen m
galle|go [-ʎ-] galicisch; m, **~a** f Galicier(in); **~o** m Arg pej Spanier
galleta [-ʎ-] f Schiffszwieback m; Keks m; Ven Verkehrsstau m
galli|na [-ʎ-] 1. f Henne, Huhn n; 2. m f ig Memme f; **~ carne** f (Am **piel** f) **de ~** f ig Gänsehaut; **~nero** m Hühnerstall; Thea Olymp
gallo [-ʎo] m Hahn; Chi F Mann
gama f Tonleiter; Bereich m; Skala
gam|ba f Krabbe, Garnele; **~berro** m Halbstarke(r)
gamín m Col asozialer Straßenjunge
gamo m Damhirsch; **~nal** m Am Ortsgewaltige(r), Boß
gamuza [-θa] f Gemse; Fensterleder n; bsd Am Wildleder n
gana f Hunger m, Appetit m;

~s pl Lust f; **de buena ~** gern; **de mala ~** ungern; **no me da la ~** ich habe keine Lust (dazu); **tener ~s de** Lust haben zu
gana|dería f Viehzucht; **~dero** m Viehzüchter; **~do** m Vieh n
gana|ncia [-θ-] f Gewinn m; **~r** gewinnen; verdienen; **~rse la vida** s-n Lebensunterhalt verdienen
gancho m Haken; F ig Sex-Appeal; Am Kleiderbügel; **~ de nodriza** Col Sicherheitsnadel f
gandul faul; **~a** f Hängematte; Liegestuhl m
ganga f Gelegenheitskauf m
ganso m Gans f; Dummkopf
ganzúa [-θ-] f Dietrich m
garaje [-xe] m Garage f
garan|tía f Garantie; **~tir, ~tizar** [-θ-] gewährleisten
garapiñado [-ɲ-] kandiert
garbanzo [-θo] m Kichererbse f
garbo m Anmut f
gargajo [-xo] m Schleim
garganta f Kehle; Rist m; Schlucht; **dolor m de ~** Halsschmerzen pl
gárgara f Gurgeln n; **hacer ~s** gurgeln
garra f Klaue, Kralle; **~fa** f Karaffe; **~pata** f Zecke
garúa f Am, bsd Pe Nieselregen m; Hochnebel m
garz|a [-θa] f Reiher m; **~ón** m Chi F Kellner
gas m Gas n; **bombona** f (Am **garrafa** f) **de ~** Gas-

flasche

gasa f Gaze; Mull m

gaseosa f (Brause-)Limonade

gas|fiter, ~fitero m Süda, bsd Chi Klempner

gasóleo m Diesel(kraftstoff)

gasolin|a f Benzin n; **echar ~a** tanken; **~era** f Motorboot m; Tankstelle

gas|tar ausgeben; aufwenden; abnutzen; tragen, besitzen; **~to m** Ausgabe f; Aufwand; **~tos** pl Kosten pl; Spesen pl

gato m Katze f; Kater; Wagenheber

gaucho [-tʃo] m Süda Gaucho

gavi|lán m Sperber; **~ota** f Möwe

gay m F Homosexuelle(r)

gazpacho [-θpatʃo] m kalte Suppe aus Knoblauch, Paprikaschoten, Zwiebel, Tomaten, Essig u Öl

gelatina [x-] f Gelatine; Sülze

gemelo [x-] Zwillings...; m Zwilling; **hermano** m ~ Zwillingsbruder; **~s** pl Zwillinge; Operngläs n; Manschettenknöpfe mpl

gemir [x-] seufzen, stöhnen

genciana [xenθ-] f Enzian m

general [x-] allgemein; m General; **en** (od **por lo**) ~ im allgemeinen; **~idad** f Allgemeinheit; **~idades** pl Allgemeine(s) n; **~izar** [-θ-] verallgemeinern; **~izarse** allgemein werden

género [x-] m Gattung f; Art f; Sorte f; **~s** pl Waren fpl; **~s de punto** Strick-, Wirkwaren fpl

genero|sidad [x-] f Großmut m; Freigebigkeit; **~so** edelmütig; großzügig

geni|al [x-] eigentümlich; genial; **~o** m Gemütsart f; Wesen n; Genie n

geni|tales [x-] mpl Genitalien pl; **~tivo** m Gr Genitiv

gen|te [x-] f Leute pl, Volk n; **~til** hübsch; artig; **~tileza** [-θa] f Anmut; Anstand m; **~tilhombre** m Edelmann; **~tío** m Menschenmenge f, Gedränge n

geren|cia [xerenθ-] f Geschäftsführung; **~te** m Geschäftsführer

geriatría [x-] f Geriatrie

ger|men [x-] m Keim; Ursprung; **~minar** keimen

gesticula|ción [xestikulaθ-] f Gebärdenspiel n; **~r** gestikulieren

gestión [x-] f Führung; Betreibung; **~onar** betreiben, besorgen

gesto [x-] m Gesichtsausdruck, Miene f; Geste f; **hacer ~s a** Grimassen schneiden

giba [x-] f Buckel m; **~oso** bucklig

gigan|te [x-] m Riese; **~tesco** riesenhaft; gewaltig

gilipollas [xilipoʎ-] m Span F fig Flasche f, Niete f

gim|nasia [x-] f Turnen n, Gymnastik; **~nasio** m

Turnhalle *f*; **~nástico** *m* Turn...

ginebra [x-] *f* Gin *m*

ginecólogo [x-] *m* Gynäkologe

girar [x-] (s.) drehen, kreisen; *Geld* überweisen; *Wechsel* ziehen; **~sol** *m* Sonnenblume *f*; **~torio** kreisend, Dreh...

giro [x-] *m* Drehung *f*, Wendung *f*; *Hdl* Überweisung *f*; **~ postal** Postanweisung *f*; **~ obligatorio** Kreisverkehr *m*

gitano [x-] *m*, **~a** *f* Zigeuner(in)

glacial [-θ-] eiskalt, eisig; **~r** *m* Gletscher

glándula *f Anat* Drüse

glicerina [-θ-] *f* Glyzerin *n*

global global; Pauschal...

globo *m* Kugel *f*; Erdball; *Flgw* **~ aerostático** Ballon; **~ del ojo** Augapfel

gloria *f* Ruhm *m*; Herrlichkeit, Seligkeit; **saber a ~** herrlich schmecken; **~arse** s. rühmen; **~eta** *f öffentlicher* Platz *m*; **~ficar** verherrlichen; rühmen; **~oso** glorreich; rühmlich

glosa *f* Randbemerkung, Glosse; **~r** auslegen; bekritteln; **~rio** *m* Glossar *n*

glotón *m* Vielfraß

glucosa *f* Traubenzucker *m*

gluten *m* Klebstoff

gobernación [-θ-] *f* Regierung, Statthalterschaft; *Span* **Ministerio** *m* **de la** **~ción** Ministerium *n* des Inneren; **~dor** *m* Gouverneur; **~r** regieren; leiten; *Mar* steuern

gobierno *m* Regierung *f*; *fig* Richtschnur *f*

goce [-θe] *m* Genuß

gol *m Sp* Tor *n*

golf *m Sp* Golf *n*; **~illo** [-λo] *m* Gassenjunge; **~ista** *m* Golfspieler; **~o** *m Geogr* Golf *m*; *F* Ganove

golondrina *f* Schwalbe

golosina *f* Nascherei; **~o** naschhaft

golpe *m* Schlag; Stoß; *fig* Eindruck; **~ de Estado** Staatsstreich; **a ~s** stoßweise; **de ~ (y porrazo** [-θo]) plötzlich; **~ar** schlagen; klopfen; **~ón** *m* Schlagen *n*

goma *f* Gummi *m*; Radiergummi *m*; **~oso** gummiartig; *m fig* Geck; *Méj* Grünschnabel

gordo dick; *m* **el ~do** das große Los; **~dura** *f* Fett *n*; Korpulenz

gorra *f* Mütze; Kappe; **~ión** *m* Sperling, Spatz; **~o** *m* **de baño** Badekappe *f*; **~ón** *m F* Nassauer

gota *f* Tropfen *m*; *Med* Gicht; **~ a ~** tropfenweise

gotear tröpfeln; **~ra** *f* Dachrinne

gozar [-θ-] genießen; s. erfreuen (**de** *gen*); **~o** *m* Freude *f*, Vergnügen *n*; **~oso** freudig; fröhlich

grabación [-θ-] *f* Gravur; (Tonband-)Aufnahme; **~ción de vídeo** Fernsehauf-

zeichnung; **~do** *m* Gravier-
kunst *f*; Stich; Abbildung *f*;
~dor *m* Graveur; **~dora** *f*
bsd Am Tonbandgerät *n*; **~r**
gravieren; einritzen; **~r (en
cinta)** (auf Tonband) aufnehmen

graci|a [-θ-] *f* Anmut; Witz
m; Gnade; **¡~as!** danke!;
~as *prp* dank; **dar las ~as**
danken; **~oso** anmutig; witzig; *m* Spaßmacher

grada *f* Stufe; Egge

grado *m* Grad, Rang; Wert;
akademischer Grad; **~ de
doctor** Doktortitel

gradua|ción [-θ-] *f* Abstu-
fung; Einstellung; Rang-
ordnung; **~do** graduiert;
Grad..., Meß...; **~l** allmählich; **~r** abstufen; einstellen; *j–m* e-e akademische
Würde verleihen

gráfic|a *f* graphische Dar-
stellung; Kurve; **~o** gra-
phisch; anschaulich

grafito *m* Graphit

gragea [-x-] *f* Dragée *n*

grajo [-xo] *m* Krähe *f*; *Am* a
Schweiß

gramáti|ca *f* Grammatik; **~co** (*a* **gramatical**) gram-
matisch

gramo *m* Gramm *n*

granada *f* Granatapfel *m*;
Mil Granate

grande groß; erwachsen;
bedeutend; ♀ *m* (**de España**) Grande; **~za** [-θa] *f*
Größe; Erhabenheit

grandi|locuencia [-θ-] *f*
hochtrabende Ausdrucks-

weise; **~osidad** *f* Großar-
tigkeit; **~oso** großartig;
herrlich

granel: a ~ lose, offen, un-
verpackt

graniz|ado [-θ-] *m Art* Eis-
kaffee; **~ar** hageln; **~o** *m*
Hagel

granja [-xa] *f* Meierei;
Bauernhof *m*; Farm; *Span*
a Milchbar

grano *m* Korn *n*; Kern
(*Obst*); **~s** *pl* Getreide *n*; **ir
al ~** zur Sache kommen

granuja [-xa] *f Am* Lump

grapa *f* (Heft-)Klammer;
~dora *f* Heftmaschine

gra|sa *f* Fett *n*; **~siento** fet-
tig; schmierig; **~so** fett

gratifica|ción [-θ-] *f* Vergü-
tung; **~r** belohnen; erfreu-
en

grat|itud *f* Dankbarkeit; **~o**
angenehm; **~uito** unentgeltlich; grundlos (*Behaup-
tung*)

gratula|ción [-θ-] *f* Glück-
wunsch *m*; **~r** beglückwünschen

grava *f* Kies *m*; Schotter *m*;
~men *m* Last *f*; Auflage *f*;
~r belasten

grave schwer; ernst; gefährlich; **~dad** *f* Schwere; Ernst
m

gravilla [-Áa] *f* Kies *m*; **~
(suelta)** Rollsplitt *m*

gravitación [-θ-] *f* Schwer-
kraft

gremio *m* Genossenschaft *f*;
Innung *f*; Gremium *n*

gresca *f* Lärm *m*, Tumult *m*;

Rauferei
grieta f Spalte; Riß m
grifa f Rauschgift n, bsd Marihuana n; **~ero** m Pe Tankwart; **~o** m (Wasser-)Hahn; Pe Tankstelle f; **agua** f **del ~o** Leitungswasser n
grillo [-ʎo] m Zo Grille f
gringo m pej Yankee; Arg (nicht pej) Europäer; Yankee; adj nordamerikanisch
gripa f Col, Méj, **~e** f Grippe
gris grau
gri|tar schreien; zurufen; **~tería** f Geschrei n; **~to** m Schrei
grose|ría f Grobheit; **~ro** grob; plump; ungebildet
grúa f Kran m; Abschleppwagen m
grueso dick; mar f **~a** grobe See; **~o** m Dicke f; Gros m
grulla f [-ʎa] f Kranich m
gruñir [-ɲ-] m grunzen; brummen; knurren; fig murren
grupo m Gruppe f; **~ sanguíneo** Blutgruppe f
gruta f Grotte, Höhle f
guaca f Am indianisches Grab n; **~mayo** m Am Ara (Papageienart)
guadaña [-ɲa] f Sense; **~r** mähen
guagua f PR Bus m; Chi kleines Kind n
guajalote [-x-] m Méj Truthahn m
guante m Handschuh; **~ra** f Kfz Handschuhfach n; **~ría** f Handschuhgeschäft n
guapo hübsch; Am tapfer
guarapo m Süda alkoholisches Getränk aus Zuckerrohrsaft
guarda m Wächter, Wärter; **~ forestal** Forstwart; **~gujas** [-x-] m Esb Weichensteller; **~almacén** [-θ-] m Lagerverwalter; **~barreras** m Esb Schrankenwärter; **~barros** m Schutzblech n; Kfz Kotflügel; **~costas** m Küstenwachtboot n; **~frenos** m Bremser; **~meta** m Torwart
guardar (auf)bewahren; behalten; beschützen; hüten; **~ silencio** schweigen; **~cama** das Bett hüten; **~se** s. hüten (**de** vor)
guardarropa m Garderobe f; **~vía** m Esb Streckenwärter
guardería f (**infantil**) Kinderkrippe
guardia 1. f Wache; Gewahrsam m; Schutz m; **estar de ~** Wache stehen; **~ civil** Span Municipalpolizei 2. m Posten; Polizist; **~ civil** Span Landpolizist
guarida f Unterschlupf m
guar|necer [-θ-] Kleid besetzen, einfassen; auslegen; garnieren; **~nición** [-θ-] f Besatz m; (Ein-)Fassung f; Pferdegeschirr n; Garnison; Gastr Beilage
guarro F dreckig
guasa f F Spaß m

guayab|a f Am Guave f (Frucht); **~era** f Am Buschhemd n; **~o** m Guavenbaum; Col F Kater (nach Alkoholgenuß)

gubernativo Regierungs...

güero Méj blond

guerr|a [ge-] f Krieg m; **~a mundial** Weltkrieg m; **~ear** Krieg führen; streiten; **~ero** kriegerisch; m Krieger; **~illa** [gεrriʎa] f Guerilla(krieg m) f

guía [gia] 1. m Führer (Person); 2. f Wegweiser m; Richtschnur; Kursbuch n; Reiseführer m; **~ comercial** Werbefunk m; Hdl Adreßbuch n, Firmenverzeichnis n; **~ telefónica** Fernsprechbuch n

guiar [gi-] führen; leiten; lenken

guijarro [gix-] m Kieselstein

guind|a [gi-] f Sauerkirsche; **~illa** [-ʎa] f Span scharfer Pfeffer m, Chili m

guiñar [gin-] blinzeln; **~ los ojos** zwinkern

guión [gi-] m Gr Bindestrich; Film Drehbuch n

guis|ado [gi-] m Gastr Gericht n; **~ante** m Span Erbse f; **~ar** kochen; **~o** m Gastr Gericht n

guitarra [gi-] f Gitarre

gusano m Wurm; **~ de luz** Leuchtkäfer m; **~ de seda** Seidenraupe f

gust|ar v/t kosten, schmecken; v/i gern haben; gefallen; gern tun; **¿Vd. gusta?** darf ich anbieten?; **si Vd. gusta** wenn Sie wollen; **~to** m Geschmack; Vergnügen n; Gefallen n; **con mucho ~to** sehr gern; **~toso** schmackhaft; gern

H

haba f (el) (Sau-)Bohne

habano m Havanna f (Zigarre); Am Banane f; adj Am braun

haber 1. haben, sein (Hilfszeitwort); **~ de** sollen, müssen; **hay es gibt; hay que** man muß; **no hay de qué** keine Ursache, bitte; **2.** m Habe f, Vermögen n; Hdl Haben n; **~es** pl Einkünfte pl

habichuela [-tʃ-] f (Col bsd grüne) Bohne

hábil geschickt, fähig; **día** m **~** Werktag

habili|dad f Geschicklichkeit, Fähigkeit; **~tar** befähigen; bevollmächtigen

habita|ble bewohnbar; **~ción** [-θ-] f Wohnung; Zimmer n; **~ción doble (individual)** Doppel-(Einzel-)zimmer n; **~nte** m Bewohner; Einwohner; **~r** bewohnen; wohnen

habitua|l üblich; gewohnt; m Stammgast; **~r** gewöhnnen

habla f (el) Sprache; Mundart; **~r** sprechen, reden

hacendado [aθ-] begütert; m Gutsbesitzer

hacer [aθ-] machen, tun; anfertigen; **hace una semana** vor einer Woche; **hace frío (calor)** es ist kalt (warm); **~se** werden; se **hace tarde (de noche)** es wird spät (Nacht)

hacia [aθ-] gegen; nach; Zeit: gegen; **~ atrás** rückwärts, nach hinten; **~ aquí** hierher; **~ la tarde** gegen Abend

hacienda [aθ-] f Landgut n; Vermögen n; **2 pública** öffentliche Finanzen fpl; **Delegación f de 2** Finanzamt n

hacha [atʃa] f (el) Fackel; Axt; f ig As n, Kanone

hala|gar j-m schmeicheln; **~go** m Schmeichelei f; **~güeño** [-ɲo] schmeichelhaft; **~r** Süda ziehen

halcón m Falke (a Pol fig)

hall m (Hotel-)Halle f

halla|r [-ʎ-] finden; **~zgo** [-θ-] m Fund

hamaca f Hängematte; Süda Schaukel; Liegestuhl m

hambr|e f (el) Hunger m; **~iento** hungrig

hamburguesa [-ge-] f Gastr Hamburger m

hampa f (el) Unterwelt f

harapo m Lumpen

harina f Mehl n

hart|ar sättigen; **~o** satt, überdrüssig; Am a viel; **estoy ~o** ich habe genug davon

hasta prp bis; adv sogar, selbst; **¡~ luego!** bis nachher!; ci **~ que** bis

hato m Viehherde f; Bündel n

hay es gibt; s. haber

haya f (el) Buche

haz m Garbe f, Bündel n

hazaña [aθaɲa] f Heldentat

hebilla [-ʎa] f Schnalle

hebra f Faden m; Faser

hectárea f Hektar m o n

hectolitro m Hektoliter n

hechizar [etʃiθ-] bezaubern

hecho [etʃo] gemacht; fertig; m Tat f; Tatsache f; **~ a mano** handgemacht; **~ura** f Anfertigung; Schnitt m

heder stinken

hela|da f Reif m; Frost m; **~dería** f Eisdiele; do gefroren; starr; m Speiseeis n; **~dora** f RPl Kühlschrank m; **~r** gefrieren lassen; frieren; **~rse** ge-, zu-frieren

helecho [-tʃo] m Farn

hélice [-θ-] f Propeller m; Mar Schraube

helicóptero m Hubschrauber

hematoma m Bluterguß

hembra f Zo Weibchen n; F Weib n, Frau

hemisferio m Halbkugel f

hemorr|agia [-x-] f Blutung; **~oides** fpl Hämorrhoiden

hender spalten

heno m Heu n
here|dad f Grundstück n; Erbgut n; **~dar** erben; beerben; **~dero** erblich; m Erbe; **~ditario** erblich, Erb...
herej|e [-xe] m Ketzer; **~ía** f Ketzerei
herencia [-θ-] f Erbschaft; Erbe n
herético ketzerisch
heri|da f Verletzung, Wunde; Kränkung; **~r** verwunden, verletzen (a fig)
herman|a f Schwester; **~ar** verbrüdern; vereinen; **~astra** f, **~astro**, -bruder m Stiefschwester, -bruder; **~dad** f a Rel Bruderschaft; **~o** m Bruder; **~os** mpl Geschwister pl
hermético hermetisch; luftdicht
hermo|so schön; **~sura** f Schönheit
hernia f Med Bruch m
héroe m Held
hero|ico heroisch, heldenhaft; **~ína** f Heldin; Heroin n
herra|dor m Hufschmied; **~dura** f Hufeisen n; **~je** [-xe] m Eisenbeschlag; **~mienta** f Werkzeug n; **~r** Pferd beschlagen
herre|ría f Schmiede; **~ro** m Schmied
herrumbre f Rost m
hervi|dor m Kocher; **~dor de inmersión** Tauchsieder; **~r** aufkochen, sieden
hez [θ] f Hefe
hidalgo m (Land-)Edel-

mann
hidráulico hydraulisch
hidr|oavión m Wasserflugzeug n; **~ofobia** f Tollwut; **~ógeno** [-x-] m Wasserstoff; **~oplano** m Wasserflugzeug n
hiedra f Efeu m
hiel f Galle (a fig); Bitterkeit; **~o** m Eis n; Frost
hiena f Hyäne
hierba f Gras n; Kraut n; F Marihuana n; **mala ~** Unkraut n
hierro m Eisen n
hígado m Leber f
higi|ene [-x-] f Hygiene; Gesundheitswesen n; **~énico** hygienisch
hig|o m Feige f; **~uera** [-ge-] f Feigenbaum m
hij|a [ixa] f Tochter; **~astro** m, **~astra** f Stiefsohn, -tochter; **~o** m Sohn; **~o de puta** V Schweinehund, Saukerl
hilar spinnen
hilo m Faden; Garn n; Schnur f; feiner Draht
himno m Hymne f
hincha [-tʃa] **1.** f Am Wut, Ärger m; **2.** m bsd Sp, Mus Fan; **~do** geschwollen; stolz; **~r** aufblasen; anschwellen lassen; Arg ärgern, reizen; **~rse** anschwellen; fig s. aufblähen
hinojo [-xo] m Fenchel
hipo m Schluckauf
hipócrita heuchlerisch; su Heuchler(in)
hipódromo m Rennbahn f

hipopótamo *m* Nilpferd *n*

hipoteca *f* Hypothek; **~r** mit Hypotheken belasten

hirviente siedend, kochend

hispano spanisch

histérico hysterisch

historia *f* Geschichte; **~órico** geschichtlich

hito *m* Grenz-, *fig* Meilenstein

hockey *m* Hockey *n*; **~ sobre hielo** Eishockey *n*

hogar *m* Herd; *fig* Heim *n*; **~uera** [-ge-] *f* Scheiterhaufen *m*; (Lager-)Feuer *n*

hoja [ɔxa] *f* Blatt *n*; Metallplatte; Klinge; **~ de afeitar** Rasierklinge; **~ de vida** *Súda* (Kurz-)Lebenslauf *m*

hojalata [ɔx-] *f* Blech *n*; **~tero** *m* Klempner

hojear [ɔx-] durchblättern

¡hola! hallo!, guten Tag!

holga|r müßig sein, faulenzen; s. erübrigen; **~zán** [-θ-] *m* Faulenzer

hollín [-ʎ-] *m* Ruß

hombre *m* Mann; Mensch; **~cillo** [-θiʎo] *m* Männchen *n*

hombro *m* Schulter *f*

homenaje [-xe] *m* Huldigung *f*, Ehrung *f*; Festschrift *f*

homeópata *m* Homöopath

homicidio [-θ-] *m* Totschlag

homo|géneo [-x-] homogen; **~sexual** homosexuell

hon|da *f* Schleuder; **~do** tief; **~dura** *f* Tiefe

honesto ehrbar; anständig

hongo *m* Pilz, Schwamm

honor Ehre *f*; **~able** ehrenwert; **~ario** Ehren-...; **~arios** *mpl* Honorar *n*

honra *f* [-rra] *f* Ehre; **~s** *pl* Trauerfeier *f*; **~dez** [-θ] *f* Rechtschaffenheit; **~do** ehrenhaft; ehrlich; rechtschaffen; **~r** ehren; beehren; *Hdl* einlösen

honroso [-rr-] ehrenvoll

hora *f* Stunde; Zeit; **~s** *pl* **de oficina** Geschäftsstunden; **a la ~** pünktlich; **¿qué ~ es?**, *Am* **¿qué ~s son?** wie spät ist es?; **~rio** stündlich; *m* Stundenzeiger; Stundenplan; *Esb* Fahrplan; *Flgw* Flugplan

horca *f* Galgen *m*; Heugabel

horchata [-tʃ-] *f* Erdmandelmilch; **~ería** *f* Erfrischungshalle

horizonte [-θ-] *m* Horizont

horma *f* Form; Leisten *m*

hormi|ga *f* Ameise; **~gón** [-ge-] *m* Beton; **~gón armado** Stahlbeton; **~guero** [-ge-] *m* Ameisenhaufen; Menschengewimmel *n*

hormona *f* Hormon *n*

hor|nillo [-ʎo] *m* Kochherd; **~nillo de alcohol** Spirituskocher; **~no** *m* (Back-)Ofen; Bratrohr *n*; **alto ~no** Hochofen

horquilla [-kiʎa] *f* Haarnadel; *Tech* Gabel

horrendo grausig

horrible schrecklich

horror *m* Schrecken; Schauder; Abscheu; **¡qué**

~! wie schrecklich!; **~oso** entsetzlich

hort|aliza [-θa] f Gemüse n; **~icultura** f Gartenbau m

hospeda|je [-xe] m Beherbergung f; **~r** beherbergen; **~rse** logieren

hospi|cio [-θ-] m Armenhaus n; **~tal** m Krankenhaus n; **~talario** gastfrei; gastlich; **~talidad** f Gastfreundschaft

hostal m Hotel n; (feines) Restaurant n

hostil feindlich; **~idad** f Feindseligkeit

hotel m Hotel; ~, **~ito** m Span Villa f

hoy heute; jetzt; **de ~ en adelante** von heute an; ~ **por ~** vorläufig; **(en) día** heutzutage

hoy|o m Grube f, Loch n; **~uelo** m Grübchen n (im Gesicht)

huaso m chilenischer Bauer

hucha [utʃa] f Sparbüchse f

hueco hohl, leer; eitel; m Hohlraum, Lücke f; Am Schlagloch n

huelg|a f Streik m; **declararse en ~** streiken; **~uista** [-gi-] m Streikende(r)

huella [-ʎa] f Spur

huérfan|o verwaist; m, **~a** f Waise f

huert|a f Obst-, Gemüseland n; **~o** m Obst-, Gemüse-garten

hueso m Knochen; Kern

huésped m Gast; **casa** f de

~es Pension

hue|vera f Eierbecher m; ~ **vo** m Ei n; **~vo pasado por agua**, **~vo tibio** weichgekochtes Ei; **~vo duro** hartgekochtes Ei; **~vo frito**, **~vo al plato**, **~vo estrellado** Spiegelei n; **~vos** pl V Eier n pl (= Hoden); **~vos revueltos**, Col **~vos pericos** Rühreier npl

hui|da f Flucht; **~r** fliehen; **~r de** meiden

hule m Wachstuch n; Méj Gummi m, Kautschuk m

hulla [uʎa] f Steinkohle

huma|nidad f Menschheit; Menschlichkeit; **~nizar** [-θ-] humanisieren; **~no** menschlich, human

humear v/i rauchen

hume|dad f Feuchtigkeit; **~decer** [-θ-] anfeuchten

húmedo feucht

humilde bescheiden, demütig

humillar [-ʎ-] demütigen

humo m Rauch; **echar ~** rauchen, qualmen

humor m Laune f; **~ismo** m Humor; **~ista** su Humorist(in)

hundi|miento m Einsturz; Zs-bruch (a fig); **~r** versenken; zerstören; **~rse** versinken

huracán m Orkan

hurtadillas [-ʎ-]: **a ~** verstohlen

hurt|ar stehlen; **~o** m Diebstahl

I

ibéric|o iberisch; **Península ~a** _f_ Pyrenäenhalbinsel
ictericia [-θ-] _f_ Gelbsucht
ida _f_ Gehen _n_; Gang _m_, Hin-weg _m_, -reise, -fahrt; **~s y venidas** _fpl_ Hin- und Hergehen _n_; **billete _m_ de ~ y vuelta** Rückfahrkarte _f_
idea _f_ Idee; Begriff _m_; **no tengo ~** ich habe keine Ahnung; **~l** vorbildlich; _m_ Ideal _n_; **~lismo** _m_ Idealismus; **~lista** idealistisch; _su_ Idealist(in); **~lizar** [-θ-] idealisieren; **~r** ersinnen
identidad _f_ Identität; **Personalien** _pl_
idéntico identisch, gleich
identificar _j-s_ Personalien feststellen; **~se con** s. identifizieren mit
idilio _m_ Idyll _n_
idio|ma _m_ Sprache _f_; Idiom _n_; **~ta** idiotisch; _m_ Idiot; **~tez** [-eθ] _f_ Idiotie
iglesia _f_ Kirche
ignora|ncia [-θ-] _f_ Unwissenheit; **~nte** unwissend; **~r** nicht wissen (_od_ kennen); **no ~r** wohl wissen
igual gleich(mäßig, -förmig, -gültig); **es ~** das ist egal; **sin ~** unvergleichlich; **~ar** gleichmachen; planieren; **~dad** _f_ Gleichheit; Ebenheit (_Gelände_); **~mente** _adv_ ebenfalls, auch
iguana _f_ Leguan _m_
ilegal ungesetzlich; **~idad** _f_ Gesetzwidrigkeit

ileg|ible [-x-] unleserlich; **~ítimo** ungesetzlich; unehelich
ilimitado unbeschränkt
ilumina|ción [-θ-] _f_ Beleuchtung, _fig_ Aufklärung; **~do** aufgeklärt; **~r** beleuchten; aufklären; ausmalen
ilu|sión _f_ Illusion; Täuschung; **~so** getäuscht, betrogen; naiv, gutgläubig; **~sorio** trügerisch
ilus|tración [-θ-] _f_ Bildung, Abbildung, Bebilderung; **~trado** gebildet; illustriert; **~trar** erläutern; mit Bildern versehen; **~tre** berühmt, erlaucht
imagen [-x-] _f_ Bild(nis _n_) _n_
imagina|ble [-x-] vorstellbar; **~ción** [-θ-] _f_ Phantasie; **~r** ersinnen; **se et** vorstellen; _s. et_ einbilden; **~tivo** einfallsreich
imán _m_ Magnet
imbécil [-θ-] blödsinnig; _m_ Dummkopf
imita|ble nachahmbar; **~ción** [-θ-] _f_ Nachahmung; **~r** nachahmen, imitieren
impacien|cia [-θienθ-] _f_ Ungeduld; **~tarse** ungeduldig werden; **~te** ungeduldig
impacto _m_ Aufprall; _fig_ Wirkung _f_
impar ungleich, ungerade; **~cial** [-θ-] _f_ unparteiisch
impávido unerschrocken
impecable tadellos, ein-

wandfrei

impedir (ver)hindern; **~ el paso** den Weg versperren

impenetrable undurchdringlich; unerforschlich

imperar (vor)herrschen

imper|ceptible [-θ-] unmerklich; **~dible** unverlierbar; *m* Sicherheitsnadel *f*; **~donable** unverzeihlich; **~fecto** unvollkommen

imperi|al kaiserlich; *f* Oberdeck *n (Autobus)*; **~o** *m* (Kaiser-)Reich *n*

impermeable undurchlässig; wasserdicht; *m* Regenmantel

impertinen|cia [-θ-] *f* Ungehörigkeit; **~te** ungehörig; flegelhaft; unpassend

ímpetu *m* Ungestüm *n*; Schwung

impetuoso heftig; ungestüm, stürmisch *(fig)*

implantar einpflanzen; *Sitten* einführen

implicar verflechten; mit einbegreifen; verwickeln

implorar anflehen

imponer geben; aufdrängen; erheben; *Geld* einzahlen; **~se** s. durchsetzen; s. aufdrängen

impopular unbeliebt

importa|ción [-θ-] *f* Einfuhr; **~dor** *m* Importeur; **~ncia** [-θ-] *f* Wichtigkeit, Bedeutung; **~nte** wichtig, bedeutend; *~* wichtig sein; *Geld* betragen; **no ~** das macht nichts; **¿qué me ~?** was liegt

daran?

importe *m* Betrag

importuno lästig

imposi|bilidad *f* Unmöglichkeit; **~ble** unmöglich

impoten|cia [-θ-] *f* Unvermögen *n*; *Biol* Impotenz; **~te** machtlos; unfähig; *Biol* impotent

impracticable unausführbar

impregnar imprägnieren; durchtränken (**de** mit)

imprenta *f* (Buch-)Druckerei; Druck *m*

impre|sión *f* Abdruck *m*; Druck *m*; *fig* Eindruck *m* (**causar** machen); **~sionar** Eindruck machen auf; **~so** gedruckt; *m* Drucksache *f*; Vordruck; **~sor** *m* Drucker

imprimir (ab)drucken; *fig* einprägen

improductivo unproduktiv; unfruchtbar *(Boden)*

improvis|ar improvisieren; **~o** unvorhergesehen; **de ~o** unversehens, plötzlich

imprudente unklug, unüberlegt

impuesto *m* Steuer *f*, Abgabe *f*

impugnar anfechten

impul|sar antreiben; **~sión** *f* Antrieb *m*, Anstoß *m*; **~sivo** treibend; impulsiv; **~so** *m* Stoß; Antrieb; Bewegung *f*; Impuls; Anregung *f*

impu|nidad *f* Straflosigkeit; **~tar** *Schuld* zuschreiben

inacabable endlos

inaceptable [-θ-] unannehmbar

inad|misible unzulässig; **~vertido** unachtsam

inagotable unerschöpflich

inalterable unveränderlich

inarrugable knitterfrei

inaudito unerhört

inaugura|ción [-θ-] f Einweihung, Eröffnung; **~r** einweihen, eröffnen

incansable unermüdlich

incapa|cidad [-θ-] f Unfähigkeit; **~z** [-θ] unfähig (de zu)

incaut|arse de et beschlagnahmen; **~o** unvorsichtig

incen|diar [-θ-] anzünden; in Brand stecken; **~dio** m Feuer n, Brand

incertidumbre [-θ-] f Ungewißheit

incidente [-θ-] m Zwischenfall

incienso [-θ-] m Weihrauch

incierto [-θ-] ungewiß; unsicher

incisivo [-θ-]: **(diente)** ~ m Schneidezahn

incitar [-θ-] anreizen, antreiben

inclina|ción [-θ-] f Neigung (a fig); **~r** neigen, beugen; **~rse a** fig neigen zu

inclu|ir einschließen; beifügen; **~sión** f Einschluß m; **~siv(ament)e** einschließlich; **~so** sogar

incoheren|cia [-θ-] f Zshanglosigkeit; **~te** unzshängend

incomodar belästigen; **~se** s. ärgern

incómodo unbequem

incomparable unvergleichlich

incompeten|cia [-θ-] f Unzuständigkeit; Unfähigkeit; **~te** unzuständig

incom|pleto unvollständig; **~prensible** unverständlich, unbegreiflich

incomunicado abgeschnitten (Ort); isoliert (Gefangener)

inconscien|cia [-θïenθ-] f Unzurechnungsfähigkeit; Bewußtlosigkeit; **~te** unbewußt

incontestable unbestreitbar

inconvenien|cia [-θ-] f Unschicklichkeit; **~te** unschicklich; unpassend; m Hindernis n; **no tengo ~te** ich habe nichts dagegen (en zu)

incorpora|ción [-θ-] f Einverleibung; **~r** einverleiben; **~rse** s. aufrichten

incorrecto unrichtig, unhöflich

increíble unglaublich

incuba|dora f Brutapparat m; Med Brutkasten m; **~r** (aus)brüten

incul|par beschuldigen; **~to** ungebildet

incur|rir en in Schuld verfallen; geraten in; **~sión** f feindlicher Einfall m

inde|cente unanständig; **~fenso** wehrlos; **~finible** unbestimmbar

indemniza|ción [-θaθ-] f

inferior

Entschädigung; **~r** entschädigen; ersetzen

indepen|dencia [-θ-] f Unabhängigkeit; Freiheit; **~diente** unabhängig; selbständig

inde|scriptible unbeschreiblich; **~terminado** unbestimmt

indica|ción [-θ-] f Hinweis m; Angabe; **~dor** m Zeiger; **~dor de camino** Wegweiser; **~r** anzeigen; **~tivo** m Radio Pausenzeichen n; Gr Indikativ; Tel Vorwahlnummer f

índice [-θe] m Inhaltsverzeichnis n; Anzeichen n; Index; **(dedo** m**) ~ Zeigefinger**

indicio [-θ-] m Anzeichen n

indiferen|cia [-θ-] f Gleichgültigkeit; **~te** gleichgültig

indígena [-x-] eingeboren; su Eingeborene(r)

indiges|tión [-x-] f Verdauungsstörung; **~to** unverdaulich (a fig)

indign|ar erzürnen; **~o** unwürdig (de gen)

indi|o m, **~a** f Inder(in); Indianer(in); bsd Süda Indio (-frau); adj indisch; indianisch

indirec|ta f Anspielung; **~to** indirekt

indiscre|ción [-θ-] f Indiskretion; **~to** indiskret

indis|cutible unbestreitbar; **~oluble** unauflöslich; **~pensable** unerläßlich; **~puesto** unwohl, unpäßlich

individu|al individuell; m (Tisch-)Set n; **~o** m Person f, a pej Individuum n

indivisible unteilbar

índole f Art; Natur

indolen|cia [-θ-] f Lässigkeit; Trägheit; **~te** teilnahmslos

indomable un(be)zähmbar

indu|bitable unzweifelhaft; **~dable** zweifellos

indul|gencia [-xenθ-] f Nachsicht; Rel Ablaß m; **~tar** begnadigen; **~to** m Begnadigung f

indumentaria f Kleidung f

industria f Industrie; Gewerbe n; Betriebsamkeit; **~l** industriell; su Gewerbetreibende(r); **~l, Süda ~lista** m Industrielle(r)

ines|perado unerwartet; unverhofft; **~timable** unschätzbar

inevitable unvermeidlich

inex|perto unerfahren; **~plicable** unerklärlich

infalible unfehlbar (a Rel)

infa|me ehrlos; schändlich; **~mia** f Ehrlosigkeit; Schande

infan|cia [-θ-] f Kindheit; **~te** m Span Infant; **~til** Kinder..., kindlich; kindisch

infarto m Med Infarkt

infatigable unermüdlich

infec|ción [-θ-] f Infektion; **~oso** ansteckend

infeliz [-θ] unglücklich, arm; m armer Kerl

inferior unter; geringer

infiel untreu; *Rel* ungläubig
infier|nillo [-ʎo] *m* Spiritus-
kocher; **~no** *m* Hölle'
ínfimo unterst, niedrigst
infini|dad *f* Unendlichkeit;
~to endlos; grenzenlos
inflación [-θ-] *f* Inflation
inflama|ble entzündbar;
~ción [-θ-] *f* Entzündung (*a
Med*); **~r** entzünden; ent-
flammen
inflar auf-blasen, -pumpen
inflexible steif; *fig* unbeugsam
influ|encia [-θ-] *f* Einfluß
m; **~r** beeinflussen; **~jo**
[-xo] *m* Einfluß
inform|ación [-θ-] *f* Infor-
mation, Auskunft; **~al**
ungezwungen; unzuverlässig;
~ar informieren; **~ática** *f*
Informatik; **~ativo** unter-
richtend; **~e** *m* Bericht;
Auskunft *f*; Erkundigung *f*;
jur Plädoyer *n* (*des Staats-
anwalts*)
infracción [-θ-] *f* strafbare
Handlung
infrarrojo [-xo] infrarot
ingeni|ero [-x-] *m* Inge-
nieur; **~o** *m* Geist; Genie *n*;
Súda Zuckerfabrik *f*; **~oso**
erfinderisch; geistreich
ingle *f Anat* Leiste
ingra|titud *f* Undankbar-
keit; **~to** undankbar; unangenehm; **~videz** [-eθ] *f
Phys* Schwerelosigkeit
ingre|diente *m* Bestandteil,
Zutat *f*; **~dientes** *pl Arg*
kleine pikante Vorspeisen *f
pl*; **~sar** eintreten; eingelie-

fert werden; eingehen
(*Geld*); **~so** *m* Eintritt; **~sos**
pl Einnahmen *f pl*
inhalar einatmen; *Med* inhalieren
inhibición [-θ-] *f* Hemmung
inhumano unmenschlich
inicia|r [-θ-] anfangen, ein-
leiten; einführen; **~tiva** *f*
Anregung, Anstoß *m*; In-
itiative
injuria [-x-] *f* Beschimpfung; Beleidigung; **~r** be-
leidigen
injus|ticia [-xustiθ-] *f* Un-
gerechtigkeit; **~to** unge-
recht
inme|diato unmittelbar; so-
fortig; **~jorable** [-x-] unübertrefflich; **~nso** uner-
meßlich
inmigra|ción [-θ-] *f* Ein-
wanderung; **~nte** *m* Ein-
wanderer; **~r** einwandern
inmor|al unmoralisch; **~tal**
unsterblich
inmovible, inmóvil unbeweglich
inmueble unbeweglich (*Besitz*); *m* Grundstück *n*; **~s** *m
pl* Immobilien *f pl*
innecesario [-θ-] unnötig
innovación [-θ-] *f* Neue-
rung
inocen|cia [-θenθ-] *f* Un-
schuld; **~te** unschuldig;
einfältig
inodoro geruchlos; *m* Was-
serklosett *n*
inofensivo harmlos
ino|lvidable unvergeßlich;
~portuno ungelegen; un-

passend; **~xidable** rostfrei

inquie|tar [-k-] beunruhigen; **~to** unruhig

inquilin|o [-k-] *m*, **~a** *f* Mieter(in)

inquisición [-kisiθ-] *f* Nachforschung; 2 Inquisition

inscri|bir einschreiben; eintragen; **~pción** [-θ-] *f* Inschrift; Eintragung

insec|ticida [-θ-] *m* Insektenmittel *n*; **~to** *m* Insekt *n*

insegu|ridad *f* Unsicherheit; **~ro** unsicher

inser|ción [-θ-] *f* Einschaltung; Inserat *n*; **~tar** einschalten; einfügen

inservible unbrauchbar

insignificante geringfügig

insinua|ción [-θ-] *f* Einschmeichelung; Andeutung; **~r** andeuten

insípido geschmacklos; fade

insis|tencia [-θ-] *f* Nachdruck *m*; Drängen *n*; **~tir** dringen, beharren (**en** auf)

insolación [-θ-] *f* Sonnenstich *m*

insolen|cia [-θ-] *f* Unverschämtheit; **~te** unverschämt, frech

insólito ungewöhnlich

insoluble unlöslich

insolven|cia [-θ-] *f* Zahlungsunfähigkeit; **~te** zahlungsunfähig

insomnio *m* Schlaflosigkeit *f*

insoportable unerträglich

inspec|ción [-θ-] *f* Kontrolle, Prüfung; **~cionar** [-θ-] inspizieren; beaufsichti-

gen; **~tor** *m* Aufseher; Inspektor

inspira|ción [-θ-] *f* Inspiration, Eingebung; **~r** einatmen; *fig* eingeben; begeistern; inspirieren

instala|ción [-θ-] *f* Einrichtung, Anlage; **~r** einrichten; (*Amt*) einführen; **~rse** s. niederlassen

instan|tánea *f* Schnappschuß *m*; **~táneo** augenblicklich; löslich (*Kaffee*); **~te** *m* Augenblick; **al ~te** sofort

instinto *m* Instinkt, Trieb

institu|ción [-θ-] *f* Einrichtung; Anstalt; **~ir** einrichten; einsetzen (zum Erben **por heredero**); **~to** *m* Anstalt *f*, Institut *n*; **~to (de enseñanza media)** Span staatliches Gymnasium *n*; **~to de belleza** Kosmetiksalon; **~triz** [-θ-] *f* Erzieherin

instruc|ción [-θ-] *f* Unterricht *m*; Bildung; Anweisung; *jur* Untersuchung; **~tivo** [-θ-] lehrreich; **~ido** gebildet; **~ir** unterrichten; schulen; einleiten

instrumento *m* Werkzeug *n*; *a Mus* Instrument *n*

insuficien|cia [-θienθ-] *f* Unzulänglichkeit; **~te** ungenügend

insul|tar beleidigen; **~to** *m* Beleidigung *f*

insuperable unüberwindlich; unübertrefflich

intacto unberührt, intakt

intachable [-tʃ-] tadellos

integr|ar integrieren; bilden; **~idad** f Vollständigkeit; Redlichkeit

íntegro vollständig; redlich

intelec|to m Intellekt; **~tual** geistig, intellektuell; m Intellektuelle(r)

inteligen|cia [-θ-] f Intelligenz; Scharfsinn m; **~te** klug, intelligent

intemperie f Unbilden pl der Witterung

intenci|ón [-θ-] f Absicht; Zweck m; **~onal** absichtlich

intensi|dad f Nachdruck m; Stärke; **~vo, intenso** nachdrücklich, intensiv

inten|tar beabsichtigen, vorhaben; versuchen; **~to** m Absicht f; Versuch; **~tona** f Putschversuch m

intercalar ein-schalten, -fügen, -schieben

interce|der [-θ-] s. verwenden (**por** für); **~ptar** abfangen

intercomunicador m Gegensprechanlage f

interés m Interesse n; Nutzen; Zins

interesa|do interessiert; beteiligt; m, **~da** f Teilhaber(in) (**en** an); Beteiligte(r); **~nte** interessant; **~r** interessieren; **~rse por** s. interessieren für

inter|ino einstweilig; stellvertretend; Zwischen...; **~ior** inner; m das Innere; Inland n; **~locutor** m Gesprächspartner

interme|diario Zwischen...; m Vermittler; Zwischenhändler; **~dio** dazwischenliegend, Zwischen...; m Zwischenzeit f; **por ~dio de** durch Vermittlung (gen)

intermitente aussetzend; m Kfz Blinker; **luz** f **~** Blinklicht n

inter|nacional [-θ-] international; **~nado** interniert; m Internat n; **~no** inner (-lich); m Interne(r) (Schüler)

interpelación [-θ-] f Parlament Anfrage

interpretar auslegen, deuten; (ver)dolmetschen; Thea darstellen

intérprete su Dolmetscher(in); Thea Darsteller(in)

interroga|ción [-θ-] f Frage; Fragezeichen n; **~r** befragen; verhören; **~tivo** fragend; **~torio** m Verhör n

interru|mpir unterbrechen; **~pción** [-θ-] f Unterbrechung; **~ptor** m (Licht-)Schalter

intervalo m Zwischenzeit f; Mus Intervall n

interven|ción [-θ-] f Eingreifen n, Vermittlung f; **~ir** vermitteln; eingreifen; Med operieren; Tel abhören; Güter rationieren

interviú f Interview n

intesti|nal Eingeweide...; **~no** m Darm; **~nos** pl Eingeweide npl

intimida|d f Vertraulichkeit; **~r** einschüchtern

íntimo innerst; vertraut; intim, Intim...

intolerante unduldsam, intolerant

intoxica|ción [-θ-] f Vergiftung; **~r** vergiften

intran|quilo [-k-] unruhig; ängstlich; **~sferible** nicht übertragbar

intransi|gente [-x-] unduldsam; **~table** unwegsam, nicht befahrbar

intratable unzugänglich, abweisend

intriga f Intrige; **~r** intrigieren

intui|ción [-θ-] f Intuition; **~r** ahnen

introdu|cción [-θ-] f Einführung; Einleitung; **~cir** [-θ-] einführen; **~ctor** einführend

inunda|ción [-θ-] f Überschwemmung; **~r** überschwemmen

inútil unnütz, zwecklos

inutili|dad f Nutzlosigkeit; **~zar** [-θ-] unbrauchbar machen

inválido invalide; ungültig; m Invalide

invariable unveränderlich

invasión f Invasion, Eindringen n

invenci|ble [-θ-] unbesiegbar; **~ón** f Erfindung

invendible unverkäuflich

inven|tar erfinden, ersinnen; **~tario** m Inventar m; Inventur f; **~to** m Erfindung f; **~tor** m Erfinder

inver|náculo m, **~nadero** m Treibhaus n

inverna|l winterlich; **~ción** f **~l** Winterkurort m; **~r** überwintern

inver|sión f Umkehrung; (*Kapital*-)Anlage; **~sionista** m *Am* (Geld-)Anleger; **~so** umgekehrt; **~sor** m (Geld-)Anleger; **~tido** umgekehrt; homosexuell

investiga|ción [-θ-] f Forschung; Untersuchung (*a jur*); **~dor** m Forscher; **~r** forschen; untersuchen

invierno m Winter

invisible unsichtbar

invita|ción [-θ-] f Einladung; **~r** einladen

involuntario unfreiwillig

inyec|ción [-θ-] f Spritze, Injektion; **~tar** injizieren; *Tech* einspritzen

ir gehen; fahren; reisen; **~ a hacer** s. anschicken *et* zu tun; **~ a buscar** holen; **~ a caballo** reiten; **~ en avión** fliegen; **~ sentado** sitzen; **para viejo** alt werden; **¡vamos!** los!, gehen wir!; **~se** (weg)gehen; verschwinden

ira f Zorn m; **~cundo** jähzornig

iris m Iris f; **arco ~** Regenbogen

ironía f Ironie

irónico ironisch, spöttisch

irradiación [-θ-] f Ausstrahlung; *Med* Bestrahlung

irregular unregelmäßig; **~idad** f Unregelmäßigkeit (*a*

irrevocable

134

jur)
irrevocable unwiderruflich
irriga|ción [-θ-] *f* Bewässerung; **~r** bewässern; *Med* durchbluten
irrita|ción [-θ-] *f* Reizung; Gereiztheit; **~r** reizen; ärgern; **~rse** in Zorn geraten
irrompible unzerbrechlich
isla *f* Insel

israelita *Rel su* Israelit(in)
istmo *m* Landenge *f*
itinerario *m* Reise-plan, -route *f*; (Weg-)Strecke *f*
izar [iθ-] hissen
izquier|da [iθk-] *f* linke Hand; *Pol die* Linke; **a la** (*od* **por la**) **~da** links; **~dista** *m Pol* Linke(r); *adj* linksgerichtet; **~do** linke(r)

J

jabal [x-] *m* Wildschwein *n*
jab|ón [x-] *m* Seife *f*; **~onera** *f* Seifenschale
jacinto [xaθ-] *m* Hyazinthe *f*
jacta|ncia [xaktanθ-] *f* Prahlerei, Großsprecherei; **~rse** prahlen (**de** mit)
jadear [x-] keuchen
jaez [xaeθ] *m* Pferdegeschirr *n*
jaguar [x-] *m* Jaguar
jal|ar [x-] *m Süda* ziehen; **~ea** *f* Obstgelee *n*; **~ear** anfeuern; **~eo** *m* F Rummel, Radau
jal|ón [x-] *m* Meßstange *f*; **~onar** *Weg usw* abstecken
jamás [x-] niemals; je(mals)
jamón [x-] *m* Schinken; **~dulce** *od* **York** *Span*, **~cocido** *Am* gekochter Schinken; **~serrano** *Span*, **~crudo** *Am* roher Schinken
jaque [xake] *m* Schach *n*; **~mate** schachmatt; *fig* **tener en ~** in Schach halten; **~ca** *f* Migräne
jarabe [x-] *m* Sirup
jarcias [xarθ-] *fpl* Takel-

werk *n*
jardín [x-] *m* Garten; **~ de infancia**, *Arg* **de infantes** Kindergarten
jardiner|o [x-] *m*, **~a** *f* Gärtner(in)
jarr|a [x-] *f* Wasserkrug *m*; **~o** *m* Krug, Kanne *f*
jaula [x-] *f* Käfig *m*; Förderkorb *f*; *Auto* Box
jazmín [xaθ-] *m* Jasmin
jef|atura [x-] *f* Behörde; Vorsitz *m*; **~e** *m* Chef; Haupt *n*; Leiter; **~e de tren** Zugführer
jerez [xereθ] *m* Sherry
jerg|a [x-] *f* Jargon *m*, Slang *m*; **~ón** *m* Strohsack
jeringa [x-] *f* Spritze; **~r** F belästigen
jersey [x-] *m Span* Pullover
jibia [x-] *f* Sepia, Tintenfisch *m*
jinete [x-] *m* Reiter
jir|a [x-] *f* Tournee; **~afa** *f* Giraffe; **~ón** *m* Fetzen; *Pe* Straße
jitomate [x-] *m Méj* Tomate *f*
jocoso [x-] scherzend

135

juzgar

jod|a [x-] f *Am* ∨ Ärger m; **~er** *Span Tab* vögeln; *Span Tab, Am* P ärgern, belästigen; **¡~er!** *Span Tab* Donnerwetter!; **~ienda** f *Span Tab* Vögelei; *Am* P Belästigung, Ärger m

jorna|da [x-] f Tagereise; Arbeitstag m; **~l** m Tagelohn; **~lero** m Tagelöhner

joroba [x-] f Buckel m; **~do** buckelig; **~r** F belästigen

joven [x-] jung; *su* junger Mann, junges Mädchen n

joya [x-] f Juwel n; Schmuckstück n; *fig* Perle

joye|ría [x-] f Juweliergeschäft n; **~ro** m Juwelier; Schmuckkästchen n

jubilar [x-] in den Ruhestand versetzen; **~se** in Pension gehen

júbilo [x-] m Jubel

judía [x-] f Jüdin; *Span* Bohne f

judicial [xudiθ-] richterlich, gerichtlich

judío [x-] jüdisch; m Jude

juego [x-] m Spiel n; Satz, Garnitur f; **hacer ~** zusammen passen

juerga [x-] f Kneipenbummel m; lärmendes Fest n od Vergnügen n; F Saustall m; **irse de ~, correrse una ~** s. toll amüsieren

jueves [x-] m Donnerstag

juez [xŭeθ] m Richter

juga|da [x-] f *Spiel* Zug m; Streich m; **~dor** m Spieler; **~r** spielen; scherzen; **~rse** einsetzen; aufs Spiel setzen

jugo [x-] m Saft; **~so** saftig

jugue|te [xuge-] m Spielzeug n; **~tería** f Spielwaren(handlung f) pl

juicio [xŭiθ-] m Urteil n; Meinung f; Urteilsvermögen n; Verstand; **~so** vernünftig; brav (*Kind*)

julio [x-] m Juli

junco [x-] m *Bot* Binse f

jungla [x-] f Dschungel m

junio [x-] m Juni

junta [x-] f Versammlung; *Tech* Dichtung; *Pol* **~ militar** Militärjunta; **~directiva** Vorstand m; **~mente** zusammen; **~r** versammeln; verbinden; *Hände* falten

jun|to [x-] verbunden, vereint; nahe; **~tos** zusammen; **~to a** neben, in der Nähe von; **~tura** f Scharnier n; Fuge

jura|do [x-] m Geschworene(r); Jury f; **~mentar** vereidigen; **~mentarse** s. eidlich verpflichten; **~mento** m Eid, Schwur; Fluch; **~r** schwören; fluchen

jurídico [x-] rechtlich; juristisch

juris|dicción [xurizdigθ-] f Rechtsprechung; Gerichtsbarkeit; **~ta** m Jurist

justi|cia [xustiθ-] f Gerechtigkeit; Justiz; **~ficar** rechtfertigen

justo [x-] s; gerecht; richtig; genau; eng, knapp

juven|il [x-] jugendlich; **~tud** f Jugend

juzga|do [xuθ-] m Gericht n; **~r** richten; beurteilen

K

(Vergleiche auch que..., qui...)

karate m Karate n; **~ca** m Karatesportler

kart m Go-Kart n

kermesse f Kirmes; Wohltätigkeitsfest n

kero|seno, **~sén** m Kerosin n

kilo m Kilo n

kilómetro m Kilometer m

kilovatio m Kilowatt n

kiosco m Kiosk

L

la die; sie; ihr *(dat)*; m Mus A, a n

labia f Zungenfertigkeit, Mundwerk n; **~o** m Lippe f; Wundrand

labor f Arbeit; **~able: día** m **~able** Werktag; **~atorio** m Labor(atorium) n

labra|do bestellt *(Feld)*; **~dor** m Landmann; **~r** bearbeiten; formen

laca f Lack m; Haarspray n

lacrar versiegeln

lacre m Siegellack

ladera f (Ab-)Hang m

lado m Seite f; Gegend f; **al ~** daneben, nebenan; **al otro ~ de** jenseits *(gen)*

ladrar bellen

ladrillo [-ʎo] m Ziegelstein

ladrón m Dieb, Räuber

lagar m Wein-, Öl-presse f

lagartija [-xa] f kleine Eidechse; F Luder n *(Frau)*; **~o** m große Eidechse f; **¡~o, ~o!** toi, toi, toi!

lago m See

lágrima f Träne

laguna f Lagune

laico Laien..., weltlich; m

Laie *(Kirche)*

lamenta|ble kläglich; bedauerlich; **~r** beklagen; bedauern

lamer lecken

lámina f Metallplatte, Blech n; Folie

laminar Metall *(aus)*walzen

lámpara f Lampe; Leuchte; Röhre *(Radio)*

lamp|arilla [-ʎa] f Nachtlicht n; **~arín** m Pe Petroleumlampe f; **~ista** m (Elektro-)Installateur

lana f Wolle; **~r** Woll...

lance [-θe] m Werfen n; Stoßen n; Wurf; Vorfall

lancha [-tʃa] f Boot n

langosta f Languste; Heuschrecke

lanza|miento [-θ-] m Werfen n; Schleudern n; Mil Ab-schuß, -wurf; Sp **~miento de bolas** Kugelstoßen n; Werfen, Schleudern; **~rse** s. stürzen; **~rse al agua** ins Wasser springen

lapice|ra [-θ-] f Süda Federhalter m; **~ra** Süda, **~ro** m

Bleistifthalter

lápiz [-θ] m Bleistift; Stift; **~ de cejas** Augenbrauenstift

largar losmachen; locker lassen; **¡qué ~!** F abhauen

larg|o lang; m Länge f; **a lo ~o de** längs, entlang; **a la ~a** auf die Dauer; **¡~o de aquí!** raus!, hau ab!

laringe [-xe] f Kehlkopf m

lascivo [-θ-] wollüstig

lástima f Mitleid n; **dar ~** leid tun; **es una ~** es ist schade; **¡qué ~!** schade!

lastimarse s. verletzen; wehklagen

lastre m Ballast

lata f Blech n; Konservendose; **dar la ~ a** F j-m auf den Wecker fallen

lateral seitlich

latifun|dio m Großgrundbesitz; **~dista** m Großgrundbesitzer

látigo m Peitsche f

la|tín m Latein n; **~tino** lateinisch

latir klopfen (Herz)

latitud f Geogr Breite; Breitengrad m

latón m Messing n

laucha [-tʃa] f RPl, Chi Maus

laudo m Arg Gastr Bedienungsgeld

laurel m Lorbeer

lava|ble waschbar; **~bo** m Wasch-becken n, -raum; Toilette f; **~coches** [-tʃ-] Kfz m Wagenwaschanlage f; **~do** m en seco chem. Reinigung f; **~dora** f

Waschmaschine; **~manos** m bsd Am Handwaschbecken n; **~ndería** f Wäscherei f; Am a chem. Reinigung; **~parabrisas** m Kfz Scheibenwaschanlage f; **~platos** m Tellerwäscher; Geschirrspülmaschine f; **~r** waschen; **~torio** m Am Waschbecken n

laxante m Abführmittel n

lazo [-θo] m Schleife f; Lasso n; Schlinge f

le ihm; ihr; Ihnen; ihn, Sie

leal treu; ehrlich; **~tad** f Treue; Loyalität

lec|ción [-θ-] f Lesen n; Unterricht m; Lektion; **~tor** m Leser; Lektor; **~tura** f Lesen n; Lektüre

leche [-tʃe] f Milch f; **¡~s!** Tab so ee Scheiße!; **~ra** f Milchfrau; Milchkanne; **~ría** f Milchladen m; **~ro** m Milchmann

lech|o [-tʃo] m Lit Bett n; Lager n; Flußbett n; **~ón** m Spanferkel n; **~osa** f Ven Papaya (Frucht)

lechuga [-tʃ-] f Kopfsalat m

leer lesen; vorlesen

lega|ción [-θ-] f Gesandtschaft; **~l** gesetzmäßig; **~lidad** f Gesetzmäßigkeit; Legalität; **~lizar** [-θ-] beglaubigen

legendario [-x-] sagenhaft

legisla|ción [-xizlaθ-] f Gesetzgebung; **~tivo** gesetzgebend

legitima|ción [-ximaθ-] f Legitimation; **~r** für rechtmäßig erklären; **rse** s. ausweisen

legítimo [-x-] rechtmäßig, legitim

lego *m* Laie

legua *f* (Land-)Meile ($5^1/_2$ *km*)

legumbre *f* Hülsenfrucht; Gemüse *n*

lejano [-x-] entfernt, fern

lejía [-x-] *f* Lauge; Eau *n* de Javel

lejos [-x-] weit weg; **a lo ~** in der Ferne

lema *m Math* Lehrsatz; *Pol* Devise *f*; (*Wörterbuch*) Stichwort *n*

lengua *f* Zunge; Sprache; **~ materna** Muttersprache; **irse de la ~** ausplaudern; **~do** *m Zo* Seezunge *f*; **~je** [-xe] *m* Sprache *f*; Ausdrucksweise *f*

lenitivo lindernd

lente *m od f Fot, Opt* Linse *f*; **~s** *pl* Brille *f*; **~s de contacto** Kontaktlinsen *fpl*; **~ja** [-xa] *Bot f* Linse

lentitud *f* Langsamkeit; **~to** langsam

leña [-ɲa] *f* Brennholz *n*; **dar ~ a** *j-n* verprügeln; **~dor** *m* Holzfäller

león *m* Löwe

lerdo schwerfällig

les ihnen, Ihnen; sie, Sie

lesión *f* Verletzung; **~onar** verletzen

letra *f* Buchstabe *m*; Handschrift; *Hdl* Wechsel *m*; **~ a la vista** Sichtwechsel *m*; **~s** *pl* Geisteswissenschaften *f*

pl; **al pie de la ~** wörtlich; **~do** *m* Rechtsgelehrte(r); Rechtsanwalt

letrero *m* Aufschrift *f*, Etikett *n*

levadura *f* (Back-)Hefe

levanta|miento *m* Erhebung *f*; **~r** (er)heben; errichten, bauen; **~rse** aufstehen; s. erheben

levante *m* Osten

leve leicht; gering(fügig)

ley *f* Gesetz *n*; **~enda** *f* Legende, Sage; Beschriftung; *Am Pol a* Wandparole

liar binden; wickeln; *Zigarette* drehen

libera|ción [-θ-] *f* Befreiung; **~l** liberal; freigebig; **~r** befreien

liber|tad *f* Freiheit; **~tador** *m* Befreier; **~tar** befreien; bewahren; **~tinaje** [-xe] *m* Zügellosigkeit *f*

libra *f* Pfund *n*

libre frei; ungebunden; **~ría** *f* Buchhandlung; Bücherei; **~ro** *m* Buchhändler; **~ta** *f* Notizbuch *n*; **~ta de ahorros** Sparbuch *n*

libro *m* Buch *n*; **~ de texto** Schul-, Lehr-buch *n*

licencia *f* [-θenθ-] *f* Lizenz; Genehmigung

licitar [-θ-] bieten (*Auktion*)

licor *m* Flüssigkeit *f*; Likör; **~uadora** *f* Entsafter *m*

lidia *f* (Stier-)Kampf *m*; **~r** kämpfen

liebre *f* Hase *m*; *Chi* Schnellbus *m*

lienzo [-θo] *m* Leinwand *f*

liga f Bund m; Strumpfhalter m; **~r** (ver)binden; mit j-m anbandeln
ligero [-x-] leicht(sinnig); flink
lignito m Braunkohle f
ligue [-ge] m (Liebes-)Verhältnis n; **~ro** m Strumpfhalter
lija [-xa]: **papel** m **de ~** Schmirgelpapier n
lima f Feile; **~r** feilen; ausfeilen
limitado knapp; begrenzt; **~r** begrenzen; beschränken
límite m Grenze f; Hdl Limit n
limón m Zitrone f
limonada f Zitronenlimonade; **~nero** m Zitronenbaum
limosna f Almosen n
limpiabotas m Schuhputzer; **~parabrisas** m Scheibenwischer; **~r** reinigen, säubern; **~uñas** [-ɲ-] m Nagelreiniger
limpieza [-θa] f Reinheit, Sauberkeit; **~pio** rein, sauber
limusina f Limousine
linaje [-xe] m Abstammung f, Geschlecht n
lince [-θe] m Luchs
lindante angrenzend; **~dar** angrenzen; **~de** m Grenze f
lindo hübsch, schön; zierlich; **de lo ~** adv gründlich, ordentlich, tüchtig
línea f Linie; Zeile; **~ aérea** Fluglinie
linear liniieren

lingote m Metallbarren
lingüista m Linguist; **~ístico** sprachlich, Sprach(en)-...
lino m Flachs
linterna f Laterne; Taschenlampe
lío m Bündel n; F Durcheinander n; (Liebes-)Verhältnis n
liquidación [-kidaθ-] f Hdl Liquidation; Ausverkauf m; **~dar** flüssigmachen; abwickeln, auflösen
líquido [-k-] flüssig; verfügbar; m Flüssigkeit f
lira f Leier; Lira (Münze)
lírica f Lyrik
lisiado gebrechlich; m Krüppel
liso eben, glatt; schlicht; uni (Stoff)
lisonja [-xa] f Schmeichelei; **~jear** [-x-] schmeicheln
lista f Streifen m; Liste; **~ de platos** Speisekarte; **~ de correos** postlagernd
listín m bsd Span Telefonbuch n
listo fertig, bereit; gewandt
listón m Leiste f
litera f Sänfte; Esb Liegeabteil n; Mar literarisch; **~tura** f Literatur
litigio [-x-] m Streit (a jur)
litoral Küsten-...; m Küstenstreifen, -gebiet n
litro m Liter n (a m)
liviano Am leicht (Gewicht, Kleidung, Speise)
lo das; es; ihn; **~ que** was; no sabes **~ difícil que es** ... wie

lobo

schwierig es ist

lobo m Wolf; **~ marino** Seehund

local örtlich; m Lokal n; **~i‐dad** f Örtlichkeit; Ort m; _Thea_ Eintrittskarte; Sitzplatz: m; **~izar** [-θ-] lokalisieren

loción [-θ-] f Lotion; **~ bronceadora** Bräunungsmilch; **~ capilar** Haarwasser n

loco närrisch; verrückt; m Verrückte(r); _Chi häufige_ Muschel(art) f

locomo|ción [-θ-] f Fortbewegung; **~tora** f Lokomotive

locua: [-θ] geschwätzig

locu|ra f Narrheit; Wahnsinn m; **~tor** m Rf, TV Sprecher, Ansager

lodo m Morast, Schlamm

lógic|a [-x-] f Logik; **~o** logisch

logr|ar erreichen, erlangen; **~o** m Gewinn; Erfolg; Errungenschaft f; (erbrachte) Leistung f

lomo m Rücken (_Tiere, Buch, Messer_); _Anat_ Lende f; _Gastr_ Filet n

lona f Segeltuch n

lonch|a [-tʃa] f Schnitte (_Fleisch_); **~e** m Am Snack; **~ería** f Am Snackbar, Imbißstube

longitud [-x-] f Länge

lonja [-xa] f Schnitte; _Hdl_ Warenbörse

loro m Papagei

los m pl die; sie (_ac_)

losa f Steinplatte; (Grab-) Stein m

lote m Anteil; Posten; _Am a_ Parzelle f; **~ría** f Lotterie; **~ro** m Losverkäufer

loza [-θa] f Tonware

lubina f Wolfsbarsch m (_Fisch_)

lubrificar ölen, schmieren

luci|ente [-θ-] strahlend; **~érnaga** f Glühwürmchen n; **~o** m Hecht; **~r** leuchten; glänzen; **~rse** s. hervortun

lucrativo einträglich

lucha [-tʃa] f Ringkampf m; Kampf m; **~r** kämpfen

luego nachher, dann; gleich; **desde ~** selbstverständlich; **hasta ~** bis nachher; **~ que** sobald (a)s

lugar m Ort, Stelle f; **dar ~ a** Anlaß geben zu; **tener ~** stattfinden; **en ~ de** statt; **en primer ~** erstens

lujo [-xo] m Luxus, Pracht f; **~so** luxuriös

lumbre f (Herd-)Feuer n; **dar ~** F Feuer geben (_Raucher_); **~ra** f Dachfenster n; _fig_ Leuchte f; gescheiter Kerl m

luminoso leuchtend; glänzend

luna f Mond m; Spiegelglas n; **~ llena** Vollmond m; **media ~** Halbmond m (a _Islam_); _Am_ Hörnchen n (_Gebäck_); **~ de miel** Flitterwochen fpl; **~r** m Muttermal n

lunes m Montag

lupa f Lupe

lustr|abotas *m Arg, Chi, Méj, Par*, **_ador** *m Arg, Ec, Par, Pe* Schuhputzer; **_ar** blankputzen; polieren; *Schuhe* putzen; **_e** *m* Glanz; Politur *f*
luto *m* Trauer *f*; Trauerklei-

dung *f*
luz [-θ] *f* Licht *n*; **dar a _** gebären; **salir a _** herauskommen (*Buch*); **de población (de cruce, de carretera)** Stand- (Ab-blend-, Fern-)licht *n*

Ll

ll das spanische Doppel-L
llaga [ʎ-] *f* eiternde Wunde
llama [ʎ-] *f* Flamme; *Zo* Lama *n*; **_da** *f* Rufen *n*; *Tel* Anruf *m*; *Mil* Appell *m*; **_da a larga distancia** *Am Tel* Ferngespräch *n*; **_da de socorro** Hilferuf *m*; **_r** (an)rufen; nennen; **_r por teléfono** telefonieren, anrufen; **_rse** heißen; **_tivo** auffällig, grell
llan|itos [ʎ-] *mpl* Einwohner von Gibraltar; **_o** eben; schlicht; deutlich; *m* (*bsd weite* Tief-)Ebene *f*
llant|a [ʎ-] *f Kfz* Felge; *Col* (Auto-)Reifen *m*; **_o** *m* Weinen *n*
llanura [ʎ-] *f* Ebene
llave [ʎ-] *f* Schlüssel *m*; (Wasser-, Gas-)Hahn *m*; Lichtschalter *m*; **_ de contacto (inglesa)** Zünd-(Schrauben-)schlüssel *m*

echar **la _** absperren, ab-schließen; **_ro** *m* Schlüssel-ring
llega|da [ʎ-] *f* Ankunft; **_r** ankommen; ein-, auf-laufen; **-fahren**; **_r a** erreichen, gelangen zu; **_r a saber** erfahren; **_r a (ser)** werden
llenar [ʎ-] füllen; *Pflicht* erfüllen; *Formular* ausfüllen
lleno [ʎ-] voll
llevar [ʎ-] mit-, hin-bringen; tragen; anhaben; *Bücher* führen; **_ 5 años en ...** seit 5 Jahren in ... leben; **_ a cabo** vollenden, verwirklichen; **_se** mitnehmen; **_se bien** s. gut vertragen
llorar [ʎ-] weinen; *v/t* beklagen
llover [ʎ-] regnen; **llueve (a cántaros)** es regnet (in Strömen)
lluvia [ʎ-] *f* Regen *m*; **_oso** regnerisch

M

maca|na *f Am* Keule; *bsd RPl, Chi* Dummheit; Ärger *m*; Lüge; **_nudo** *Am* F dufte, Klasse
macarrones *mpl* Makkaroni *pl*
macarse anfaulen (*Obst*)
macedonia [-θ-] *f* (**de fru-**

tas) Obstsalat m

maceta [-θ-] f Blumentopf m

macizo [-θiθo] massiv; m Massiv n

machacar [-tʃ-] zerstoßen; quetschen

machete [-tʃ-] m Seitengewehr n; Machete f

macho [-tʃo] m Männchen n (Tier); adj Am tapfer; **~te** m richtiger Mann; adj Chi unfruchtbar (Tier)

machu|car [-tʃ-] zerstampfen; **~cho** [θo] f gesetzt, verständig

madeja [-xa] f Strähne (Wolle, Garn); Knäuel m

mader|a f Holz n; **~o** m Stück n Holz; Balken

madr|astra f Stiefmutter; **~e** f Mutter; Flußbett n; **~eper|la** f Perlmutt(er f) n

madrina f (Tauf-)Patin

madruga|da f Morgenfrühe; de **~da** sehr früh; **~dor(a** f) m Frühaufsteher(in); **~r** früh aufstehen

madu|rar reifen (a fig); **~rez** [-θ] f Reife; **~ro** reif

maes|tra f Lehrerin; **~tría** f Meisterschaft; **~tro** Meister...; m (Lehr-)Meister; Lehrer; Maestro

mágico [-x-] magisch, Zauber...

magistra|do [-x-] m (höherer) Richter; **~l** meisterhaft

magnético magnetisch

magnet|ófon, **~ófono** m Tonbandgerät n; **~oscopio** m Videorecorder

magn|ífico prächtig; ausgezeichnet; **~itud** f Größe

mago m Zauberer

magro mager

maguey [-gei] m Am Agave f

mahome|tano m Mohammedaner; **~tismo** m Islam

maíz [-θ] m Mais

maizal [-θ-] m Maisfeld n

maja [-xa] f hübsches Mädchen n; **~dero** m Trottel, blöder Kerl

majestad [-x-] f Majestät

majo [-xo] nett, hübsch; sympathisch

mal (vor m) schlecht, böse; übel; m Übel n; Böse(s) n; Leiden n; tomar a ~ übelnehmen

mal|aventura f Unglück n; **~casado** unglücklich verheiratet; **~criado** ungezogen

mal|dad f Bosheit; Schlechtigkeit; **~decir** [-θ-] lästern; verfluchen; **~dición** [-θ-] f Fluch m, Verwünschung; **~dito** verflucht, verdammt

malecón m Damm; Mole f

male|ficio [-θ-] m Schaden; Verhexung f; **~ntendido** m Mißverständnis n; **~star** m Unwohlsein n; fig Unbehagen m

male|ta f Koffer m; Kfz Kofferraum m; hacer la **~ta** den Koffer packen; **~tero** m Gepäckträger; Kfz Span Kofferraum m; **~tín** m Köfferchen n

maleza [-θa] f Gestrüpp n

malgastar verschwenden

mal|hechor [-tʃ-] *m* Übeltäter; **~humorado** schlechtgelaunt

malici|a *f* Bosheit; Tücke; **~oso** boshaft; heimtückisch

malintencionado [-θ-] übelgesinnt; heimtückisch

malo schlecht; böse; krank; **~grado** früh verstorben; **~grarse** mißlingen; **~gro** *m* Mißerfolg; Mißlingen *n*

malparar übel zurichten

malta *f* Malz *n*

maltra|tar mißhandeln; **~to** *m* Mißhandlung *f*

maluco *bsd Am* kränklich; krank

malvado *m* Bösewicht

malvender verschleudern

malversación [-θ-] *f* Veruntreuung *f*

malla [-ʎa-] *f* Masche; Trikot *n*

mamá *f* Mama, Mutti

mama *f* weibliche Brust; Euter *n*; **~dera** *f* RPl, Pe (Baby-)Flasche; **~r** saugen; **dar de ~** stillen

mamarracho [-tʃo] *m* Sudelei *f*; komische Figur *f*; Quatsch

mameluco *m* Tölpel; *Am a* Arbeitsanzug; *Süda* Strampelhose *f*

mamífero *m* Säugetier *n*

mamón *m* RPl, Chi, Pe Papaya *f* (*Frucht*)

manada *f* Herde, Rudel *n*

mana|ntial *m* Quelle *f*; **~r** quellen, fließen

manco einarmig; einhändig; mangelhaft

man|cornas *Col*, **~cuernas** *Méj fpl* Manschettenknöpfe *mpl*

mancha [-tʃa] *f* Fleck *m*; Schandfleck *m*; **~r** beflecken

manda|más *m* P Obermacher; **~r** befehlen; (zu)senden; **~r al diablo, al cuerno, a freír espárragos** *f* zum Teufel schicken; **~r por holen lassen**; **~rina** *f* Mandarine; **~tario** *m* Bevollmächtigte(r); **~to** *m* Befehl; Auftrag; *Pol* Mandat *n*

mandíbula *f* Kiefer *m*

mandil *m* (*Handwerker-, Freimaurer-)*Schürze *f*

mando *m* Herrschaft *f*; Kommando *n*; *Tech* Steuerung *f*, Schaltung; **cuadro** *m* **de ~** Armaturenbrett *n*

mane|cilla [-θiʎa] *f* (Uhr-)Zeiger *m*; **~jar** [-x-] handhaben; führen; *Maschine* bedienen; *Am Kfz* fahren; **~jo** [-xo] *m* Handhabung *f*; Geschäftsführung *f*; Bedienung *f*

manera *f* Art, Weise; **de ~ que** so daß; **de otra ~** sonst; **de tal ~** derart

manga *f* Ärmel *m*; Schlauch *m*; **en ~s de camisa** hemdsärmelig, in Hemdsärmeln; **~nte** *m pej* fauler Kunde

manglar *m* Mangrovensumpf

mango *m* Stiel; (Messer-)Heft *n*; Mango *f* (*Frucht*)

manguito [-gi-] m Muff;
Tech Muffe f

maní m *Am* Erdnuß f; **~a** f
Manie

manicomio m Irrenanstalt f

manicur|a f Maniküre
(*Handlung, Span a Person*);
~ista f *Am* Maniküre (*Person*)

manife|sta|ción [-θ-] f Bekundung; Kundgebung,
Demonstration; **~nte** su
Demonstrant(in); **~r** zu erkennen geben; bekunden;
~rse s. äußern; demonstrieren

manifiesto offenkundig,
deutlich; m Manifest n

maniobra f Handhabung;
Manöver n; Kniff m; **~s** pl
Ränke pl; **~r** manövrieren;
rangieren

manipula|ción [-θ-] f Verfahren n; Eingriff m; Manipulation; **~r** handhaben;
manipulieren (*a pej*)

maniquí 1. m Schneiderpuppe f; 2. f Mannequin n

manivela f Kurbel

manjar [-x-] m *Lit* Speise f;
~ blanco *Am Art* Karamelmasse f (*Süßigkeit*)

mano f Hand; *Zo* Vorderfuß m; **~ de obra** Arbeitskräfte fpl; **de propia ~** eigenhändig; **de segunda ~**
aus zweiter Hand, gebraucht

mano|jo [-xo] m Bündel n;
~pla f Fausthandschuh m;
~sear betasten, befummeln

mansión f Aufenthalt m;

herrschaftliches Haus n,
Herrensitz m

manso sanft; mild; zahm

manta f Decke; **~ de lana**
Wolldecke

mante|ca f Fett n; Schmalz
n; *RPl* Butter; **~cado** m
Vanilleeis n; Schmalzgebäck n; **~l** m Tischtuch n;
~ner halten; er-, unter-,
aufrechter-halten; **~nerse**
s. behaupten; leben (**de**
von); **~quilla** [-kiʎa] f Butter

mant|illa [-ʎa] f Mantille;
~o m Pelerine f, Umhang m;
~ón m Schultertuch m

manual handlich; m Handbuch n, Lehrbuch n; **trabajo** m ~ Handarbeit f

manubrio m Kurbel f; *Chi
Kfz* Steuer(rad) n

manuscrito m Handschrift
f; Manuskript n

manzan|a [-θ-] f Apfel m;
~na de casas Häuserblock
m; **~nilla** [-ʎa] f Kamille(ntee m) f; Manzanillawein m

maña [-ɲa] f Geschicklichkeit; Schläue

mañana [-ɲ-] f Morgen m;
Vormittag m; *adv* morgen;
por la ~ morgens; **pasado ~**
übermorgen

mapa m Landkarte f; **~ de
carreteras** Straßen-,
Auto-karte f

maquilla|je [-kiʎaxe] m
Make-up n; Schminke f; **~r**
schminken

máquina [-k-] f Maschine;
Fotoapparat m; Spielauto-

más

mat *m*; **~ de escribir (por-tátil) (Reise-)Schreibma-schine**

maqui|naria [-k-] *f* Maschinenpark *m*; Maschinerie; **~nilla** [-ʎa] *f* (**de afei-tar**) Rasierapparat *m*; **~nis-ta** *m* Maschinenführer; Lokomotivführer

mar *m* (*u f*) Meer *n*, See *f*; **en alta ~** auf hoher See; **la ~ de** e-e Unmenge (von); **ha-cerse a la ~** in See stechen

maracas *fpl* Rumbakugeln

maraña [-ɲa] *f* Wirrwarr *m*; Gestrüpp *n*

maravill|a [-ʎa] *f* Wunder *n*; **de ~a** wunderbar; **~arse** s. wundern; **~oso** wunderbar

marca *f* Marke; Warenzeichen *n*; *Sp* Rekord *m*; **~pa-sos** *m Med* (Herz-)Schrittmacher; **~r** kennzeichnen; markieren; *Tel* wählen; eichen; *Sp Tor* schießen; *Takt* schlagen; *Haar* (ein-)legen

marco *m* Rahmen; Mark *f*

marcha [-tʃa] *f* Marsch *m*; Lauf *m*; Gang *m*; Abreise; *Kfz* **~ atrás** Rückwärtsgang *m*; **~r** marschieren; gehen; **~rse** weggehen

marchitarse [-tʃ-] (ver)welken

mare|a *f* Ebbe und Flut; **~arse** seekrank, schwind(e)lig werden; **me mareo** *a* mir wird schlecht; **~jada** [-x-] *f* hoher Seegang *m*; **~o**

m Seekrankheit *f*; Schwindel; Übelkeit *f*

marfil *m* Elfenbein *n*

margari|na *f* Margarine; **~ta** *f* Gänseblümchen *n*; Perlmuschel

marg|en [-x-] *f* **1.** *su* Rand *m*; Ufer *n*; *fig* Spielraum *m*; **2.** *m Hdl* Spanne *f*; **~inal** Rand...

mari|ca, ~cón *m* P warmer Bruder; *~conera* f Herrenhandtasche; **~do** *m* Ehemann

mari|na *f* Marine; **~nero** seetüchtig; *m* Matrose; **~no** *m* Seemann; **~oneta** *f* Marionette (*a fig*); **~posa** *f* Schmetterling *m*

mariscos *mpl* Meeresfrüchte *fpl*

marítimo Meer...

marmita *f* Kochtopf *m*

mármol *m* Marmor

marqu|és [-k-] *m*, **~esa** *f* Marquis(e); **~esina** *f* Glasdach *n*; Markise; **~ito** *m* Diarähmchen *n*

marrón braun

marta *f* Marder *m*

martes *m* Dienstag

martill|ar [-ʎ-] hämmern; **~ero** *m Am* Versteigerer; **~o** *m* Hammer

mártir *m* Märtyrer(in)

marzo [-θo] *m* März

mas aber

más mehr; ferner; noch; überdies; *Math* plus; **~ allá** jenseits; **a lo ~** höchstens; **de ~** zuviel; mehr; **ni ~ ni menos** genau so; **sin ~**

masa

ohne weiteres; **tanto** ~ **cuanto que** um so mehr als; **estar de** ~ überflüssig sein

masa f Teig m; Masse; Menge; ~**cre** f bsd Am Massaker n

masaje [-xe] m Massage f; **dar** ~**e**, ~**ear** massieren; ~**ista** su Masseur, Masseuse

mascar kauen

máscara f Maske; fig Vorwand m, Deckmantel m; ~ **(de crema)** Gesichtsmaske (Kosmetik)

masculino männlich; m Gr Maskulinum n

masía f typisch katalanisches Bauernhaus n

masón m Freimaurer

masticar kauen

mástil m Mar Mast; Pfahl

mata f Strauch m, Busch m; Am allg Pflanze; ~**dero** m Schlachthaus n; ~**nza** [-θa] f Töten n; Gemetzel n; ~**r** töten, umbringen; schlachten; ~ **el tiempo** die Zeit totschlagen; ~ **el hambre** den Hunger stillen; ~ **rratas** m Rattengift n; ~**sellos** [-ʎ-] m (Post-)Stempel

mate matt, glanzlos; m Mate, Mategefäß n; Am F Kopf, Birne f

matemátic|as fpl Mathematik f; ~**o** mathematisch

materia f Materie, Stoff m; Gegenstand m; **en** ~ **de** auf dem Gebiet von; ~ **prima** Rohstoff m; ~**l** materiell; Sach...; m Material n;

Werkstoff

mater|nal mütterlich; ~**nidad** f Mutterschaft; Entbindungsanstalt

matinal morgendlich

matiz [-θ] m Färbung f; Farbton; ~**ar** schattieren; fig nuancieren

matón m Schlägertyp; Rausschmeißer

matorral m Gestrüpp n

matrícula f Autonummer; Register n

matricular immatrikulieren; einschreiben

matrimon|ial ehelich; ~**io** m Ehe f; Ehepaar n

matriz [-θ] f Gebärmutter; Matrize; **casa** f ~ Stammhaus n

matutino früh; Morgen...

máxi|ma f Maxime; ~**mo** sehr groß; größt; Höchst...; ~**mum** m das Äußerste; Maximum n

mayo m Mai

mayonesa f Mayonnaise

mayor größer, größt; älter, ältest; Ober..., Haupt...; m Major; **la** ~ **parte** die meisten; ~ **de edad** volljährig; **al por** ~ Hdl en gros; ~**ía** f Mehrheit; ~**ía (de edad)** Großjährigkeit; ~**ista** m Großhändler m

mayúscula f großer Buchstabe m

maza [-θa] f Keule; ~**morra** f bsd Am Art Maisbrei m; ~**pán** m Marzipan n

mazo [-θo] m Klopfer; Holzhammer; ~**rca** f (Am

bsd grüner, unreifer) Maiskolben *m*; *Chi a* Bande,
Gang
me mir; mich
mear P pinkeln
mecáni|ca *f* Mechanik; **~co**
mechanisch; *m* Mechaniker
mecanógrafa *f* Schreib-
kraft
mecanografía *f* Maschineschreiben *n*
mece|dora [-θ-] *f* Schaukel-
stuhl *m*; **~r** wiegen, schau-
keln
mech|a [-tʃa] *f* Docht *m*;
Haarsträhne; **~ero** *m* Feuerzeug *n*; **~ero de gas** Gas-
brenner; Gasfeuerzeug *n*;
~ón *m* Haarbüschel *n*
medalla [-ʎa] *f* Medaille
media *f* Strumpf *m*; Mittel
n, Durchschnitt *m*; *Am a*
(Herren-)Socke; **a ~s** halb;
~ción [-θ-] *f* Vermittlung;
~do halb(voll); **a ~dos de
junio** Mitte Juni; **~dor** *m*
Vermittler; **~nero** dazwi-
schenliegend; **~no** mittelmäßig; **~noche** *f* Mitternacht; **~nte** mittels; **~pan-
talón** *f Am* Strumpfhose
medi|camento *m* Medika-
ment *n*; **~cina** [-θ-] *f* Medizin
médico ärztlich; *m* Arzt
medida *f* Maß *n*; Maßnah-
me; **a ~ de** gemäß; **a ~ que**
je nachdem
medi|o halb, Mittel...; *m*
mittelmäßig; *m* Mitte *f*; Hilfs-
mittel *n*; Läufer (*Fußball*);
en ~o de inmitten (*gen*);

zwischen (*dat, ac*); **Edad** *f*
~a Mittelalter *n*; **por ~o de**
mittels; **~odía** *m* Mittag
medir messen
meditar nachdenken über
médula *f* Mark *n*; **~ espinal**
Rückenmark *n*
mejill|a [-xiʎa] *f* Wange;
~ón *m* Miesmuschel *f*
mejor [-x-] besser; **lo ~** das
Beste; **tanto ~** um so besser; **~a** *f* Verbesserung; **~a-
na** *f* Majoran *m*; **~ar** (ver-
bessern; **~ía** *f* Besserung
melena *f* Mähne
melocotón *m* Pfirsich
melón *m* Melone *f*
meloso *pej* süßlich, schmal-
zig
mell|a [-ʎa] *f* Scharte; **hacer
~a** Eindruck machen (**en**
auf); **~izo** [-θo] *m* Zwilling
mem|brana *f* Häutchen *n*;
Membran(e); **~brete** *m*
Briefkopf; **~brillo** [-ʎo] *m*
Quitte *f*
memo|rable denkwürdig;
~rándum *m* Denkschrift *f*
memoria *f* Gedächtnis *n*;
Erinnerung; **de ~** auswen-
dig; **~l** *m* Bittschrift *f*; Ein-
gabe *f*
menci|ón [-θ-] *f* Erwäh-
nung; **~onar** erwähnen
mendi|gar (er)betteln; **~go**
m Bettler
menear schwenken; *mit
dem Schwanz* wedeln
menester *m* Notwendigkeit
f; **es ~** es ist notwendig; **~es**
pl Obliegenheiten *fpl*; **~oso**
bedürftig

mengua   148

mengua f Schaden m; **~nte** abnehmend; m Ebbe f; **~r** schmälern; abnehmen, s. vermindern

menor kleiner, kleinst; minder, mindest; jünger; **~ (de edad)** minderjährig; su Minderjährige(r); **al por ~** en détail; **~ista** m Einzelhändler

menos weniger; minder; Math minus; **al ~** wenigstens; **a ~ que** sofern nicht; **~cabar** vermindern; **~cabo** m Verminderung f

menospreci|ar [-θ-] geringschätzen; **~io** m Verachtung f

mensaje [-xe] m Botschaft f; **~ro** m Bote

menso Méj dumm

mensual monatlich; **~idad** f Monatsgehalt n; Monatsrate

mensurable meßbar

menta f Pfefferminze; **~lidad** f Denkweise, Mentalität; **~r** erwähnen

mentecato schwachsinnig

mentir lügen; **~a** f Lüge; **parece ~a** unglaublich!; **~oso** lügenhaft; trügerisch

mentís m Dementi n

menú m Menü n

menu|deo m Am Einzelhandel; **~do** klein, winzig; de ringfügig; **a ~do** oft; **¡lo lío!** was für ein Durcheinander!

meñique [-ɲike] m kleiner Finger

merca|chifle [-tʃ-] m Hau-

sierer; fig Krämer; **~dería** f Am Ware; **~do** m Markt; Marktplatz; **~ncía** [-θ-] f Ware; **~ntil** kaufmännisch

merced [-θ-] f Gnade, Gunst; **~ a** prp dank

merce|nario [-θ-] m Söldner; **~ría** f Kurzwaren(geschäft n) fpl

mercurio m Quecksilber n

merece|dor [-θ-] verdienstvoll; würdig; **~r** verdienen; **no ~ la pena** es lohnt s. nicht

meren|dar vespern; **~gue** [-ge] m Baiser n

meridi|ano m Meridian m; **~onal** südlich

merienda f Vesper, zweites Frühstück n; (im Freien) Picknick n

mérito m Verdienst n

meritorio verdienstvoll; m Volontär, Praktikant

merluza [-θa] f Seehecht m

merma f Verkürzung; Abzug m; **~r** abnehmen; v/t (ver)kürzen

mermelada f Marmelade

mero rein, bloß; m Zackenbarsch

mes m Monat

mes|a f Tisch m; **poner ~a** den Tisch decken; **~ero** m, **~era** f Col, Méj Kellner(in); **~eta** f Hochebene; **~ita** f Tischchen n; **~ita de noche** Nachttisch m

mestizo [-θo] m Mestize

mesura f Mäßigung; Maß n; **~do** gemäßigt; gesetzt; **~r** mäßigen

minar

meta f Ziel n; (Fußball-)Tor n; **~bolismo** m Stoffwechsel

metal m Metall n; Erz n; **~ligero** Leichtmetall n

metálico metallen; m Hartgeld n; **en ~** in bar

metalúrgico [-x-] Hütten...

metamorfosis f Umwandlung, Metamorphose

meteoro m Meteor m; **~logía** [-x-] f Meteorologie; **~lógico** [-x-] f; **parte** m **~lógico** Wetterbericht

meter hinein-stecken, -legen (**en**, Am a **a** in); **~se** s. einmischen; **~se a** s. anschicken zu; **~se con alg** s. mit j-m anlegen

meticuloso peinlich genau; pej pedantisch

metido gedrängt; **~ en sí** in s. gekehrt; **muy ~ en política** tief in Politik steckend

metódico planmäßig

método m Methode f; Lehrbuch n

metro m Meter (a n); Versmaß n; U-Bahn f, Metro f

metr|ópoli f Hauptstadt; Mutterland n; **~opolitano** hauptstädtisch

mezcla [-θ-] f Mischung; **~r** mischen; **~rse** s. einmischen (**en** in)

mezquin|dad [-θk-] f Kargheit; Kleinlichkeit; **~no** knauserig; kleinlich; armselig; **~ta** f Moschee

mi, mis mein(e)

mí mir; mich (nach prp)

microbio m Mikrobe f

microbús m Kleinbus

micrófono m Mikrophon n

micros|cópico mikroskopisch; **~copio** m Mikroskop n

miedo m Furcht f, Angst f (**a** vor); **~so** furchtsam

miel f Honig m

miembro m Glied n; Mitglied n

mientras (zeitl.), **~ que** (Gegensatz) während; **~ tanto** unterdessen

miércoles m Mittwoch

mierda V 1. f Scheiße f; 2. m Scheißkerl

miga f Brotkrume

migración [-θ-] f Wanderung

migratori|o Wander...; **ave** f **~a** Zugvogel m

milagro m Wunder n; **~so** wunderbar

mili|cia [-θ-] f Miliz; Militär n; Wehrdienst m; **~ciano** [-θ-] m Milizsoldat; **~tar** militärisch; m Soldat

mill|a [-ʎa] f Seemeile; **~ar** m Tausend n; **~onario** m Millionär

mimar verhätscheln

mimbre m Korbweide f; **muebles** mpl **de ~** Korbmöbel n

mime|ografiar Am vervielfältigen; **~ógrafo** m Vervielfältigungsapparat

mímica f Mimik

mina f Bergwerk n; Mine; **~r** verminen; fig untergraben

mineral 150

mine|ral Mineral...; _m_ Erz
_n_; Mineral _n_; **~ría** _f_ Berg-
bau _m_; **~ro** bergmännisch;
_m_ Bergmann
minifalda _f_ Minirock _m_
míni|mo kleinste(r); Min-
dest...; **~mum** _m_ Mini-
mum _n_
minis|terial ministeriell; **~**
terio _m_ Ministerium _n_; **~**
tro _m_ Minister
minoría _f_ Minderheit; **~(de**
edad) _f_ Minderjährigkeit
minucios|idad [-θ-] _f_
Kleinlichkeit; peinliche
Genauigkeit; **~o** einge-
hend, peinlich genau
minúscula _f_ kleiner Buchstabe _m_
minu|ta _f_ Entwurf _m_; Ge-
bührenrechnung _f_; Speisekarte _f_; **~tero** _m_ Minuten-
zeiger; **~to** _m_ Minute _f_
mío, mía _usw_ mein; meinig
miope kurzsichtig
mira|da _f_ Blick _m_; **~dor** _m_
Erker; Aussichtspunkt; **~r**
ansehen; zusehen
mirlo _m_ Amsel _f_
mirón _m_ Gaffer; Zaungast
misa _f_ _Rel_ Messe; **~l** _m_ Meß-
buch _n_
mise|rable elend; knause-
rig; **~ria** _f_ Elend _n_, Not _f_;
~ricordia _f_ Barmherzig-
keit
mísero elend; unglücklich
misi|ón _f_ Mission; Sen-
dung; **~onero** _m_ Missionar
mismo, **~a** (_usw_) selbst;
derselbe (_usw_); genau;
noch; **ahora ~o** gleich, so-

eben

misterio _m_ Mysterium _n_;
Geheimnis _n_; **~so** geheim-
nisvoll
místic|a _f_ Mystik; **~o** my-
stisch; _m_ Mystiker
mitad _f_ Hälfte; **por la ~**
mittendurch; **a ~ de cami-**
no auf halbem Wege
mitigar mildern; be-
schwichtigen
mi|tín, **~tin** _m_ _Pol_ Ver-
sammlung _f_
mito _m_ Mythos
mix|to gemischt; **~tura** _f_
Mixtur; Mischung
mobiliario _m_ Mobiliar _n_
moced|ad [-θ-] _f_ Jugendzeit
moci|ón [-θ-] _f_ Bewegung;
Pol Antrag _m_
moco _m_ Nasenschleim; **~so**
rotzig; _m_ F Rotznase _f_
mochila _f_ [-tʃ-] _f_ Rucksack _m_,
Tornister _m_
moda _f_ Mode; **fuera** (_od_
pasado) de ~ unmodern;
estar de ~ (in) Mode sein
mode|lar formen; **~lo** 1. _m_
Vorbild _n_; Modell _n_; 2. _f_
(_Maler-, Foto-_)Modell _n_
modera|ción [-θ-] _f_ Mäßi-
gung; **~dor** _m_ Moderator;
~r mäßigen; herabsetzen
moder|nizar [-θ-] moderni-
sieren; **~no** modern; neu-
zeitlich
modes|tia _f_ Bescheidenheit;
~to bescheiden; sittsam
módico mäßig, gering
modi|ficar ab-, ver-ändern;
modifizieren; **~smo** _m_ Re-
dewendung _f_; **~sta** _f_ Modi-

stin; Schneiderin

modo m Art f, Weise f; Verfahren n; **de ~ que** so daß; **en cierto ~** gewissermaßen; **de ningún ~** keineswegs; **de todos ~s** jedenfalls

mofa f Spott m; **~rse** de s. lustig machen über

mofeta f Zo Stinktier n

mofletudo pausbäckig

moho m Schimmel; Rost; **~so** schimmelig; rostig

moja|do [-x-] naß, feucht; **~r** anfeuchten; eintunken

mojigat|o [-x-] m, **~a** f Frömmler(in)

mojón [-x-] m Grenzstein

molar: (**diente**) **~** m Backenzahn

molde m Gußform f; **de ~** wie gerufen; **~ar** formen; abgießen

molécula f Molekül n

moler mahlen; zerreiben; **~ a palos** verprügeln

moles|tar belästigen; stören; **~tia** f Belästigung; Mühe; Ärger m; **~to** lästig; unbequem

moli|nero m Müller; **~nillo** [-´ʎo] m Kaffee-, Pfeffermühle f; **~no** m Mühle f

molleja [-´ʎexa] f Anat, Gastr Bries n

momen|táneo augenblicklich; **~to** m Augenblick; **al ~to** sofort

mona f Äffin; F Rausch m; **~da** f Kinderei; niedliches Ding n

monar|ca m Monarch; **~quía** [-k-] f Monarchie

monasterio m Kloster n

monda f Putzen n; **es la ~** F das ist das Letzte!; **~dientes** m Zahnstocher; **~pipas** m Pfeifenreiniger; **~r** schälen; reinigen

mone|da f Münze; Geld n; Währung; **~da suelta** Kleingeld n; **~ría** f Kinderei; Albernheit; **~tario** Münz...; **sistema** m **~tario** Währungssystem n

monitor m TV Monitor; **~io** mahnend; **.io** warnend; mahnend

mon|ja [-xa] f Nonne; **~je** [-xe] m Mönch

mono m Affe; Arbeitsanzug; Col blonder Junge; adj niedlich, hübsch; **~polio** m Monopol n; **~tonía** f Einförmigkeit

monótono eintönig

monstruo m Ungeheuer n, Monstrum n; **~sidad** f Ungeheuerlichkeit; **~so** ungeheuer; scheußlich

monta|cargas m Lastenaufzug; **~do** beritten; **~dor** m Monteur; **~je** [-xe] m Einbau; Montage f

monta|ña [-ɲa] f Gebirge n; Berg m; **~ña rusa** Achterbahn; **~ñoso** [-ɲ-] bergig; gebirgig; **~r** montieren; aufstellen; Pferd reiten; besteigen; **~r en bicicleta** radfahren

monte m Berg; Wald; **~ alto** Hochwald; **~ bajo** Buschwald

montera f Stierkämpfermütze

montón

152

montón *m* Haufen; **ser del**
~ **nichts** Besonderes sein

montura *f* Reittier *n*; Reit-
zeug *n*; Montur; Fassung
(*Brille*)

monumento *m* Denkmal *n*

moñ|**a** [-ɲa] *f* Haar-, Zopf-
schleife; ~**o** *m* Haarknoten

moqueta [-k-] *f* Teppichboden *m*

mora *f* Maulbeere; Brom-
beere; *Chi Art* Blutwurst;
~**da** *f* Wohnung; ~**do** lila

moral moralisch; sittlich; *f*
Moral; ~**idad** *f* Sittlichkeit;
Moral

moratón *m* blauer Fleck

mórbido krankhaft

morcilla [-θiλa] *f* Blutwurst

mor|**daz** [-θ] ätzend, bei-
ßend; ~**der** beißen; ätzen;
~**disco** *m* Biß

moreno dunkel(braun)

morfina *f* Morphium *n*

morir sterben; erlöschen;
~**se** sterben; absterben

morisco maurisch

moro maurisch; *m* Maure

mortal sterblich; tödlich;
~**idad** *f* Sterblichkeit

mortero *m* Mörser; Mörtel

mortífero todbringend

mosaico *m* Mosaik *n*; ge-
kachelter Fußboden

mosc|**a** *f*, ~**o** *Col* *m* Fliege; *F*
Geld *n*

mosqui|**tero** [-k-] *m* Mos-
kitonetz *n*; ~**to** *m* Stech-
mücke *f*, Moskito

mos|**taza** [-θa] *f* Senf *m*; ~**to**
m Most

mostra|**dor** *m* Ladentisch;

Büfett *n*, Theke *f*; ~**r** zeigen

motín *m* Meuterei *f*

moti|**var** verursachen; mo-
tivieren; ~**vo** *m* Grund; Anlaß, Motiv *n*

moto *f*, ~**cicleta** [-θ-] *f*
Motorrad *n*; ~**nave** *f* Mo-
torschiff *n*

motor *m* Motor; ~ **de dos
(cuatro) tiempos** Zwei-
(Vier-)taktmotor; ~ **trasero** Heckmotor; ~**ismo** *m*
Motorsport; ~**ista** *m* Kraft-
fahrer

motriz [-θ] *f*: **fuerza** ~ [-θa] *f*
Triebkraft

mov|**edizo** [-θo] bewegbar;
~**er** bewegen, antreiben;
anregen; ~**ible** beweglich

móvil beweglich; *m* *fig*
Triebfeder *f*; Bewegungs-
grund

movi|**lidad** *f* Beweglichkeit;
~**lizar** [-θ-] mobil machen;
~**miento** *m* Bewegung *f*;
Unruhe *f*; Betrieb

moz|**a** [-θa] *f* Mädchen *n*;
Magd; ~**o** jung; *m* junger
Mensch; Kellner; Gepäck-
träger

mucam|**a** *f* *RPl*, *Chi*
Dienstmädchen *n*; ~**o** *m*
RPl Zimmerkellner

muco|**sa** *f* Schleimhaut; ~**si-
dad** *f* Schleim *m*

muchach|**a** [-tʃatʃa] *f* Mäd-
chen *n*; Dienstmädchen *n*;
~**o** *m* Knabe, Junge

much|**edumbre** [-tʃ-] *f*
Menge; ~**o** viel, sehr; lange,
oft; **por** ~**o que** wie sehr
auch

muda *f* Stimmbruch *m*;

muy

Mauser *f*; Häuten *n*; **~nza**
[-θa] *f* Veränderung; Wandel *m*; Wohnungswechsel
m; **~r** ändern; wechseln;
~rse (de casa) umziehen;
~rse (de ropa) s. umziehen
mud|ez [-θ] *f* Stummheit;
~o stumm
mueble beweglich; *m* Hausrat; Möbel *n*; **~s** *pl* **funcionales** Anbaumöbel *m*
muela *f* Schleifstein *m*; Bakkenzahn *m*; **dolor *m* de ~s**
Zahnschmerzen *mpl*
muelle [-ʎe] *m* Sprungfeder
f; Mole *f*; *Esb* Laderampe
muer|te *f* Tod *m*; **peligro *m*
de ~te** Lebensgefahr *f*; **~to**
tot; gestorben; *m* Tote(r)
muestra *f* Warenprobe;
Muster *n*; **~rio** *m* Musterbuch *n*; -kollektion *f*
mugr|e *f*, *Col a m* Schmutz
m; **~iento** schmutzig
mujer [-x-] *f* Frau; **~ de la
vida** Nutte
mul|a *f* Maultier *n*; **~ato** *m*
Mulatte; **~eta** *f* Krücke;
Stk Muleta; **~o** *m* Maulesel
multa *f* Geldstrafe
multico|lor bunt; **~piar** *bsd
Span* vervielfältigen; **~pista** *f bsd Span* Vervielfältigungsapparat *m*
múltiple vielfältig
multiplica|ción [-θ-] *f* Vervielfältigung; Multiplikation; **~r** vervielfältigen;
multiplizieren; **~rse** s. vermehren
multitud *f* Menge
mundial Welt...; *m Sp*

Weltmeisterschaft *f*
mundo *m* Welt *f*; Menschheit *f*; **todo el ~** jedermann;
die ganze Welt
munición [-θ-] *f* Munition
municipal [-θ-] städtisch;
(guardia) ~ Schutzmann; **~idad** *f* Gemeindeverwaltung; *Am* Rathaus *n*
municipio [-θ-] *m* Gemeinde(rat *m*) *f*; Rathaus *n*
muñeca [-ɲ-] *f* Handgelenk
n; (*Kinder*-)Puppe
mura|l Mauer...; **~lla** [-ʎa] *f*
Stadtmauer
murciélago [-θ-] *m* Fledermaus *f*
murmurar murmeln; rauschen; murren; lästern
muro *m* Mauer *f*; Wand *f*
muscula|r Muskel...; **~tura**
f Muskulatur
músculo *m* Muskel
musculoso muskulös
museo *m* Museum *n*
musgo *m* Moos *n*
música *f* Musik; Noten *fpl*
musical Musik...
músico musikalisch; *m* Musiker
muslo *m* Oberschenkel
mustio traurig; welk
muta|bilidad *f* Veränderlichkeit; **~ción** [-θ-] *f*
Wechsel *m*; Mutation
mutila|do *m* Krüppel; **~r**
verstümmeln
mutis *m Thea* Abgang
mutuo gegenseitig
muy sehr; zu(viel); **~ Sr.
mío** sehr geehrter Herr
(*Briefanrede*)

nabo 154

N

nabo *m* weiße Rübe *f*
nácar *m* Perlmutt(er *f*) *n*
nacer [-θ-] geboren werden;
sprießen; entspringen
naci|do [-θ-] (an)geboren;
entstanden; **~miento** *m*
Geburt *f*; Anfang; (Weih-
nachts-)Krippe *f*
nación [-θ-] *f* Nation; Volk *n*
nacional [-θ-] National...;
~idad *f* Nationalität;
Staatsangehörigkeit; **~is-**
mo *m* Nationalismus; **~i-**
zar [-θ-] verstaatlichen
nada nichts; **~ de eso** keineswegs; **~ más** nichts weiter; **¡de ~!** keine Ursache!;
pues, ~ also gut (so)
nada|dor *m* Schwimmer; **~r**
schwimmen
nadie niemand
nado *adv:* **a ~** schwimmend
nafta *f Arg* Benzin *n*; **~ero**
m Arg Tankwart
naipe *m* (Spiel-)Karte *f*
naran|ja [-xa] *f* Apfelsine;
adj inv orange; **~jal** [-x-] *m*
Apfelsinenpflanzung *f*; **~jo**
[-xo] *m* Orangenbaum
nar|cosis *f* Narkose; **~cótico**
betäubend
nariz [-θ] *f* Nase
narra|ción [-θ-] *f* Erzäh-
lung; **~r** erzählen
nasal Nasen..., nasal
nata *f* Sahne; **~ batida**
Schlagsahne
natación [-θ-] *f* Schwimmen *n*
natal heimatlich; Ge-

burts...; **país** *m* **~** Geburts-
land *n*
nativo angeboren; gebürtig
(**de** aus); *m* Einheimi-
sche(r)
natural natürlich; *m* Natu-
rell *n*; **~** (de gebürtig) aus;
~eza [-θa] *f* Natur; Wesen
n; **~izar** [-θ-] einbürgern
naufra|gar Schiffbruch er-
leiden (*a* fig); **~gio** [-x-] *m*
Schiffbruch
náufrago schiffbrüchig; *m*
Schiffbrüchige(r)
náuseas *fpl* Übelkeit *f*; Ekel
m
náutico nautisch; **deporte**
m **~** Segelsport
navaja [-xa] *f* Taschenmes-
ser *n*; **~ de afeitar** Rasier-
messer *n*
naval See...; Schiffs...
nave *f* (Kirchen-)Schiff *n*;
Tech Halle; **~gable** schiff-
bar; **~gación** [-θ-] *f* Schiff-
fahrt; **~gar** zur See fahren
Navidad *f* Weihnachten *f*
naviero *m* Reeder
nebuloso neblig, dunstig;
fig nebelhaft
nece|sario [-θ-] notwendig;
erforderlich; **~ser** *m* Necessaire *n*; Reisetui *n*; **~sidad**
f Notwendigkeit; Bedürfnis
n; *Hdl* **~sidades** *pl* Bedarf
m; **hacer sus ~sidades** ein
Bedürfnis verrichten; **~si-**
tar benötigen, brauchen
necio [-θ-] albern, dumm
necrología [-x-] *f* Nachruf *m*

nega|ción [-θ-] f Verneinung; **~r** verneinen, leugnen; abschlagen; **~rse a** s. weigern zu; **~tiva** f abschlägige Antwort; Weigerung; Fot Negativ n; **~tivo** verneinend; m Negativ n

negligen|cia [-xenθ-] f Nachlässigkeit; **~te** nachlässig

negocia|ción [-θiaθ-] f Verhandlung; **~nte** m Geschäftsmann; **~r** handeln, verhandeln

negocio [-θ-] m Geschäft n; RPl Laden; **hombre** m **de ~s** Geschäftsmann

negr|o schwarz; m, **~a** f Neger(in)

nen|a f, **~e, ~é** Col m kleines Kind n

nervio m Nerv; Tech, Bot, Mar Rippe f; **~sismo** m Nervosität f; **~so** nervig; nervös

neto: precio m **~** Nettopreis

neumático pneumatisch; Luft...; m Kfz Reifen; **~ radial** Gürtelreifen

neumonía f Lungenentzündung

neu|ralgia [-x-] f Neuralgie; **~rosis** f Neurose

neutr|al neutral; **~alidad** f Neutralität; **~alizar** [-θ-] neutralisieren; unschädlich machen; **~o** neutral; sächlich

neva|da f Schneefall m; **~r** schneien

neve|ra f Kühlschrank m; **~ría** f Méj Eisdiele

ni auch nicht; **~ ... ~** weder ... noch; **~ siquiera** nicht einmal

nido m Nest n

niebla f Nebel m

niet|o m, **~a** f Enkel(in)

nieve f Schnee m; Méj (Speise-)Eis n

nigua f Sandfloh m

nilón m Nylon n

ninfa f Nymphe; Span F Mädchen n, Biene

ning|ún, ~uno kein(er), niemand; **de ~una manera** keineswegs

niñ|a f [-ɲa] f Mädchen n; **~a del ojo** Pupille; **~era** f Kindermädchen n; **~ez** f [-θ] f Kindheit; **~o** kindlich; m Kind n

níquel [-k-] m Nickel n

nitidez [-θ] f Fot, TV Schärfe, Bildschärfe

nítido glänzend, rein; Fot, TV scharf

nivel m Wasserwaage f; Niveau n; Wasserspiegel; **a ~** waagerecht; **~ar** ebnen, planieren; nivellieren (a fig)

no nicht; nein; **~ más que** nur; **~ por cierto** gewiß nicht

noble adlig; edel; m Adlige(r); **~za** [-θa] f Adel m; Vornehmheit

noci|ón [-θ-] f Begriff m; **~ones** pl Kenntnisse

nocivo [-θ-] schädlich

nocturno nächtlich

noche [-tʃe] f Nacht f; Abend m; Dunkelheit; **de** (od **por la) ~** nachts; **de la ~ a la**

mañana von heute auf morgen

Noche|buena [-tʃ-] f Weihnacht(sabend m) f; **~vieja** [-x-] f Silvesternacht

nodriza [-θa] f Amme

nogal m Nußbaum

nomás, a no más Am nur

nombr|ado berühmt; **~amiento** m Ernennung f; **~ar** (er)nennen; **~e** m Name; fig Ruf; **~e (de pila)** Vorname

nominal namentlich; **valor** m ~ Nennwert

nopal m Feigenkaktus

nordeste m Nordost(en)

noria f Schöpfrad n; **~gigante** Riesenrad n (Volksfest)

norma f Norm; Regel; **~l** regelrecht; normal; **~lizar** [-θ-] normalisieren; Tech normen

noroeste m Nordwest(en)

norte m Norden

nos uns; **~otros** wir; uns

nostalgia [-x-] f Heimweh n; Sehnsucht

nota f Notiz; Vermerk m; Rechnung; Mus Note; **~bilidad** f Ansehen n; Berühmtheit; **~ble** bemerkenswert; **~r** an-, vermerken; bemerken; **~rio** m Notar

noticia [-θ-] f Nachricht; Kenntnis; **~rio** m Film: Wochenschau f; Rf, TV Nachrichten fpl

notificar zustellen; mitteilen

notorio offenkundig, notorisch

novedad f Neuheit; Neuigkeit; **sin** ~ alles beim alten; wohlbehalten

novela f Roman m; **~ corta** Novelle; **~ policíaca (rosa)** Kriminal- (Kitsch-)roman m

novia f Braut, Verlobte; Freundin

novicio [-θ-] unerfahren; m Neuling; Novize

noviembre m November

novill|ada [-ʎ-] f Stierkampf m mit Jungstieren; **~o** m junger Stier

novio m Bräutigam; Freund

nube f Wolke; **estar por las ~s** sehr hoch sein (Preise); **estar en las ~s** geistesabwesend sein

nubla|do bewölkt; **~rse** s. bewölken

nuca f Nacken m

nuclear Kern..., Nuklear...

núcleo m Kern

nud|illo [-ʎo] m Fingerknöchel; **~o** m Knoten; Schlinge f

nuera f Schwiegertochter

nuestro unser

nuevo neu; modern; **de ~** von neuem, nochmals; **¿qué hay de ~?** was gibt es Neues?

nuez [-θ] f (Wal-)Nuß; **~ de la garganta** Adamsapfel m

nulo nichtig; ungültig

numera|ción [-θ-] f Zählen n; Numerierung; **~r** zählen; beziffern

número *m* Zahl *f*; Ziffer *f*; Nummer *f*; **sin ~** unzählig
numeroso zahlreich
nunca nie, niemals; **~ más** nie mehr

nupcial [-θ-] Hochzeits...
nutria *f* Fischotter *m*
nutri|r (er)nähren; **~tivo** nahrhaft

Ñ

Ñ, ñ *f das spanische* ñ
ñame [ɲ-] *m Bot* Jamswurzel *f*
ñandú [ɲ-] *m Süda* Strauß

ñaño [ɲaɲo] *m Pe* Kind *n*
ñapa [ɲ-] *f Süda* Dreingabe
ñoñ|ería [ɲoɲ-] Gefasel *n*; **~o** kindisch

O

o oder; **~ ... ~** entweder ... oder
oasis *m* Oase *f*
obe|decer [-θ-] gehorchen; **~diencia** [-θ-] *f* Gehorsam *m*; **~diente** gehorsam
obelisco *m* Obelisk
obertura *f* Ouvertüre
obes|idad [-θ-] *f* Fettleibigkeit; **~o** fett(leibig)
obispo *m* Bischof
obje|ción [-xeθ-] *f* Einwand *m*; **~tar** einwenden; **~tivo** sachlich; *m Fot* Objektiv *n*; **~to** *m* Gegenstand, Objekt *n*; Zweck; Absicht *f*
oblea *f* Oblate
oblicuo schräg
obliga|ción [-θ-] *f* Verpflichtung; *Hdl*, *jur* Obligation; **~r** nötigen; verpflichten; **~rse** s. verpflichten; **~torio** verbindlich; Pflicht...
oboe *m Mus* Oboe *f*
obra *f* Werk *n*; Arbeit; Schrift; Bauwerk; Unter-

nehmen *n*; **~ de consulta** Nachschlagewerk *n*; **~s** *pl* Bauarbeiten *fpl*; **~s completas** Gesamtausgabe *f*; **~s públicas** Tiefbau *m*; **~r** arbeiten; bauen; wirken
obrero Arbeiter...; *m* Arbeiter
obsceno [-θ-] unzüchtig, obszön
obsequi|ar [-k-] gefällig sein; bewirten; beschenken; **~o** *m* Gefälligkeit *f*; Geschenk *n*
observa|ción [-θ-] *f* Beobachtung; Wahrnehmung; **~r** beobachten; bemerken; befolgen; **~torio** *m* Observatorium *n*
obst|aculizar [-θ-] behindern; **~áculo** *m* Hindernis *n*
obstante: no ~ dessenungeachtet
obstetricia [-θ-] *f Med* Geburtshilfe
obstina|ción [-θ-] *f* Eigensinn *m*; **~do** hartnäckig, ei-

gensinnig; **~rse en u/c** s.
auf et versteifen, (hart-
näckig) auf et beharren

obstru|cción [-θ-] f Ver-
stopfung; **~ir** verstopfen;
versperren

obtener erlangen, erreichen

obturador m Fot Verschluß

obvio einleuchtend; augen-
fällig

oca f Gans

ocasi|ón f Gelegenheit; *Hdl*
de ~ón aus zweiter Hand,
Gebraucht...; **con ~ón de**
anläßlich (*gen*); **~onar** veranlassen; verursachen

occiden|tal [-θ-] abendlän-
disch; **~te** m Abendland n

océano [oθ-] m Ozean

ocelote [-θ-] m Zo Ozelot

ocio [oθ-] m Muße f; **~so**
müßig, untätig

octav|a f Mus Oktave; **~illa**
[-ʎa] f Flugblatt n; **~o** m
Achtel n

octubre m Oktober

ocul|ar Augen...; m Okular
n; **testigo** m **~** Augenzeuge;
~ista su Augen-arzt m, -ärz-
tin f; **~tar** verbergen; *Steuern* hinterziehen; **~to** geheim, verborgen

ocupa|ción [-θ-] f Beset-
zung; Beschäftigung; **~do**
besetzt; **~r** beschäftigen;
besetzen; *Raum* einneh-
men; *Amt* bekleiden; **~rse**
de (*od* **en**) s. mit et beschäftigen, befassen

ocurren|cia [-θ-] f Vorfall
m; (witziger) Einfall m; **~te**
clever, ideenreich

ocurrir s. ereignen; vorkommen; **se me ocurre**
mir fällt ein

odi|ar hassen; **~o** m Haß;
~oso gehässig; niederträch-
tig

odont|ología [-x-] f Zahn-
medizin; **~ólogo** m Zahn-
arzt

odorante (wohl)riechend

oeste m Westen

ofen|der beleidigen, verlet-
zen; **~sa** f Beleidigung; **~si-
va** f Angriff m; **~sivo** an-
griffslustig; Offensiv...

oferta f Angebot n

oficial [-θ-] f offiziell, amt-
lich; m Offizier; Geselle;
~idad f Offizierskorps n

oficina [-θ-] f Amt n; Büro
n; **~ de turismo** Verkehrs-
amt n

oficio [-θ-] m Handwerk n;
Beruf; Gottesdienst; *Am*
Hausarbeit f; **de ~** von
Amts wegen; **~so** dienstfer-
tig; offiziös

ofre|cer [-θ-] anbieten; **¿qué
se le ofrece?** was kann ich
für Sie tun?; **~cimiento**
[-θ-] m Anerbieten n; An-
gebot n

oftalmólogo m Augenarzt

oí|ble hörbar; **de ~das** vom
Hörensagen; **~do** m Gehör
n; Ohr n

oír (an-, zu-)hören; **¡oiga!**
hören Sie mal!; *Tel* hallo!
(*Anrufender*)

ojal [ɔx-] m Knopfloch n

¡ojalá! [ɔx-] hoffentlich!

ojea|da [ɔx-] f Blick m; **~dor**

m Treiber; ~r treiben; *fig* aufschrecken

ojeo [ox-] m Treibjagd f

ojete [ox-] m Öse f

oji|negro [ox-] m schwärzäugig; ~**va** f Spitzbogen m

ojo [oxo] m Auge n; Öhr n; ¡~! Vorsicht!; **no pegar** ~ kein Auge zutun

ola f Woge, Welle

¡olé! bravo!; recht so!

olea|da f *bsd fig* Welle; ~**je** [-xe] m Wellengang

óleo m *Mal* Öl n; **los santos** ~**s** *pl* letzte Ölung f

oleo|ducto m Pipeline f; ~**so** ölhaltig; ölig

oler riechen; wittern

olfa|tear beriechen; *fig* wittern; ~**to** m Geruchssinn m

olimpíada f Olympiade f

oliv|a f Olive; ~**o** m Ölbaum

olmo m Ulme f

olor m Geruch; ~**oso** wohlriechend

olvid|ar vergessen; verlernen; ~**arse de u/c** et vergessen; ~**o** m Vergeßlichkeit f; Vergessenheit f

olla f [oʎa] f (Koch-)Topf m; Gemüseeintopf m; ~ **a presión** Schnellkochtopf m; **estar en la** ~ *Col* in der Tinte sitzen

ombligo m Nabel

omi|sión f Unterlassung; Auslassung; ~**tir** unterlassen; übergehen, auslassen

ómnibus m Omnibus

omni|potencia f [-θ-] f Allmacht; ~**potente** allmächtig; ~**sciente** [-θ-] allwis-

send

onces [-θ-]: **tomar** ~ *Col* vespern

onda f Woge, Welle; ~ **corta** (**media, larga**) Kurz- (Mittel-, Lang-)welle f; F **estar en la** ~ „in" sein

ondear wogen; flattern

ondula|ción f [-θ-] f Wellenbewegung; ~**r** *Haar* wellen

onza f [-θa] f Unze; *Süda* Jaguar m

opaco undurchsichtig

ópalo m Opal

ópera f Oper

opera|ción [-θ-] f *Med, Mil, Hdl* Operation; ~**ción de bolsa** Börsengeschäft n; ~**dor** m Operateur; Vorführer; Kameramann; Funker; ~**dora** f *Am* Telefonistin; ~**r** bewirken; operieren; ~**rio** m Handwerker; (Fach-)Arbeiter

opereta f Operette

opin|ar meinen, glauben; ~**ión** f Meinung

opio m Opium n

oponer entgegensetzen; einwenden; ~**se** s. widersetzen

oportu|nidad f Gelegenheit; Zweckmäßigkeit; ~**nismo** m Opportunismus; ~**nista** opportunistisch; ~**no** gelegen; zweckmäßig, angebracht

oposi|ción [-θ-] f Widerspruch m, -stand m; ~**iones** pl Auswahlprüfung f

opresión f Unterdrückung; Beklemmung

oprimir unterdrücken

oprobio m Schimpf; Schande f

optar m s. entscheiden für, optieren für

óptic|a f Optik; **~co** optisch; m Optiker

optimis|mo m Optimismus; **~ta** su Optimist(in)

óptimo vortrefflich

opuesto entgegengesetzt

opulen|cia [-θ-] f großer Reichtum m; **~to** üppig

oración [-θ-] f Gebet n; Rede; Gr Satz m

oráculo m Orakel n

orador m, **~a** f Redner(in)

oral mündlich

orden 1. m Ordnung f (a Biol); **~ del día** Tagesordnung f; **poner en ~** ordnen; 2. f Befehl m (a Mil); **por ~ de** auf Befehl von; **~anza** [-θa] 1. f Verordnung f; 2. m Mil Ordnanz f; **~ar** ordnen; **~arse sacerdote** zum Priester geweiht werden

ordeñar [-ɲ-] melken

ordinario gewöhnlich, gemein; ordentlich

oreja [-xa] f Ohr n; bsd Am Henkel m

orfanato m Waisenhaus n

orfebrería f Goldschmiedearbeit, **~kunst**

orgánico organisch

organillo [-ʎo] m Drehorgel f, Leierkasten

organismo m Organismus

organiza|ción [-θaθ-] f Organisation; Veranstaltung; **~dor(a** f) m Veranstal-

ter(in); **~r** organisieren; aufbauen; gliedern; veranstalten

órgano m Anat, fig Organ n; Mus Orgel f

orgasmo m Orgasmus

orgullo [-ʎo] m Stolz; **~so** stolz; hochmütig

orien|tación [-θ-] f Orientierung; **~tal** orientalisch; **~tar** orientieren; beraten; **~tarse** s. zurechtfinden; **~te** m Osten, Lit Morgen

orificio [-θ-] m Öffnung f, Loch n

origen [-x-] m Ursprung m; Herkunft f; fig Ursache f

original [-x-] ursprünglich; m Urfassung f; Original n; Sonderling; **~idad** f Ursprünglichkeit, Originalität; **~r** veranlassen; verursachen; **~rio** ursprünglich; angeboren

orilla [-ʎa] f Rand m; Ufer n; **a ~s del** am (Ufer des)

orín m Rost

orina f Urin m; **~l** m Nachttopf; **~r** Wasser lassen, urinieren

ornamen|tar verzieren; **~to** m Verzierung f; Schmuck

oro m Gold n

orquesta [-k-] f Orchester f

orquídea [-k-] f Orchidee

ortiga f Brennessel

orto|doncia [-θ-] f Med Gebißregulierung; **~doxo** orthodox; **~grafía** f Rechtschreibung; **~pedista** su Orthopäde m

oruga f Zo, Tech Raupe

orzuelo [-θ-] m Med Gerstenkorn n

os euch

osado kühn

oscilar [-θ-] schwingen; schwanken

oscu|**recer** [-θ-] verdunkeln; dunkel werden; **~ridad** f Dunkelheit; **~ro** dunkel

oso m Bär

ostensi|**ble** offensichtlich; deutlich; **~vo** auffallend

ostentar vor-, auf-weisen

ostión m Méj Auster f

ostra f Auster; **¡~s!** Mensch, sowas!

otoñ|**al** [-ɲ-] herbstlich; **~o** m Herbst

otorga|**nte** m Aussteller e-s Dokuments; **~r** bewilligen; ausfertigen

otorrinolaringólogo m Hals-Nasen-Ohrenarzt

otro ein anderer; noch ein; **el ~ día** neulich; **~ tanto** ebensoviel; **de un lado al ~** hin und her; **otra vez** noch einmal

ovación [-θ-] f Beifallssturm m, Ovation

oval, **~ado** eiförmig; oval

ovario m Anat Eierstock

oveja [-xa] f Schaf n

overol m Arbeitsanzug

ovillo [-ʎo] m Knäuel n

oxidarse oxydieren; rosten

óxido m Oxyd n

oxígeno [-x-] m Sauerstoff m

oyente su Hörer(in)

P

pabellón [-ʎ-] m Rundzelt n; Mar Flagge f; Pavillon

pacer [-θ-] v/i weiden; v/t abgrasen

pacien|**cia** [-θ̃ɛn̄θ-] f Geduld; **~te** geduldig; m Patient

pacífico [-θ-] friedfertig

pacifista [-θ-] su Pazifist(in)

paco m Chi F Polizist; **~tilla** [-ʎa] f Schund m; **de ~tilla** minderwertig

pactar ausbedingen; paktieren

padecer [-θ-] erleiden; leiden (**de** an)

padrastro m Stiefvater

padre m Vater; adj inv F enorm; gewaltig; **de fa-milia** Familienvater; **~s** pl Eltern

padri|**nazgo** [-θgo] m Patenschaft f; **~no** m Taufpate; Brautführer; Gönner

paga f Zahlung; Löhnung; **~dero** zahlbar; **~dor** m Zahler; **~duría** f Zahlstelle

paga|**nismo** m Heidentum n; **~no** heidnisch; m Heide

pagar (be)zahlen; **me la ~ás** das wirst du noch büßen; **~é** m Schuldschein

página [-x-] f Seite (Buch)

paginar [-x-] paginieren

pago m Zahlung f; **~ al contado** (**a plazos**) Bar- (Raten-)zahlung f

país m Land n; **~ en** (**vías**

de) desarrollo Entwicklungsland n; **del ~** einheimisch

paisa|je [-xe] m Landschaft f; **~jista** [-x-] m Landschaftsmaler; **~no** m Zivilist; Landmann

paja [-xa] f Stroh n; **hacerse una ~** Tab wichsen

pájaro [-x-] m Vogel

pala f Schaufel; Ballschläger m

palabra f Wort n; fig Versprechen n; **bajo ~ (de honor)** auf Ehrenwort; **de ~** mündlich

pala|cio [-θ-] m Palast, Schloß n; **~dar** m Gaumen

palan|ca f Hebel m; fig gute Beziehungen fpl, Einfluß m; **~gana** f Waschbecken n

palco m Thea Loge f; **~ de platea** Parterreloge f

paleta 1. f Palette; Maurerkelle; Tech Schaufel; **2.** m F Maurer

palide|cer [-θ-] erbleichen, erblassen; **~z** [-θ] f Blässe

pálido bleich, blaß

palillo [-ʎo] m Zahnstocher

palique [-ke] m Plauderei f; **~ar** plaudern

paliza [-θa] f Tracht Prügel; **~da** f Palisade

palma f Palme; Handfläche; **dar ~das** in die Hände klatschen

palmera f Palme

palmo m Spanne f; Handbreit f; **~tear** Beifall klatschen

palo m Stock; Mar Mast;

Karten Farbe f; Ven Drink; **~s de tejer** Pe Stricknadeln fpl

palo|ma f Taube; **~mar** m Taubenschlag; **~mitas** fpl Puffmais m

palpa|ble greifbar; deutlich; **~r** a Med, Tech betasten, befühlen

palpita|ción [-θ-] f Herzklopfen n; **~r** klopfen; zucken

palta f RPl, Chi, Pe Avocado(birne)

paludismo m Malaria f

pampa f Grasebene; **die Pampa**

pan m Brot n; **~ integral** Vollkornbrot n

pana f Plüsch m; Cordsamt m

panade|ría f Bäckerei; **~ro** m Bäcker

panal m Wabe f

pande|reta f, **~ro** m Tamburin n

pando Süda seicht, flach (Gewässer)

panecillo [-θiʎo] m Brötchen n

panta|leta f Am (Damen-)Slip m, Höschen n; **~lón** m Hose f; **~loncillo(s)** [-θiʎ-] m(pl) Col Unterhose f; (Damen-)Schlüpfer m

pantalla [-ʎa] f Lampenschirm m; Bildschirm m; Film Leinwand; **~ panorámica** Breitwand

pantano m Sumpf; Talsperre f; Stausee; **~so** sumpfig

pantorrilla [-ʎa] f Wade

panty *m* Strumpfhose *f*

panza [-θa] *f* Bauch *m*, Wanst *m*

pañal [-ɲ-] *m* Windel *f*

paño [-no] *m* Tuch *n*; **~s** *pl* **higiénicos** Damenbinde *pl*

pañuelo [-ɲ-] *m* Taschen-, Hals-tuch *n*; **~ (de cabeza)** Kopftuch *n*

papa 1. *f Am* Kartoffel; **2.** ♀ *m* Papst

papá *m* Papa; **los ~s** F die Eltern *pl*

papa|da *f* Doppelkinn *n*; **~gayo** *m* Papagei; **~ya** *f* Papaya (*Frucht*)

papel *m* Papier *n*; Schriftstück *n*; *Thea* Rolle *f*; **~ carbón (de carta, higiénico)** Kohle- (Brief-, Toiletten-)papier *n*; **~ pintado** Tapete *f*; **~ de regalo** Geschenkpapier *n*; **~era** *f* Papierkorb *m*; *Col* Kollegmappe; **~ería** *f* Schreibwarenhandlung

papera *f Med* Kropf *m*; **~s** *pl* Mumps *m*

papilla [-ʎa] *f* Kinderbrei *m*

paquete [-k-] *m* Paket *n*; Päckchen *n*; Bündel *n*

par gerade (*Zahl*); gleich; **de ~ en ~** sperrangelweit offen; **sin ~** unvergleichlich

par *m* Paar *n*; **a ~es** paarweise

para 1. örtlich: nach; zu; **~ salir** ~ abfahren nach; **2.** zeitlich: **~ siempre** für immer; **3.** Zweck: für; um zu; **vaso** *m* **~ agua** Wasserglas *n*; **~ eso** dazu, deshalb; ¿**~**

¿**qué**? wozu?; **estar ~** im Begriff sein zu

para|brisas *m* Windschutzscheibe *f*; **~caídas** *m* Fallschirm; **~caidista** *m* Fallschirm-springer, *Mil* -jäger; **~choques** [-tʃok-] *m* Stoßstange *f*

para|da *f* Stillstand *m*; Anhalten *n*; Aufenthalt *m*; Haltestelle; **~da discrecional** Bedarfshaltestelle; **~da de taxi** Taxistand *m*; **~dero** *m* Verbleib; Aufenthaltsort; *Am a* Haltestelle *f*; **~dójico** [-x-] widersinnig, paradox; **~dor** *m* Span staatl. Touristenhotel *n*

paraguas *m* Regenschirm

paraíso *m* Paradies *n*; *Thea* Galerie *f*, Olymp

paraje [-xe] *m* Ort, Platz; Gegend *f*

parale|la *f* Parallele; **~las** *fpl Sp* Barren *m*; **~lismo** *m* Parallelität *f*; **~lo** parallel; *m* Gegenüberstellung *f*

parálisis *f* Lähmung

paralítico *Med* gelähmt

paralizar [-θ-] lähmen (*a fig*); **~se** erlahmen; stocken

páramo *m* Ödland *n*; *Am* Hochfläche *f*; *Am* feiner Nieselregen

parapeto *m* Brüstung *f*

parar *v/t* anhalten; *Tech* abstellen; *v/i* halten; absteigen, wohnen; stehenbleiben; **sin ~** unaufhörlich; **~se** stehenbleiben; *Am* aufstehen

pararrayo(s) *m* Blitzablei-

parásito 164

ter
parásito m Parasit, Schmarotzer; **~s** pl Rf Störungen f
pl
parasol [-θ-] m Sonnenschirm;
Kfz, Fot Sonnenblende f
parcela [-θ-] f Parzelle; **~r**
Land parzellieren
parcial [-θ-] teilweise,
Teil...; parteiisch
parco en palabras wort-
karg
parche [-tʃe] m Med Pflaster
n; Kfz Flicken (für Reifen)
pardo braun; trübe
parecer [-θ-] 1. scheinen; **~
bien** gefallen; **al ~** dem Anschein nach; **¿qué le parece?** was meinen Sie (da-
zu)?; 2. m Meinung f; **~se** s.
ähneln
parecido [-θ-] ähnlich; m
Ähnlichkeit f
pared f Wand; Mauer
pareja [-xa] f (Liebes-,
Tanz-)Paar n; **~o** gleichmä-
ßig
parentela f Verwandtschaft
(Personen); **~tesco** m Ver-
wandtschaft(sverhältnis n)
f
paréntesis m Klammern fpl
paridad f Gleichheit
parilente su Verwandte(r);
~r gebären; werfen (Tiere)
parlamentar parlamentie-
ren; **~to** m Parlament n;
Parlamentsgebäude n
parlante m Súda Lautsprecher
parné m ∨ Zaster, Moneten
pl

parodia f Parodie; **~r** paro-
dieren
párpado m Augenlid n
parque [-ke] m Park; **~ de
atracciones**, Am **~ de di-
versiones** Vergnügungs-
park; **~ infantil** Kinder-
spielplatz; **~ nacional** Na-
tionalpark; **~adero** m Col
Parkplatz; **~ar** Col parken
parquímetro [-k-] m Park-
uhr f
párrafo m Paragraph; Abschnitt
parrilla [-ʎa] f (Feuer-)Rost
m; Grill m; **~da** f Gastr
Grillplatte; Grillparty
párroco m Pfarrer
parroquia [-k-] f Pfarrkir-
che; Kirchspiel n; Kund-
schaft; **~no** m Pfarrkind n;
Kunde
parsimonia f Sparsamkeit
parte 1. m Nachricht f; Bericht; **dar ~ de** et melden,
berichten; 2. f Teil m; Seite,
Partei; Gegend; Thea, Mus
Part m; **de ~ de** (im Namen)
von; **en ~** teilweise; **en ninguna ~** nirgends; **en otra ~**
anderswo; **en todas ~s**
überall; **por una ~, por
otra ~** einerseits, anderer-
seits
partera f Hebamme
parterre m (Blumen-)Beet n
participalción [-θipaθ-] f
Teilnahme; Bedingung;
Anteil m; (Heirats-, Ge-
burts-)Anzeige; **~nte** m
Teilnehmer; **~r** teilnehmen; mitteilen

165

paso

partícipe [-θ-] beteiligt
particular besonders; eigentümlich; Privat...; su
Privatperson f; **en ~** im be-
sonderen; **~idad** f Besonderheit; Eigenheit
parti|da f Abreise; Ausflug
m; Spiel, Hdl Partie, Posten
m; **~da de nacimiento (de
matrimonio)** Geburts-
(Heirats-)urkunde; **~dario**
m Parteigänger; adj par-
teiisch; **~do** m Partei f; Sp
Partie f, Spiel n; Bezirk;
sacar ~do de u/c aus et
Nutzen ziehen
partir teilen; v/i abreisen; **a
~ de hoy** von heute an
parto m Geburt f
parvulario m Kindergarten m
pasa f Rosine
pasabocas mpl Col kleine
pikante Vorspeisen fpl
pasada f Durchgang m;
Heftstich m; **mala ~** übler
Streich m
pasado vergangen; Ver-
gangenheit f; **~r** m Riegel;
Haarspange f; Pe Schnür-
senkel
pasaje [-xe] m Durchgang;
Überfahrt f, Passage f (a
Buch); **~ro** vorübergehend;
m Reisende(r); Passagier;
Am a (Hotel-)Gast
pasa|mano m Treppenge-
länder n; **~nte** m Praktikant; Assistent; **~palos** mpl
Ven kleine pikante Vorspeisen fpl; **~porte** m (Reise-)
Paß
pasar durchschreiten,

durchmachen; sieben;
übergeben; Schrift durch-
sehen; Zeit verbringen;
Prüfung bestehen; weiter-
gehen; vorüberfahren; vergehen (Zeit); abkommen
(Mode); s. ereignen; passen
(Spiel); **~lo bien** es s. gut
gehen lassen; **¡pase!** herein!; **~ por sabio** als weise
gelten; **~ de largo** weiter-
gehen; **~se** übergehen,
überlaufen; vorbeigehen;
lecken (Gefäß)
pasarela f Laufsteg m
pasatiempo m Zeitvertreib
Pascua f: **~ de Navidad**
Weihnacht(en n) fpl; **~ de
Resurrección** Ostern n; **~
del Espíritu Santo** Pfingsten n
pase m Passierschein; Frei-
karte f; **~arse** spazierenge-
hen; **~o** m Spaziergang;
Promenade f
pasillo [-ʎo] m Korridor;
Thea Posse f
pasión f Leidenschaft; Rel
Passion Christi
pasiv|idad f Untätigkeit; **~o**
passiv; m Gr Passiv n; Hdl
Passiva pl
pasmar lähmen; verblüf-
fen; **~se** starr sein; erstau-
nen
paso m Schritt; Gangart f;
Durchgang; Durchfahrt f;
~ a nivel Bahnübergang; **al**
(od **de**) **~** im Vorübergehen;
beiläufig; **de ~** auf der
Durchreise; **a cada ~** auf
Schritt und Tritt; **~ cebra**

pasota 166

~ de peatones Zebrastreifen, Fußgängerüberweg

pasota *su* Ausgeflippte(r), Aussteiger *m*

pasta *f* Teig *m*; Masse; (*Buch-*)Einband *m*; Nudeln *fpl*; F Geld *n*, Zaster *m*

pastel *m* Kuchen; Pastete *f*; Pastell(malerei *f*) *n*; **~ería** *f* Konditorei

pastilla [-ʎa] *f* Stück *n* (*Seife*); Tafel (*Schokolade*); *Med* Tablette

pasto *m* Weide *f*; Futter *n*; *Am* Gras *n*, Rasen; **~r** *m* Hirt, Schäfer; *evang.* Pfarrer

pata *f* Pfote; *meter la ~ fig* ins Fettnäpfchen treten; **~da** *f* Fußtapfe; **~lear**

patata *f* Kartoffel; **~s pl doradas** Bratkartoffeln; **~s fritas** Pommes *pl* frites; (Kartoffel-)Chips *mpl*

paté *m* (Leber-)Pastete *f*

patear trampeln; *Thea* ausbuhen

patente klar; *f* Patent *n*

pater|nal väterlich; **~nidad** *f* Vaterschaft; **~no** Vater...

patético pathetisch

patíbulo *m* Galgen

patilla [-ʎa] *f Col* Wassermelone; **~s pl** Backenbart *m*

patín *m* Schlittschuh; Kufe *f*; *Mar, Sp* Katamaran; **~ de ruedas** Rollschuh

patina|dor *m* Schlittschuh-, Rollschuh-läufer; **~r** Schlittschuh, Rollschuh laufen; *Kfz* schleudern; **~zo** [-θo] Rutschen *n*; *dar*

un ~zo ins Schleudern geraten

patio *m* (Innen-)Hof; *Thea* Parkett *n*

pato *m* Ente *f*; *PR* P warmer Bruder; *Col* Urinflasche *f* (*für Kranke*); **pagar el ~ es** ausbaden müssen

patológico [-x-] krankhaft, pathologisch

patraña [-ɲa] *f* grobe Lüge; Bluff *m*

patri|a *f* Vaterland *n*; Heimat; **~monial** Erb...; Vermögens...; **~monio** *m* Erbe *n*, Vermögen *n*; **~ota** *su* Patriot(in); **~otismo** *m* Vaterlandsliebe *f*; **~ótico** patriotisch

patrón *m* Schutzheilige(r); *Am* Chef, Arbeitgeber; Hauswirt; Schnittmuster *n*

patron|a *f* Schutzheilige; Chefin; Hauswirtin; **~o** *m* *Span* Arbeitgeber, Chef

patrulla [-ʎa] *f* Patrouille; **~r** durchstreifen

paulatino bedächtig, allmählich

pausa *f* Pause; **~do** ruhig; langsam

pava *f* Truthenne

pavimento *m* Bodenbelag; Estrich

pavo *m* Puter; **~ real** Pfau; **~nearse** einherstolzieren; **~r** *m* Schreck

payaso *m* Clown; **~és** *m* *Span* Bauer

paz [-θ] *f* Friede *m*; Ruhe

peaje [-xe] *m* Autobahngebühr *f*; **~tón** *m* Fußgänger

167

pelusa

peca f Sommersprosse
peca|do m Sünde f; **~dor** m Sünder; **~r** sündigen; **~rí** m Zo Pekari n
pecoso sommersprossig
peculiar eigen(tümlich)
pecuniario Geld...
pech|era [-tʃ-] f Hemdbrust; **~o** m Brust f; Busen; **~uga** f Bruststück n des Geflügels; Span P Titten fpl; Chi Mut m; Frechheit f
peda|gogía [-x-] f Pädagogik; Erziehung f; **~gógico** [-x-] pädagogisch
pedal m Pedal n; **~ de freno** (**de gas**) Brems- (Gas-)pedal n
pedante pedantisch; **~ría** f Schulmeisterei
pedazo [-θo] m Stück n
pedestal m Sockel
pedicura f Fußpflege, Pediküre
pedi|do m Hdl Auftrag, Bestellung f; RPl a Antrag; Forderung f; **~r** bitten; fordern; Hdl bestellen, anfordern
pedo m P Furz; **soltar ~s** furzen
pedrada f Steinwurf m
pedrea f Steinhagel m
pega|dizo [-θo-], **~joso** [-x-] klebrig; ansteckend; fig aufdringlich; **~r** (an)kleben; festmachen; prügeln; Krankheit übertragen; Schrei ausstoßen; Schuß abgeben; Feuer legen; **~rse** haften; anbren-

nen (Speisen)
peina|do m Frisur f; **~r** kämmen
peine m Kamm
pela|do kahl; F blank; m Col Kind n; **~dura** f Schälen n; **~duras** pl (Obst-)Schalen f pl; **~je** [-x-] m Fell n (Tier); **~r** enthaaren; (ab)schälen; rupfen; **~rse** haaren; Haare verlieren
peldaño [-ɲo] m Treppenstufe f
pelea f Streit m, Handgemenge n, Schlägerei; **~r** kämpfen; **~rse** s. balgen
peletería f Pelzgeschäft n; Pelzwaren fpl
película f Häutchen n; Film(streifen) m; **~ de corto** (**largo**) **metraje** Kurzfilm m (Spielfilm m); **~ policíaca** Kriminalfilm m
peligro m Gefahr f; **correr** (**el**) **~ de** Gefahr laufen zu; **~so** gefährlich
pelo m Haar n; Kopfhaar n; Flaum; **al ~** wie gerufen; **tomar el ~** verulken; **a medios ~s** beschwipst
pelota f Ball m; Pelota f (baskisches Ballspiel); **~s** pl P Hoden mpl; **en ~s** (splitter)nackt; **~ri** m Pelotaspieler
pelu|ca f Perücke; **~do** behaart
peluqu|ería [-k-] f Friseursalon m; **~ero** m Friseur; **~ín** m Toupet n, Haarteil n
pelusa f Flaum m; Fasern f pl

pellejo [-ˈλεχο] *m* Fell *n*; *Obst* Haut *f*; Weinschlauch; **jugarse el ~** Kopf und Kragen riskieren

pellizcar [-λiθ-] kneifen; zupfen

pena *f* Strafe; Mühe; Leid *n*; (**no**) **vale la ~** es lohnt s. (nicht); **¡qué ~!** wie schade!; **me da ~** es tut mir leid; *Col* es ist mir peinlich; **~cho** [-tʃo] *m* Feder-, Armbrust; **~l** *m* Strafanstalt *f*; **~lidad** *f* Strafbarkeit

pend|encia [-θ-] *f* Zank *m*; **~er** hängen; abhängen; **~iente 1.** hängend; unerledigt; **2.** *m* Ohrring; **3.** *f* Abhang *m*, Gefälle *n*

péndulo *m* Pendel *n*

pene *m Anat* Penis

penetra|ción [-θ-] *f* Eindringen *n*; *fig* Scharfsinn *m*; **~nte** durchdringend; schrill; **~r** durch-, eindringen; ergründen

penicilina [-θ-] *f* Penicillin *n*

península *f* Halbinsel *f*

penitencia [-θ-] *f* Buße

penoso schmerzlich

pensa|miento *m* Gedanke; Denken *n*; *Bot* Stiefmütterchen *n*; **~r** denken; gedenken (*et zu tun*); meinen; **~tivo** nachdenklich

pensión *f* Rente; Pension; **~ completa** Vollpension

Pentecostés *m* Pfingsten *f*

penúltimo vorletzt

penuria *f* Mangel *m*, Not

peña [-ɲa] *f* Fels *m*; Freundeskreis *m*

peñón [-ɲ-] *m* Felskuppe *f*; *Span* **El ♀** Gibraltar *n*

peón *m* (Hilfs-, Land-)Arbeiter; Kreisel (*Spielzeug*); *Schach* Bauer

peor schlechter, schlimmer

pepa *f Am* (Obst-)Kern *m*, Stein *m*

pepi|no *m* Gurke *f*; **me importa un ~no** F das ist mir piepegal; **~ta** *f* (Obst-)Kern *m*

peque|ñez [-keɲeθ] *f* Kleinheit; Lappalie; **~ño** [-keɲo] klein; gering

pera *f* Birne; Kinnbart *m*; **~l** *m* Birnbaum

perca *f* Barsch *m*

percep|ción [-θebθ-] *f* Wahrnehmung; **~tible** wahrnehmbar; vernehmlich

perci|bir [-θ-] wahrnehmen; bemerken; *Steuer* erheben; **~bo** *m* Einnahme *f*

percusión *f* Stoß *m*

percha [-tʃa] *f* Stange; Kleider-bügel *m*; -ständer *m*

perder verlieren; versäumen; **echar a ~** ruinieren; **~ de vista** aus den Augen verlieren; **~se** verlorengehen; zugrunde gehen; s. verirren

pérdida *f* Verlust *m*; Schaden *m*

perdi|do verloren; verirrt; liederlich; **~gones** *mpl* Schrot *m*

perdiz [-θ] *f* Rebhuhn *n*

perdón *m* Verzeihung *f*; Vergebung *f*, Gnade *f*; **pe-**

perpetuo

dir ~ um Verzeihung bitten
perdonar begnadigen; vergeben; verzeihen
perdurable dauerhaft
perece|dero [-θ-] vergänglich; **~r** vergehen; umkommen, sterben
peregri|nación [-θ-] f Wallfahrt; Pilgerfahrt; **~nar** pilgern; **~no** m Pilger
perejil [-x-] m Petersilie f
perezoso [-θ-] faul, träge; m Zo Faultier n
perfec|ción [-θ-] f Vollendung; Vollkommenheit; **~cionamiento** [-θ-] m Vervollkommnung f; **~cionar** [-θ-] vervollkommnen; **~tamente!** ausgezeichnet!; **~to** vollkommen; vorzüglich
perfidia f Treulosigkeit
pérfido treulos
perfil m Profil n; **~ar** umreißen, skizzieren
perforar durchbohren, durchlöchern, lochen
perfum|ador m (Duft-)Zerstäuber; **~ar** parfümieren; **~e** m Parfüm n; Duft; **~ería** f Parfümerie(waren f pl)
pergamino m Pergament n
pericia [-θ-] f Erfahrung; Sachkenntnis
perico m Col Kaffee mit etwas Milch
periferia f Umkreis m; Stadtrand m
perí|frasis f Umschreibung; **~metro** m Umfang
periódico periodisch; m

Zeitung f
periodis|mo m Zeitungswesen n; **~ta** su Journalist(in)
período m Periode f; Zeitraum
peripecias [-θ-] fpl Wechselfälle mpl
perito erfahren; m Sachverständige(r), Fachmann
perju|dicar [-x-] (be)schädigen; **~dicial** [-θ-] schädlich; **~icio** m Schaden; Nachteil; sin **~icio de** unbeschadet (gen)
perjurio [-x-] m Meineid
perla f Perle; de **~s** ausgezeichnet
permane|cer [-θ-] bleiben, verharren, fortdauern; **~ncia** [-θ-] f Fortdauer; Verweilen n; **~nte** bleibend; dauernd; f Dauerwelle
permeable durchlässig
permi|sible zulässig; **~so** m Erlaubnis f; Urlaub; **~so de conducir** Führerschein; **con ~so** mit Verlaub; **~tir** erlauben; zulassen; gestatten
permuta f Tausch m; **~r** vertauschen; umsetzen
pernicioso [-θ-] verderblich; Med bösartig
perno m Bolzen; Zapfen
pernoctar übernachten
pero aber, jedoch; **~grullada** f Binsen-wahrheit, -weisheit
perpendicular senkrecht
perpetrar Verbrechen begehen
perpetu|ar verewigen; **~o**

perplejo

ewig; ständig, fortdauernd
perplejo [-xo] verlegen; verwirrt
perr|a f Hündin; **~o** m Hund; **~o caliente** Hot dog
persecución [-θ-] f Verfolgung
persegu|idor(a f) [-gi-] m Verfolger(in); **~ir** verfolgen
persevera|ncia [-θ-] f Beharrlichkeit; **~nte** beharrlich, ausdauernd; **~r** beharren
persiana f Jalousie
persignarse s. bekreuzen
persist|encia [-θ-] f Andauern n; Ausdauer; **~ente** andauernd; **~ir** an-dauern, -halten; bestehen
persona f Person; **en ~** persönlich; **~je** [-xe] m (hohe) Persönlichkeit f; **~l** persönlich; m Personal n; **~lidad** f Persönlichkeit; **~lismo** m Personenkult; **~lizar** [-θ-] personifizieren; **~rse** persönlich erscheinen
personificar verkörpern
perspectiva f Perspektive; fig Aussicht
perspica|cia [-θ-] f Scharfblick m, -sinn m; **~z** [-θ] scharfsinnig
persua|dir überreden; überzeugen; **~sión** f Überredung; Überzeugung; **~siva** f Überredungsgabe; **~sivo** überzeugend; überredend
pertenec|er [-θ-] (an)gehören; **~iente** zugehörig
pértiga f Stange

pertinaz [-θ] hartnäckig
pertinen|cia [-θ-] f Sachgemäßheit; **~te** treffend; sachgemäß
pertre|char [-tʃ-] ausrüsten; herrichten; **~chos** [-tʃ-] mpl Geräte npl
perturba|ción [-θ-] f Störung; Unruhe; **~dor** m Unruhestifter; **~r** stören; beunruhigen
perver|sidad f Verderbtheit; **~sión** f Entartung; **~so** verderbt; pervers; **~tir** verderben; verdrehen
pesa f Gewicht(stück) n; **~cartas** m Briefwaage f; **~dez** [-θ] f Schwere; Plumpheit; **~dilla** f [-ʎa] f Alpdruck m; **~do** schwer; lästig; langweilig; schwül (Wetter); **~dumbre** f Kummer m
pésame m Beileidsbezeigung f, Beileid n
pesar wiegen; leid tun; m Kummer; Leid n; **a ~ de** trotz
pesca f Fischfang m; **~dería** f Fischhandlung; **~dero** m Fischhändler; **~do** m Fisch; **~dor** m Fischer; **~nte** m Kutschbock; **~r** fischen; fig f Krankheit erwischen; **~r (con caña)** angeln
pescuezo [-θo] m Genick n; Nacken
pesebre m Krippe f
peseta f Pesete (Münze)
pesimis|mo m Pessimismus; **~ta** su Pessimist(in)
pésimo sehr schlecht
peso m Gewicht n; Waage f;

fig Bürde *f*, Last *f*; *Am* Peso (*Münze*)

pesquisa [-k-] *f* Fahndung; Nachforschung

pesta|ña [-ɲa] *f* (Augen-)Wimper; **~ñear** [-ɲ-] blinzeln

peste *f* Pest; **echar ~s** (**contra**) schimpfen (auf)

pestillo [-ʎo] *m* Riegel

peta|ca *f* Zigarrentasche; Tabaksbeutel *m*; **~te** *m* *Süda* (Stroh-)Matte *f*

petici|ón [-θ-] *f* Bitte; Gesuch *n*; **~onario** *m* Bittsteller

petrificar versteinern

petróleo *m* Erdöl *n*

petulan|cia [-θ-] *f* Ungestüm *n*; Anmaßung; **~te** ungestüm; anmaßend

pez [-θ] 1. *m* Fisch; 2. *f* Pech *n*

piadoso fromm; barmherzig

pia|nista *su* Klavierspieler(in); **~no** *m* Piano *n*; **~no de cola** Flügel

pibe *m* *RPl* Junge

pica *f* Pike, Lanze; Spitzhacke; *Am* (Urwald-)Pfad *m*; **~da** *f* (Insekten-)Stich *m*; **~dero** *m* Reitbahn *f*; **~dillo** [-ʎo] *m* Hackfleisch *n*; **~dor** *m* Zureiter; berittener Stierkämpfer mit Pike; **~dura** *f* Insektenstich *m*; Schnittabak *m*

pica|flor *m* *Süda* Kolibri; **~nte** scharf, pikant (*a fig*); **~r** stechen; picken; kleinhacken; spornen; *fig* reizen; **~rse** *F* einschnappen; **~rdía** *f* Gerissenheit; Gaunerei

pícaro spitzbübisch; schlau; *m* Schelm; Schlingel; Gauner

pico *m* Schnabel; Spitze *f*; Berggipfel; Eispickel; Hakke *f*; Specht; *Chi Tab* Schwanz, Penis; **a las tres y ~** kurz nach drei (Uhr); **~tear** picken

pichón [-tʃ-] *m* junge Taube *f*; Jungvogel

pie *m* Fuß; Gestell *n*, Ständer; Untersatz; Versfuß *m*; **a ~ zu Fuß; de ~, en ~** stehend; aufrecht; **dar ~ a u/c** zu et Anlaß geben; **estar de ~** stehen; **ponerse de ~** aufstehen

piedad *f* Frömmigkeit; Mitleid *n*; **monte m de ~** Leihhaus *n*

piedra *f* Stein *m*; Hagel *m*; **~ preciosa** Edelstein *m*

piel *f* Haut; Leder *n*

pienso *m* Trockenfutter *n*

pierna *f* Bein *n*; *Gastr* Keule *f*

pieza [-θa] *f* Stück *n*; Teil *n*; Zimmer *n*; Geldstück *n*; *Spiel* Stein *m*, Figur; **~ de repuesto** *od* **recambio** Ersatzteil *n*

pija [-xa] *f* *Tab* Schwanz *m*, Penis *m*; **~da** *f* V Dummheit; **~ma** *m* Schlafanzug

pila *f* Wassertrog *m*; Taufbecken *n*; Stapel *m*; *Tech* Element *n*; Batterie; **~r** *m* Pfeiler

píldora *f* Pille; **~ (anticon-**

ceptiva) Antibabypille, Pille

pileta f RPl Schwimmbassin n

pilo|tar Kfz, Flgw lenken; **~to** m Pilot

pilla|da [-ʎ-] f Schurkenstreich m; **~je** [-xe] m Kriegsbeute f; Raub m; **~r** plündern; rauben; F wegnehmen

pillo [-ʎo] m Schurke; Spitzbube

pimen|tero m Pfefferstrauch; **~tón** m Paprika (Gewürz)

pimient|a f Pfeffer m; **~o** m Paprikaschote f

pincel [-θ-] m Pinsel

pinch|ar [-tʃ-] stechen; fig sticheln; **~azo** [-θo] m Kfz Reifenpanne f; **~o** m Stachel

pingüino m Pinguin

pino m Pinie f; Kiefer f

pinta f F Aussehen n; **~r** malen; anstreichen; fig schildern; **~rse** s. schminken

pint|or(a) m (f) Maler(in); **~oresco** malerisch; **~ura** f Malerei; Anstrich m; Gemälde n; (Mal-)Farbe f

pinzas [-θ-] fpl Pinzette f; Krebs Scheren

piñ|a [-ɲa] f Kiefern-, Pinien-zapfen m; **~a** (de América) Ananas; **~ón** m kleines Zahnrad n; Pinienkern

pío fromm

piojo [-xo] m Laus f

pipa f Tabakspfeife; **~s** pl Sonnenblumenkerne mpl; **fumar en ~** Pfeife rauchen

pipí m infant Pipi n

pique [-ke] m Groll; Mar **irse a ~** untergehen

pira|ta P abhauen; **~ta** m Seeräuber; Pirat; **~tería** f Seeräuberei f

piropo m Kompliment n

pirotécnico m Feuerwerker

pisa f Treten m; **~da** f Fußspur; **~papeles** m Briefbeschwerer; **~r** treten; feststampfen

piscina [-θ-] f Schwimmbecken n; **-bad** n; **~cubierta** Hallenbad n

pisco m Süda Tresterschnaps; Col Truthahn; Col F Kerl, Type f

piso m Boden; Stockwerk n, Etage f; Wohnung f

pista f Spur, Fährte; Rennbahn; Rollfeld n; Piste; (Tennis-)Platz m

pistol|a f Pistole; **~ero** m Bandit; Killer

pistón m Kfz Kolben

pita f Agave; **~r** pfeifen; f (gut) funktionieren

pitill|era [-ʎ-] f Zigarettenetui n; **~o** m Zigarette f

pito m (Triller-)Pfeife f; Span ∨ Schwanz, Penis

piyama m u f Am Schlafanzug m

pizarra [-θ-] f Schiefer m; Schreibtafel

pizza f Pizza

placa f Fot Platte; Schild n; Plakette f; Col, Ven Kfz

poder

polizeiliches Kennzeichen
n; **~r** m RPl Einbauschrank

placer [-θ-] m Vergnügen n

plaga f Plage; Landplage

plan m Plan, Entwurf

plana f Blattseite; Ebene

plancha [-t∫a] f Platte;
Blech n; Bügeleisen n; **tirarse una ~** s. blamieren;
~do m Bügeln n; **~r** bügeln,
plätten

planea|dor m Segelflugzeug
n; **~r** planen; Flgw (nieder-)
gleiten

plan|icie [-θ-] f Ebene; **~o**
eben; platt; m Fläche f;
Ebene f; (Bau-, Stadt-)Plan

planta f Pflanze; Fußsohle;
Stockwerk n; Fabrik;
~baja Erdgeschoß n; **~ción**
[-θ-] f Pflanzung, Plantage;
~r pflanzen; hinstellen

plantear entwerfen; Frage
usw aufwerfen

plantilla [-ʎa] f Einlege-
sohle; Schablone

plantón: dar un ~ a alg j-n
versetzen; j-m e-e Abfuhr
erteilen

plástico plastisch; m Kunst-
stoff; **de ~** Plastik...

plata f Silber n; Süda Geld
n; **~forma** f Plattform

plátano m Banane f; Platane
f

platea f Thea Parkett n; **~r**
versilbern

platicar bsd Am plaudern
(**sobre** über)

platillo [-ʎo] m Untertasse f;
~ volante, Am **~ volador**
fliegende Untertasse f

plato m Teller; Gericht n; **~
hondo** od **sopero** Suppen-
teller; **~ llano** flacher Teller

playa| f Strand m; Seebad n;
~a de estacionamiento
RPl, Chi, Pe Parkplatz m;
~eras fpl Strandschuhe m
pl

plaza [-θa] f Platz m; Markt
(-platz) m; **~ de toros** Stierkampfarena

plazo [-θo] m Frist f; Rate;
pagar a ~s auf Raten zahlen, abzahlen; **a largo ~**
langfristig

plega|ble biegsam; Falt...,
Klapp...; **~r** falzen; falten;
~rse nachgeben

pleito m Prozeß, Rechts-
streit

plenipotenciario [-θ-] m
Bevollmächtigte(r)

pleno voll

pliego m Bogen (Papier)

plom|ada f Lot n; **~ero** m
Am Klempner, Spengler;
~o m Blei n; **sin ~** bleifrei

pluma f Feder; **~zo** [-θo] m
Federstrich

plural m Mehrzahl f; **~lidad**
f Mehrheit

pobla|ción [-θ-] f Bevölke-
rung; Ortschaft; Stadt; **~
dor** m Ansiedler; **~r** bevöl-
kern; bepflanzen

pobre arm; armselig; su
Arme(r); **~za** [-θa] f Armut

poco wenig; gering; **~ a ~**
nach und nach; **a ~** kurz
darauf; **hace ~** vor kurzem;
por ~ fast, beinahe

poder können; dürfen; m

Phys Kraft *f*; Vermögen *n*, Fähigkeit *f*; Macht *f*; **no ~ menos de** nicht umhin können zu; **puede ser** vielleicht; **~oso** mächtig

podrido faul, verfault

poe|sía *f* Gedicht *n*; Poesie; **~ta** *m* Dichter

polaina *f* Gamasche

polea *f Tech* Rolle

poliban *f* Brausewanne *f*

policía *f* [-θ-] 1. *f* Polizei; 2. *m* Polizist; **~co** Kriminal...

poligamia *f* Polygamie

político politisch; *m* Politiker; **padre m ~** Schwiegervater

póliza *f* [-θa] *f* Police

poliz|ón *m* [-θ-] blinder Passagier; Schwarzfahrer; **~onte** *m* P Polyp, Bulle

polo *m* Pol; *Gastr* Eis *n* am Stiel

poltrona *f* Lehnstuhl *m*

polvera *f* Puderdose

polvo *m* Staub; **echar un ~** *Tab* vögeln; **~s** *pl* Puder *m*

pólvora *f* Schießpulver *n*

polvoriento staubig

poll|a [-áa] *f* junge Henne; *fig* Backfisch *m*; *Span Tab* Schwanz *m*, Penis *m*; *RPl*, *Chi* Lotterie; **~era** *f RPl*, *Chi* Rock *m*; **~o** *m* junges Huhn *n*; Hühnchen *n*

pomada *f* Pomade; Salbe

pomelo *m* Grapefruit *f*

pompa *f* Pracht

poncho *m* [-tʃo] *m Am* Poncho

ponderar abwägen; rühmen

poner stellen; setzen; legen;

Kleidung anziehen; *Tisch* decken; einschalten; **~ con** *alg Tel* mit j-n verbinden; **~se** untergehen (*Sonne usw*); werden; *Kleidung* anziehen; **~se a** + *inf* s. anschicken zu

poniente *m* Westen

pop|a *f* Heck *n*; **~ó** *m Col bsd infant* Kacke *f*

popular volkstümlich; **~idad** *f* Volkstümlichkeit; Popularität; **~izar** *f* [-θ-] allgemein verbreiten

por durch; (*beim Passiv*) durch, von; für; wegen, aus; **~ fin** endlich; **~ más que** so sehr auch; **~ (lo) tanto** deswegen; **~ donde** weswegen; **~ lo demás** übrigens; **~ consiguiente** folglich; **¿~ qué?** warum?

porcelana *f* [-θ-] *f* Porzellan *n*

porción [-θ-] *f* Portion, Menge

porche [-tʃe] *m* Arkaden *fpl*, Kolonnade *f*

pormenor *m* Einzelheit *f*

poroto *m RPl* Bohne *f*

por|que [-ke] weil; **~qué** [-ke] *m* Warum *n*, Grund

porquería [-k-] *f* Schweinerei; Plunder *m*, Mist *m*

porra *f* Knüppel *m*; **mandar a la ~** zum Teufel schicken; **a ~adas** in Unmengen; **~ón** *m* F Haschisch(zigarette *f*) *n*, Joint

porta|da *f* Portal *n*; Titelblatt *n*; **~dor** *m Hdl* Überbringer; Inhaber; **~l** *m* Portal *n*, Vorhalle *f*

porta|monedas _m_ Geld-
beutel; **~plumas** _m_ Feder-
halter

portarse bien (mal) s. gut
(schlecht) betragen

portátil tragbar; Hand...

porta|viones _m_ Flugzeug-
träger; **~voz** [-θ] _m_ Spre-
cher; _fig_ Sprachrohr

porte _m_ Porto _n_; **~ño** aus _m_
(Einwohner von) Buenos
Aires; **~ría** _f_ Pförtnerloge;
~ro _m_ Pförtner; Torwart;
~zuela [-θ-] _f_ Wagentür

pórtico _m_ Säulengang

porvenir _m_ Zukunft _f_

posa|da _f_ Gasthaus _n_; **~r**
Modell (_sitzen_ od stehen);
~rse s. setzen (_Vögel usw_);
aufsetzen (_Flugzeug_)

poseer besitzen; _Sprache_
beherrschen

posesi|ón _f_ Besitz _m_; Besit-
zung; **tomar ~ón, ~onarse
de** Besitz ergreifen von;
Amt übernehmen

posib|ilidad _f_ Möglichkeit;
~ilitar ermöglichen; **~le**
möglich

posición [-θ-] _f_ Stellung

positivo _m_ Fot Positiv _n_

postal: (tarjeta [-x-]) **~** _f_
Postkarte

poste _m_ Pfosten; Pfeiler

postergar zurücksetzen;
_Am_ verschieben, vertagen

posterior nachherig; spä-
ter; **~idad** _f_ Nachwelt; **con
~idad** nachträglich

pos(t)guerra [-ge-] _f_ Nach-
kriegszeit

postizo [-θo] falsch, künst-

lich; _m_ Haarteil _n_

postre _m_ Nachtisch

postura _f_ Haltung, Lage;
Stellung

potable trinkbar

potaje [-xe] _m_ Gemüse-sup-
pe _f_, -eintopf _m_

potencia [-θ-] _f_ Macht; _Tech_
Kraft, Leistung; Fähigkeit;
Biol Potenz

potr|ero _m_ _Am_ (Vieh-)Kop-
pel _f_; **~o** _m_ Fohlen _n_; _Sp_
Bock

pozo [-θo] _m_ Brunnen;
Schacht; _Vkw Arg_ Schlagloch _n_

práctica _f_ Übung; Praxis

practi|cable ausführbar; **~-
car** ausüben; _Sport_ treiben

práctico praktisch; _m_ Lotse

prad|era _f_, **~o** _m_ Wiese _f_

preaviso _m_ _Tel_ Voranmel-
dung _f_

precario unsicher; heikel

precaución [-θ-] _f_ Vorsicht

precede|ncia [-θedenθ-] _f_
Vorrang _m_; **~nte** vorhergehend; früher; _m_ Präzedenz-
fall; **~r** vorhergehen

precin|tar [-θ-] verplom-
ben; **~to** _m_ Zollverschluß

precio [-θ-] _m_ Preis; Wert;
~so kostbar

precipita|ción [-θipitaθ-] _f_
Überstürzung; Nieder-
schlag _m_; **~do** hastig; **~r**
hinabstürzen; übereilen;
~rse s. stürzen

preci|sar [-θ-] brauchen;
genau angeben; **~sión** _f_ Genauigkeit; **~so** nötig; genau

precoz [-θ] frühreif

precursor m Vorläufer, Pionier (fig)

predecir [-θ-] voraussagen

predic|ar predigen; **~ción** [-θ-] f Vorhersage

predilecto bevorzugt

predomin|ar vorherrschen; **~io** m Vorherrschaft f

prefacio [-θ-] m Vorwort n, Vorrede f

prefe|rencia [-θ-] f Vorzug m; Vorliebe; Thea Sperrsitz m; **~rencia de paso** Kfz Vorfahrt(srecht n) f; **~rente** bevorrechtet; **~rido** Lieblings...; **~rir** vorziehen

prefijo [-xo] m Tel Vorwahlnummer; Gr Vorsilbe f, Präfix n

pregunta f Frage; **~r** fragen

prejuicio [-xūi̯θ-] m Vorurteil n

prematuro frühreif

pre|miar belohnen; **~mio** m Preis; Prämie f; **~mio gordo** Hauptgewinn

prenda f Pfand n; Kleidungsstück n; (Geistes)-Gabe

prende|dor m Brosche f; **~r** ergreifen; verhaften; befestigen, anstecken; Feuer legen; Licht, Radio etc anschalten

prensa f Presse; Buchdruckerpresse; **~ diaria** Tagespresse; **~r** pressen

preocupa|ción [-θ-] f Sorge, Besorgnis; **~r** besorgt machen; **~rse por** s. sorgen um

prepara|ción [-θ-] f Vorbe-

reitung; **~do** m Präparat n; **~r** vorbereiten; **~tivos** mpl de viaje Reisevorbereitungen fpl

prepo|nderar überwiegen; vorherrschen; **~sición** [-θ-] f Gr Präposition

presa f Ergreifung; Beute, Fang m; Staudamm m

présbita weitsichtig

prescri|bir vorschreiben; **~pción** [-θ-] f Vorschrift; Med Verordnung

presencia [-θ-] f Gegenwart; Anwesenheit; **~r** beiwohnen (dat)

presen|tación [-θ-] f Vorstellung; Vorlegung; Einreichen n; **~tar** vorstellen; vorzeigen; einreichen; **~tarse** s. vorstellen; auftreten; **~te** gegenwärtig, jetzig; m Gegenwart f; **~tir** ahnen

preserva|r bewahren, schützen; **~tivo** schützend; m Schutz; Präservativ n

presiden|cia [-θ-] f Vorsitz m; **~te** m Präsident

presidio m Zuchthaus n

presidir den Vorsitz führen von; vorstehen

presión f Druck m; **~onar sobre** Druck ausüben auf

preso m Gefangene(r)

préstamo m Darlehen n

prestar leihen; **~ oídos** Gehör schenken; **~ juramento** e-n Eid leisten

prestigio [-x-] m Ansehen n, Ruf; **~so** angesehen

presumi|do eingebildet; **~r**

vermuten, annehmen; angeben (fig)

presupuesto m Voranschlag; Haushalt, Budget m

preten|cioso [-θ-] anmaßend; **~der** beanspruchen; vorgeben; **~diente** m (Thron-)Anwärter; Bewerber; Verehrer; **~sión** f Anspruch m

pretexto m Vorwand

prevalecer [-θ-] überwiegen

preve|nción [-θ-] f Vorkehrung; Vorbeugung; Verhütung; Polizeigewahrsam m; **~nir** vorbereiten, vorbeugen; benachrichtigen, warnen; **~ntivo** vorbeugend; **~r** voraussehen

previo vorhergehend

prieto fest; Am dunkel

prima f Kusine; Hdl Prämie; **~vera** f Frühling m; Primel

primer [o), **~a** erste(r, -s); adv **~o** zuerst

primitivo ursprünglich; primitiv

primo erste(r); m Vetter; **~génito** [-x-] m Erstgeborene(r)

primus m RPl, Chi, Pe Spirituskocher

principal [-θ-] hauptsächlich; m erster Stock

príncipe [-θ-] m Fürst

princi|piante [-θ-] m Anfänger; **~piar** anfangen; **~pio** m Anfang; Grundsatz; a **~pios de** abril Anfang...

prioridad f Vorrang m; Kfz Vorfahrt

prisa f Eile; **de ~** eilig; **no corre ~** das ist nicht eilig; **darse ~** s. beeilen

prisi|ón f Gefängnis n; Haft; **~onero** m Gefangene(r)

prism|a m Prisma n; **~áticos** mpl Feldstecher m

privar entziehen; aberkennen; berauben; **~se** Am Reg ohnmächtig werden; **~se de** s. et versagen

privile|giar [-x-] bevorzugen; privilegieren; **~gio** [-x-] m Vorrecht n

proa f Mar Bug m

proba|bilidad f Wahrscheinlichkeit; **~ble** wahrscheinlich; **~r** erproben; prüfen; Speisen kosten; probieren; beweisen

problema m Problem n; Math Aufgabe f

proce|dencia [-θedenθ-] f Herkunft; Ursprung m; **~dente** herstammend; **~der** stammen; herrühren; verfahren; **~der a** übergehen zu, schreiten zu; **~dimiento** m Verfahren n (a jur); Vorgehen n

proce|samiento [-θ-] m de datos Datenverarbeitung f; **~sar** gerichtlich verfolgen; **~so** m Prozeß

proclama f Bekanntmachung; **~ción** [-θ-] f Verkündigung; **~r** ausrufen; verkündigen

procura|ción [-θ-] f Prokura; **~dor** m Bevollmächtigte(r); Anwalt; **~r** besorgen

prodigar

verschaffen; versuchen zu
prodigar verschwenden
prodigio [-x-] *m* Wunder *n*
produ|cción [-θ-] *f* Produktion, Erzeugung; **~cir** [-θ-] erzeugen; hervorbringen; **~ctivo** ergiebig; **~cto** *m* Erzeugnis *n*; **~ctor** erzeugend; *m* Erzeuger; Hersteller
profanar entweihen
profe|sar Beruf ausüben; bekunden; **~sión** *f* Beruf *m*; Bekenntnis *n*; **~sional** berufsmäßig; **~sor(a** *f)* *m* Lehrer(in); Dozent(in)
profun|didad *f* Tiefe; **~do** tief
programa *m* Programm *n*; Spielplan, Sendeplan; **~r** programmieren
progre|sar fortschreiten; **~sivo** progressiv; **~so** *m* Fortschritt
prohibi|ción [-θ-] *f* Verbot *n*; **~do** verboten; **~r** verbieten; **~tivo** prohibitiv
prohijar [-x-] adoptieren
prolijo [-xo] weitschweifig
prolongar verlängern
promedio *m* Durchschnitt, Mittelwert
prome|sa *f* Versprechen *n*; **~ter** versprechen; *Rel* geloben; **~tida** *f* Braut; **~tido** *m* Bräutigam; *adj* verlobt
prominente hervorragend
promoción [-θ-] *f* Förderung; Beförderung; Abgangsklasse
promontorio *m* Vorgebirge *n*

promover fördern
promulgar verkünden, bekanntgeben
pronóstico *m* Prognose *f*; **~ de tiempo** Wettervorhersage *f*
pronto schnell; **de ~** plötzlich; bald; **lo más ~ posible** möglichst bald
pronuncia|miento [-θ-] *m* Militärputsch; **~r** aussprechen; *Rede* halten
propaga|ción [-θ-] *f* Verbreitung; Fortpflanzung; **~nda** *f* Propaganda; Werbung; **~r** fortpflanzen; verbreiten
propenso geneigt, bereit (**a** zu)
propicio [-θ-] günstig
propie|dad *f* Eigentum *n*; **~tario** *m* Eigentümer; (Haus-)Besitzer
propina *f* Trinkgeld *n*
propio eigen; selbst; **~ para** geeignet zu
proponer vorschlagen; **~se** s. vornehmen
propor|ción [-θ-] *f* Verhältnis *n*; **~cional** [-θ-] verhältnismäßig; **~cionar** [-θ-] anpassen; ver-, be-schaffen
proposición [-θ-] *f* Vorschlag *m*
propósito *m* Absicht *f*; **a ~** gelegen; vorsätzlich
propuesta *f* Vorschlag *m*
propulsor *m* Propeller
prórroga *f zeitl.* Verlängerung; Aufschub *m*
prorrogar verlängern
proseguir [-gir] *Absicht* ver-

179 **puesto**

folgen; fortfahren
prospe|rar gedeihen; **~ri|dad** f Gedeihen n; Wohlstand m
próspero blühend
prostitu|ción [-θ-] f Prostitution; **~ta** f Prostituierte
protagonista su Hauptdarsteller(in)
prote|cción [-θ-] f Schutz m; Protektion; **~ger** [-x-] beschützen; begünstigen
prótesis f Prothese
protes|ta f Einspruch m; Protest m; **~tar** protestieren; **~to** m Hdl Wechselprotest
protocolo m Protokoll n
provecho [-tʃo] m Vorteil, Nutzen; **¡buen ~!** guten Appetit!; **~so** nützlich
provee|dor m Lieferant; **~r** versehen (**de** mit)
provincia [-θ-] f Provinz; **~l** provinziell
provis|ión f Vorrat m; Maßregel; *Scheck* Deckung; **~ional**, Am a **~orio** vorläufig
provoca|r herausfordern; reizen; **¿qué le ~ tomar?** *Col* was möchten Sie trinken?; **~tivo** provozierend
proxeneta m Zuhälter
proximidad f Nähe
próximo nahe; nächste(r)
proyec|ción [-θ-] f Projektion; **~tar** projizieren; *Film* vorführen; planen; *tb* m Geschoß n; **~to** m Entwurf; Plan, Vorhaben n; **~tor** m Projektor

pruden|cia [-θ-] f Klugheit; **~te** klug; vorsichtig
prueba f Beweis m; Probe; **a ~ de agua** wasserdicht; **poner a ~** auf die Probe stellen
púa f Stachel m
publi|cación [-θ-] f Bekanntmachung; Herausgabe, Publikation; **~car** bekanntmachen; herausgeben; **~cidad** f Öffentlichkeit; Reklame, Werbung
público öffentlich; Staats...; m Publikum n
puch|ero [-tʃ-] m Kochtopf; Eintopfgericht n; **~o** m *Súda* Zigarettenstummel
pudín m Pudding
pudor m Scham(haftigkeit) f
pudrirse (ver)faulen
pueblo m Volk n; Ortschaft f; Dorf n
puente f Brücke f; *Mar* Deck n; *Mus* Steg; verlängertes Wochenende n
puerco m Schwein m
pueril Kindes...; kindisch
puerro m Lauch, Porree
puert|a f Pforte; Tür; Tor n; **a ~ cerrada** unter Ausschluß der Öffentlichkeit; **~o** m Hafen; Gebirgspaß
pues da; denn; also; **~ bien!** nun denn!
puest|a f Einsatz m (*Spiel*); *Gestirne* Untergang m; **~o** gesetzt usw; angezogen, gekleidet; m Stelle f; Posten; Stand, Platz; **~o de socorro** Unfallstation f; **~o que** da (ja)

pujar 180

pujar [-x-] erzwingen (wollen); überbieten

pulcro sauber, tadellos

pulga f Floh m; **tener malas ~s** e-n schlechten Charakter haben; **~da** f Zoll m (Maß); **~r** m: (**dedo**) **~r** m Daumen

puli|do poliert, blank; nett, hübsch; **~mento** m Politur f; **~r** polieren; fig verfeinern

pul|món m Lunge f; **~monía** f Lungenentzündung

pulóver m Am Pullover

pulpa f Fruchtfleisch n; Mark n; Gastr Am Fleisch n ohne Knochen

púlpito m Kanzel f

pulsera f Armband n

pulso m Puls(schlag)

pulveriza|dor [-θ-] m Zerstäuber; **~r** pulverisieren; zerstäuben

puma m Puma, Silberlöwe

puna f Süda Hochplateau n; Höhenkrankheit

punible strafbar

punta f Spitze; Landzunge; **~da** f Stich m (Naht); **~pié** m Fußtritt

puntilla [-ía] f Stk Genickstoß m; Nagel m; **de ~s** auf Zehenspitzen

punto m Punkt; Zeitpunkt;

Stelle f; **~ de vista** Gesichtspunkt; **dos ~s** Doppelpunkt m; **estar a ~** fertig, Gastr gar sein; **hasta cierto ~** in gewissem Maße

puntual pünktlich; richtig; **~idad** f Pünktlichkeit

punzón [-θ-] m Stecheisen n

puñal [-ɲ-] m Dolch; **~ada** f Dolchstich m

puñeta [-ɲ-] f P Sauerei, Gemeinheit; Tab Wichsen n; **~zo** [-θo] m Faustschlag

puño [-ɲo] m Faust f; Griff; Manschette f

pupa f infant Wehweh n

pupila f Pupille

pupitre m Pult n

puré m Püree n, Brei

pureza [-θa] f Reinheit

purga|nte m Abführmittel n; **~r** abführen; **~torio** m Fegefeuer n

purificar reinigen

puro rein; m Zigarre f

pus m, Col f Eiter m

pústula f Pustel

put|a f P Nutte; **~ada** f P Gemeinheit; **~ero** m P Hurenbock

putrefac|ción [-θ-] f Verwesung, Fäulnis; **~to** verwest

puya f Stk Lanzenspitze; **~zo** [-θo] m Lanzenstich

Q

que [ke] 1. pron welche(r, -s); der, die, das; **el ~, la ~, lo ~** wer, derjenige welcher (usw); 2. cj daß, damit;

denn; 3. beim Komparativ: als; wie (nach so, solch)

qué [ke]: **¿~?** welche(r, -s)?, was?; **¡~!** welch!, was für

181

racimo

ein!; *mit adj*: wie!; **¿para
~?** wozu?; **¿por ~?** warum?
quebra|da [k-] *f Am* Bach
m; **~dizo** [-θo] zerbrechlich; **~do** holperig; bankrott; **~r** (zer)brechen;
Bankrott machen
quedar [k-] bleiben; übrigbleiben; *mit adj*: werden,
sein; **~en** übereinkommen;
~se bleiben, verweilen; **~se
con** *et* behalten, nehmen
quehacer [keaθ-] *m* Arbeit *f*;
Aufgabe *f*; **~es** *pl* Beschäftigung *f*
queja [kexa] *f* Klage; Be-
schwerde; **~rse** s. beklagen;
jammern
quema [k-] *f* Verbrennung,
Brand *m*; **~dura** *f* Brandwunde; **~dura de sol** Son-
nenbrand *m*; **~r** (ver)bren-
nen; versengen
quena [k-] *f Mus* Kena
(*andinische Flöte*)
que|rer [k-] wollen; lieben;
~rido geliebt; *m*, **~rida** *f*
Geliebte(r)
queso [k-] *m* Käse
quicio [kiθ-] *m* Tür-, Fen-
ster-angel *f*; **sacar de ~** aus
dem Häuschen bringen
quiebra [k-] *f* Bankrott *m*
quien [k-] wer; welche(r,

-s); hay quien ... manch
einer, einige ...; **¿quién?**
wer?; **~quiera** [kjenk-] ir-
gendwer; wer auch immer
quiet|o [k-] ruhig; **~ud** *f*
Ruhe
quilla [kiʎa] *f Mar* Kiel *m*
quími|ca [k-] *f* Chemie; **~co**
chemisch; *m* Chemiker
quinielas [k-] *fpl* Toto *n*
quinina [k-] *f* Chinin *n*
quin|qué [kinke] *m* Petro-
leumlampe *f*; **~qui** [-ki] *m* F
Gauner, Ganove
quint|al [k-] *f* Landhaus *n*; **~l**
m Span Zentner; **~ero** *m*
Gutspächter
quiosco [k-] *m* Zeitungs-
stand, Kiosk
quirófano [k-] *m* Opera-
tionssaal
quirúrgico [kirurx-] chirur-
gisch
quita|esmalte [k-] *m* Nagel-
lackentferner; **~manchas**
[-tʃ-] *m* Fleckenwasser *n*;
~nieves *m* Schneepflug; **~r**
wegnehmen; entfernen;
verhindern; **~rse** *Kleidung*
ablegen, ausziehen; s. zurückziehen; **~sol** *m* Sonnenschirm
quizá(s) [kiθ-] vielleicht

R

rabi|a *f* Wut; Tollwut; **dar
~a a** *j-n* wütend machen;
~ar wüten(d sein); **~oso**
tollwütig; wütend
rabani|llo [-ʎo], **~to** *m* Ra-

dieschen *n*
rábano [-θ-] *m* Rettich; **~ picante** Meerrettich
rabo *m* Schwanz
racimo [-θ-] *m* Traube *f*;

Büschel n

ración [-θ-] f Portion; Ration

racional [-θ-] rational; rationell; **~lizar** [-θ-] rationalisieren; **~r** rationieren

racha [-tʃa] f Windstoß m; (Glücks-, Pech-)Strähne

rada f Mar Reede; **~r** m Radar n

radia|ción [-θ-] f Strahlung; **~ctividad** f Radioaktivität; **~ctivo** radioaktiv; **~dor** m Heizkörper; Kfz Kühler; **~r** strahlen; Rf funken; senden

radical gründlich; Pol radikal; m Gr (Wort-)Stamm

radio m Radius; Radium n; f Radio n; **~aficionado** [-θ-] m Amateurfunker; **~grafía** f Röntgenbild n; **~grafiar** röntgen; funken; **~grama** m Funkspruch; **~rreceptor** [-θ-] m Funkempfänger; **~scopia** f Med Durchleuchtung; **~telefonía** f Sprechfunk m; **~terapia** f Strahlenbehandlung; **~transmisor** m Sender; **~yente** su Rundfunkhörer(in)

raer (ab)schaben

ráfaga f Windstoß m; Mil Feuerstoß m

raído abgewetzt (Stoff)

raigón m Zahnwurzel f

rail m Eisenbahnschiene f

raíz [-θ] f Wurzel; Ursprung m; **a** (**de de**) ~ von Grund aus; **a ~ de** dicht bei; aufgrund von

raja [-xa] f Splitter m; Riß

m; Spalte; Scheibe (Brot usw); **~r** spalten; **~rse** F kneifen; Col durchfallen (Prüfung); RPl abhauen

rall|ar [-ʎ-] raspeln; zerreiben; **~o** m Raspel f; Reibe f

rama f Ast m; en ~ roh; **~l** m Strang; Abzweigung f; Esb Seitenlinie f

ramera f Dirne

ram|ificarse s. verzweigen; **~o** m Zweig; Branche f; **~ (de flores)** Blumenstrauß m

rampa f Rampe

rana f Frosch m; **salir ~** f mißraten

rancio [-θ-] ranzig; (ur)alt

ranch|ero [-tʃ-] m Süda Kleinbauer; **~o** m Mil Kost f; Ranch f; Süda Hütte f

ranura f Nute; Schlitz m

rapa|cidad [-θ-] f Raubgier; **~z** [-θ] raubgierig; m Bengel; **ave** f -z Raubvogel m

rape m Seeteufel (Fisch); **~** m Schnupftabak

rapidez [-θ] f Schnelligkeit

rápido schnell; reißend; m Esb Eilzug; Stromschnelle f

rapiña [-ɲa] f Raub m

rapt|ar entführen; **~o** m Raub, Entführung f

raqueta [-k-] f Rakett n, (Tennis- usw)Schläger m

rar|eza [-θa] f Seltenheit; Seltsamkeit; **~o** selten; seltsam

ras: a ~ de dicht über

rasca|cielos [-θ-] m Wolkenkratzer; **~r** kratzen

rasg|ar zerreißen; schlitzen; **~o** m Strich; Federzug;

(Charakter-)Zug

rasguñ|ar [-ɲ-] kratzen; **~o** m Kratzer

raso flach; glatt; wolkenlos

raspa|do m *Med* Auskratzung f; **~r** abschaben; raspeln; radieren

rastrear nachspüren

rastrill|ar harken; eggen; **~o** m Rechen

rastro m Rechen; Harke f; Spur f; ♀ Trödel-, Flohmarkt

rata f Ratte

rater|ía f kleiner Diebstahl m; **~o** m Taschendieb

raticida [-θ-] m Rattengift n

ratificar ratifizieren

rato m Weile f; Augenblick; **~s** pl **libres** Freizeit f; **pasar el ~** s. die Zeit vertreiben; **al poco ~** gleich darauf

ratón m Maus f

ratonera f Mausefalle

raya f Strich m; Streifen m; Scheitel m; Grenze; *Zo* Rochen m; **~do** gestreift; **~r** ausstreichen; liniieren

rayo m Strahl; Blitz; Speiche f; **~s X** Röntgenstrahlen

raza [-θa] f Rasse

razón [-θ-] f Vernunft; Grund m; Recht n; **por esta ~** aus diesem Grund; **perder la ~** den Verstand verlieren; **(no) tener ~** (un)recht haben

razona|ble [-θ-] vernünftig; angemessen; **~r** vernünftig urteilen; diskutieren

reacci|ón [-θ-] f Gegenwir-

kung; Reaktion; **~onario** reaktionär

reactor m Reaktor

real tatsächlich; wirklich; königlich

reali|dad f Wirklichkeit; **en ~dad** eigentlich; **~zador** [-θ-] m Film, TV Regisseur; **~zar** [-θ-] verwirklichen; aus-, durchführen; **AM** (billig) wahrnehmen

rean|imar wiederbeleben; **~udar** wiederaufnehmen

rebaja [-xa] f Rabatt m; Abzug m; **~r** herabsetzen; glätten

reba|nada f Brotschnitte; **~ño** [-ɲo] m Herde f; **~tible** widerlegbar

rebeca f (Damen-)Strickjacke

rebel|arse s. empören; **~de** rebellisch; m Rebell; **~ión** f Aufstand m

rebo|rde m vorspringender Rand; **~sar** überlaufen; **~sar de salud** vor Gesundheit strotzen; **~tar** zurückschlagen; v/i abprallen; **~te** m Rückprall; **~zar** [-θ-] *Gastr* panieren

rebusca f Nachlese; **~do** gesucht (*Stil*); **~r** Nachlese halten; nachspüren

recado m Nachricht f; Besorgung f

reca|er fallen (en auf) (*Verdacht*); e-n Rückfall erleiden; **~ída** f Rückfall m

recalentar erhitzen; *Tech* überhitzen; *Speisen* aufwärmen

recámara

recámara f Méj Schlafzimmer n

recambi|ar wieder umtauschen; auswechseln; **~o** m Umtausch; Ersatzteil n; **de ~o** Ersatz...

recapitular rekapitulieren

recar|gar überladen; überlasten; **~go** m Zuschlag

recauchutaje [-tʃutaxe] m Vulkanisieren n (Reifen)

recauda|ción [-θ-] f Erhebung (von Steuern); **~dor** m Steuereinnehmer; **~r** Steuern erheben

rece|lar [-θ-] argwöhnen; **~larse** befürchten; **~lo** m Argwohn; **~loso** argwöhnisch; besorgt

recep|ción [-θeθθ-] f Empfang m; Aufnahme; **~tor** m Empfänger (a Rf); Tel Hörer

receta f Rezept n; **~r** Medikament verschreiben

recib|ir [-θ-] erhalten, bekommen; empfangen; **~o** m Empfang; Empfangsbescheinigung f; Quittung f

reci|én [-θ-] frisch(...), neu; Am a kürzlich; soeben; bald; **~én nacido** neugeboren; **~ente** jüngst, kürzlich; neu

reci|nto [-θ-] m Bereich, Umkreis; **~piente** m Gefäß n; Behälter

recíproco [-θ-] gegenseitig

recita|l [-θ-] m Gesangs-, Klavier-abend; **~r** vortragen

reclam|ación [-θ-] f Einspruch m; Reklamation; Forderung; **~ar** zurückfordern; reklamieren; **~o** m Lockruf; Am Beschwerde f

recluta m Rekrut

reco|brar wiedererlangen; **~do** m Biegung f; **~gedor** [-x-] m Kehr(icht)schaufel f; **~ger** [-x-] wiedernehmen; aufheben; aufnehmen; sammeln; **~gerse** s. zurückziehen; s. zur Ruhe begeben; **~gida** [-x-] f Sammeln n, Abholen n; Leerung (Post); **~gida de basura(s)** Müllabfuhr

recolec|ción [-θ-] f Ernte; **~tar** ernten

recomen|dable empfehlenswert; **~dación** [-θ-] f Empfehlung; **~dar** empfehlen, raten; Col Brief einschreiben (lassen)

recompensa f Belohnung; **~r** ersetzen; belohnen

reconcilia|ción [-θiliaθ-] f Versöhnung; **~r(se)** (s.) versöhnen

recono|cer [-θ-] wiedererkennen; erkunden; anerkennen; **~cido** [-θ-] anerkannt; geprüft; dankbar; **~cimiento** m Erkennung f; Med Untersuchung f; Dankbarkeit f, Anerkennung f

recon|quista [-k-] f Wiedereroberung; **~stituir** wiederherstellen; **~tar** (nach-)zählen

récord m Rekord; **batir un ~** e-n Rekord brechen

recordar in Erinnerung bringen; s. erinnern an

recorr|er durchlaufen; bereisen; *Strecke* zurücklegen; *Buch* überfliegen; **~ido** *m* zurückgelegte Strecke *f*

recort|ar be-, ab-, ausschneiden; **~arse** s. abzeichnen; **~e** *m* Ausschnitt; Papierschnitzel *m*

recrea|ción [-θ-] Entspannung, Zeitvertreib *m*; **~r** ergötzen, erquicken; **~rse** s. erholen, entspannen; **~tivo** belustigend

recreo *m* Erholung *f*; (Schul-)Pause *f*

rect|ángulo *m* Rechteck *n*; **~ificar** berichtigen; verbessern; **~o** gerade; redlich; *m Anat* Mastdarm

recuerdo *m* Erinnerung *f*, Andenken *n*; Souvenir *n*; **~s** *pl* Grüße *mpl*

recular zurück-weichen, -prallen

recuperar wiedererlangen; **~se** s. erholen; genesen

recurrir a s. wenden an

recurs|ivo *Arm* erfinderisch, einfallsreich; **~o** *m* Zuflucht *f*; Ausweg; **~os** *pl* Geldmittel *npl*; Hilfsquellen *fpl*

rechaz|ar [-tʃaθ-] zurückweisen; ablehnen; **~o** *m* Rückprall, Rückstoß

rechupete [-tʃ-]: **de ~** F super, toll

rechiflar [-tʃ-] auspfeifen

red *f* Netz *n*; *fig* Schlinge; **~ de carreteras** (ferrovia-

ria) Straßen- (Eisenbahn-) netz *n*

redac|ción [-θ-] *f* Abfassung; Schriftleitung; **~tar** abfassen; **~tor** *m* Redakteur

redecilla [-θiλa] *f* Haarnetz *n*; Gepäcknetz *n*

red|ención [-θ-] *f* Erlösung; **~imir** los-, erlösen; erlösen

rédito *m* Rendite *f*

redobl|ado (ver)doppelt; **~ar** verdoppeln; **~e** *m* Verdoppelung *f*; Trommelwirbel

redond|a *f* Umkreis *m*; **a la ~a** ringsherum; **~ear** ab-, auf-runden; **~o** rund

redu|cción [-θ-] *f* Verminderung, Herabsetzung; **~cir** [-θ-] zurückführen; vermindern; reduzieren; **~cirse** zurückgehen

reeducar umschulen

reel|ección [-θ-] *f* Wiederwahl; **~egir** [-x-] wiederwählen

reexpedir nachsenden

refaccionar [-θ-] *Am* reparieren, überholen, renovieren

refer|encia [-θ-] *f* Bericht *m*; Bezug *m*; *Hdl* Auskunft; Referenz; **~te** bezüglich

referir berichten; **~se** a s. beziehen auf

refina|ción [-θ-] *f*, **~miento** *m* Verfeinerung *f*; **~r** verfeinern

refinería *f* Raffinerie

refle|jar [-x-] zurückstrahlen, spiegeln; **~jarse** s. widerspiegeln; **~jo** [-xo] über-

reflexión   186

legt; *m* Widerschein; Reflex; **~xión** *f* Spiegelung; Überlegung; **~xionar** überlegen; nachdenken; **~xivo** nachdenklich; *Gr* reflexiv

reflujo [-xo] *m* Rückfluß; Ebbe *f*

reforma *f* Reform; *Rel* Reformation; **~s** *pl* Umbau *m*, Renovierung *f*; **~r** umgestalten; erneuern

reforzar [-θ-] verstärken

refrac|ción [-θ-] *f* Strahlenbrechung; **~tario** widerspenstig; feuerfest

refrán *m* Sprichwort *n*

refregar (ab)reiben

refrendar gegenzeichnen

refres|car erfrischen; (s.) abkühlen; **~co** *m* Erfrischung *f* (*Getränk*, *Imbiß*)

refrigera|ción [-xeraθ-] *f* Kühlung; **~dor** *m* Kühlschrank; **~r** abkühlen

refrigerio [-x-] *m* Imbiß

refuerzo [-θ-] *m* Verstärkung *f*

refugi|ado [-x-] *m* Flüchtling; **~arse** (s.) flüchten; **~o** *m* Zuflucht *f*; Zufluchtsort; Schutzhütte *f*

refundir um-, ein-schmelzen; *Lit*, *Thea* umarbeiten; *Am Reg* verlegen

refutar widerlegen

rega|dera *f* Gießkanne; **~dío** *m* Bewässerung *f*

regalar schenken; bewirten

regal|iz [-θ] *m* Süßholz *n*, Lakritze *f*; **~o** *m* Geschenk *n*

regar (be)wässern; spren-

gen, gießen

regat|a *f* Regatta; **~ear** feilschen; **~eo** *m* Feilschen *n*

regenerar [-x-] regenerieren

régimen [-x-] *m* Regime *n*; System *n*; Diät *f*

regio [-x-] königlich; *Am* F prima, dufte

regi|ón [-x-] *f* Gegend, Landstrich *m*; Gebiet *n*; **~onal** landschaftlich

regir [-x-] regieren; leiten

regis|trar [-x-] verzeichnen; registrieren; *Am Reg Brief* einschreiben (lassen); **~tro** *m* Verzeichnis *n*; Register *n*; *TV*, *Rf* Aufnahme *f*; **~tro civil** Personenstandsregister *n*; Standesamt *n*

regla *f* Regel (*a Med*); Lineal *n*

reglamen|tar regeln; **~to** *m* Vorschrift *f*; **~to de tráfico** Verkehrsordnung *f*

regre|sar zurückkehren; **~so** *m* Rückkehr *f*

regula|ción [-θ-] *f* Regulierung; **~r** *v/t* regeln; regulieren, einstellen; *adj* regelmäßig; gesetzlich; **~ridad** *f* Regelmäßigkeit

rehabilitar rehabilitieren

rehacer [-θ-] noch einmal tun; wieder zs-setzen; **~se** s. erholen

rehusar verweigern; ablehnen

reimpresión *f* Nachdruck *m*

reina *f* Königin; **~do** *m* Regierung(szeit) *f*; **~nte** regierend; herrschend; **~r** herrschen

reinci|dente [-θ-] *jur* rückfällig; **~dir** rückfällig werden

reino *m* Königreich *n*

reinte|grar wiedereinsetzen; *Verlust* ersetzen; **~gro** *m* Ersatz; Wiedereinsetzung *f*

reír lachen; **~se de** s. lustig machen über

reiterar wiederholen

reja [-xa] *f* (Fenster-)Gitter *n*; **~illa** [-xiλa] *f* Gitter *n*; *Esb* Gepäcknetz *n*; **~ón** *m* *Stk* Spieß; **~oneador** *m* Stierkämpfer zu Pferd

rejuvenecer [-xubeneθ-] verjüngen

relación [-θ-] *f* Beziehung; Verhältnis *n*; Bericht *m*

relaj|ación [-xaθ-] *f* *Med* Erschlaffung; **~ado** schlaff, erschlafft; liederlich; **~ar** lockern; **~arse** locker werden; erschlaffen; s. erholen; **~o** *m Am* F Durchea *n*, Saustall

relámpago *m* Blitz

relampaguear [-ge-] blitzen

rela|tar erzählen, berichten; **~tivo** bezüglich; relativ; **~to** *m* Bericht; **~tor** *m Am* Berichterstatter

rele|gar verweisen; verbannen; **~var** entheben; erleichtern; *Mil* ablösen; **~vo** *m* Ablösung *f*; *Sp* Staffel *f*; *Sp* **de ~vo** Ersatz...

relieve *m* Relief *n*; **poner de**

~ hervorheben

religi|ón [-x-] *f* Religion; **~osidad** *f* Frömmigkeit; **~oso** fromm; religiös; *m* Mönch

relinchar [-tʃ-] wiehern

reloj [-x] *m* Uhr *f*; **~ de bolsillo** (**de pared, de pulsera**) Taschen- (Wand-, Armband-)uhr *f*; **~ registrador** Stech-, Stempeluhr *f*; **~ería** *f* Uhrengeschäft *n*; **~ero** *m* Uhrmacher

relucir [-θ-] glänzen, strahlen

rellen|ar [-λ-] füllen; *Formular* ausfüllen; polstern; **~o** voll; gefüllt

remachar [-tʃ-] nieten

remanente *m* Überrest

remar rudern

remat|ar vollenden; abschließen; *bsd Am* versteigern; **~e** *m* Abschluß; Zuschlag; *bsd Am* Versteigerung *f*; *Stk* Todesstoß

rembol|sar zurückzahlen; **~so** *m* Rückzahlung *f*; **contra ~so** gegen Nachnahme

remedar nachmachen

reme|diar abhelfen; **~dio** *m* Abhilfe *f*; Heilmittel *n*; **sin ~dio** rettungslos

remen|dar flicken, ausbessern; **~dón** *m* Flick-schuster, -schneider

remero *m* Ruderer

remesa *f* Sendung

remiendo *m* Flicken *m*

remilgarse s. zieren

remi|sible verzeihlich; **~**

sión f Erlaß m (z B Strafe); Übersendung

remi|tente m Absender; ~**tir** übersenden; erlassen

remo m Ruder m; Rudersport; ~**jar** [-x-] einweichen; fig begießen; ~**lacha** [-tʃa] f (Zucker-)Rübe

remolca|dor m Mar Schlepper; ~**r** (ab)schleppen

remolino m Wirbel, Strudel; Haarwirbel

remolque [-ke] m Schleppen n; Kfz Anhänger; **a** ~ im Schlepptau; ~**vivienda** m Wohnwagenanhänger

remordimientos mpl Gewissensbisse pl

remoto entlegen

remover umrühren; um-, durch-wühlen; entfernen

rempla|zar [-θ-] ersetzen; an j-s Stelle treten; ~**zo** [-θo] m Ersatz

remuner|ación [-θ-] f Vergütung; Lohn m; ~**ar** belohnen; vergüten

renacimiento [-θ-] m Wiedergeburt f; Renaissance f

renacuajo [-xo] m Kaulquappe f

rencor m Groll; ~**oso** nachtragend

rendi|ción [-θ-] f Bezwingung; Übergabe; Ertrag m; ~**do** erschöpft; ergeben; ~**ja** [-xa] f Schlitz m, Spalte; ~**miento** m Ertrag; Arbeitsleistung f; ~**r** bezwingen; leisten; übergeben; Ertrag abwerfen; ~**r cuen-**

tas Rechenschaft ablegen; ~**rse** s. ergeben; ermatten

rene|gado abtrünnig; m Abtrünnige(r); ~**gar** ableugnen; fluchen; abtrünnig werden

renglón m Zeile n; Reihe f

reniten|cia [-θ-] f Widersetzlichkeit; ~**te** widersetzlich

reno m Ren n

renombr|ado berühmt; ~**e** m Ruhm, Ruf

renova|ción [-θ-] f Erneuerung; ~**r** erneuern

renta f Rente, Ertrag m; Zins m; Einkommen n; ~ **nacional** Volkseinkommen n; ~**ble** rentabel; wirtschaftlich; ~**r** Méj (ver)mieten

renuncia [-θ-] f Verzicht m; Entsagung; ~**r a** verzichten auf; ausschlagen

reñir [-ɲ-] auszanken; s. zanken

reo m Beschuldigte(r)

reorganizar [-θ-] neugestalten

repara|ción [-θ-] f Ausbesserung; Reparatur; Pol Reparation; ~**r** ausbessern; reparieren

reparo m Ausbesserung f; Bedenken n; Einwand; Abhilfe f

repart|ir verteilen, austeilen; ~**o** m Verteilung f; Post Zustellung f

repas|ar nochmals durchgehen; durchsehen; ~**o** m Durchsicht f; Tech Überholung f; Wiederholung f

repatria|ción [-θ-] f Repatriierung; **~rse** heimkehren

repele|nte abstoßend; m Insektenschutzmittel n; **~r** zurücktreiben

repente| adv de **~e** plötzlich; **~ino** plötzlich

repercu|sión f Rückstoß m; Rückprall m; Rück-, Auswirkung; **~tir** zurückprallen; s. auswirken (**en, sobre** auf)

repertorio m Sachregister n; Verzeichnis n; Thea Spielplan

repeti|ción f Wiederholung; **~r** wiederholen

repicar Glocken läuten

repique [-ke] m Glockenläuten n; **~tear** läuten; Kastagnetten schlagen

replegar nochmals falten

réplica f Erwiderung; Einwand m; Nachbildung, Replik

replicar erwidern; widersprechen

repollo [-λo] m Kohl; Kohlkopf; bsd Weißkohl

reponer wieder hinstellen; ersetzen; erwidern; **~gasolina** tanken

report|aje [-xe] m Reportage f; **~ero** m (**gráfico**) (Bild-)Reporter

reposa|do ruhig; gelassen; **~r** ruhen; schlafen; **~rse** s. setzen (Flüssigkeit)

repo|sición [-θ-] f Wiedereinsetzung; Neuinszenierung; Erholung (Börse; a

fig); **~so** m Ruhe f; Gelassenheit f

repren|der tadeln, rügen; **~sible** tadelnswert; **~sión** f Tadel m, Verweis m

represa f Am Staudamm m

represalia f Vergeltung(s-maßnahme)

representa|ción [-θ-] f Darstellung; Thea Vorstellung, Aufführung; Hdl Vertretung; **~nte** m Vertreter; **~r** vorstellen; aufführen; vertreten

repres|ión f Unterdrückung; (Verbrechens-)Bekämpfung; **~vo** beschränkend; Abwehr...

reprim|enda f scharfer Verweis m; **~ir** unterdrücken

reproba|ble verwerflich; **~ción** [-θ-] f Mißbilligung; **~do** verworfen; ser **~do** im Examen durchfallen

réprobo verworfen, verdammt

reproch|able [-tʃ-] tadelnswert; **~ar** vorwerfen; **~e** m Vorwurf, Tadel

reprodu|cción [-θ-] f Wiedererzeugung; Nachbildung; **~cir** [-θ-] wiedererzeugen; fortpflanzen

reptil m Reptil n

república f Republik

republicano republikanisch; m Republikaner

repudiar verstoßen; Erbschaft ausschlagen

repuesto m Vorrat; Ersatz; Ersatzteil n; **de ~** Ersatz...,

Reserve...

repulsi|ón f Rückstoß m; Zurückweisung; Widerwille m; **~vo** zurückstoßend; abstoßend

reputa|ción [-θ-] f Ruf m, Name m; **~r** schätzen, würdigen

reque|marse [-k-] anbrennen; verdorren; **~rimiento** m Aufforderung f; **~rir** anordnen; ersuchen; erfordern

requesón [-k-] m Quark

requis|ar [-k-] requirieren; **~ito** m Erfordernis n

res f Stück n Vieh; *Süda* *ma* Gastr Rind n

resaca f Brandung; Kater m (*nach Alkoholgenuß*)

resaltar vorspringen

resbala|dizo [-θ-] schlüpfrig; **~r(se)** ausgleiten; schleudern (*Auto*)

rescindir [-θ-] *Vertrag* aufheben, rückgängig machen

reseco sehr trocken, ausgedörrt

resenti|miento m Ressentiment n; **~rse (de)** (ver-)spüren; *et zu* spüren bekommen

reseña [-ɲa] f Anzeige; Rezension (*e-s Buches*)

reserva f Reserve; Reservierung; Vorbehalt m; **~r** reservieren; zurückbehalten

resfria|do m Erkältung f; Schnupfen; **~rse** s. erkälten

resguard|ar verwahren; beschützen; **~arse** s. hüten; **~o** m Schutz, Obdach n;

Verwahrung f

resi|dencia [-θ-] f Wohnsitz m; Residenz; **~dir** wohnen; **~duo** m Rest; Rückstand

resigna|ción [-θ-] f Verzicht m; Resignation; **~r** abtreten; *Amt* niederlegen; **~rse** s. ergeben (**a** in); s. abfinden (**con** mit)

resina f Harz n

resis|tencia [-θ-] f Widerstand m; Haltbarkeit; Beständigkeit; Ausdauer; **~tente** widerstrebend; ausdauernd; dauerhaft; **~tente al fuego** feuerfest; **~tir** widerstehen; aushalten, ertragen

resolución [-θ-] f Auslösung; Lösung; Entschluß m; Entschlossenheit; *Pol* Entschließung

resolver auflösen; beschließen; **~se** s. entschließen

resonan|cia [-θ-] f Resonanz; Anklang m (*fig*)

resorte m Sprungfeder f

respald|ar (unter)stützen; **~o** m Rückenlehne f; Rückseite f

respec|tivo betreffend; **~to** m Beziehung f; **con ~to a** hinsichtlich; **al ~to** diesbezüglich

respet|able achtbar; ansehnlich; **~ar** achten, respektieren; (ver)schonen; **~o** m Ehrerbietung f; **~uoso** ehrbietig; taktvoll

respi|ración [-θ-] f Atmung; **~rar** atmen; ausruhen; s. erholen; **~ro** m At-

reunir

men n; fig Pause f
respland|ecer [-θ-] (er-)glänzen; strahlen; **~eciente** [-θ-] glänzend; **~or** m Glanz; Schimmer
responder antworten, erwidern; **~a** entsprechen (dat); **~ de** bürgen für; haften für
responsa|bilidad f Verantwortlichkeit; Haftung; **~bilidad civil** Haftpflicht; **~ble** verantwortlich
respuesta f Antwort, Entgegnung
restable|cer [-θ-] wiederherstellen; **~cerse** s. erholen, genesen; **~cimiento** [-θ-] m Wiederherstellung f; Genesung f
restar subtrahieren; v/i (übrig)bleiben
restaura|nte m Restaurant n; **~r** wiederherstellen
restitu|ción [-θ-] f Rückerstattung; **~ir** zurückerstatten
resto m Rest
restric|ción [-θ-] f Einschränkung; Vorbehalt m; **~tivo** einschränkend
restringir [-x-] ein-, beschränken
resuelto entschlossen, resolut; beherzt
resulta|do m Ergebnis n; Erfolg; **~r** s. ergeben; s. herausstellen (als)
resu|men m Zusammenfassung f; **~mir** kurz zs-fassen
resur|gir [-x-] wiedererscheinen; **~rección** [-θ-] f Rel Auferstehung

reta|guardia f Mil Nachhut; Etappe; **~l** m Stoffrest; **~r** herausfordern
retardar verzögern; **~se** s. verspäten
retazo [-θo] m Stoffrest
reten|ción [-θ-] f Einbehaltung; **~er** zurückbehalten; Atem anhalten
retina f Netzhaut (Auge)
retir|ada f Rückzug m; **~ar** zurückziehen; wegnehmen; Geld abheben; **~arse** s. zurückziehen; **~o** m Zurückgezogenheit f; Mil Abschied
reto m Herausforderung f; Drohung f
reto|car überarbeiten; Fot retuschieren; **~que** [-ke] m Überarbeitung f
retorcer [-θ-] verdrehen (a fig); **~se** s. krümmen
retractar widerrufen
retra|sar verzögern; aufschieben; **~sarse** s. verspäten; **~so** m Verzögerung f; Verspätung f; Hdl Verzug m
retra|tar porträtieren; schildern; **~tista** su Porträtist(in); **~to** m Porträt n, Abbild n
retre|ta f Zapfenstreich m; **~te** m Abort
retrovisor m Kfz Rückspiegel
retumbar dröhnen
reu|ma m Rheuma n; **~mático** rheumatisch
reunión f Versammlung; Gesellschaft; Vereinigung; **~r** versammeln; vereinigen

reválida f Span Schlußexamen n (Abitur)

revalorizar [-θ-] aufwerten

revancha [-tʃa] f Revanche (a Sp)

revela|do m Fot Entwickeln n; **~r** enthüllen; Fot entwickeln

reven|ta f Wiederverkauf m; **~tar** platzen; **~tón** m Reifenpanne f; **~tón de tubería** Rohrbruch

rever|bero m Am Spirituskocher; **~encia** [-θ-] f Ehrfurcht; Verbeugung; **~sible** umkehrbar; **película f ~sible** Fot Umkehrfilm m

revés m Rück-, Kehr-seite f; Mißgeschick n; **al ~** umgekehrt

revesti|miento m Verkleidung f; Belag; **~r** ver-, auskleiden; überziehen; ausstatten (**de** mit)

revi|sar nachsehen, nachprüfen; überprüfen; Kfz Überholung f; **~sión** f Überprüfung; Kfz Überholung f; **~sor** m Revisor; Esb Schaffner; **~sta** f Zeitschrift; Revue

revocar widerrufen; tünchen; Hdl stornieren

revolu|ción [-θ-] f Umwälzung; Revolution; Tech Umdrehung; **~cionar** [-θ-] aufwiegeln; umgestalten

revólver m Revolver

revolver umwälzen; durchea-bringen; umrühren

revuelta f Aufruhr m; Umschwung m

rey m König

riachuelo [-tʃ-] m Flüßchen n, Bach

ribe|ra f Ufer n; Strand m; **~reño** [-ɲo] Ufer...; Strand...; **~te** m Saum

ricach|o [-tʃo], **~ón** m reicher Protz

rico reich; prächtig, köstlich

ridículo m Lächerlichkeit f; **~** m Lächerlichkeit f; **ponerse en ~** s. lächerlich machen

riego m Bewässerung f

riel m Schiene f

rienda f Zügel m

riesgo m Gefahr f; Risiko m; **correr (el) ~ de** Gefahr laufen zu; **~so** Am riskant, gewagt

rifa f Tombola; Zank m

rigidez [-xideθ] f Starrheit; fig Strenge

rígido [-x-] starr; streng

rigor m Strenge f, Härte f; **ser de ~** unerläßlich sein

riguros|idad f Strenge; **~o** streng; unerbittlich

rima f Reim m; **~r** reimen

rim(m)el m Wimperntusche f

rincón m Winkel, Ecke f; **~ón cocina** Kochnische f; **~onera** f Eck-tisch m, -schrank m

rinoceronte [-θ-] m Nashorn n

riña [-ɲa] f Streit m; **~ de gallos** Hahnenkampf m

riñón [-ɲ-] m Niere f

río m Fluß, Strom

riqueza [-keθa] f Reichtum m

ris|a f Lachen n; **morirse de**

~a s. totlachen; **~ueño** [-ɲo] lachend; strahlend

rit|mo m Rhythmus; **~o** m Ritus

rival m Rivale; **~izar** [-θ-] wetteifern

riz|ar [-θ-] kräuseln; **~o** m Haarlocke f

rob|ar rauben; stehlen; **~o** m Raub; Diebstahl

robot m Roboter; **retrato** m (od **foto** f) **~** Phantombild n

robusto stark, robust

roca f Fels m

rociar [-θ-] besprengen

rocío [-θ-] m Tau

roda|ballo [-ʎo] m Steinbutt; **~ja** [-xa] f Scheibe (Brot usw); **~je** [-xe] m Kfz Einfahren n; Dreharbeiten fpl; **~r** rollen; s. drehen; Kfz einfahren; Film drehen

rodeo m Umweg; **sin ~s** ohne Umschweife

rodilla [-ʎa] f Knie n; **de ~s** kniend

roer nagen

rogar bitten; beten

rojo [-xo] rot

rollo [-ʎo] m Rolle f; Rundholz n; f langweiliges Zeug n, Schinken (Buch, Rede)

romana f Laufgewichtswaage

romería f Wallfahrt

romper zerbrechen; zerreißen; durchbrechen; **~a** + inf plötzlich et tun

ron m Rum

ronc|ar schnarchen; **~o** heiser, rauh

ronda f Runde; Streife

ronquera [-k-] f Heiserkeit

ropa f Kleidung; Wäsche; **~de cama** Bettzeug n; **~ interior** (**de mesa**) Unter- (Tisch-)wäsche

ropero m Kleiderschrank

rosa f Rose; Rosa n; adj inv rosa; **~do** rosa; rosé (Wein); **~l** m Rosengarten; **~rio** m Rel Rosenkranz

rosbif m Roastbeef n

ros|ca f Gewinde n; Schnecke (Gebäck); **~tro** m Gesicht n, Antlitz n

rotación [-θ-] f Umdrehung

roto kaputt; Chi zerlumpt; Chi ungebildet

rotula|dor m Filz-stift, -schreiber; **~r** beschriften; Hdl etikettieren

rótulo m Aufschrift f; Etikett n; Untertitel (Film)

rotura f Brechen n; Bruch m; **~r** urbar machen

ruana f Col Poncho m

rubio blond; goldgelb; hell

rudo kaputt; plump

rued|a f Rad n; Kreis m; **en ~a** in der Runde; **~a de prensa** Pressekonferenz; **~o** m Stk Arena f

ruego m Bitte f

rufián m Zuhälter

ruido m Lärm; **~so** lärmend, geräuschvoll

ruina f Ruine; Ruin m

ruiseñor [-ɲ-] m Nachtigall f

rul|eta f Roulett n; **~os** mpl Lockenwickel; **~ota** f Span Wohnanhänger m

rumbo m Wind-, Weg-rich-

tung f; *Mar, Flgw* Kurs
rumor m Stimmengewirr n;
  Gerücht n
ruptura f Bruch m
rural ländlich

rústico ländlich; ungebildet; **en ~a** kartoniert (*Buch*)
ruta f Weg m; Route; *Am a*
  Landstraße
rutina f Routine

S

sábado m Sonnabend,
  Samstag
sabana f Savanne
sábana f Bettuch n
saber wissen; können; verstehen; schmecken (**a**
  nach); m Wissen n; Kenntnis f; **a ~** nämlich
sabi|do bekannt; offenbar;
  ~o weise; gelehrt; m Ge-
  lehrte(r)
sabl|azo [-θo] m Säbelhieb;
  dar un ~azo F anpumpen;
  ~e m Säbel
sabor m Geschmack; **~ear**
  genießen
sabot|aje [-xe] m Sabotage f;
  ~ear sabotieren
sabroso schmackhaft; *Am a*
  prima, herrlich
saca|corchos [-tʃ-] m Kork-
  enzieher; **~puntas** m Bleistiftspitzer; **~r** heraus-neh-
  men, -ziehen, hervorholen;
  Zahn ziehen; **~r en limpio**
  klarstellen
sacarina f Sacharin n
sacerdote [-θ-] m Priester
saco m Sack; *Süda* Sakko m;
  ~ de dormir Schlafsack
sacramento m Sakrament n
sacri|ficar opfern; *Tier*
  schlachten; **~ficio** [-θ-] m
  Opfer n; **~legio** [-x-] m Ent-

weihung f; *fig* Frevel
sacrist|án m Meßner; **~ía** f
  Sakristei
sacudi|da f Erschütterung;
  Stoß m; **~r** schütteln; er-
  schüttern
sagrado ehrwürdig, heilig
sainete m *Thea* Schwank
sal f Salz n; Mutterwitz m
sala f Saal m; Raum m; **~ de
  espera** Warte-saal m,
  -raum m; **~ de estar** Wohn-
  zimmer n
salado gesalzen; *fig* witzig,
  geistreich
salaman|dra f Salamander
  m; **~quesa** [-k-] f *Zo* Gecko
  m
salar salzen; pökeln
salario m Lohn
salchich|a [-tʃitʃa] f Würst-
  chen n; **~ón** m (Dauer-)
  Wurst f
sald|ar *Hdl* saldieren; aus-
  gleichen; **~o** m *Hdl* Saldo
salero m Salz-faß n, -streu-
  er; *fig* Charme, Grazie f
sali|da f Ausgang m; Aus-
  fahrt; Ausreise; Abfahrt; **~-
  da del sol** Sonnenaufgang
  m; **~ente** vorspringend; **~r**
  hinausgehen; abreisen, abfahren; aufgehen (*Gestirn*)

sauce

~r caro teuer (zu stehen)
kommen; ~rse auslaufen;
~rse con la suya s-n Kopf
durchsetzen

salitre m Salpeter

saliva f Speichel m

salm|o m Psalm; ~ón m
Lachs

salón m Salon; Aufenthalts-
raum

sals|a f Tunke, Soße; ~era f
Sauciere

salt|ar springen; hüpfen;
~eador m Straßenräuber;
~o m Sprung; ~o de agua
Wasserfall

salu|d f Gesundheit; ¡~d!
zum Wohl, prosit; ~dar
(be)grüßen; ~do m Gruß;
~tación [-θ-] f Begrüßung

salva|ción [-θ-] f Rettung;
Ejército m de 2ción Heils-
armee f; ~do m Kleie f;
~dor rettend, erlösend; m
Retter; 2dor m Heiland;
~guardia f Schutz m; si-
cheres Geleit n

salvaje [-xe] wild; scheu; su
Wilde(r); roher Mensch

salva|r retten; vermeiden;
~vidas m Rettungsring;
Schwimmweste f

salvia f Salbei m

salvo unbeschädigt, heil;
adv vorbehaltlich; außer
San vor Namen für Santo

sana|r heilen; gesund wer-
den; ~torio m Sanatorium n

sanción [-θ-] f Sanktion;
Zustimmung; Strafe; ~o-
nar bestätigen, gutheißen;
(be)strafen

sancochería [-tʃ-] f Am
armseliges Restaurant n,
Abspeise

sandalia f Sandale

sandía f Wassermelone

sane|amiento m Sanierung
f; ~ar gesund machen; sa-
nieren

san|grar zur Ader lassen;
bluten; ~gre f Blut n; a
~gre fría kaltblütig; ~gría f
Sangria (Art Rotweinbow-
le); ~griento blutig

sano gesund; ~ y salvo
wohlbehalten, unversehrt

santiguarse s. bekreuzigen

santo heilig; ~ Heilige(r);
Namenstag

sapo m Kröte f

saque [-ke] m Sp Anstoß;
Aufschlag; ~ar plündern

sarampión m Masern pl

sarasa m P warmer Bruder,
Tunte f

sardina f Sardine

sargento [-x-] m Unteroffi-
zier

sarna f Krätze

sartén f Bratpfanne

sastre m Schneider; ~ría f
Schneiderei

Satán, Satanás m Satan

satélite m Satellit (a fig)

sátira f Satire

satis|facción [-θ-] f Genug-
tuung; Zufriedenheit; Ab-
findung; ~facer [-θ-] zu-
friedenstellen; ~factorio
befriedigend, zufrieden-
stellend; ~fecho [-tʃo] be-
friedigt; zufrieden

sauce [-θe] m Bot Weide f

sauna f Sauna

scooter m Motorroller

se sich; man

sebo m Talg; **~so** talgig

seca|dor m Trockenhaube (*Friseur*); **papel** m **~nte** Löschpapier *n*; **~pelos** m Fön, Haartrockner; **~r** trocknen; *Obst* dörren; **~r- se** ver-, ein-trocknen

sección [-θ-] f Schnitt m; Abschnitt m; Abteilung f

seco trocken; gedörrt (*Obst*); herb, trocken (*Wein*)

secreta|ría f Sekretariat n; **~rio** m, **~ria** f Sekretär(in)

secreto geheim; heimlich; **~** Geheimnis *n*; **en ~** insgeheim

secta f Sekte; **~rio** m Sektierer

secuestr|ar beschlagnahmen; entführen; **~o** m Entführung f

secular hundertjährig; weltlich

secundario zweitrangig; nebensächlich; Neben...

sed f Durst m; **~a** f Seide; **ir como una ~a** wie am Schnürchen klappen; **~an- te** m Beruhigungsmittel n; **~iento** durstig

seducir [-θ-] verführen; bezaubern

sega|dora f Mähmaschine; **~r** mähen

segueta [-ge-] f Laubsäge

segui|da [-gi-] f: **en ~da** sofort; **~do** ununterbrochen; hintereinander; **~r** folgen; fortfahren zu

según nach, gemäß; je nachdem; so (wie); **~ eso** demnach

segundo m Sekunde f

segu|ridad f Sicherheit; **~ro** sicher; gewiß; m (Feuer *usw*) Versicherung f; **~ro a todo riesgo** *Kfz* (Voll-) Kaskoversicherung f

selec|ción [-θ-] f Auswahl; **~tividad** f *Rf* Trennschärfe; **~to** auserwählt

selva f Wald m; **~ virgen**, *Am* **~** Urwald m

sell|ar [-ʎ-] (ver)siegeln; stempeln; **~o** m Siegel n; Stempel; Briefmarke f

semáforo m *Vkw* Ampel f

semana f Woche; **2 Santa** Karwoche; **entre ~** unter der Woche; **~l** wöchentlich; **~rio** m Wochen(zeit)schrift f

sembra|dora f Sämaschine; **~r** säen; *fig* verbreiten

semejante [-x-] ähnlich; solch

semestre m Halbjahr n

semi|circular [-θ-] halbkreisförmig; **~círculo** [-θ-] m Halbkreis

semilla [-ʎa] f Same m; Samenkorn n

seminario m Seminar n

sémola f Grieß m

senado m Senat; **~r** m Senator

sencill|ez [-θiʎeθ] f Einfachheit; **~o** einfach; aufrichtig

send|a f, **~ero** m Pfad m

senil greisenhaft

seno m Busen; *fig* Schoß

sensa|ción [-θ-] f Sinneseindruck m; Sensation; **~cional** [-θ-] aufsehenerregend; **~to** besonnen, vernünftig

sensi|bilidad f Empfindlichkeit; Empfindsamkeit; **~ble** empfindlich; sinnlich (wahrnehmbar); spürbar

sensual sinnlich; **~idad** f Sinnlichkeit

senta|do sitzend; **estar ~do** sitzen; **~r** setzen; passen (Kleidung); gut, schlecht bekommen (Essen); **~rse** s. setzen

sentencia [-θ-] f Urteil n; Ausspruch m; **~r** (ver)urteilen

senti|do schmerzlich; tiefempfunden; m Sinn, Bedeutung f; Bewußtsein n; Richtung f; **~do común** gesunder Menschenverstand; **~mental** gefühlvoll, empfindsam; **~miento** m Gefühl n, Empfindung f; Bedauern n; **~r** fühlen; empfinden; bedauern

seña [-ɲa] f Zeichen n; Wink m; **~s** pl Anschrift f; **~l** f Merkmal n; Spur; Zeichen n, Signal n; **~lar** kennzeichnen; anzeigen; hinweisen auf

señor [-n-] m, **~a** f Herr(in); Frau f; Besitzer(in); **~ito** m junger Herr; **~ita** f junge Dame; Fräulein n

separa|ble trennbar; **~ción** [-θ-] f Trennung; Entlassung; **~do** getrennt; einzeln; **por ~do** gesondert (Post); **~r** trennen; absondern; entlassen (aus e-m Amt)

septiembre m September

sepul|cro m Grab n; **~tar** begraben; fig totschweigen

sequía [-k-] f Trockenperiode; Dürre

ser sein; (passivisch) werden; **~ de** gehören zu

seren|idad f Heiterkeit; Gemütsruhe; **~o** heiter; ruhig; m Nachtwächter

serie f Reihe, Serie; **casas** f pl **en ~** Reihenhäuser npl

seri|edad f Ernst m; **~o** ernst; ernsthaft; **tomar en ~o** ernstnehmen

sermón m Predigt f

serpentina f Serpentine

serpiente f Schlange

serr|ar sägen; **~ín** m Sägemehl n; **~ucho** [-tʃo] m Fuchsschwanz (Säge)

servi|ble brauchbar; **~cio** [-θ-] m Dienst; Bedienung f; Tech Betrieb; **~cio automático** Tel Selbstwählverkehr; **~dor(a** f) m Diener(in); **~dumbre** f Gesinde n; knechtisch; unterwürfig; **~lleta** [-ʎ-] f Serviette; **~r** dienen; bedienen; servieren; **~r de, a, para** dienen als, zu; **~rse** s. bedienen

sesión f Sitzung; Beratung; (Kino-)Vorstellung

seso m Gehirn n; fig Verstand; **~s** pl Hirn n

set|a f Pilz m; **~o** m Zaun m

seudónimo   198

vivo Hecke f
seudónimo m Pseudonym n
severo streng, genau
sex|o m Geschlecht; ~ **ual**
geschlechtlich; Sexual...
sí pron sich; adv ja; jawohl;
gewiß; m Ja(wort) n; **de** ~
von selbst; **de por** ~ an u.
für s.
si cj wenn; ob; **por** ~ **acaso**
falls etwa; für alle Fälle; ~
no falls nicht
sidra f Apfelwein m
siega f Ernte, Mahd
siembra f Säen n; Saatzeit
siempre immer, stets; **de** ~
von jeher; ~ **que** cj vorausgesetzt (, daß); jedesmal
wenn
sien f Schläfe
sierra f Säge; Bergkette,
Gebirge n
siesta f Mittagsruhe
sífilis f Syphilis
sifón m Heber; Siphon(flasche f) m
sigla f Abkürzung
siglo m Jahrhundert n
significa|r bedeuten; ~**tivo**
bezeichnend; bedeutsam
signo m Zeichen n; Sinnbild
n
siguiente [-gi-] folgend; **lo** ~
folgendes
sílaba f Silbe
silb|ar pfeifen; zischen; ~**a-**
to m Pfeife f; ~**ido** m Pfeifen
n; ~**ido de oídos** Ohrensau-
sen n
silenci|ador [-θ-] m Kfz u
Waffe Schalldämpfer; ~**o**
Schweigen n; Stille f, Ruhe

f; ~**oso** still; geräuschlos
silueta f Silhouette
silvestre Zo, Bot wild(wach-
send)
silla [-ʎa] f Stuhl m; Sattel
m; ~ **de extensión** (**plega-**
ble) Liege- (Klapp-)stuhl
m
sillón [-ʎ-] m Lehnstuhl,
Armsessel
sima f Abgrund m
simbólico symbolisch
símbolo m Sinnbild n
simétrico symmetrisch
similar gleichartig
sim|patía f Sympathie; ~
pático sympathisch; nett;
~**patizar** [-θ-] sympathisie-
ren
simple einfach; einfältig;
bloß; ~**ificar** vereinfachen
simula|ción [-θ-] f Verstel-
lung; ~**r** heucheln; vorspie-
geln
simultáneo gleichzeitig
sin ohne; ~ **más** (**ni menos**)
ohne weiteres; adv ~ **em-**
bargo jedoch, trotzdem; cj
~ **que** ohne daß
sincero [-θ-] aufrichtig
sincronizado [-θ-] synchronisiert, gleichgeschaltet
sindicato m Gewerkschaft f
sinfonía f Symphonie
singular einzeln; einzig(artig); außergewöhnlich; m
Einzahl f; ~**idad** f Eigenart;
Sonderbarkeit; ~**izar** [-θ-]
auszeichnen
siniestro links; unheilvoll;
m Unheil n
sinnúmero m Unzahl f

199   **solitaria**

sino sondern; sonst; außer
síntesis f Synthese
sintético synthetisch; zs-fassend
síntoma m Anzeichen n
sinvergüenza [-θa] m unverschämter Kerl
siquiatra [-k-] m Psychiater
siquiera [-k-] auch wenn; wenigstens; **Am a** zum Glück; **ni** ~ nicht einmal
sirena f Sirene
sirvienta f Hausangestellte
siste|ma m System n; **~ma de alarma** Alarmanlage f; **~mático** systematisch
siti|ar Mil belagern; **~o** m Gegend f; Ort; Lage f; Platz
situa|ción [-θ-] f Lage; Situation; **~do** gelegen; **bien ~do** wohlhabend
slálom m Slalom
so unter; **~ pena** bei Strafe
soberbio stolz; hochmütig
sobra f Übermaß n; **de** ~ im Überfluß; **~do** (über)reichlich; **~nte** m Überrest; Überschuß; **~r** übrigbleiben; überflüssig sein
sobre auf; über; außer; m Briefumschlag; **~ todo** besonders; **~carga** f Überladung, Überlast; **~cargar** überladen; **~manera** arg außerordentlich; **de ~mesa** nach Tisch; **~natural** übernatürlich; **~nombre** m Spitzname; **~todo** m bsd Am Mantel; **~vivir** v/t u v/i überleben
sobrin|o m Neffe; **~a** f Nich-

te
sobrio mäßig; nüchtern
social [-θ-] gesellschaftlich; sozial; **~ismo** m Sozialismus; **~ista** sozialistisch; su Sozialist(in)
soci|edad [-θ-] f Gesellschaft; **~edad anónima** Hdl Aktiengesellschaft; **~o** m Genosse; Mitglied n; Teilhaber; **~o de honor** Ehrenmitglied n; **~o de número** ordentliches Mitglied n
socarrón schlau, gerissen
socorr|er helfen; unterstützen; **~ido** hilfsbereit; **~o** m Hilfe f
soda f Soda(wasser) n
sofá m Sofa n; **~-cama** m Bettcouch f
sofocar ersticken; dämpfen
sol m Sonne f
solar Sonnen...; m Baugelände n; m Solarium n
soldado m Soldat
soldar löten; schweißen
solear sonnen
soledad f Einsamkeit
solem|ne feierlich; **~nidad** f Feierlichkeit; Förmlichkeit
soler v/i pflegen (zu)
solicita|nte [-θ-] m Bewerber; **~r** s. bewerben um; betreiben; betreiben
solícito [-θ-] emsig; besorgt
soli|citud [-θ-] f Gesuch n; Antrag m; Sorgfalt; **~dario** solidarisch; mitverantwortlich; **~dez** [-θ] f Festigkeit
sólido fest, massiv; solide
solita|ria f Bandwurm m;

~rio einsam; m Einsiedler
soll|o allein; einzig; m Solo n; **a ~as** ganz allein
sólo nur; **no ~ ... sino también** nicht nur ... sondern auch
solomillo [-ʎo] m Filet n
soltar los-machen, -lassen; lockern
soltero ledig; m Junggeselle m; **~na** f alte Jungfer
soltura f Geläufigkeit; Gewandtheit; Am a Durchfall m
solu|ble löslich; **~ción** [-θ-] f Lösung; Auflösung
solven|cia [-θ-] f Zahlungsfähigkeit; **~te** zahlungsfähig
sollo|zar [-ʎoθ-] schluchzen; **~zo** [-θo] m Schluchzen n
sombra f Schatten m; Dunkelheit; **ni ~a** keine Spur; **~ería** f Hutladen m; **~ero** m Hut; **~illa** [-ʎa] f Sonnenschirm m; Am a Regenschirm m; **~ío** schattig; düster
some|ro summarisch; **~ter** unterwerfen; unterbreiten; unterziehen
somier m Sprungfedermatratze f
somnífero m Schlafmittel n
sona|nte klingend; **~r** klingen; ertönen; läuten
sond|a f Sonde; Mar Lot n; **~(e)ar** sondieren (a fig); loten
sonido m Ton, Klang; Laut
sonor|idad f Klangfülle; **~o** klangvoll; **película** f **~a** Tonfilm m
sonr|eír [-rr-] lächeln; **~isa** f Lächeln n
soñar [-ɲ-] träumen (**con** von)
sop|a f Suppe; **~era** f Suppenschüssel
sopl|ar blasen; wehen (Wind); **~o** m Hauch; fig Wink; **~ón** m Spitzel
sopor|table erträglich; **~tar** stützen, tragen; ertragen; **~te** m Stütze f; Ständer
sorb|er schlürfen; **~ete** m Fruchteis n; **~o** m Schluck
sord|era f Taubheit; **~o** taub; dumpf; m Taube(r); **~omudo** taubstumm
soroche [-tʃe] m Am Höhenkrankheit f
sorpre|ndente überraschend; **~nder** überraschen; **~sa** f Überraschung; **~sivo** Am überraschend
sortija [-xa] f Ring m; Haarlocke
sosiego m Ruhe f
soso fade, geschmacklos; fig langweilig
sospech|a [-tʃa] f Verdacht m, Argwohn m; **~ar** vermuten; argwöhnen; **~ar de** j-n verdächtigen; **~oso** argwöhnisch; verdächtig
sostén m Büstenhalter
sostener (unter)stützen; unterhalten; behaupten
sota f Bube m (Kartenspiel)
sótano m Keller
su, sus (pl) sein(e); ihr(e); Ihr(e)

sujetar

sua|ve sanft; mild; **~vidad** f Sanftheit; Geschmeidigkeit; **~vizar** [-θ-] fig mildern

subasta f Versteigerung; **~r** versteigern

súbdito m Untertan; Staatsangehörige(r)

subi|da f (Ein-, An-)Steigen n; Aufstieg m; Preissteigerung; **~r** hinauf-bringen, -schaffen, -heben; Preis erhöhen; v/i steigen; hinauf-gehen, -steigen; einsteigen

súbito plötzlich

subleva|ción [-θ-] f Aufstand m; **~r** aufwiegeln

sublime erhaben, hoch

submarino unterseeisch; m Unterseeboot n

subordina|ción [-θ-] f Unterordnung; **~do** untergeordnet; m Untergebene(r); **~r(se)** (s.) unterordnen

subrayar unterstreichen

subsi|dio m Beihilfe f; **~dios** pl Hilfsgelder npl; **~stencia** [-θ-] f Lebensunterhalt m; **~stir** fortbestehen; sein Leben fristen

sub|suelo m Untergrund; **~terráneo** unterirdisch; m Süda Untergrundbahn f; **~urbano** vorstädtisch; **~urbio** m Vorstadt f; Vorort; **~vención** [-θ-] f Subvention

suce|der [-θ-] folgen; geschehen; **~sión** f Thronfolge; **~sivo** folgend; **en lo ~sivo** von nun an; **~so** m Vorfall, Ereignis n; **~sor** m

Nachfolger

sucio [-θ-] schmutzig, unflätig

sucumbir unterliegen

sucursal f Zweiggeschäft n, Filiale

sud|adera f Am Trainingsanzug m; **~r** schwitzen

sud|este m Südosten; **~oeste** m Südwesten

sudor m Schweiß; **~oso** schweißbedeckt

suegr|o m, **~a** f Schwiegervater, -mutter

suela f Schuhsohle

sueldo m Gehalt n

suelo m Boden; Fußboden

suelto losgelöst, lose; einzeln; **dinero ~** Kleingeld n

sueño [-ɲo] m Schlaf; Traum

suero m Molke f; Serum n

suerte f Schicksal n; Los n; Glück n; Stk Phase, Runde; **por ~** zum Glück; **mala ~** Pech n

suéter m bsd Am Pullover

suficiente [-θ-] genügend, ausreichend

sufri|do geduldig; **~r** leiden; erleiden; ertragen

suge|rir [-x-] nahelegen; einflüstern; **~stión** f Beeinflussung; **~stivo** anregend

suici|da f/i su Selbstmörder(in); **~darse** Selbstmord begehen; **~dio** m Selbstmord

suje|ción [-xeθ-] f Unterwerfung; Abhängigkeit; **~tador** m Büstenhalter; **~tar**

unterwerfen; festhalten; befestigen; **~to** unterwerfen; *m* Stoff, Gegenstand; Subjekt *n*

suma *f* Summe; Abriß *m*; **en ~** kurz; **~r** zs-zählen

sumergir [-x-] untertauchen; **~se** versinken, untergehen; untertauchen

sumidero *m* Abfluß; Gully

suminis|trar liefern; **~tro** *m* Lieferung *f*

sumisión *f* Unterwerfung; Ergebenheit

sumo höchst; **a lo ~** höchstens

suntuoso prunkvoll

super|ar übertreffen; überwinden; **~ávit** *m* Überschuß; **~ficial** [-θ-] oberflächlich; **~ficie** [-θ-] *f* Oberfläche; Fläche; **~fluidad** *f* Überfluß *m*; **~fluo** überflüssig; unnötig; **~hombre** *m* Übermensch

superior höher; überlegen; vortrefflich; *m* Vorgesetzte(r); **~idad** *f* Überlegenheit

super|mercado *m* Supermarkt; **~sónico** Überschall...

supersti|ción [-θ-] *f* Aberglaube *m*; **~cioso** [-θ-] abergläubisch

suplemen|tario ergänzend; zusätzlich; **~to** *m* Ergänzung *f*; Zuschlag *m* (Zeitungs-)Beilage *f*

suplente *m* Stellvertreter

súplica *f* Gesuch *n*

suplica|nte *su* Bittsteller(in); **~r** (inständig) bitten

supo|ner voraussetzen, annehmen; **~sición** [-θ-] *f* Voraussetzung; Vermutung; **~sitorio** *m Med* Zäpfchen *n*

supre|macía [-θ-] *f* Übergenheit; Vorrang *m*; **~mo** oberst; höchst; letzt

supresión *f* Unterdrückung; Abschaffung

suprimir unterdrücken; abstellen, einstellen

supuesto vermeintlich; *m* Voraussetzung *f*; **por ~** selbstverständlich; **~ que** vorausgesetzt daß

sur *m* Süden; Südwind

surc|ar furchen; durchqueren; **~o** *m* Furche; Rille *f* (*Schallplatte*)

surgir [-x-] auftauchen, s. ergeben

surtido *m Hdl* Sortiment *f*, Auswahl *f*; **~r** *m* Springbrunnen; **~r de gasolina** Tankstelle *f*; Zapfsäule *f*

surtir versorgen, beliefern

susceptible [-θ-] empfindlich

suscitar [-θ-] hervorrufen

suscri|bir unterschreiben; abonnieren; **~pción** [-θ-] *f* Abonnement *n*; Bestellung; **~ptor** *m* Unterzeichner; Abonnent

suspen|der aufhängen; aufschieben; vorläufig einstellen; durchfallen lassen (*im Examen*); **~sión** *f* Aufhängen *n*; Stillstand *m*; Unterbrechung; *Kfz* Federung;

~sivo aufschiebend; **~so** unschlüssig; durchgefallen (*Kandidat*); **~en** ~so *m* in der Schwebe

suspica|cia [-θ-] *f* Mißtrauen *n*; **~z** [-θ] argwöhnisch

suspi|rar seufzen; **~ro** *m* Seufzer; *Gastr* Windbeutel

sustancia [-θ-] *f* Substanz; Stoff *m*; **~l** gehaltvoll

sustantivo *m* Hauptwort *n*, Substantiv *n*

sustituir ersetzen, einsetzen (**por** für)

sustitu|to *m*, **~a** *f* Stellvertreter(in)

susto *m* Schreck; **llevarse un ~** erschrecken

sustraer entziehen; *Math* abziehen

susurrar murmeln, säuseln

sutil dünn; *fig* spitzfindig

sutura *f Med* Naht

suyo, suya sein(e); ihr(e)

T

tabaco *m* Tabak; *Col a* Zigarre *f*

tábano *m Zo* Bremse *f*

tabaquera [-k-] *f* Tabakdose

taberna *f* Schenke

tabique [-ke] *m* Zwischenwand *f*

tabla *f* Brett *n*; Planke; Tafel; Tabelle; **~ hawaiana** *Sp* Surfbrett *n*; **~do** *m* Gerüst *n*; Podium *n*

table|ro *m* Tafel *f*; Brett *n*; Platte *f*; **~ro flamenco** Flamenco-Gruppe *f*; **~ro de instrumentos** Instrumentenbrett *n*; **~ro de mando** Schalttafel *f*; **~ta** *f* Tafel (*Schokolade*); Tablette

taburete *m* Schemel, Hokker

tácito [-θ-] *m* stillschweigend

taco *m* Pflock; Dübel; Queue *n* (*Billard*); (Abreiß-)Block; derber, anstößiger Ausdruck; *RPl a* (Schuh-)Absatz

tacón *m* Absatz (*Schuh*)

táctica *f* Taktik

tacto *m* Takt, Anstand

tach|ar [-tʃ-] ausstreichen; tadeln; **~uela** *f* kleiner Nagel *m*, Zwecke

tafetán *m* Taft

taimado schlau; verschmitzt

taja|da [-x-] *f* Schnitte; **~do** steil abfallend; **~dor** *m Pe*, **~lápices** *m Súda* Bleistiftspitzer

tajo [-xo] *m* Schnitt; Schmarre *f*

tal solche(r, -s); derartig; **un ~** ein gewisser; **~ cual** so wie; **con ~ que** vorausgesetzt, daß; **~ vez** vielleicht; **¿qué ~?** wie geht's?

tala|drar (durch)bohren; **~dro** *m* Bohrer; **~r** *r Baum* fällen; dem Boden gleichmachen

talento *m* Talent *n*, Begabung *f*

talón *m* Ferse *f*; *Hdl* Ab-

talonario

204

schnitt, Schein

talonario *m* **de cheques**
[t∫-] Scheckbuch *n*

talla [-ʎa] *f* Wuchs *m*; Gestalt; Bildhauerarbeit;
Größe (*Kleidung*); **~ar** einkerben, -schneiden; *in Holz*
schnitzen; *in Stein* meißeln; **~e** *m* Gestalt *f*;
Schnitt (*Kleid*); Taille *f*;
~er *m* Werkstatt *f*; **~er de
reparaciones** Reparaturwerkstatt *f*; **~o** *m* Stengel

tamal *m Gastr Am* Art
Maispastete *f*

tamaño [-ɲo] *m* Größe *f*;
Format *n*; *adj* so groß, derartig

también auch

tambo *m Súda* Herberge *f*
(*an Fernstraßen*); *RPl*
Melkplatz; Molkerei *f*; *Pe*
Bordell *m*; **~r** *m* Trommel *f*;
Trommler

tamiz [-θ] *m* feines Sieb *n*

tampoco auch nicht

tan so, so sehr; ebenso

tanda *f* Serie; Runde

tanino *m* Gerbsäure *f*

tanque [-ke] *m* Panzerwagen; *Am a* (Benzin-)Tank

tanto *adj* so viel; so groß; so
mancher; *adv* so sehr,
ebensoviel; *m* gewisse
Menge *f*; *Sp* Punkt; **~s** *pl*
einige; **por lo ~** deswegen;
~ mejor desto besser; **~s** *m*
unterdessen; **en ~ que** *cj*
solange; **marcar un ~** ein
Tor schießen

tapa *f* Deckel *m*; Kappe; **~s**
pl Span Appetithäppchen *n*

pl; **~cubo(s)** *m Kfz* Radkappe *f*; **~do** *m RPl, Chi*
(Damen-)Mantel; **~r** zudecken; verstopfen; verhüllen

tapete *m* Zierdecke *f*; **poner
sobre el ~** aufs Tapet bringen

tapia *f* Lehmwand; Mauer

tapi|cero [-θ-] *m* Polsterer;
Dekorateur; **~r** Tapir; **~z**
[-θ] *m* (Wand-)Teppich;
~zar [-θ-] auslegen, auskleiden

tap|ón *m* Korken, Stöpsel;
~onar verkorken

taquigra|fía [-k-] *f* Stenographie; **~fiar** stenographieren

taquígrafo [-k-] *m* Stenograph

taqui|lla [-kiʎa] *f* (Karten-)
Schalter *m*; **~llero** [-ʎ-] *m*
Schalterbeamte(r); **~meca(nógrafa)** *f* Stenotypistin

taquímetro [-k-] *m* Tachometer *m*

tarántula *f* Tarantel

tar|danza [-θa] *f* Verzögerung; **~dar** gegen; **sin ~
dar** unverzüglich; **~de**
spät; *f* Nachmittag *m*;
Abend; **~dío** Spät...; verspätet; **~do** langsam;
schwerfällig; begriffsstutzig

tarea *f* Arbeit; Aufgabe; **~s**
pl Am Hausaufgaben *fpl*

tarifa *f* Tarif *m*; Gebühr

tarima *f* Podium *n*

tarjeta [-x-] *f* Karte; **~ pos-**

telón

tal (de visita) Post- (Visiten-)karte; **~ de crédito** Kreditkarte

tarro m Einmachglas n

tarta f Torte

tartamu|dear stottern; **~dez** [-θ-] f Stottern n

tarugo m Pflock; Holzzapfen

tasa f Taxe; Gebühr; **~ción** [-θ-] f Schätzung; **~dor** m Schätzer; **~r** (ab)schätzen; taxieren

tatuaje [-xe] m Tätowierung f

taur|ino Stier(kampf)...; **~omaquia** [-k-] f (Technik f des) Stierkampf(s) m

taxi m Taxi n; **~sta** m Taxifahrer

taza [-θa] f Tasse

te dir, dich

té m Tee

tea f Kienspan m; Fackel; **~tral** theatralisch; **~tro** m Theater n

tecl|a f Taste; **~ado** m Tastatur f; Mus Tasten fpl; **~ear** klimpern; tippen

técnica f Technik

tecnicismo [-θ-] m Fachausdruck m

técnico technisch; m Techniker; Fachmann

tec|char [-tʃ-] bedachen; **~cho** [-tʃo] m Dach n; Zimmerdecke f; **~cho corredizo** [-θo] Kfz Schiebedach n

tedio m Langeweile f

teja [-xa] f Dachziegel m; **~do** m Dach n; **~dor** m Dachdecker; **~r** mit Ziegeln decken; m Ziegelei f

tejer [-x-] weben; Am a stricken

tejido [-x-] m Gewebe n; **~s** pl Textilien

tejón [-x-] m Dachs m

tela f Gewebe n; Stoff m; Leinwand; **~r** m Webstuhl; **~raña** [-ɲa] f Spinn(en)gewebe n

tele|comunicaciones [-θ-] f pl Fernmeldewesen n; **~diario** m Tagesschau f

tele|dirigido [-x-] ferngelenkt; **~enseñanza** [-ɲan-θa] f Fernunterricht m; **~férico** m Drahtseilbahn f; **~fonear** telefonieren; **~fonema** m Telefonat n; **~fónico** telefonisch; **central** f **~fónica** Fern(sprech)amt n; Vermittlung; **~fonista** su Telefonist(in)

teléfono m Telefon n, Fernsprecher; **~público** Münzfernsprecher

telegr|afía f Telegraphie; **~afiar** telegraphieren; **~áfico** telegraphisch; **~afista** m Flgw, Mar Funker

telégrafo m Telegraph

tele|grama m Telegramm n; **~novela** f TV Fernsehspiel n; **~scopio** m Teleskop n; **~silla** f [-ʎa] f Sessellift m; **~squí** [-k-] m Skilift; **~tipo** m Fernschreiber; **~vidente** m Fernsehzuschauer

televisión f Fernsehen n; **~or** m Fernseher

télex m Fernschreiben n

telón m Thea Vorhang m; **~**

de acero *Span* Eiserner Vorhang

tema *m* Thema *n*; Aufgabe *f*

tembl|ar zittern; **~or** *m* **de tierra** Erdbeben *n*; **~oroso** zitterig

temer fürchten; **~ario** verwegen; **~idad** *f* Tollkühnheit; **~oso** furchtsam, zaghaft

temible furchtbar

temor *m* Furcht *f*

tempera|mento *m* Temperament *n*; **~tura** *f* Temperatur

tempes|tad *f* Sturm *m*; Unwetter *n*; **~tuoso** stürmisch

templa|do maßvoll, gemäßigt; lau; **~r** mäßigen; besänftigen

templo *m* Tempel; Kirche *f*

tempo|rada *f* Zeitraum *m*; Jahreszeit; Saison; **~ral** zeitlich; weltlich; *m* Regenzeit *f*; Sturm, Unwetter *n*

temprano frühzeitig, früh; *adv* (zu) früh

tena|cidad [-θ-] *f* Zähigkeit; **~z** [-θ] zäh; hartnäckig; **~zas** *fpl* [-θ-] Zange *f*

tendedero *m* Trockenplatz

tenden|cia [-θ-] *f* Neigung; Tendenz; **~cioso** [-θ-] tendenziös

ténder *m Esb* Tender

tender (aus)spannen; ausbreiten; ausstrecken; *Wäsche* aufhängen; **~o** *m* Krämer

tendido *m Stk* Sperrsitz

tendón *m Anat* Sehne *f*

tenebro|sidad *f* Finsternis; **~so** finster, dunkel

tene|dor *m* Gabel *f*; *Hdl* Inhaber; **~dor de libros** Buchhalter; **~duría** *f* Buchhaltung; **~r** haben; halten; **~r por** halten für; **~r que** müssen

tenia *f* Bandwurm *m*

teniente *m* Oberleutnant

tenis *m* Tennis(spiel) *n*

tenor *m* Tenor; Wortlaut

tensión *f* Spannung

tenta|ción [-θ-] *f* Versuchung; **~r** betasten; versuchen; **~tiva** *f* Versuch *m*; Probe

tenue dünn; schwach

teñ|ido [-ɲ-] *m* Färben *n*; **~r** färben; *Mal* abtönen

teología [-x-] *f* Theologie

teoría *f* Theorie

teórico theoretisch

terapia *f* Therapie, Heilverfahren *n*

ter|ceto [-θ-] *m Mus* Terzett *n*; **~cio** [-θ-] *m* Drittel *n*; **Ꝗcio** *m Span* Fremdenlegion *f*

terciopelo [-θ-] *m* Samt *m*

termal Thermal...

termas *fpl* Thermalquellen *f*

termin|ación [-θ-] *f* Beendigung; **~al** *f* Endhaltestelle; **~ar** beenden; abschließen; enden

término *m* Ende *n*; Zweck; Frist *f*; Ausdruck

term|o *m* Thermosflasche *f*; **~ómetro** *m* Thermometer *n*; **~osifón** *m* Boiler

terne|ra *f* Kalbfleisch *n*; (Kuh-)Kalb *n*; **~ro** *m*

(Stier-)Kalb n

tern|eza [-θa] f Zartheit; Sanftheit; **∼o** m Am (Herren-)Anzug; **∼ura** f Zärtlichkeit

terra|plén m Aufschüttung f; planierte Fläche f; Damm; **∼teniente** m Grundbesitzer; **∼za** f [-θa] f Terrasse

terre|moto m Erdbeben m; **∼no** m Boden; Gelände n; **∼no de camping** Zeltplatz; **∼stre** irdisch; Erd...

terri|ble schrecklich; **∼torio** m Gebiet n; Territorium n; **terrón** m Erdklumpen; Stück n (Zucker)

terror m Schrecken; **∼ismo** m Terrorismus; **∼ista** su Terrorist(in)

terruño [-no] m Erdreich n; Erdscholle f; fig (engere) Heimat f

tertulia f Gesellschaft; Kränzchen n; Stammtisch m

tesis f These; **∼** (**doctoral**) Doktorarbeit

teso|rería f Schatzamt n; **∼rero** m Schatzmeister; **∼ro** m Schatz; Schatzkammer f

testaferro m fig Strohmann

testamento m Testament n; **testarudo** halsstarrig

testículo m Hode

testi|ficar bezeugen, bekunden; **∼go** su Zeuge m, Zeugin f; **∼moniar** bezeugen; **∼monio** m Zeugnis n; Bescheinigung f

teta f Zitze; Euter n; **∼s** pl P

Titten f pl

tetera f Teekanne

tetero m Col Babyflasche f

tétrico trübselig

tex|til m Textil...; **∼tiles** mpl Textilien pl; **∼to** m Text; **∼tual** wörtlich; **∼tura** f Gewebe n

tez [-θ] f Hautfarbe, Teint m

ti (nach prp) dir, dich

tía f Tante; P Weib n, Tante

tib|ia f Schienbein n; **∼ieza** [-θa] f Lässigkeit; **∼io** lau (-warm)

tiburón m Haifisch

tiempo m Zeit f; Wetter n; Mus Tempo n; **matar el ∼** die Zeit totschlagen; **a ∼** rechtzeitig; **hace ∼** vor langer Zeit; **hace buen** (**mal**) **∼** es ist gutes (schlechtes) Wetter

tienda f Laden m; Zelt n; Col, Chi Lebensmittelgeschäft n

tierno zart, mürbe, weich; zärtlich

tierra f Erde; Land n; Heimat; **tomar ∼** Flgw landen

tieso steif; straff; unbeugsam; **∼to** m Blumentopf

tifus m Typhus

tigr|e m Tiger; Süda Jaguar; **∼illo** [-ʎo] m Süda Ozelot

tijeras [-x-] fpl Schere f; **∼ de uñas** Nagelschere f

tila f Lindenblütentee m

tildar de bezeichnen als

tilde f (über dem spanischen ñ); fig Lappalie

tilo m Linde f

tima|dor m Schwindler; **∼r**

timbre

F übers Ohr hauen

timbre *m* Stempel; Klingel *f*; *Méj* Briefmarke *f*

timidez [-θ] *f* Furchtsamkeit

tímido furchtsam, schüchtern

timo *m* Schwindel

tim|ón *m* Mar Steuer *n*; *Pe, Col Kfz* Steuer(rad) *n*; **~o-nel** *m* Steuermann

tímpano *m* Giebelfeld *n*; *Anat* Trommelfell *n*

tina *f* Bottich *m*; *Col* Badewanne

tinieblas *fpl* Finsternis *f*

tin|ta *f* Tinte; **~te** *m* Färben *n*; Färberei *f*; **~tero** *m* Tintenfaß *n*

tinto gefärbt; *m Col* schwarzer Kaffee; **vino** *m* **~** Rotwein; **~rería** *f* Färberei; chemische Reinigung

tiña [-ɲa] *f Med* Grind *m*

tío *m* Onkel; Kerl

tiovivo *m* Karussell *n*

típico typisch

tiple *f* Sopranistin

tipo *m* Typ; Art *f*; Klasse *f*; Kurs (*Bank*); **~grafía** *f* Buchdruckerkunst

tipógrafo *m* Buchdrucker

tiquete [-k-] *m Am* Fahrkarte *f*; Flugschein

tira *f* Streifen *m*; **~da** *f* Wurf *m*; Auflage *f* (*e-r Zeitung*); **~dor** *m* Schütze *m*; Griff (*Tür usw*)

tiranía *f* Tyrannei

tiránico tyrannisch

tiran|izar [-θ-] tyrannisieren; **~o** *m* Tyrann

tira|nte gespannt; straff; *m* Zugriemen; **~ntes** *pl* Hosenträger; **~ntez** [-θ] *f* Spannung (*a Pol*); **~r** ziehen; werfen; schießen; wegwerfen; *Tab* vögeln

tirita *f Span* Schnellverband *m*; **~r** frösteln

tiro *m* Wurf; Schuß; Schießstand; **~ al plato** Tontaubenschießen *n*; **al ~ ** *Chi* sofort

tirón *m* Ruck; **de un ~** auf einmal

tiroteo *m Mil* Geplänkel *n*; Schießerei *f*

tisana *f* Heiltee *m*

tísico schwindsüchtig

tisis *f* Schwindsucht

títere *m* Marionette *f*

titilar zittern; flimmern

titubear schwanken, unschlüssig sein

titular *adj* betitelt; *v/t* betiteln; *m Hdl, jur* Inhaber; Schlagzeile *f*

título *m* Titel; Wertpapier *n*; Diplom *n*

tiza [-θa] *f* Kreide

toall|a [-ʎa] *f* Handtuch *n*; **~a de baño** Badetuch *n*; **~a higiénica** *Am* (Damen-) Binde; **~ero** *m* Handtuchhalter

tobera *f* Düse

tobillo [-ʎo] *m* Fußknöchel *m*

toca|discos *m* Plattenspieler; **~dor** *m* Frisur *f*; Kopfputz; **~dor** *m* Spieler (*eines Instruments*); Toiletten-

tisch; **(en lo) .nte a** was ...
anbetrifft; **.r** berühren;
rühren an; *Mus* spielen;
Glocken läuten; *Hafen* anlaufen; zukommen, zufal-
len *(Los)*

tocino [-θ-] *m* Speck

todavía noch (immer); **~ no**
noch nicht

todo alles, ganz; jeder; *m*
Ganze(s) *n*; **~ el mundo**
jedermann; die ganze Welt;
sobre ~ vor allem

toldo *m* Sonnendach *n*

tolera|ble erträglich; **.ncia**
[-θ-] *f* Toleranz; **.nte** duld-
sam; **.r** dulden, zulassen

toma *f* Nehmen *n*; Ent-,
Auf-, Über-nahme; **.r**
nehmen; weg-, mit-, ein-
nehmen; *Kaffee usw. Am
allg* trinken; *Beschluß* fassen

tomate *m* Tomate *f*

tomavistas *m* Filmkamera *f*

tomillo [-ʎo] *m* Thymian

tomo *m* Band; Buch *n*

tonel *m* Tonne *f*; Faß *n*;
.ada *f* Tonne *(Gewicht)*;
.aje [-xe] *m* *Mar* Tonnage
f; **.ería** *f* Böttcherei; **.ero**
m Böttcher

tónic|a *f* Tonic Water *n*; **.o**
m Med Tonikum *n*

tono *m* Ton; Redeweise *f*;
darse ~ s. wichtig machen

tont|ería *f* Albernheit; **.o**
dumm; albern; *m* Dumm-
kopf

topar (zs-)stoßen; **~ con** stoßen auf, gegen

tope *m* Spitze *f*; *Mar* Topp;

Esb Puffer; *Tech* Anschlag

topo *m* Maulwurf

topográfico topographisch

toque [-ke] *m* Berührung *f*;
Signal *n*; Geläute *n*; **~ de
queda** Sperrstunde *f*

torbellino [-ʎ-] *m* Wirbel,
Strudel

torcer [-θ-] drehen; krümmen; verrenken; **~ (a)** abbiegen (nach); **.se** s. *et* verrenken, verstauchen

torcido [-θ-] krumm

tore|ar mit Stieren kämp-
fen; **.o** *m* Stierkampf; **.ro**
m Stierkämpfer, Torero

toril *m Stk* Stierzwinger

tormenta *f* Sturm *m*; Gewitter *n*

tornar *v/t* zurück-geben; *v/i*
-kehren; **.se** s. verwandeln,
werden

torne|ar drechseln; *Metall*
drehen; **.ro** *m* Dreher

tornillo [-ʎo] *m* Schraube *f*;
.llo de banco Schraubstock; **.quete** [-k-] *m* Dreh-
kreuz *n*

torno *m* Drehbank *f*;
Schraubstock; Winde *f*

toro *m* Stier, Bulle; **~s** *pl*
Stierkampf *m*

toronja [-xa] *f* Pampelmuse

torpe ungeschickt; schwerfällig; stumpfsinnig

torpe|dero *m* Torpedoboot
n; **.do** *m* Torpedo; *Zo* Zit-
terrochen

torpeza [-θa] *f* Ungeschick-
lichkeit; Stumpfsinn *m*;
Unanständigkeit

torre *f* Turm *m*; Hochhaus

n; **~ de control** *Flgw* Kontrollturm *m*

torren|cial [-θ-] strömend; **~te** *m* Gieß-, Sturz-bach; *fig* Schwall

torre|ón *m* Festungsturm; **~ro** *m* Turmwächter; Leuchtturmwärter

tórrido heiß (*Klimazone*)

torsión *f* Drehung

torta *f* Kuchen *m*; Fladen *m*; *F* Ohrfeige

tortilla [-ʎa] *f* ~ (**francesa**) Eierkuchen *m*, Omelett *n*; **(a la) española** Omelett mit Kartoffeln; **~** *Méj* Maisfladen *m*

tórtola *f* Turteltaube

tortuga *f* Schildkröte

tortuo|sidad *f* Krümmung; **~so** geschlängelt; krumm

tortura *f* Folter; Qual; **~r** foltern

tos *f* Husten *m*

tosco unbearbeitet, roh; *fig* ungehobelt

toser husten

tosquedad [-k-] *f* Grobheit

tosta|da *f* Toast *m*; **~dor** *m* **de pan** Toaster; **~r** rösten; **~rse** braun werden

total ganz, völlig; *m* Gesamtsumme *f*; **~idad** *f* Gesamtheit; **~izar** [-θ-] zusammenzählen

tozudo [-θ-] halsstarrig

traba *f* Band *n*; Fessel; *fig* Hindernis *n*

traba|jador [-x-] arbeitsam; *m* Arbeiter; **~jar** [-x-] arbeiten; verarbeiten; **~jo** [-xo] *m* Arbeit *f*; Mühe *f*; *fig*

Schwierigkeit *f*; **~joso** [-x-] mühsam; lästig

traba|r verbinden; verstricken; fesseln; **~r conversación** ein Gespräch anknüpfen; **~zón** [-θ-] *f* Verbindung; Gefüge *n*

trac|ción [-θ-] *f* Ziehen *n*, Zug *m*; **~tor** *m* Traktor; **~tor-oruga** *m* Raupenschlepper

tradición [-θ-] *f* Überlieferung; **~onal** überliefert, herkömmlich; **~onalista** konservativ; *Span* königstreu

tradu|cción [-θ-] *f* Übersetzung; **~cir** [-θ-] übersetzen; **~ctor(a)** *m* Übersetzer(in)

traer (her)bringen; **~ loco** verrückt machen

traficar Handel treiben

tráfico *m* Handel; Verkehr

traga|deras *fpl* Schlund *m*; **~luz** [-θ] *m* Dachfenster *n*; Luke *f*; **~perras** *m* Spielautomat; **~r** verschlucken

tragedia [-x-] *f* Tragödie

trágico [-x-] tragisch

trago *m* Schluck; **de un ~o** auf einmal, in einem Zug; **echar un ~o** e-n Schluck nehmen; *F* s. einen genehmigen; **~ón** gefräßig

traición [-θ-] *f* Verrat *m*; **~onar** verraten

traída *f* Überbringung; **~ de aguas** Wasserzufuhr

traído abgetragen (*Kleid*)

traidor verräterisch; treulos; *m* Verräter

traje [-xe] *m* Anzug; Tracht

f; **~ sastre** Kostüm *n*; **~ de
baño** Badeanzug

trajín [-x-] *m* Geschäftigkeit
f, Hektik *f*; Plackerei *f*

trama *f fig* Komplott *n*;
Thea Handlung

tramita|ción [-θ-] *f* Instanzenweg *m*; **~r** weiterleiten,
betreiben

trámite *m* Dienstweg; Instanz *f*; **~s** *pl* Formalitäten *f
pl*

tramonta|na *f* Nordwind
m; *fig* Eitelkeit; **~no** jenseits
der Berge

tramp|a *f* Falle; Falltür; *fig*
Schwindel *m*; **~ear** betrügen; **~olín** *m* Sprungbrett
n; **~oso** betrügerisch; *m* Betrüger

tranca *f Ven* Verkehrsstau *m*

trance [-θe] *m* kritischer Augenblick

trancón *m Col* Verkehrsstau

tranquil|idad [-k-] *f* Ruhe;
~izar [-θ-] beruhigen; **~o**
ruhig; gelassen

trans|acción [-θ-] *f Hdl* Geschäft *n*; **~atlántico** überseeisch; *m* Überseedampfer; **~bordador** *m* Fährschiff *n*; **~bordar** umladen;
~bordo *m* Umladung *f*; *Esb*
Umsteigen *n*

trans|cribir abschreiben; **~cripción** [-θ-] *f* Ab-, Umschrift; *Mus* Bearbeitung;
~currir vergehen; **~curso**
m Verlauf; **~eúnte** *m* Vorübergehende(r), Passant

trans|ferencia [-θ-] *f Hdl*
Überweisung; **~ferible** *Hdl*

übertragbar; **~ferir** übertragen; überweisen; **~formación** [-θ-] *f* Umbildung; **~formador** *m El*
Transformator, F Trafo; **~formar** umformen

transfusión *f* Umfüllung;
Med **~ de sangre** Blutübertragung

transición [-θ-] *f* Übergang
m

transi|gente [-x-] nachgiebig; versöhnlich; **~gir** [-x-]
nachgeben

transistor *m El* Transistor
(-radio *n*)

transi|table gangbar; befahrbar; **~tar** durchreisen,
verkehren; **~tivo** transitiv

tránsito *m* Durchgang,
Transit; (Fahr-)Verkehr

transitorio vorübergehend

translúcido [-θ-] durchscheinend

trans|misión *f* Übertragung; überwinden; **~misor** *m* Übersender; *Rf* Sender; **~mitir**
übertragen; übermitteln;
Rf senden; **~parencia** [-θ-]
f Durchsichtigkeit; *Am a*
Dia *n*; **~parente** durchsichtig; **~pirar** ausdünsten; schwitzen; **~portar**
transportieren, befördern;
~porte *m* Beförderung *f*,
Transport; *Hdl* Übertrag

transversal *quer*; seitlich

tranvía *m* Straßenbahn *f*;
Span a Nahverkehrszug

trapecio [-θ-] *m* Trapez *n*

trapero *m* Lumpensammler

trapiche [-tʃe] *m Am* Zukkermühle f

trapo m Lumpen; (Wisch-, Staub-)Tuch n; *Stk* F rotes Tuch

tráquea [-k-] f *Anat* Luftröhre

tras nach; hinter; **uno ~ otro** hinter-ea

trasbordo: hacer ~ umsteigen

trascendental [-θ-] bedeutend, weitreichend

trasegar *Flüssigkeit* ab-, um-füllen

trase|ra f Rückseite; **~ro** hinter; m F Hintern

trasiego m Umfüllen n

trasla|dar verrücken; verlegen; versetzen; **~darse** s. begeben (**a** nach); **~do** m Versetzung f

traslucirse [-θ-] durchscheinen

trasmano m Hinterhand f (*Kartenspiel*)

trasnocha|da [-tʃ-] vergangene Nacht; Nachtwache; **~do** abgestanden; F vergammelt; **~r** die Nacht schlaflos zubringen; übernachten

traspapelar verkramen

traspa|sar überschreiten; *Hdl* übergeben; *jur* übertragen; **~sarse** zu weit gehen; **~so** m Übertretung f; Abtretung f

trasplantar umpflanzen; *Med* verpflanzen

trasto m Hausgerät n; Trödel

trastor|nar umwerfen; verdrehen; stören; **~no** m Umkehrung f; Umsturz; Störung f

trata f Sklavenhandel m; **~ de blancas** Mädchenhandel m; **~ble** umgänglich; **~do** m Abhandlung f; Vertrag; **~miento** m Behandlung f; Anrede f; **~nte** m Händler; **~r** behandeln; erörtern; **~r** en handeln mit; **~r con** verkehren mit; **~r de** + *inf* versuchen zu; **~rse de** s. handeln um

trato m Behandlung f; Umgang; Handel, Verhandeln n

través: de ~ schräg; **a ~ de** (quer) durch

trave|saño [-ɲo] m Querbalken; Keilkissen n; **~sía** f Querstraße; Überquerung; Überfahrt

travie|sa f Bahnschwelle; **~so** mutwillig; unartig (*Kind*)

trayecto m Strecke f; Weg

traz|a [-θa] f Bauriß m; Plan m; **~ar** entwerfen; zeichnen, ziehen; **~o** m Strich; Schriftzug

trébol m Klee

trecho [-tʃo] m Strecke f, Stück n

tregua f Waffenruhe

tremendo fürchterlich

trementina f Terpentin n

tren m *Esb* Zug; Gefolge n; **~ de aterrizaje** *Flgw* Fahrgestell n

trenza [-θa] f Flechte (*Haar*), Zopf m; **~do** m Geflecht *n*, Flechtwerk *n*

trepar (er)klettern

trepidar beben, zittern

triangular dreieckig

triángulo *m* Dreieck *n*; **∼ de peligro** Warndreieck *n*

tribu *f* Stamm *m*; **∼na** *f* Tribüne; **∼nal** *m* Gerichtshof; **∼tario** steuerpflichtig; **∼to** *m* Steuer *f*; Tribut

triciclo [-θ-] *m* Dreirad *n*

tricolor dreifarbig

trigal *m* Weizenfeld *n*

trigo *m* Weizen

trilla|dora [-ʎ-] *f* Dreschmaschine; **∼r** dreschen

trimes|tral vierteljährlich; **∼tre** *m* Quartal *n*

trincar zerteilen; festzurren; zechen

trinch|ar [-tʃ-] tranchieren; **∼era** *f* Schützengraben *m*; Trenchcoat *m*

trineo *m* Schlitten

trinidad *f Rel* Dreifaltigkeit

tripa *f* Darm *m*; *F* Bauch *m*; **∼s** *pl* Eingeweide *npl*

triple dreifach

trípode *m* Stativ *n*

tripu|lación [-θ-] *f Mar, Flgw* Besatzung; **∼ar** bemannen

triste traurig; trübe; düster; **∼za** [-θa] *f* Traurigkeit

triturar zerkleinern, zermahlen

triun|far triumphieren; siegen; **∼fo** *m* Triumph, Erfolg; *Sp* Sieg; Trumpf (*Kartenspiel*)

trivial platt, trivial, **∼idad** *f* Plattheit; Gemeinplatz *m*

trocar tauschen; wechseln

trocha [-tʃa] *f* Pfad *m*; *Süda Esb* Spurweite

trolebús *m* Obus

trombón *m* Posaune *f*

tromp|a *f Mus* Horn *n*; *Zo* Rüssel *m*; **∼eta 1.** *f* Trompete; **2.** *m* Trompeter; **∼o** *m* Kreisel (*Spielzeug*)

tronar donnern

tronco *m* Baumstamm; Rumpf

tropa *f* Trupp *m*; Truppe

tropezar [-θ-] stolpern, stoßen; zs-stoßen (**con** mit)

tropical tropisch

trópico *m* Tropen *pl*; *Geogr* Wendekreis

tropiezo [-θo] *m* Anstoß; Hindernis *n*

trote *m* Trab

trozo [-θo] *m* Stück *n*

truco *m* Trick

trucha [-tʃa] *f* Forelle

trueno *m* Donner

trueque [-ke] *m* Tausch

trufa *f* Trüffel

tú du

tu, tus (*pl*) dein(e)

tuberculosis *f* Tuberkulose

tub|ería *f* Rohrleitung; **∼o** *m* Röhre *f*; Rohr *n*; Tube *f*

tuerca *f Tech* Schraubenmutter

tugurio *m* Elendswohnung *f*

tumb|a *f* Grab(stätte) *n*; **∼ar** umwerfen; **∼ona** *f* Liege; Liegestuhl *m*

tumor *m* Geschwulst *f*

tumul|to *m* Aufruhr, Tumult; **∼tuario**, **∼tuoso** lärmend

tuna f Kaktusfeige; Studentengesangsgruppe; **~nte** m Ganove

túnel m Tunnel; **~ de lavado** Kfz Waschstraße f

turba f Torf m; Schwarm m (*Menschen*)

turbina f Turbine

turbio trübe; *fig* unklar

turbulencia [-θ-] f Aufregung

turis|mo m Fremdenverkehr; (**coche** m **de**) **~mo** Kfz Personenwagen; **~ta** su Tourist(in)

turno m Reihenfolge f; Arbeitsschicht f; **por ~** der Reihe nach

tut|ear duzen; **~ela** f Vormundschaft; *fig* Schutz m; **~or** m Vormund

tuyo, tuya (*usw*) dein(e)

U

u oder (*vor* **o-, ho-**)

ubre f Euter n

ubica|ción [-θ-] f Am Lage; Standort m; Unterbringung; **~do** Am gelegen; **~r** Am unterbringen; **~rse** s. zurechtfinden, s. orientieren

Ud. = usted

úlcera [-θ-] f Geschwür n

ulterior jenseitig; weiter

ultimar beenden; Am a töten, umbringen

último letzte(r); äußerste(r); **en ~ término** zuletzt; **a ~s de mayo** Ende Mai; **lo ~** das ist das Letzte

ultraje [-xe] m Beschimpfung f

ultra|mar m Übersee f; **~marinos** mpl Span Kolonialwaren fpl; **~sonido** m Ultraschall

umbral m (Tür-)Schwelle f

un, una ein, eine

unánime einmütig

ungüento m Salbe f

único einzig(artig)

unicolor einfarbig

unid|ad f Einheit; **~o** vereinigt, verbunden

unifica|ción [-θ-] f Vereinheitlichung; **~r** vereinheitlichen

unifor|mar uniformieren; **~me** gleichförmig; einheitlich; m Uniform f; Schul-, Berufs-kleidung f; **~midad** f Ein-, Gleich-förmigkeit

uni|ón f Vereinigung; **~r** vereinigen; **~sex** m Süda Friseur

univer|sal allgemein; universal; **~salidad** f Allgemeinheit; **~sidad** f Universität; Hochschule; **~so** m Weltall n

uno m (**una** f) eine(r, -s); jemand, man; **~ a** einer nach dem anderen; **~s** einige; **~(s) a otro(s)** einander

untar (ein)schmieren; Brot bestreichen; F schmieren, bestechen

uña [uɲa] f Nagel m; Huf m;

valer

Kralle

urban|idad f Höflichkeit; **~ismo** m Städteplanung f; **~ización** [-θaθ-] f (bauliche) Erschließung; (Villen-, Häuser-)Kolonie; **~izar** [-θ-] (baulich) erschließen; **~o** städtisch; höflich; m Span (Gemeinde-, Stadt-)Polizist

urgen|cia [-xenθ-] f Dringlichkeit; Notfall m (a Med); **~te** dringend

urubú m Süda Krähengeier

urna f Urne

usa|do gebraucht, abgenutzt; üblich; **~r** gebrauchen, verwenden, benützen; **~r de** zu et greifen (zB List)

usina f Arg Elektrizitätswerk n

uso m Gebrauch; Verwendung f; Mode f; Gewohnheit f, Brauch

usted(es) Sie (pl)

usual gebräuchlich; üblich

usura f Wucher m

utensilio m Gerät n; **~s** pl Handwerkszeug n

útero m Anat Gebärmutter f

útil nützlich, dienlich

utili|dad f Nutzen m; Vorteil m; **~dades** pl Einkünfte; **~zar** [-θ-] benützen

uto|pía f Utopie; **~pista** su Schwärmer(in

uva f Traube

úvula f Anat Zäpfchen n

V

vaca f Kuh

vaca|ciones [-θ-] fpl Urlaub m, Ferien pl; Schulferien; **~nte** unbesetzt; frei; f offene Stelle

vaciar [-θ-] ausleeren; (aus-) gießen

vacila|ción [-θilaθ-] f Schwanken n; **~nte** schwankend; flackernd (Licht); **~r** schwanken; unschlüssig sein

vacío [-θ-] leer; unbewohnt; m Leere f; Lücke f; Vakuum n

vacuna f Impfstoff m; **~ción** [-θ-] f Impfung; **~r** impfen

vado m Furt f

vaga|bundo m Landstrei-

cher, Vagabund; **~r** faulenzen; umherstreifen

vagina [-x-] f Anat Scheide

vago unbestimmt, vage; m Faulpelz; Herumtreiber

vag|ón m Waggon; **~oneta** f Lore

vaho m Dampf, Dunst

vaina f Scheide (Messer); Bot, Mil Hülse; Col unangenehme, lästige Sache

vainilla [-áa] f Vanille

vaivén m Hin u. Her n

vajilla [-xiáa] f Geschirr n

vale m Gutschein, Bon; ¡**~**! o.k., gut (so)!, einverstanden; **~r** nützen; einbringen; wert sein; gelten; **más ~** + inf es ist besser zu; **~rse**

de u/c s. e-r Sache bedienen

valeriana f Baldrian m

válido gültig; arbeitsfähig

vali|ente tapfer, tüchtig; **~ja** [-xa] f Am Koffer m; **~oso** wertvoll

valor m Wert; Mut; **~es** pl Wertpapiere npl; **~ cívico** Zivilcourage f; **~ar** schätzen, bewerten

vals m Walzer

válvula f Klappe, Ventil n

valla [-λa] f Zaun m; Hürde

valle [-λe] m Tal n

vampiro m Zo Vampir

vanagloriarse s. brüsten

vanguardia f Mil Vorhut; Vorkämpfer m

vanid|ad f Eitelkeit; Nichtigkeit; **~oso** eitel

vano eitel; nichtig; **en ~** vergebens

vapor m Dampf; Dampfer; **~izador** [-θ-] m Zerstäuber; **~izar** [-θ-] m verdampfen

vaquero [-k-] m Rinderhirt; **(pantalón) ~** (Blue) Jeans pl

vara f Stab m; Stange; spanische Elle; Stk Pike, Stoßlanze; **~r** Mar an Land ziehen; auflaufen, stranden; **~rse** Col Kfz e-e Panne haben

varia|ble veränderlich; **~ción** [-θ-] f Veränderung; **~do** mannigfach; abwechselnd; **~r** verändern, wechseln

vari|edad f Mannigfaltigkeit; Vielfältigkeit; **~o** verschieden; veränderlich; **~os** pl mehrere; manche

va|rón m männliches Wesen n, Mann; **~ronil** männlich; mannhaft

vascuence [-θe] m das Baskische (Sprache)

vas|ija [-xa] f Gefäß n; **~o** m Trinkglas n; Anat Gefäß n

vasto weit, ausgedehnt; umfassend

vatio m El Watt n

Vd(s). = usted(es)

vecin|al [-θ-] nachbarlich; **~dad** f Nachbarschaft; Umgebung; **~dario** m Einwohnerschaft f; **~o** benachbart; m, **~a** f Nachbar(in); Einwohner(in)

veda f Schonzeit (Jagd, Fischen)

vega f (bewässertes) Anbauland n; Aue

vegeta|ción [-xetaθ-] f Pflanzenwuchs m; **~l** pflanzlich; **~les** mpl Pflanzen fpl; **~r** vegetieren; **~riano** m Vegetarier

vehemencia [-θ-] f Heftigkeit

vehículo m Fahrzeug n; **~ automóvil** Kraftfahrzeug n

veje|storio [-x-] m F alter Knacker; alter Plunder, Kram; **~z** [-θ] f Greisenalter n

vejiga [-x-] f Med Blase

vela f Kerze; Segel n; **~da** f Abend-veranstaltung, **~ge**sellschaft; **~dor** m Nachttischlampe *f*; **~r** wachen (**por** über)

velo *m* Schleier; *fig* Deckmantel

veloc|idad [-θ-] *f* Schnelligkeit; **~idad máxima** Höchstgeschwindigkeit; **~í-metro** *m* Geschwindigkeitsmesser

velódromo *m* Radrennbahn *f*

velomotor *m* Mofa *n*

veloz [-θ] schnell

vena *f* Ader; Vene

vencedor [-θ-] siegreich; *m*, **~a** *f* Sieger(in)

vencer [-θ-] (be)siegen; *Hdl* ablaufen, verfallen (*Frist, Wechsel*); **~se** s. beherrschen

vencimiento [-θ-] *m* Besiegung *f*; Verfall; Fälligkeit *f*

venda *f* Binde; **~ de gasa** Mullbinde; **~je** [-xe] *m* Verband; **~je provisional** Notverband; **~r** verbinden

vende|dor(a *f*) *m* Verkäufer(in); **~dor ambulante** Straßenhändler; Hausierer; **~r** verkaufen

vendimia *f* Weinlese

veneno *m* Gift *m*; **~so** giftig

venerar verehren

venga|nza [-θa] *f* Rache; **~r** se s. rächen (**de** u/*c* für; **de alg** an j-m); **~tivo** rachsüchtig

veni|dero zukünftig; **~r** kommen; **~r a ser** werden (zu); **~r a** besuchen; **la semana que viene** nächste Woche

venta *f* Verkauf *m*; *Span* Gasthaus *n* (*an Fernstraßen*); **en ~** zu verkaufen; **~ja** [-xa] *f* Vorteil *m*; *Spiel* Vorgabe; **~joso** [-xo] vorteilhaft

ventana *f* Fenster *n*

ventanilla [-ʎa] *f Kfz, Flgw* Fenster *n*; Schalter *m*

venti|lación [-θ-] *f* (Ent-)Lüftung; **~lador** *m* Ventilator; **~lar** (be-, ent-, aus-)lüften; *fig* erörtern

ventisquero [-k-] *m* Schneegestöber *n*; Gletscher

venturoso glücklich

ver sehen; **¡a ~!** mal sehen; zeig mal; *Col Tel* hallo!; **no tener nada que ~ con** nichts zu tun haben mit

vera|neante *m* Sommerfrischler; **~near** den Sommer verbringen; **~neo** *m* Sommerfrische *f*; **~no** *m* Sommer

veras: de ~ im Ernst

verbal mündlich

verbena *f Span* Volksfest *n*, Kirmes

verbo *m* Zeitwort *n*; **~so** wortreich

verdad *f* Wahrheit; **¿~?** nicht wahr?; **de ~** im Ernst; **(no) es ~** das stimmt (nicht); **~ero** wahr, wirklich

verde grün; frisch (*Gemüse*); *m* Grün *n*; **viejo ~** *F* alter Lustgreis; **~ar** grünen

verdugo *m* Henker

verdura *f* Gemüse *n*

vere|da *f* Fußweg *m*; *Am*

veredicto   218

Gehsteig *m*; *Col* Ortsteil *m*;
~dicto *m jur* (Geschwore-
nen-)Spruch

vergel [-x-] *m* Obstgarten

vergonzoso [-θ-] scham-
haft; beschämend

vergüenza [-θa] *f* Scham;
Ehrgefühl *n*; **me da ~** ich
schäme mich

verídico wahr

verifica|ción [-θ-] *f* Prü-
fung, Kontrolle; Nachweis
m; **~r** nachprüfen, kontrollieren; bestätigen; ausführen; **~rse** stattfinden

vermut *m* Wermut; *Span*
kleine Vorspeisen *fpl* (*zum
Aperitif*)

verruga *f* Warze

versado bewandert (**en** in)

versión *f* Version, Darstel-
lung; Fassung; Übersetzung

verso *m* Vers

vértebra *f Anat* Wirbel *m*

verter eingießen; verschüt-
ten; übersetzen

vertical senkrecht

vértigo *m Med* Schwindel

vesícula *f* (Gallen-)Blase

vestíbulo *m* Vorhalle *f*;
Foyer *m*

vestido *m* Kleid *n*; *Am a*
(Herren-)Anzug

vestigio *m* Spur *f*

vestir (be)kleiden; anziehen; **~se** s. (an)kleiden

veta *f* Maser(ung)

veterano *m* Veteran

veterinario *m* Tierarzt

vez [-θ] *f* Mal *n*; **a la ~**
gleichzeitig; **en ~ de** an-

statt; **a mi ~** meinerseits;
cada ~ más immer mehr; *cj*
una ~ que da einmal; wenn
einmal; **veces** [-θ-] *pl*: **a
veces** manchmal; **varias
veces** mehrmals; **muchas
veces** oft

vía *f* Weg *m*; Straße; Bahn;
Esb Gleis *n*; **por ~ aérea** auf
dem Luftwege

viable durchführbar

viaducto *m* Überführung *f*,
Viadukt

viaj|ante [-x-] *m* Geschäfts-
reisende(r); **~ar** reisen; **~e**
m Reise *f*; Fahrt *f*; estar de
~e verreist sein; **~era** *f*, **~e-
ro** *m* Reisende(r); Fahrgast
m

víbora *f* Viper; Kreuzotter;
Am a allg Schlange

vibra|ción [-θ-] *f* Schwin-
gung; **~r** vibrieren

vice|presidente [-θ-] *m* Vi-
zepräsident; **~versa** *adv*
umgekehrt

vicio [-θ-] *m* Fehler; Laster
n; **~so** fehlerhaft; lasterhaft

víctima *f* Opfer *n*

victoria *f* Sieg *m*

vicuña [-ɲa] *f Zo* Vikunja *f*

vid *f* Weinstock *m*, Rebe

vida *f* Leben *n*; Lebensart;
en mi ~ noch nie; **mi ~**
mein Liebling

video|ca(s)set(t)e *m u f* Vi-
deokassette *f*; Videorecor-
der *m*; **~grabación** [-θ-] *f*
Videoaufnahme

vidri|era *f* Glasfenster *n*;
Glastür; *Súda* Schaufen-
ster *n*; **~ero** *m* Glaser; **~o** *m*

Glas n; Fensterscheibe f

viejo [-xo] alt; m, **~a** f Alte(r)

viento m Wind; Witterung f (Jagd); **hace ~** es ist windig

vientre m Bauch; Leib; **hacer de(l) ~** Stuhlgang haben

viernes m Freitag; ♀ Santo Karfreitag

viga f Balken m

vigente [-x-] gültig, geltend

vigilancia [-xilanθ-] f Wachsamkeit; Aufsicht; **~lante** wachsam; m Wächter; Aufseher; **~lar** (be)wachen

vigor m Kraft f; Nachdruck; **estar en ~** in Kraft sein, gelten

villa [-λa] f Kleinstadt; Villa; **la ♀ y Corte =** Madrid

villancico [-λanθ-] m Weihnachtslied n

vinagre m Essig; **~ra** f Essigflasche; **~ras** fpl Essig- und Ölgestell n

vinatero Wein...; m Weinhändler

vincha [-tʃa] f Süda Stirnband n

vino m Wein; **~ blanco (tinto)** Weiß- (Rot-)wein

viña [-ɲa] f Weinberg m; **~dor** m Winzer

viola f Bratsche; **~r** verletzen; vergewaltigen; entweihen

violencia [-θ-] f Gewalt; Notzucht; **~tar** vergewaltigen; **~to** gewaltig, heftig; aufbrausend

violeta f Veilchen n

violín m Geige f; Geiger; **~linista** su Geiger(in); **~loncelo** [-θ-] m Cello n

virada f Wendung; **~je** [-xe] m Wendung f; Kurve f; **~r** wenden; e-e Kurve nehmen

virgen [-x-] jungfräulich; unberührt; f Jungfrau; **la ♀** die heilige Jungfrau (Maria)

viril männlich; **~idad** f Mannhaftigkeit

virrey m Vizekönig

virtud f Fähigkeit; Tugend; **en ~ de** kraft (gen)

viruela f Pocken fpl

virulento giftig, bösartig

visa f Am, **~do** m Span Visum n

visibilidad f Sicht(weite); **~le** sichtbar

visillo [-λo] m Scheibengardine f; **~ón** f Sehen n; Traumbild n; Vision f

visita f Besuch m; Besichtigung; **~r** besuchen; besichtigen

visor m Fot Sucher

víspera f Vorabend m; **en ~s de** a kurz vor (dat)

vista 1. f Sehen n; Blick m; Anblick m; **a primera ~** auf den ersten Blick; **conocer de ~** vom Sehen ...; **en ~ de** prp angesichts; im Hinblick auf; **hasta la ~** auf Wiedersehen; **saltar a la ~** ins Auge springen; 2. m Zollbeamte(r); **~zo** [-θo] m Blick

visto

220

visto gesehen; **bien (mal)** ~ (un)beliebt; **por lo** ~ offensichtlich; ~ **so** auffällig; ansehnlich

vital|icio [-θ-] lebenslänglich; ~**idad** f Lebenskraft

vitamina f Vitamin n

viticultura f Weinbau m

vitrina f Vitrine; Am a Schaufenster n

vituperar tadeln

viud|o verwitwet; m, ~**a** f Witwe(r)

viva: ¡~! hurra!, hoch!; ~ m Hoch n

víveres mpl Lebensmittel npl

vivi|enda f Wohnung; ~**r** leben; wohnen; **¿quién vive?** wer da?

vivo lebendig; lebhaft; klug, clever

vizcacha [-θkatʃa] f Am Pampashase m

vocab|lo m Wort n; ~**ulario** m Wortschatz; Vokabular n

voce|ar [-θ-] Ware ausrufen; ~**ro** m bsd Am Wortführer, Sprecher

vola|dora f Col Motorboot n; ~**nte** fliegend; umherirrend; m Kfz Lenkrad n; Hdl Begleitschein; Tanzblatt n; Federballspiel n; ~**ntín** m Süda Drachen (Spielzeug); ~**r** fliegen; fig eilen; sprengen

volcán m Vulkan; ~**ico** vulkanisch

volcar umwerfen

voltaje [-xe] m Stromspannung f

voltear umdrehen; umwerfen; Am a Kfz abbiegen

voltio m El Volt n

volunta|d f Wille m; Belieben n; F a Almosen n; **a** ~**d** nach Belieben; ~**rio** freiwillig

voluptuosidad f Sinnesfreude, Lust

volver drehen, umkehren; zurückgeben; zurückkehren; ~ **a hacer** et wieder tun; ~**se** s. umdrehen; ~**se** + adj werden

vomitar (er)brechen

vómito m Med (Er-)Brechen n

vos Süda du; ~**otros** mpl, ~**otras** fpl ihr

vot|ar (ab)stimmen; ~**o** m Pol Stimme f; Votum n

voz [-θ] Stimme; Laut m, Ton m; **a media** ~ halblaut; **en** ~ **alta (baja)** laut (leise)

vuelo m Flug; fig Aufschwung; ~ **chárter (sin escala)** Charter- (Nonstop-)flug

vuelta f Drehung; Rückkehr; Runde; Rückgabe; Wechselgeld n; **a la** ~ umstehend; **a** ~ **de correo** postwendend; **dar una** ~ e-n Spaziergang machen; **dar la** ~ **a** et umdrehen, umblättern; **estar de** ~ zurück sein; ~**s** pl Am Klein-, Wechsel-geld n

vues|tro m, ~**tra** f euer

vulcanizar [-θ-] vulkanisieren

vulgar gemein, alltäglich

zancudo

W

waffle *m Am* Waffel *f*

X

xenofobia *f* Fremdenfeind-
lichkeit

xilografía *f* Holzschneide-
kunst

Y

y und

ya schon; jetzt; nun; ~ **que**
da; ~ **no** nicht mehr; **¡~ lo
creo!** das will ich meinen!;
~ **voy** ich komme (schon)

yacaré *m RPl* Kaiman

yac|er [-θ-] liegen; **~imien-
to** *m* Lager *n*, Vorkommen
n

yaguareté *m RPl* Jaguar

yanqui [-ki] nordamerikanisch; *m* Yankee

yapa *f Súda* Zugabe

yate *m* Jacht *f*

yay|a *f Pe infant* Wehweh *n*;
Span Oma; **~o** *m Span* Opa

yegua *f* Stute; *Am a* Zigarettenstummel *m*; **~da** *f* Pfer-

deherde

yema *f* Knospe; Eidotter *n*

yerba *f* Gras *n*; Kraut *n*;
Súda Matetee *m*

yerno *m* Schwiegersohn

yerro *m* Irrtum

yeso *m* Gips; Kreide *f*

yo ich

yodo *m* Jod *n*

yogur *m* Joghurt

yuca *f Bot* Maniok *m*

yugo *m* Joch *f*

yun|que [-ke] *m* Amboß; **~ta**
f Gespann *n* (*Arbeitstiere*)

yute *m* Jute *f*

yuyo *m RPl* Kraut *n*; Unkraut *n*; **té** *m* **de** ~ *RPl*
Kräutertee

Z

zafiro [θ-] *m* Saphir

zafra [θ-] *f Am* Zuckerernte

zagal [θ-] *m* Hirtenjunge

zaguán [θ-] *m* Diele *f*, Haus-
flur

zalamería [θ-] *f* Schmeichelei

zamarra [θ-] *f* (Hirten-)
Pelzjacke

zambo [θ-] *m* Mischling
(*Neger und Indianerin*)

zambulli|da [θambuí-] *f*
Kopfsprung *m*; **~rse** untertauchen

zanahoria [θ-] *f* Mohrrübe

zanc|os [θ-] *mpl* Stelzen *fpl*;
~udo *m bsd Am* Stechmük-
ke *f*

zanja [θaŋxa] *f* Graben *m*
zapallo [θapaʎo] *m* *Süda* Kürbis
zapa|tería [θ-] *f* Schuhgeschäft *n*; **~tero** *m* Schuhmacher; **~tilla** [-ʎa] *f* Hausschuh *m*; Pantoffel *m*; **~to** *m* Schuh
zarpa [θ-] *f* Tatze
zarpar [θ-] *Mar* auslaufen
zarz|a [θarθa] *f* Dornbusch *m*; **~uela** *f* *typisch spanisches* Singspiel *n*; *Gastr* Gericht *n* mit Fischen und Meeresfrüchten
zeta [θ-] *f* *das spanische* Z
zigzag [θiɣθ-] *m* Zickzack
zinc *m* Zink *n*
zócalo [θ-] *m* Sockel; Unterbau
zodíaco [θ-] *m* Tierkreis

zona [θ-] *f* Zone; Gebiet *n*; **~ azul** Kurzparkzone
zonzo [θonθo] *bsd Am* geschmacklos; dumm
zoológico [θoolɔx-] zoologisch; **jardín** *m* **~** Zoologischer Garten
zorr|a [θ-] *f* Füchsin; F Dirne; **~o** gerissen; *m* Fuchs
zorzal [θorθ-] *m* Drossel *f*
zozobrar [θθθ-] kentern
zumbar [θ-] summen (*Insekt*); brummen; brausen
zumo [θ-] *m* *bsd Span* (Frucht-)Saft
zurcir [θurθ-] flicken, stopfen
zurdo [θ-] linkshändig
zurrón [θ-] *m* Hirtentasche *f*
zutano [θ-]: **fulano, mengano, ~** (Herr) X, Y, Z

Nombres propios geográficos y gentilicios

Geographische Namen, Nationalitäts- und Einwohner-bezeichnungen

Adriático *m* Adria *f*

Afgan|istán *m* Afghanistan *n*; **2o** *m* Afghane; *adj* afghanisch

África *f* Afrika *n*; **2no** *m* Afrikaner; *adj* afrikanisch

África *f* **del Sur** Südafrika *n*

alban|és *m* Albaner; *adj* albanisch; **2ia** *f* Albanien *n*

Alejandría [-x-] *f* Alexandria *n*

alem|án *m* Deutscher; *adj* deutsch; **2ania** *f* Deutschland *n*

Alp|es *mpl* Alpen *pl*; **2ino** *adj* alpin, Alpen...

Alsacia [-θ-] *f* Elsaß *n*; **2no** *m* Elsässer; *adj* elsässisch

Amberes Antwerpen *n*

América *f* Amerika *n*; **~ Central** Mittelamerika *n*; **~ latina** Lateinamerika *n*; **~ del Norte** Nordamerika *n*; **~ del Sur** Südamerika *n*

americano *m* Amerikaner; *adj* amerikanisch

Andaluc|ía [-θ-] *f* Andalusien *n*; **2z** [-θ-] *m* Andalusier; *adj* andalusisch

And|es *mpl* Anden *pl*; **2ino** andin, Anden...

Andorra *f* Andorra *n*; **2no** *m* Andorraner; *adj* andorra-nisch

Angola *f* Angola *n*; **2no** *m* Angolaner; *adj* angolanisch

antárti|co *adj* antarktisch; **2da** *f* Antarktis *f*

Antillas [-ʎ-] *fpl* Antillen *pl*

Apeninos *mpl* Apennin *m*

Aquisgrán [ak-] Aachen *n*

árabe *m* Araber *m*; *adj* arabisch

Arabia *f* Arabien *n*; **~ Saudita** Saudiarabien *n*

Arag|ón *m* Aragonien *n*; **2onés** *m* Aragonier; *adj* aragonisch

Argel [-x-] Algier *n*

Argelia *f* [-x-] Algerien *n*; **2no** *m* Algerier; *adj* algerisch

Argentin|a [-x-] *f* Argentinien *n*; **2o** *m* Argentinier; *adj* argentinisch

Armeni|a *f* Armenien *n*; **2o** *m* Armenier; *adj* armenisch

Ártico *m* Arktik *f*; **2** *adj* arktisch

Asia *f* Asien *n*; **~ Menor** Kleinasien *n*

asiático *m* Asiat; *adj* asiatisch

Asturia|s *fpl* Asturien *n*; **2no** *m* Asturier; *adj* asturisch

Atenas Athen n
Atlántico m Atlantik m; ♀
  adj atlántisch
Australia f Australien m;
  ♀**no** m Australier; adj au-
  stralisch
Austria f Österreich n;
  ♀**aco** m Österreicher; adj
  österreichisch
Azerbeiyán [aθ-] m Aser-
  beidschan n; ♀**ano** m Aser-
  beidschaner; adj aserbeid-
  schanisch
Azores [aθ-] mpl Azoren pl

Baham|as fpl Bahamas pl;
  ♀**és** m Bahamer; adj baha-
  misch
Bahrein m Bahrain n; ♀o m
  Bahrainer; adj bahrainisch
Balcanes mpl Balkan m
balcánico: los países ~**s** die
  Balkanländer npl
balear m Baleare; ♀**es** fpl
  Balearen pl
Báltico m Ostsee f
Bangladesh m Bangladesch
  n; **de** ~ aus (von) Bangladesch
Barbad|a f Barbados n;
  ~**ense** m Barbadier; adj
  barbadisch
Barcelon|a [-θ-] f Barcelona
  n; ♀**és** m Barcelonese; adj
  aus Barcelona
Basilea Basel n
bávaro m Bayer; adj bay-
  risch; **Baviera** f Bayern n
belga m Belgier; adj bel-
  gisch; **Bélgica** [-x-] f Bel-
  gien n
Belgrado Belgrad n

Bengal|a f Bengalen n; ♀ m
  Bengale; adj bengalisch
bereber m Berber; adj ber-
  berisch
Berl|ín m Berlin n; ♀**inés** m
  Berliner; adj Berliner, ber-
  linerisch
Berna Bern n
Birman|ia f Birma n; ♀o m
  Birmane; adj birmanisch
Bohemi|a f Böhmen n; ♀o m
  Böhme; adj böhmisch
Bolivia f Bolivien n; ♀no m
  Bolivianer; adj bolivianisch
Borgoña [-ɲa] f Burgund n;
  ♀**ón** m Burgunder; adj bur-
  gundisch
Bósforo m Bosporus m
Brasil m Brasilien n; ♀**eño**
  [-ɲo] m, Am a ♀**ero** m Brasi-
  lianer; adj brasilianisch
británico m Brite; adj bri-
  tisch
Brujas [-x-] f Brügge n
Bruselas Brüssel n
Bulgaria f Bulgarien n; **búl-
  garo** m Bulgare; adj bulga-
  risch
Burdeos Bordeaux n
But|án m Bhutan n; ♀**anés** m
  Bhutaner; adj bhutanisch

Cabo m **de la Buena Esperanza** [-θa] Kap n der Guten Hoffnung
Cabo m **Verde** Kapverden
  pl
Cairo: El ~ Kairo n
California f Kalifornien n;
  ♀no m Kalifornier; adj kali-
  fornisch
Camboya f Kambodscha n

2no m Kambodschaner; adj kambodschanisch
Camer|ún m Kamerun n; **2unés** m Kameruner; adj kamerunisch
Canadá m Kanada n; **2iense** m Kanadier; adj kanadisch
Canal m **de la Mancha** [-tʃa] Ärmelkanal m
Canari|as fpl Kanaren pl; **2o** m Kanare; adj kanarisch
Caribe m (**mar**) Karibik f
Cárpatos mpl Karpaten pl
cast|ellano [-ʎ-] m Kastilier; adj kastilisch; **2illa** [-ʎa] f Kastilien n
catal|án m Katalane; adj katalanisch; **2uña** [-ɲa] f Katalonien n
Cáucaso m Kaukasus m
Ceil|án [θ-] m Ceylon n; **2anés** m Ceylonese; adj ceylonesisch
Centroam|érica [θ-] f Mittelamerika n; **2ericano** m Mittelamerikaner; adj mittelamerikanisch
Cerdeña [θerdeɲa] f Sardinien n
Cervino [θ-] m Matterhorn n
Ciudad [θ-] f **del Cabo** Kapstadt n; ~ **del Vaticano** Vatikanstadt f
Colombia f Kolumbien n; **2no** m Kolumbianer; adj kolumbianisch
Colonia Köln n
Comoras fpl Komoren pl
Congo m Kongo m; **2leño** [-ɲo] m Kongolese; adj kongolesisch
Copenhague [-ge] Kopenhagen n
Córcega [-θ-] f Korsika n
Corea f Korea n; **2no** m Koreaner; adj koreanisch
corso m Korse; adj korsisch
Costa f **Azul** [aθ-] Côte d'Azur f; ~ **de Marfil** Elfenbeinküste f
Costa| Rica f Costa Rica n; **2rricense** [-] m Costaricaner; adj costaricanisch
Creta f Kreta n
Crimea f Krim f
Croa|cia [-θ-] f Kroatien n; **2ta** m Kroate; adj kroatisch
Cuba f Kuba n; **2no** m Kubaner; adj kubanisch
Chad [tʃ-] m Tschad m; **2iano** m Tschader; adj tschadisch
checo [tʃ-] m Tscheche; adj tschechisch; **2slovaquia** f [-k-] Tschechoslowakei f
Chile [tʃ-] m Chile n; **2no** m Chilene; adj chilenisch
China [tʃ-] f China n; ~ **nacionalista** Nationalchina n
chino [tʃ-] m Chinese; adj chinesisch
Chipr|e [tʃ-] f Zypern n; **2iota** m Zyprer; adj zyprisch
Dalmacia [-θ-] f Dalmatien n; **dálmata** m Dalmatiner; adj dalmatinisch
danés m Däne; adj dänisch
Danubio m Donau f
Dinamarca f Dänemark n
Dominican|a: República f **.a** Dominikanische Repu-

blik *f;* 2o *m* Dominikaner; *adj* dominikanisch

Ecua|dor *m* Ecuador *n;* 2to-**riano** *m* Ecuadorianer; *adj* ecuadorianisch
Edimburgo Edinburg *n*
Egeo [ɛx-] *m* (**mar**) Ägäis *f*
egip|cio [exiθ̄o-] *m* Ägypter; *adj* ägyptisch; 2to *m* Ägypten *n*
El Salvador *m* El Salvador *n*
Emiratos *mpl* **Arabes Unidos** Vereinigte Arabische Emirate *pl*
Escandinav|ia *f* Skandinavien *n;* 2o *m* Skandinave; *adj* skandinavisch
Escoc|ia [-θ-] *f* Schottland *n;* 2és *m* Schotte; *adj* schottisch
Eslova|quia [-k-] *f* Slowakei *n;* 2co *m* Slowake; *adj* slowakisch
Esloven|ia *f* Slowenien *n;* 2o *m* Slowene; *adj* slowenisch
España *f* [-ɲa] *f* Spanien *n;* 2ol *m* Spanier; *adj* spanisch
Esparta Sparta *n*
Estado|s *mpl* **Unidos de América** Vereinigte Staaten *pl* von Amerika; 2uni-**dense** *adj* amerikanisch
Estiria *f* Steiermark *f*
Estocolmo Stockholm *n*
Estoni|a *f* Estland *n;* 2o *m* Este, Estländer; *adj* estländisch
Estrasburgo Straßburg *n*
Et|iopía *f* Äthiopien *n;* 2o-**pe** *m* Äthiopier; *adj* äthiopisch

Euráfrica *f* Eurafrika *n*
Eurasia *f* Eurasien *n*
Europ|a *f* Europa *n;* 2o *m* Europäer; *adj* europäisch
Extrem|adura *f* Estremadura *f;* 2eño [-ɲo] aus Estremadura
Extremo Oriente *m* Fernost

Filip|inas *fpl* Philippinen *pl;* 2o *m* Philippiner; *adj* philippinisch
finland|és *m* Finne; *adj* finnisch; 2ia *f* Finnland *n*
flamenco *m* Flame; *adj* flämisch
Flandes *m* Flandern *n*
Floren|cia [-θ-] *f* Florenz *n;* 2tino *m* Florentiner; *adj* florentinisch
franc|és [-θ-] *m* Franzose; *adj* französisch; 2ia *f* Frankreich *n*
Franconia *f* Franken *n;* 2no *m* Franke; *adj* fränkisch
Friburgo Freiburg *n*
Fris|ia *f* Friesland *n;* 2io, 2ón *m* Friese; *adj* friesisch

Gab|ón *m* Gabun *n;* 2onés *m* Gabuner; *adj* gabunisch
Gal|icia [-θ-] *f* Galicien *n* (*Spanien*); Galizien *n* (*Osteuropa*); 2lego [gaʎe-] *m* Galicier; *adj* galicisch
Gambia *f* Gambia *n;* 2no *m* Gambier; *adj* gambisch
Génova [x-] Genua *n*
genov|és [x-] *m* Genuese; *adj* genuesisch
Georgia [xeɔrx-] *f* Georgien

n; **2no** *m* Georgier; *adj* georgisch

Ghan|a *m* Ghana *n*; **2és** *m* Ghanaer; *adj* ghanaisch

Ginebr|a [x-] Genf *n*; **2ino** *m*, *adj* Genfer

Gran Bretaña [-na] *f* Großbritannien *n*

Gr|ecia [-θ-] *f* Griechenland *n*; **2iego** *m* Grieche; *adj* griechisch

Groenland|ia *f* Grönland *n*; **2és** *m* Grönländer; *adj* grönländisch

Guatemal|a *f* Guatemala *n*; **2teco** *m* Guatemalteke; *adj* guatemaltekisch

Guyan|a *f* Gu(a)yana *n*; **2és** *m* Guayaner; *adj* guayanisch

Guinea [gi-] *f* Guinea *n*; **2no** *m* Guineer; *adj* guineisch

Guinea-Bissau *f* Guinea-Bissau *n*

Guinea *f* **Ecuatorial** Äquatorialguinea *f*

Habana: La ~ Havanna *n*

Hait|í *f* Haiti *n*; **2iano** *m* Haitianer; *adj* haitianisch

Hamburgo Hamburg *n*

Haya: La ~ Den Haag *n*

Himalaya *f* Himalaya *m*

Holand|a *f* Holland *n*; **2és** *m* Holländer; *adj* holländisch

Hondur|as *m* Honduras *n*; **2eño** [-ɲo] *m* Honduraner; *adj* honduranisch

húngaro *adj* Ungar; *adj* ungarisch; **Hungría** *f* Ungarn *n*

ib|érico *adj* iberisch; **2eros**

mpl Iberer *pl*

India *f* Indien *n*; **~s** *fpl* **Occidentales** [-θ-] Westindische Inseln *pl*, Westindien *n*

indio *m* Inder; *adj* indisch

Indochin|a [-tʃ-] *f* Indochina *n*; **2o** *m* Indochinese; *adj* indochinesisch

Indonesi|a *f* Indonesien *n*; **2o** *m* Indonesier; *adj* indonesisch

Ingl|aterra *f* England *n*; **2és** *m* Engländer; *adj* englisch

Ira|k *m* Irak *m*; **2qués** [-k-], **2quí** [-ki] *m* Iraker; *adj* irakisch

Ir|án *m* Iran *m*; **2aní** *m*, **2anio** *m* Iraner; *adj* iranisch

Irland|a *f* Irland *n*; **2és** *m* Ire; *adj* irisch

Island|ia *f* Island *n*; **2és** *m* Isländer; *adj* isländisch

Israel *m* Israel *n*; **2í** *m* Israeli; *adj* israelisch

Istanbul Istanbul *n*

Italia *f* Italien *n*; **2no** *m* Italiener; *adj* italienisch

Jamaica [x-] *f* Jamaika *n*; **2no** *m* Jamaikaner; *adj* jamaikanisch

Jap|ón [x-] *m* Japan *n*; **2onés** *m* Japaner; *adj* japanisch

Jerusalén [x-] Jerusalem *n*

Jord|án [x-] *m* Jordan *m*

Jordan|ia [x-] *f* Jordanien *n*; **2o** *m* Jordanier; *adj* jordanisch

Jutlandia [x-] *f* Jütland *n*

Kenia *f* Kenia *n*; **2no** *m* Kenianer; *adj* kenianisch

Kurd|istán *m* Kurdistan *n*; **2o** *m* Kurde; *adj* kurdisch

Kuwait *m* Kuwait *m*; **2f** *m* Kuwaiter; *adj* kuwaitisch

Lago *m* **de Constanza** [-θa] Bodensee *m*

Laos *m* Laos *n*; **2iano** *m* Laote; *adj* laotisch

lap|ón *m* Lappländer; *adj* lappländisch; **2onia** *f* Lappland *n*

latinoamericano *m* Lateinamerikaner; *adj* lateinamerikanisch

Let|onia *f* Lettland *n*; **2ón** *m* Lette; *adj* lettisch

Líbano *m* Libanon *m*; **libanés** *m* Libanese; *adj* libanesisch

Liberia *f* Liberia *n*; **2no** *m* Liberianer; *adj* liberianisch

Libi|a *f* Libyen *n*; **2o** *m* Libyer; *adj* libysch

Liechtenstein *m* Liechtenstein *n*; **de ~** *m* Liechtensteiner; *adj* liechtensteinisch

Lieja [-xa] Lüttich *n*

Lisboa Lissabon *n*

Lituan|ia *f* Litauen *n*; **2o** *m* Litauer; *adj* litauisch

Loira *m* Loire *f*

Lombard|ía *f* Lombardei *f*; **2o** *m* Lombarde; *adj* lombardisch

Londres London *n*

Lorena *f* Lothringen *n*

Lovaina Löwen *n*

Lucerna [-θ-] *f* Luzern *n*

Luxemburg|o *m* Luxemburg *n*; **2ués** [-ge-] *m* Luxemburger; *adj* luxemburgisch

Macedoni|a [-θ-] *f* Mazedonien *n*; **2o** *m* Mazedonier; *adj* mazedonisch

Ma|dagascar *m* Madagaskar *n*; **2lgache** [-tʃe] *m* Madagasse; *adj* madagassisch

Madeira *f* Madeira *n*

Magreb *m* Maghreb *m*; **2f** *adj* maghrebinisch

Maguncia [-θ-] Mainz *n*

Malasi|a *f* Malaysia *n*; **2o** *m* Malaysier; *adj* malaysisch

Malawi *m* Malawi *n*; **2ano** *m* Malawier; *adj* malawisch

malayo *m* Malaie; *adj* malaiisch

Maldivas *fpl* Malediven *pl*

Mal|í *m* Mali *n*; **2iense** *m* Malier; *adj* malisch

Malt|a *f* Malta *n*; **2és** *m* Malteser; *adj* maltesisch

Mallor|ca [-ʎ-] *f* Mallorca *n*; **2quín** [-k-] *m* Mallorkiner; *adj* mallorkinisch

Mancha [-tʃa] **la ~a** die Mancha; **2ego** von (aus) der Mancha

manch|ú [-tʃu] *m* Mandschu; *adj* mandschurisch; **2uria** *f* Mandschurei *f*

Mar| *m* **Caspio** Kaspisches Meer *n*; **~ Negro** Schwarzes Meer; **~ del Norte** Nordsee *f*; **~ Rojo** [-xo] Rotes Meer

marr|oquí [-ki] *m* Marokkaner; *adj* marokkanisch; **2uecos** *m* Marokko *n*

Marsella [-ʎa] Marseille *f*

Martinica f Martinique n

Mauritan|ia f Mauretanien n; **2io** m Mauretanier; adj mauretanisch

Meca: la ~ Mekka n

Mediterráneo m Mittelmeer n

Melanesi|a f Melanesien n; **2o** m Melanesier; adj melanesisch

Menor|ca f Menorca n; **2quín** [-k-] m Menorkiner; adj menorkinisch

Mesopotamia f Mesopotamien n

Méxic|o, Méjic|o [-x-] m Mexiko n; **2ano** m Mexikaner; adj mexikanisch

Micronesi|a f Mikronesien n; **2o** m Mikronesier; adj mikronesisch

Mil|án Mailand n; **2anés** m Mailänder; adj mailändisch

Mónaco m Monaco n; **monegasco** m Monegasse; adj monegassisch

mongol m Mongole; adj mongolisch; **2ia** f Mongolei f

Moravia f Mähren n

Mosa m Maas f

mosc|ovita m adj Moskauer; **2ú** Moskau n

Mosela m Mosel f

Mozambique [-θambike] m Mozambique n

Mundo| m Antiguo Alte Welt f; **~ Libre** freie Welt f

Muni|ch [-tʃ] München n; **2qués** [-k-] m, adj Münchner; adj münchnerisch

Nápoles Neapel n; **napolitano** m Neapolitaner; adj neapolitanisch

Navarr|a f Navarra n; **2o** m Navarrese; adj navarresisch

neerlandés m Niederländer; adj niederländisch

neozelandés [-θ-] m Neuseeländer; adj neuseeländisch

Nepal m Nepal n; **2és** m Nepalese; adj nepalesisch

Nicarag|ua f Nikaragua n; **2üense** m Nikaraguaner; adj nikaraguanisch

Níger [-x-] m Niger n; **nigerino** [-x-] m Nigerer; adj nigerisch

Nigeria [-x-] f Nigeria n; **2no** m Nigerianer; adj nigerianisch

Nilo m Nil m

Nipón m Nippon n

Norueg|a f Norwegen n; **2o** m Norweger; adj norwegisch

Nubia f Nubien n

Nueva Guinea [gi-] f Neu-guinea n

Nueva York New York n

Nueva Zelanda [-θ-] f Neu-seeland n

Nuevo Mundo m Neue Welt f

Nuremberg Nürnberg n

Oceanía [-θ-] f Ozeanien n

Océano [-θ-] m **Glacial** [-θ-] **Antártico** Südliches Eismeer n; **~ Artico** Nördliches Eismeer n

Pacífico [-θ-] *m* Pazifik *m*

Países *mpl* Bajos [-x-] Niederlande *pl*

Pakist|án *m* Pakistan *n*; 2a**ní** *m* Pakistani; *adj* pakistanisch

Palatinado *m* Pfalz *f*

Palestin|a *f* Palästina *n*; 2o *m* Palästinenser; *adj* palästinensisch

Panam|á *m* Panama *n*; 2eño [- ¡o] *m* Panamaer; *adj* panamaisch

Pap|ua Nueva Guinea [gi-] *f* Papua-Neuguinea *n*; 2ués *mpl* Papuas *pl*

Paraguay *m* Paraguay *n*; 2o *m* Paraguayer; *adj* paraguayisch

Par|ís Paris *n*; 2isino *m* Pariser; *adj* aus (von) Paris

Patagonia *f* Patagonien *n*

Pekín Peking *n*

Peloponeso *m* Peloponnes *m*

Península| *f* balcánica Balkanhalbinsel *f*; ~ Ibérica Iberische Halbinsel *f*

Perpiñán [- ¡-] *f* Perpignan *n*

pers|ia *m* Perser; *adj* persisch; 2ia *f* Persien *n*

Per|ú *m* Peru *n*; 2uano *m* Peruaner; *adj* peruanisch

pir|enaico *adj* pyrenäisch; 2ineos *mpl* Pyrenäen *pl*

Polinesi|a *f* Polynesien *n*; 2o *m* Polynesier; *adj* polynesisch

Pol|onia *f* Polen *n*; 2aco, Am a 2onés *m* Pole; *adj* polnisch

Pomerania *f* Pommern *n*

Portug|al *m* Portugal *n*; 2ués [-ge-] *m* Portugiese; *adj* portugiesisch

Praga Prag *n*

Provenza [-θa] *f* Provence *f*; 2l *adj* provenzalisch

Prusia *f* Preußen *n*; 2no *m* Preuße; *adj* preußisch

Puerto| Rico *m* Puerto Rico *n*; 2rriqueño [- ¡o] *m* Puertorikaner; *adj* puertorikanisch

Ratisbona Regensburg *n*

Reino *m* Unido Vereinigtes Königreich *n*

Renan|ia *f* Rheinland *n*; 2o *m* Rheinländer; *adj* rheinländisch

Repúbllica| *f* Democrática Alemana Deutsche Demokratische Republik *f*; ~ Federal de Alemania Bundesrepublik *f* Deutschland; ~ Popular de China [tʃ-] Volksrepublik *f* China

Rin *m* Rhein *m*

Ródano *m* Rhone *f*

Rodesia *f* Rhodesien *n*; 2no *m* Rhodesier; *adj* rhodesisch

Roma Rom *n*; 2no *m* Römer; *adj* römisch

Ruman|ia *f* Rumänien *n*; 2o *m* Rumäne; *adj* rumänisch

Rus|ia *f* Rußland *n*; 2o *m* Russe; *adj* russisch

saj|ón [-x-] *m* Sachse; *adj* sächsisch; 2onia *f* Sachsen *n*

salvadoreño [- ¡o] *m* Salva-

231

dorianer; *adj* salvadorianisch

Samoa *f* Samoa *n*; ♀**no** *m* Samoaner; *adj* samoanisch

Santa Domingo *m* Santo Domingo *n*

Santo Tomé y Príncipe [-θ-] São Tomé e Príncipe

sardo *m* Sarde; *adj* sardisch

Sarre *m* Saar *f* (*Fluß*); Saargebiet *n*

Selva *f* **Negra** Schwarzwald *m*

Sena *m* Seine *f*

Senegal *m* Senegal *m*; ♀**és** *m* Senegalese; *adj* senegalesisch

Servia *f* Serbien *n*; ♀**o** *m* Serbe; *adj* serbisch

Siberia *f* Sibirien *n*; ♀**no** *m* Sibirier; *adj* sibirisch

Sicilia [-θ-] *f* Sizilien *n*; ♀**no** *m* Sizilianer; *adj* sizilianisch

Sierra *f* **Leona** Sierra Leone *n*

Sikkim *m* Sikkim *n*

Silesia *f* Schlesien *n*

Singapur *m* Singapur *n*; ♀**ense** *m* Singapurer; *adj* singapurisch

Siria *f* Syrien *n*; ♀**o** *m* Syrer; *adj* syrisch

Somalia *f* Somalia *n*; ♀**í** *m* Somalier; *adj* somalisch

soviético *adj* sowjetisch

Sri Lanka *m* Sri Lanka *n*

Sudáfrica *f* Südafrika *n*; ♀**africano** *m* Südafrikaner; *adj* südafrikanisch

Sudamérica *f* Südamerika *n*; ♀**ericano** *m* Südamerikaner; *adj* südamerikanisch

Sudán *m* Sudan *m*; ♀**anés** *m* Sudanese; *adj* sudanesisch

Suecia [-θ-] *f* Schweden *n*; ♀**co** *m* Schwede; *adj* schwedisch

Suiza [-θa] *f* Schweiz *f*; ♀**o** *m* Schweizer; *adj* schweizerisch, Schweizer

Tailandia *f* Thailand *n*; ♀**és** *m* Thailänder; *adj* thailändisch

Taiwan *m* Taiwan *n*

Támesis *m* Themse *f*

Tánger [-x-] *m* Tanger *n*

Tanzania [-θ-] *f* Tansania *n*; ♀**iano** *m* Tansanier; *adj* tansanisch

tejano [-x-] *m* Texaner; *adj* texanisch; ♀**s** *m* Texas *n*

Terranova *f* Neufundland *n*

Tibet *m* Tibet *n*; ♀**ano** *m* Tibeter; *adj* tibetisch

Tierra *f* **del Fuego** Feuerland *n*

Tirol *m* Tirol *n*; ♀**és** *m* Tiroler; *adj* tirol(er)isch

Tirrénico *m* (**mar**) Tyrrhenisches Meer *n*

Togo *m* Togo *n*; ♀**lés** *m* Togoer; *adj* togoisch

Tolón Toulon *n*

Tolosa Toulouse *n* (*Frankreich*), Tolosa *n* (*Spanien*)

Tonga *m* Tongainseln *pl*

Torino Turin *n*

Transilvania *f* Siebenbürgen *n*

Trento Trient *n*

Tréveris *m* Trier *n*

Trinidad y Tobago Trinidad und Tobago

Trípoli Tripolis *n*
Túnez [-θ] Tunis *n*
Tun|icia [-θ-] *f* Tunesien;
2ecino [-θ-] *m* Tunesier;
adj tunesisch
turco *m* Türke; *adj* türkisch
Turquestán [-k-] *m* Turkestan *n*
Turquía [-k-] *f* Türkei *f*

Ucrania *f* Ukraine *f*; 2no *m*
Ukrainer; *adj* ukrainisch
Ugand|a *m* Uganda *n*; 2és *m*
Ugander; *adj* ugandisch
Unión *f* **de Repúblicas Socialistas Soviéticas** Union
f der Sozialistischen Sowjetrepubliken
Urales *mpl* Ural *m*
Uruguay *m* Uruguay *n*; 2o
m Uruguayer; *adj* uruguayisch

Varsovia Warschau *n*
vasco *m* Baske; *adj* baskisch;
2ngadas *fpl* Baskenland *n*
Vaticano *m* Vatikan *m*
Venecia [-θ-] Venedig *n*

Venez|uela [-θ-] *f* Venezuela *n*; 2olano *m* Venezolaner; *adj* venezolanisch
Vesubio *m* Vesuv *m*
Vien|a Wien *n*; 2és *m*, *adj*
Wiener; *adj* wienerisch
Viet Nam *m* Vietnam *n*;
vietnam(ita) *m* Vietnamese; *adj* vietnamesisch
Viscaya *f* Biskaya *f*
Vístula *m* Weichsel *f*
Volga *m* Wolga *f*
Vosgos *mpl* Vogesen *pl*

Westfalia *f* Westfalen *n*

Yemen *m* Jemen *m*; 2ita *m*
Jemenit; *adj* jemenitisch
Yugoslav|ia *f* Jugoslawien
n; 2o *m* Jugoslawe; *adj* jugoslawisch

Zaire [-θ-] *m* Zaire *n*
Zanzíbar [θanθ-] *m* Sansibar *n*
Zaragoza [θaragoθa] Saragossa *n*

A

Aal m anguila f
Aas n carroña f; fig mal bicho m, vivales su; **mit et 2en** F despilfarrar u/c
ab (Zeit) a partir de; (Raum) de, desde; **auf und ~** arriba y abajo; (gehen) de un lado para otro; **~ und zu** de vez en cuando, a veces; **weit ~** lejos (**von** de); **~ heute** a partir de hoy; **~ Berlin** de Berlín; **~ 8 Uhr** desde las ocho
abänder|n modificar; **2ung** f modificación
Abbau m desmontaje; explotación f; (Preis2) reducción f; 2**en** reducir; Zelt: desmontar; Erze: explotar
ab|beißen dar un mordisco (**von** a), arrancar con los dientes; **~bekommen** recibir; (lösen) lograr desprender; **~berufen** llamar, retirar; **~bestellen** anular el pedido de; **~bezahlen** pagar a plazos; **~biegen** vi torcer, Am voltear, girar (a); (Straße) desviarse
Abbildung f ilustración, grabado m; (bsd Buch) lámina f
abbinden Med ligar
Abbitte f: **~ tun** od **leisten**

presentar sus excusas
abblättern vi desconcharse
abblend|en Kfz poner las luces de cruce, Am a las luces medias; **2licht** n luz f de cruce
abbrausen F salir pitando; **s. ~** ducharse
ab|brechen vt romper; Lager: levantar; Haus: derribar; Pol romper; Gespräch: cortar; Reise: interrumpir; vi romperse; **~brennen** vt quemar; vt quemar; **~bringen** (j-n von dat) disuadir, apartar (de); **~bröckeln** vi desconcharse
Abbruch m (Gebäude usw) demolición f; (Verhandlungen) ruptura f
abbürsten cepillar
abbüßen Strafe: cumplir; fig expiar
Abc n abecé m, alfabeto m
ab|danken vi abdicar; **~decken** destapar; Tisch: quitar (la mesa); cubrir, tapar; **~dichten** impermeabilizar; tapar; **~drehen** vt destornillar; quitar; Hahn: cerrar; Licht: apagar; vi Mar, Flgw cambiar de rumbo; virar
Abdruck m impresión f;

Tech molde

abdrücken *Gewehr*: disparar

Abend *m* noche *f*; (*früher*) tarde *f*; **am ~** por la noche; **heute 2** esta noche; **guten ~!** ¡buenas noches! (*od* tardes!); **zu ~ essen** cenar, *Col, Ven* comer

Abend|anzug *m* traje de etiqueta; **~brot** *n*, **~essen** *n* cena *f*, *Col, Ven* comida *f*; **~dämmerung** *f* crepúsculo *m*; anochecer *m*; **~kleid** *n* traje de noche, *Am* a vestido *m* de gala; **~kurs** *m* clases *fpl* nocturnas; **2lich** vespertino

abends por la tarde

Abend|veranstaltung *f* velada; **~zeitung** *f* periódico *m* de la tarde

Abenteuer *n* aventura *f*; **2lich** aventurero

aber pero; **~ nein!** ¡que no!

Aber|glaube *m* superstición *f*; **2gläubisch** supersticioso

aberkenn|en privar de; **2ung** *f* privación

abermals de nuevo, otra vez

abernten recolectar, cosechar, recoger

abfahren *vi* salir, partir; *vt Last*: acarrear; *Müll*: recoger; *Strecke*: recorrer

Abfahrt *f* salida; marcha; *Sp* descenso *m*

Abfahrts|lauf *m Sp* prueba *f* de descenso; **~signal** *n* señal *f* de salida

Abfall *m* (*meist* **Abfälle** *pl*) desecho, desperdicios *mpl*;

~eimer *m* cubo de la basura, *Col* caneca *f*; **2en** caer; (*Rest*) sobrar; (*Gelände*) ir en declive, descender

abfällig despectivo, desfavorable

ab|fangen interceptar; **~färben** desteñir(se); **~fassen** redactar

abfertig|en despachar; **2ung** *f* despacho *m*; **2ungsschalter** *m Flgw* mostrador de facturaciones

ab|feuern disparar; **2findung** *f* indemnización; **~flauen** (*Wind*) amainar; **~fliegen** partir en avión; *Flgw* salir; (*abheben*) despegar; **~fließen** salir, escurrirse

Abflug *m* salida *f*; (*Abheben*) despegue

Abfluß *m* desagüe; **~rohr** *n* tubo *m* de desagüe

Abfuhr *f* acarreo *m*; recogida; *fig* desplante *m*, calabazas *fpl*

abführ|en *Häftling*: llevar detenido; *vi Med* purgar; **2mittel** *n* (*starkes*) purgante *m*; (*leichtes*) laxante *m*

ab|füllen envasar; (*in Flaschen*) embotellar; (*in Säcke*) ensacar; **2gabe** *f* entrega; (*Steuer*) impuesto *m*; **2gang** *m Thea* mutis; **2gase** *npl* gases *mpl* de combustión

abgeben dar; *Hdl* entregar; *Gepäck*: consignar; *Schuß*: disparar; *Stimme bei Wahl usw*: emitir; **s. ~ mit** ocuparse de

abge|brannt *fig* sin blanca; **~brüht** *fig* taimado; **~droschen** trivial, trillado; **~hackt** (*Sprechen*) entrecortado; **~härtet** *fig* curtido, endurecido

abgehen descolgarse; salir; *fig* apartarse

abge|lagert (*Wein*) añejo; (*Holz*) curado; **~legen** apartado; **~macht!** ¡de acuerdo!, ¡trato hecho!; **~neigt: nicht ~neigt sein** no oponerse a; **~nutzt** usado, gastado

Abgeordnete(r) *m* diputado

abgerissen *fig* andrajoso

abgesehen: ~ von sin contar; prescindiendo de

abge|spannt cansado; **~standen** desabrido, soso; **~tragen** raído, desgastado

abgewöhnen (*j-m et*) desacostumbrar (*a alg de*); **s.** *et ~ a* desaficionarse de

ab|gießen verter; *Form:* vaciar; **~gleiten** deslizarse

abgöttisch *adv* con idolatría; **~ lieben** idolatrar

abgrenz|en deslindar; *fig* delimitar; **2ung** *f* deslinde *m*; delimitación

Abgrund *m* abismo

abhacken cortar

abhalten impedir, retener; distraer (**von** *der Arbeit* de); *Sitzung usw.:* celebrar

abhanden: ~ kommen perderse, extraviarse

Abhandlung *f* tratado *m*, ensayo *m*; memoria

Abhang *m* cuesta *f*, declive

abhängen *vt* descolgar; descolgar; *vi* **~ von** depender de

abhängig dependiente de; sujeto a; **2keit** *f* dependencia

abhärten **s. ~** endurecerse

abhauen *vt* cortar; F *vi* largarse

abheben *Geld:* retirar, sacar; *Karte:* cortar; **s. ~ von** destacarse de

abheilen curarse, cicatrizarse

abhetzen: s. ~ ajetrearse

Abhilfe *f:* **~ schaffen** poner remedio (a)

ab|hobeln cepillar; **~holen** recoger; *j-n a:* ir a buscar; **~holen lassen** mandar por; **~holzen** talar; **~horchen** *Med* auscultar

abhören *Gespräch:* interceptar; *Schüler:* tomar la lección a

Abitur *n* bachillerato *m*; **~ient** *m* bachiller

ab|kaufen (*j-m et*) comprar a; **~klingen** ceder; (*Ton*) extinguirse; **~knabbern** mordiscar; *Nägel:* roer; **~knöpfen** *fig* (*j-m et*) sacar a; **~kochen** hacer hervir; **~kommandieren** destacar

abkommen apartarse (de); abandonar; (*v Weg*) desviarse

Abkommen *n* convenio *m*, arreglo *m*

ab|kömmlich libre, disponible; **~koppeln** desengan-

abkratzen

abkühl|en refrescar; **s. ~en** refrescarse; *fig* entibiarse; **⌐ung** *f* refrescamiento *m*

abkürzen abreviar; *Weg:* acortar; **⌐ung** *f* abreviación, abreviatura; (*Weg*) atajo *m*

abladen descargar

Ablagerung *f* sedimento *m*

ablassen *Wasser, Dampf:* dar salida (*od* escape) a; *vi* **~von** dejar (*de hacer*), desistir de

Ablauf *m* desarrollo; (*Frist*) expiración *f*; **nach ~ von ...** al cabo de ...; **⌐en** *vt Sohle:* gastar; *Strecke:* recorrer; *vi* (*Frist*) expirar; (*Zeit*) pasar; (*Paß*) caducar; *fig* desarrollarse; (*Wasser*) salir, escurrirse

ab|lecken lamer, chupar; **~legen** *vi* (*Schiff*) desatracar; *vt* deponer; *Prüfung:* hacer, pasar; *Eid:* prestar; *Zeugnis, Rechenschaft:* dar, rendir; *Akten:* archivar; *Karten:* descartarse; *Fehler:* corregirse de; *Gewohnheit:* perder; *Kleidung:* quitarse, dejar; **⌐leger** *m Bot* acodo, vástago

ablehn|en rechazar, denegar; **⌐ung** *f* negativa

ab|leiten desviar; *fig* deducir, derivar; **~lenken** desviar, apartar; *fig* distraer; **⌐lenkungsmanöver** *n* (maniobra *f* de) diversión *f*

abliefer|n entregar; **⌐ung** *f* entrega

ablös|en desprender; despegar; *Posten:* relevar; **⌐ung** *f* relevo *m*; (*Schuld*) rescate *m*; (*Wohnung, Geschäft*) traspaso *m*

abmach|en quitar, desprender; *fig* convenir, arreglar; **⌐ung** *f* arreglo *m*, convenio *m*

Abmagerungskur *f* cura de adelgazamiento

Abmarsch *m* salida *f*, marcha *f*

abmeld|en dar de baja; anular la inscripción; **s. ~en** darse de baja; **⌐ung** *f* baja; anulación de la inscripción

abmess|en medir; **⌐ung** *f* medición; dimensión

ab|montieren desmontar; **~mühen: s. ~mühen** afanarse (por); **~murksen** F dejar tieso; **~nagen** roer

Abnahme *f Hdl* compra; recogida; *fig* disminución; pérdida

abnehm|bar amovible, desmontable; **~en** descolgar (*a Hörer*), quitar; *Hdl* comprar; *Hut:* quitarse; *Arbeit:* descargar de; *vi* disminuir, decrecer; (*im Gewicht*) adelgazar; **⌐er** *m* comprador

Abneigung *f* antipatía, aversión

abnorm anormal

abnutzen (des)gastar

Abon|nement *n* abono *m*; (*Zeitung*) suscripción *f*; **~nent** *m* abonado; suscriptor; **2nieren** abonarse a, suscribirse a

Abordnung f delegación

Abort m retrete; Med aborto

ab|packen empaquetar; **~pfeifen** Sp dar la pitada final; **~pflücken** (re)coger; **~prallen** rebotar; **~raten (von)** desaconsejar (u/c a alg); **~räumen** Schutt: descombrar; Tisch: quitar (la mesa)

abrechn|en echar la cuenta; Konten: saldar; fig ajustar las cuentas (**mit j-m** a alg); **2ung** f liquidación; ajuste m; (Abzug) deducción

abreiben pulir; Körper: frotar, friccionar

Abreis|e f salida, partida; **2en** salir, partir (**nach** para)

abreiß|en vt arrancar; Haus: demoler; vi romperse; **~kalender** m calendario de taco

ab|richten amaestrar; **~riegeln** acordonar; echar el cerrojo

Abriß m demolición f; fig resumen; (Skizze) bosquejo

ab|rollen vt desenrollar; **~rücken** vt apartar; vi fig retirarse; Mil marcharse; **2ruf** m: **auf 2ruf** previo aviso; **~runden** a fig redondear

abrupt abrupto

abrüst|en vi desarmar; **2ung** f desarme m

abrutschen patinar, resbalar

Absage f negativa; **2en** vt

anular; Versammlung: desconvocar

ab|sägen (a)serrar, cortar (con la sierra); **~satteln** desensillar; **2satz** m (Schuh) tacón; (Text) párrafo; Hdl venta f; **~saugen** aspirar

abschaff|en abolir; suprimir; **2ung** f abolición; supresión

abschälen pelar, mondar

abschalten El desconectar, cortar; Maschine: parar; fig relajarse

abschätzen Wert: tasar; evaluar; estimar, apreciar

Abschaum m fig hez f

Abscheu m aversión f; horror

ab|scheulich abominable, horrible; **~schicken** enviar; expedir; **~schieben** empujar; F fig deshacerse de; Pol, jur Person: expulsar

Abschied m despedida f; Mil retiro; **~ nehmen** despedirse; **s-n ~ nehmen** retirarse

abschießen matar; Flugzeug: derribar; Rakete: lanzar; Waffe: disparar; F Politiker: eliminar

Abschlag m Hdl descuento; Sp saque de puerta

ab|schlagen cortar; Angriff: rechazar; Bitte: rehusar; **~schlägig** negativo

Abschlag(s)zahlung f pago m parcial

abschleifen pulir, rebajar

abschlepp|en remolcar; **s.**

~en mit cargar con; **2seil** n cable m de remolcar; **2wagen** m (coche-)grúa f (m)

abschließen cerrar con llave; terminar, acabar; Vertrag: concluir; **~end** definitivo; final

Abschluß m fin, término; conclusión f; **zum ~ bringen** llevar a cabo; **~prüfung** f examen m final

ab|schmecken probar, degustar; **~schmieren** Auto: engrasar; **~schminken** desmaquillar; **~schneiden** cortar; fig (**gut, schlecht**) **~schneiden** salir (bien od airoso, mal od parado)

Abschnitt m sección f; talón, cupón; (Zeit) período; (Buch) párrafo, capítulo

ab|schnüren Luft, Med estrangular; **~schrauben** destornillar

ab|schreiben copiar; j-m disculparse por carta; **2schrift** f copia

Abschuß m lanzamiento; disparo; Flgw derribo; **~rampe** f rampa de lanzamiento

ab|schüssig escarpado; **~schütteln** Verfolger: sacudirse, dar el esquinazo a; **~schwächen** atenuar; amortiguar; **~schweifen** (v Thema) salirse del tema; **~schwellen** Med deshincharse; (Lärm) decrecer, disminuire; **~schwören** (dat) fig renunciar a; **~segeln** hacerse a la vela

abseh|bar: in ~barer Zeit dentro de poco; **~en von** prescindir de; **... ist nicht abzusehen** no se ve..., no puede preverse...

abseilen: s. ~ descolgarse

abseits aparte; apartado; **2 n** Sp fuera de juego

absend|en remitir, despachar; **2er** m remitente, expedidor

absetzen poner en el suelo; j-n: destituir; Ware: vender, colocar; Hut: quitarse; **ohne abzusetzen** sin interrupción; (trinken) de un trago

Absicht f intención, propósito m; **mit ~, 2lich** adv adrede

absitzen vt Strafe: cumplir (la condena); vi (v Pferd) desmontar, apearse

absol|ut absoluto; **~vieren** aprobar, cursar

absonder|lich extraño, raro; **~n** apartar, separar; Med secretar; **s. ~n** aislarse

absorbieren absorber

abspenstig: ~ machen sonsacar

absperr|en acordonar; Tür: cerrar con llave; **2ung** f acordonamiento, cordón m; barrera

abspielen Platte: tocar; **s. ~** suceder

ab|sprechen negar; (verabreden) concertar; **~springen** saltar; (Ball) rebotar; fig retirarse, salirse por la tangente; **2sprung** m salto;

~spülen lavar; *Geschirr*: fregar

abstamm|en descender; 2ung f descendencia, origen m

Abstand m distancia f; intervalo; ~ nehmen von desistir de; distanciarse de; in Abständen a intervalos

abstatten: Besuch ~ hacer una visita; Dank ~ dar las gracias

abstauben quitar el polvo (a), desempolvar: *fig* F bailar, quitar

abstech|en (von) contrastar (de); 2er m rodeo, vuelta f

abstehen destacarse; ~de Ohren orejas separadas

absteigen descender, bajar; (v *Pferd*) desmontar; (*im Hotel*) hospedarse (en)

abstell|en poner, dejar; cerrar, cortar; *Maschine*: parar; *Radio*: apagar; ~gleis n vía f de estacionamiento; 2raum m trastero

abstempeln matar; sellar

Abstieg m bajada f, descenso

abstimm|en votar (über ac); aufeinander ~en armonizar; ajustar; 2ung f votación

Abstinenzler m abstemio

abstoßen v repeler; *fig* repugnar; ~d repugnante

abstrakt abstracto

ab|streiten negar, desmentir; 2strich m *Med* frotis; 2stufung f graduación; (*Farbe*) matiz m; 2sturz m

caída f; ~stürzen caer(se); (*im Gebirge*) despeñarse; *Flgw* caerse; ~suchen rebuscar (en)

absurd absurdo

Abszeß m absceso

Abt m abad

ab|tasten palpar, tocar; ~tauen vt descongelar

Abtei f abadía

Abteil n *Esb* departamento m, compartimiento m

Abteilung f sección; departamento m

ab|tippen copiar a máquina; ~tragen *Erde*: nivelar, aplanar; *Kleider*: gastar; ~transportieren llevarse, recoger

abtreib|en vi *Mar* derivar; vt desviar; 2ung f *Med* aborto m provocado

abtrennen separar; *Abschnitt*: cortar; *Stoff*: descoser

abtret|en vt ceder; traspasar; 2ung f cesión

abtrocknen secar, enjugar; s. ~ secarse

ab|urteilen juzgar; ~wägen ponderar, medir; ~warten aguardar

abwärts hacia abajo

abwasch|bar lavable; ~en lavar; *Geschirr*: fregar

Abwässer npl aguas fpl residuales *od* negras

abwechseln alternar; s. (*od* einander) ~ turnarse (con); ~d alternativo; *adv* por turno

Abwechslung f variedad;

cambio *m*; distracción; 2s-
reich variado
abwegig absurdo
Abwehr *f* defensa; *Sp* parada; 2en parar, rechazar
abweich|en *vi* apartarse; di-
ferir; **~end** divergente; dis-
crepante; 2ung *f* divergen-
cia; *fig* discrepancia
ab|weisen rechazar; repul-
sar; **~wenden** *Blick*: apar-
tar; *Unglück*: evitar; **s. ~**
wenden apartarse; abandonar (**von** a *alg*); **~werfen**
lanzar; *Reiter*: derribar;
Gewinn: rendir, producir;
2**wertung** *f* devaluación
abwesen|d ausente; *fig* dis-
traído; 2**heit** *f* ausencia
ab|wickeln desenrollar; *Hdl*
realizar; *fig* desarrollar; **~**
wiegen pesar; **~wimmeln**
F *j-n*: sacudirse (de); *et*:
desembarazarse de; **~wi-**
schen limpiar; 2**wurf** *m*
lanzamiento; **~würgen**
Motor: estrangular; **~zah-**
len pagar a plazos; **~zählen**
contar; **~zäunen** vallar
Abzeichen *n* emblema *m*,
distintivo *m*
abzeichnen dibujar, copiar;
s. ~ dibujarse; destacarse
(**gegen** de)
Abzieh|bild *n* calcomanía *f*;
2**en** *Math* sustraer; *Hdl* deducir; *Bezug*: quitar; *vi* F
largarse; (*Rauch*) salir
Abzug *m* *Hdl* deducción
f, descuento; (*Waffe*) dis-
parador; *Fot* copia *f*; *Mil*
retirada *f*; marcha *f*; *Tech*

escape
abzweig|en *vi* (*Weg*) bifur-
carse; 2**ung** *f* bifurcación;
ramal *m*
Achse *f* eje *m* (*a fig*)
Achsel *f* hombro *m*; **~höhle** *f*
sobaco *m*; **~zucken** *n* encogimiento *m* de hombros
acht ocho; **in ~ Tagen** dentro de ocho días
Acht *f* ocho *m*; **außer** 2 **las-**
sen descuidar; **s. in** 2 **neh-**
men tener cuidado (**vor**
con)
achte octavo
Acht|eck *n* octógono *m*; **~el** *n*
octavo *m*
achten estimar, apreciar;
respetar; **~ auf** cuidar de;
prestar atención a
Achter *m* *Sp* ocho; **~bahn** *f*
montaña rusa; **~deck** *n* cubierta *f* de popa
acht|geben cuidar (**auf** de);
~los negligente
acht|hundert ochocientos;
~mal ocho veces; **~stündig**
de ocho horas
Achtung *f* respeto *m*, estimación; atención; **~!** ¡cuidado!, ¡atención!, F ¡ojo!
acht|zehn dieciocho; **~zig**
ochenta
ächzen gemir
Acker *m* campo; **~boden** *m*,
~land *n* tierra *f* de labor
Adamsapfel *m* *Anat* nuez *f*
(de la garganta)
addieren adicionar, sumar
Adel *m* aristocracia *f*; *a fig*
nobleza *f*
Ader *f* arteria, vena

Adler m águila f

adlig noble; **2e(r)** m noble, hidalgo

Admiral m almirante

adoptieren adoptar

Adreßbuch n guía f

Adres|se f señas fpl, dirección; **2sieren** dirigir (a)

adrett atildado, bonito

Advent m adviento

aerodynamisch aerodinámico

Affäre f asunto m, negocio m

Affe m mono

affektiert afectado

After m ano

Agave f agave m, pita

Agent m agente; **~ur** f agencia

Aggression f agresión

agitieren agitar

Ahle f lezna

ähneln parecerse a; (Kind) salir a

Ahnen mpl antepasados

ahnen presentir; sospechar

ähnlich semejante, parecido; **~ sehen**, **~ sein** (dat) parecerse a, salir a; **2keit** f semejanza, parecido m

Ahnung f presentimiento m; intuición f; fig idea; **2slos** desprevenido

Ahorn m arce

Ähre f espiga

Airbus m aerobús

Akadem|ie f academia; **~i-ker** m universitario

Akazie f acacia

Akkord m Mus acorde; **im ~ arbeiten** trabajar a destajo; **~arbeit** f destajo m

Akkordeon n acordeón m

Akkumulator m acumulador

Akne f acné

Akrobat(in f) m acróbata su

Akt m Thea acto; Mal desnudo; **~e** f expediente m; jur acta

Akten|deckel m carpeta f, Am a fólder; **~koffer** m Span attaché, Am maletín ejecutivo; **~mappe** f, **~ta-sche** f cartera (de documentos); **~zeichen** n referencia f

Aktie f acción; **~ngesell-schaft** f sociedad anónima (S.A.)

Aktion f acción; Pol operación, campaña; **~är** m accionista

aktiv activo; **~ieren** activar; **2ität** f actividad

aktualisieren poner al día

aktuell actual, del día

akut Med agudo

Akzent m acento

akzeptieren aceptar

Alabaster m alabastro

Alarm m alarma f; **~bereit-schaft** f alerta; **2ieren** alarmar

Alaun m alumbre; **~stift** m cortasangre

albern tonto

Album n álbum m

Alge f alga

Alibi n coartada f

Alkohol m alcohol; **2frei** sin alcohol; **2isch** alcohólico

all todo; **~e** pl todos; **~e bei-de** ambos, los dos; **~es**

alle

Gute! ¡que le vaya bien!;
vor ~em sobre todo
alle (aus) F acabado, agotado
Allee f avenida, alameda
allein solo; **von** ~ automáticamente; ~stehend solitario; (ledig) soltero
allenfalls a lo sumo; acaso
allerdings en efecto; cierto que
Allergie f alergia; ²isch alérgico (gegen a)
aller|hand varios, diversos; ²heiligen n Todos los Santos; ~lei toda clase de; ~letzt el último de todo; **zu** ~letzt en último lugar; ~nächst: **in** ~nächster Zeit dentro de muy poco
alles todo
allgemein general; **im** ~en en general; ²befinden n estado m general; ²bildung f cultura general; ²heit f generalidad; público m; ~verständlich comprensible para todos
all|jährlich anual; adv anualmente; ~mählich gradual; adv poco a poco; ²tag m vida f cotidiana; ~täglich cotidiano; ordinario
allzu demasiado
Almosen n limosna f
Alphabet n alfabeto m; ²isch alfabético
Alptraum m pesadilla f
als (Zeit) cuando; (nach Komparativ) que; (Art, Eigenschaft) como; de; ~ **ob** como si

also así; pues
alt viejo; antiguo; **wie** ~ **bist du?** ¿cuántos años tienes?; ~ **werden** llegar a viejo; envejecer
Altar m altar
Alte(r) m viejo, anciano; ~r n edad f; vejez f
älter más viejo; (Jahre) mayor
Alters|genosse m coetáneo; ~grenze f límite m de edad; ~heim n asilo m de ancianos; residencia f de la tercera edad; ²schwach decrépito
Alter|tum n antigüedad f; ~tümer pl antigüedades fpl; ²tümlich antiguo
ältlich viejecillo
alt|modisch anticuado; pasado de moda; ²stadt f ciudad antigua
Alu(minium)folie f papel m de aluminio
am s an; ~ **besten** lo mejor
Amateur m aficionado
Amboß m yunque
ambul|ant ambulante; Med ambulatorio; ~anz f dispensario m; Mil u Krankenwagen ambulancia
Ameise f hormiga; ~nhaufen m hormiguero
Amethyst m amatista f
Amme f nodriza
Amnestie f amnistía
Ampel f semáforo m, Span a disco m
Amphitheater n anfiteatro m
Ampulle f ampolla, inyec-

table *m*

amputieren amputar

Amsel *f* mirlo *m*

Amt *n* oficina *f*; administración *f*; (*Aufgabe*) cargo *m*, función *f*; *Tel* central *f*; **von ~s wegen** de oficio; **~ieren** desempeñar su cargo; actuar (**als** de); **2lich** oficial

Amts|antritt *m* toma *f* de posesión; **~geheimnis** *n* secreto *m* oficial; **~gericht** *n* juzgado *m* municipal

amüsant divertido

amüsieren divertir; **s. ~** divertirse, distraerse

an 1. *örtlich*: a, en; cerca de; (*Fluß*) a orillas de; **~ Bord** a bordo; **am Tisch** a la mesa; **~ der Grenze** en la frontera; **~ der Wand** en la pared; **~ der Hand** (*nehmen*) de la mano; 2. *zeitlich*: en, por; **am 3. Mai** el tres de mayo; **am Abend** por la noche; **am Tage** de día; 3. *reich usw* **~ ~**... es

Ananas *f* piña, *RPl* ananá(s) *m*

Analphabet *m* analfabeto

Anarchie *f* anarquía

Anbau *m* cultivo; *Arch* anexo; **2en** cultivar; añadir; **~fläche** *f* superficie cultivada (*od* de cultivo); **~möbel** *npl* muebles *mpl* por elementos

anbehalten *Mantel usw*: dejar puesto

anbei adjunto

an|beißen morder en; (*Fische*) picar; **~belangen:**

was ... ~belangt en lo que toca...; **~beten** adorar

Anbetracht: in ~ (*gen*) en consideración a

an|betteln pedir limosna a; **~bieten** ofrecer; **~binden** atar; **~blick** *m* aspecto, vista *f*; **~braten** asar; **~brechen** *vt* empezar; *vi* (*Zeit*) empezar; (*Tag*) romper; (*Nacht*) entrar

anbrennen (*Essen*) pegarse; *vt Zigarette usw*: encender

an|bringen fijar; colocar; *Bitte usw*: presentar; **2-bruch** *m* comienzo; **bei 2-bruch des Tages (der Nacht)** al amanecer (al anochecer); **~brüllen** gritar a

Andacht *f Rel* función; devoción

andächtig devoto

andauern continuar, persistir; **~d** continuo, permanente

Andenken *n* recuerdo *m*; **zum ~ an** en memoria de

ander|e otro, *pl* otros; **ein ~es Mal** otra vez; **unter ~em** entre otras cosas; **~erseits** por otra parte

ändern cambiar; modificar; **s. ~** cambiar

ander|nfalls de lo contrario; **~s** de otra manera, diferente; **jemand ~s** algún otro; **~swo** en otra parte

anderthalb uno y medio

Änderung *f* cambio *m*; modificación

andeut|en insinuar; indicar; **2ung** *f* indicación; alusión aneignen: s. ~ apropiarse; *Kenntnisse:* adquirir

aneinander uno(s) a (*od* con *od* contra) otro(s); **~fügen** juntar

Anekdote *f* anécdota

anerkennen reconocer; admitir; **~enswert** digno de aprecio; **2ung** *f* reconocimiento *m*; apreciación

anfahren *vt* chocar contra; *Fußgänger:* arrollar; *vi* (*Auto*) arrancar

Anfall *m* ataque, acceso; **2en** acometer; *vi* presentarse

anfällig (**für**) predispuesto (a)

Anfang *m* principio; comienzo; **am ~, zu ~** al principio; **2en** comenzar, empezar; echar (a + *inf*)

Anfänger *m* principiante; **~kurs** *m* curso para principiantes

anfangs al principio; primeramente; **2stadium** *n* fase *f* inicial

anfassen tocar; **~fechten** impugnar; **~fertigen** hacer; fabricar, elaborar; **~feuchten** mojar; **~feuern** *fig* animar, alentar; **~fliegen** *vt* hacer escala en

Anflug *m* *Flgw* vuelo de aproximación; *fig* deje, tinte

anfordern pedir; exigir; **2ung** *f* exigencia, demanda

Anfrage *f* pregunta; *Pol* interpelación; **2n** preguntar

anfreunden: s. ~ mit trabar amistad con

anführen dirigir, guiar; *Gründe usw:* alegar; (*zitieren*) citar; *fig* tomar el pelo a; **2er** *m* jefe; *Pol* caudillo; **2ungszeichen** *npl* comillas *fpl*

Angabe *f* indicación; informe *m*; **~n** *pl* datos *mpl*

angeben *dar;* declarar; indicar; *vi* F fanfarronear; **2er** *m* farolero, tipo creído; **~lich** *adj* supuesto; *adv* dicen que

angeboren innato; congénito

Angebot *n* ofrecimiento *m*; *Hdl* oferta *f*

angebracht oportuno, conveniente; **~heiratet** político; **~heitert** F achispado

angehen concernir; **das geht dich nichts an** no te importa nada; **was ... angeht** en cuanto a...

Angehörige(**r**) *m* *Pol* miembro; **~n** *pl* parientes *mpl*, familiares *mpl*

Angeklagte(**r**) *m* acusado

Angel *f* caña de pescar; (*Tür2*) gozne *m*

Angelegenheit *f* asunto *m*

angelnt (*Tür usw*) entreabierto

Angelhaken *m* anzuelo; **2n** pescar con caña; **~rute** *f* caña de pescar; **~schein** *m* licencia *f* de pesca); **~schnur** *f* sedal *m*

angemessen adecuado; (*Preis*) razonable; **~nehm** agradable; simpático;

nehm! ¡encantado!; ~**nommen daß** supuesto que; ~**sehen** reputado; ~**reputado**; ~**sichts** en vista de, teniendo en cuenta

Angestellte(r) m empleado; *Hdl* dependiente

ange|wiesen sein auf (*ac*) depender de; ~**wöhnen** acostumbrar; **s.** *et* ~**wöhnen** acostumbrarse a

Angina *f* angina; ~ **pectoris** *f* angina de pecho

angleichen ajustar

Angler *m* pescador (de caña)

angreifen atacar; *Mil* asaltar; **2er** *m* asaltante; agresor

angrenzen (**an**) lindar (con)

Angriff *m* ataque; **2slustig** agresivo

Angst *f* miedo *m*, angustia

ängstig|en dar miedo a, angustiar; **s.** ~ tener miedo; ~**lich** temeroso, tímido

anhaben *Kleider*: llevar

anhalt|en *vt* parar, detener; *Atem*: contener; *vi* parar (-se); (*dauern*) durar; **2er** *m* autostopista; **2spunkt** *m* indicio, referencia *f*

Anhang *m* apéndice; anexo

anhäng|en colgar; enganchar, acoplar; **2er** *m* partidario; *Kfz* remolque; (*Schmuck*) dije, colgante; ~**lich** apegado; fiel

an|häufen amontonar, apilar; ~**heben** levantar; ~**heften** fijar, pegar; ~**heuern** alistar(se)

Anhieb: **auf** ~ de golpe, a la primera

Anhöhe *f* cerro *m*, colina

anhören escuchar; **s.** ~ sonar (+ *adj*)

Anislikör *m* anís

Ankauf *m* compra *f*

Anker *m* ancla *f*; *Tech* áncora *f*; **vor** ~ **gehen** echar ancla; **vor** ~ **liegen** estar surto (*od* anclado); ~**platz** *m* fondeadero

Anklage *f* acusación; **2n** acusar

Anklang *m*: ~ **finden** ser aceptado, tener éxito

ankleben pegar; encolar

ankleiden vestir

an|klopfen llamar (a la puerta); ~**knipsen** *Licht*: dar la luz; ~**knüpfen** anudar; *fig* trabar, entablar; **an** *et* ~**knüpfen** partir de; ~**kommen** llegar; **es kommt darauf an** depende de

ankündig|en anunciar; **2ung** *f* aviso *m*, anuncio *m*

Ankunft *f* llegada

an|kuppeln acoplar; ~**kurbeln** *fig* estimular; ~**lächeln** sonreír *a*

Anlage *f* instalación; construcción; *Hdl* anexo *m*; (*Geld*) inversión; (*Grün2*) parque *m*, zona verde; **natürliche** ~ talento *m*; ~**kapital** *n* capital *m* inicial

Anlaß *m* motivo; ocasión *f*; ~ **geben** (**zu**) dar lugar (a)

anlass|en *Motor*: hacer arrancar; *Kleider*: dejar puesto; **2er** *m* arranque

anläßlich (*gen*) con motivo

de, con ocasión de

Anlauf m: **~ nehmen** tomar
carrera; **~en** *Hafen:* hacer
escala en; (*Spiegel, Metall*)
empañarse

anläuten F llamar (por teléfono)

Anlege|brücke f muelle m;
~n vt poner (contra); *Geld:*
invertir; *Gewehr:* apuntar;
Verband: aplicar; vi (*Schiff*)
atracar; **~stelle** f atracadero
m

anlehnen (an) adosar (a),
apoyar (en, contra); *Tür:*
entornar; **s. ~ an** arrimarse
a

Anleihe f empréstito m

anleit|en instruir; **~ung** f
instrucción; directiva

anlernen instruir

Anlieg|en n deseo m; petición f; **~end** adjunto;
(*Kleid*) ceñido; **~er** m aledaño

an|locken atraer; **~lügen**
mentir a; **~machen** fijar;
Licht, Feuer: encender;
Speisen: aderezar

anmaßen s. et **~en** arrogarse; permitirse; **~end** presuntuoso; arrogante; **2ung** f arrogancia; insolencia

Anmelde|formular n formulario m de inscripción;
(*Hotel*) hoja f (de la policía);
~frist f plazo m de inscripción; **~gebühr** f derechos
mpl de inscripción; **2n** avisar, anunciar; *Kfz* matricular; **s. 2n** inscribirse

Anmeldung f aviso m; ins-

cripción, registro m, alta

anmerk|en apuntar; notar;
2ung f nota, anotación

Anmut f gracia; encanto m;
2ig gracioso; encantador

annäher|nd aproximativo;
adv aproximadamente;
2ung f acercamiento m

Annahme f aceptación; *fig*
suposición

annehm|bar aceptable; admisible; (*Preis*) razonable;
~en aceptar; recibir; tomar;
(*voraussetzen*) suponer; **~lichkeit** f comodidad; conveniencia

Annonce f anuncio m, *Am*
aviso m

annullieren anular

anonym anónimo

Anorak m anorak

anordn|en agrupar; disponer, ordenar; **2ung** f disposición; (*Verfügung*) orden

anpass|en adaptar; apropiar; **s. ~en (an)** adaptarse
(a); conformarse (con);
2ung f adaptación; apropiación; **~ungsfähig** acomodable, adaptable

an|pfeifen *Sp* dar la pitada
de comienzo; **~pöbeln** F
atropellar; **2prall** m choque; **~preisen** encarecer

Anprobe f prueba; **2ieren**
probar

an|pumpen F dar un sablazo a; **~rechnen** cargar en
cuenta; imputar; **2recht** n
derecho; **2rede** f tratamien-

to *m*; **~reden** hablar a

anreg|en animar; estimular; *fig* iniciar, sugerir; **~end** sugestivo; estimulante; **2ung** *f* propuesta, iniciativa; **2ungsmittel** *n* estimulante *m*

Anreiz *m* atractivo, aliciente

Anrichte *f* aparador *m*; **2n** *Speisen*: aderezar; servir; *fig* causar, ocasionar

Anruf *m* llamada *f*; **2en** llamar (por teléfono)

anrühren tocar; preparar; mezclar

Ansage *f* anuncio *m*; **2n** anunciar; **~r** *m* *Rf* locutor; *TV* presentador

Ansammlung *f* reunión, (*Menschen*) aglomeración

ansässig domiciliado; residente, establecido

anschaff|en adquirir, comprar; **2ung** *f* adquisición

anschalten conectar, prender; *Licht* ~ dar la luz

anschau|en mirar; **~lich** expresivo, claro; plástico; **2ung** *f* opinión; concepto *m*, punto *m* de vista

Anschein *m* apariencia *f*; **allem ~ nach** a lo que parece; **2end** *adv* por lo visto, al parecer

anschicken: s. ~ (zu) disponerse (a), aprestarse (a)

anschieben empujar

Anschiß *m* P bronca *f*, rapapolvo

drar; **~säule** *f* cartelera

anschließen *Tech*, *El* conectar; enchufar; **s. ~** asociarse; agregarse; **~d** siguiente; *adv* a continuación

Anschluß *m* *Tech* conexión *f*, enchufe; *Esb* correspondencia *f*, empalme; (*Gas*, *Wasser*) acometida *f*; *Pol* incorporación *f*; **~zug** *m* tren de enlace

anschmiegen: s. ~ estrecharse

anschnallen: s. ~ abrocharse el cinturón

anschneiden empezar, encentar; *fig* abordar

Anschovis *f* anchoa

an|schrauben (a)tornillar; **~schreiben** (*Wirt*) fiar; **2-schrift** *f* dirección, señas *fpl*; **~schwellen** hincharse; **~schwemmen** acarrear; **~schwindeln** mentir a, engañar

ansehen mirar; examinar; *fig* ~ **als** considerar como; **man sieht es ihm an** se le ve en la cara

Ansehen *n* prestigio *m*, estimación *f*

ansehnlich de buena presencia; vistoso; considerable

ansetzen *vt* juntar; *Termin*: fijar; *Fett* ~ echar carnes, engordar

Ansicht *f* vista; *fig* opinión; **zur ~** como muestra

Ansichts|(post)karte *f* postal ilustrada; **~sache** *f* cuestión de gusto (*od* de pareceres)

ansiedeln asentar; **s. ~** establecerse

anspannen *Zugtier:* uncir; *Pferd:* enganchar

anspiel|en: auf *et* **~en** aludir a; **2ung** *f* alusión; indirecta

anspitzen apuntar

Ansporn *m* estímulo

Ansprache *f* alocución

ansprechen *vt* dirigir la palabra a; *vi* agradar; **~d** agradable, simpático

anspringen *vi Kfz* arrancar

Anspruch *m* pretensión *f*; derecho; **in ~ nehmen** ocupar; reclamar; *j-n:* recurrir a; **2slos** modesto; **2svoll** exigente

Anstalt *f* establecimiento *m*, instituto *m*

Anstand *m* decencia *f*, decoro

anständig decente, respetable

anstands|halber por cumplir; **~los** sin reparo

anstarren mirar de hito en hito

anstatt en vez de

anstechen *Faß:* picar

ansteck|en prender, ponerse; *Zigarette:* encender; *Haus:* pegar fuego a; *Med* contagiar; **s. ~en** contagiarse; **~end** contagioso; **2ung** *f* contagio *m*, infección

anstehen (nach) hacer cola (por)

ansteigen subir; *(Fluß)* crecer

anstell|en *j-n:* emplear; *Ra-*

---

dio: poner, conectar; (*machen*) hacer; **s. ~en** hacer cola; *fig* hacer melindres; **s. ~en als ob** aparentar + *inf*; **2ung** *f* colocación, empleo *m*

Anstieg *m* subida *f* (*a fig*)

anstift|en provocar; instigar; **2er** *m* instigador, autor; **2ung** *f* instigación

anstimmen entonar

Anstoß *m* impulso; *Sp* salida *f*; **den ~ geben zu** iniciar *u/c*; **~ erregen** causar escándalo; **~ nehmen an** escandalizarse de (*od con*); **2en** empujar; brindar (**auf** por)

an|stößig indecente, escandaloso; **~strahlen** iluminar; **~streben** aspirar a; **~streichen** pintar; *Text:* marcar; **2streicher** *m* pintor (de brocha gorda)

anstreng|en cansar; *Prozeß:* entablar; **s. ~en** esforzarse; **~end** fatigoso, penoso; **2ung** *f* esfuerzo *m*

Anstrich *m* (capa *f* de) pintura *f*

Ansturm *m fig* afluencia *f*

antasten *fig* tocar

Anteil *m* parte *f*; **~nahme** *f* interés *m*; simpatía

antelefonieren llamar (por teléfono)

Antenne *f* antena

Anti|babypille *f* píldora anticonceptiva; **~biotikum** *n* antibiótico *m*

antik antiguo; **2e** *f* Antigüedad

Antipathie f antipatía

Anti|quariat n librería f de lance; 2**quarisch** anticuario; de lance; ~**quitätenladen** m tienda f de antigüedades; ~**semitismus** m antisemitismo; 2**septisch** antiséptico

Antrag m solicitud f; petición f; ~**steller** m solicitante

an|treffen encontrar; ~**treiben** impeler, impulsar; fig estimular; ~**treten** vi formar; vt Reise: emprender; Dienst: empezar; 2**trieb** m accionamiento, fig impulso; iniciativa f; ~**tun** Leid, Zwang: hacer; causar; **s. et** ~**tun** atentar contra la vida propia

Antwort f respuesta, contestación; 2**en** contestar

anvertrauen confiar; **s.** j-m ~ confiarse a

anwachsen crecer

Anwalt m abogado

anwärmen calentar, templar

Anwärter m candidato, aspirante

anweis|en instruir; Platz: indicar; Geld: consignar; girar; 2**ung** f instrucciones fpl; Hdl giro m

anwenden utilizar; aplicar; 2**ung** f aplicación; uso m

anwerben reclutar; Mil alistar

Anwesen n inmueble m; heredad f

anwesen|d presente; 2**heit** f presencia

anwidern repugnar

Anzahl f número m, cantidad; 2**en** pagar a cuenta; ~**ung** f primer pago m

Anzeichen n señal f; presagio m; Med síntoma m

Anzeige f anuncio m; aviso m; jur denuncia; (Heirat) participación; ~ **erstatten** presentar una denuncia; 2**n** anunciar; jur denunciar

anzieh|en Kleid: ponerse; Schraube: apretar; fig atraer; **s.** ~**en** vestirse; ~**end** atractivo; 2**ung** f atracción; 2**ungskraft** f Phys fuerza atractiva

Anzug m traje, Am a vestido, Ven flux, Pe terno, RPl ambo

anzüglich atrevido, picante

anzünden encender, poner fuego a, bsd Am prender

Apartment n apartamento m; estudio m

apathisch apático

Aperitif m aperitivo

Apfel m manzana f; ~**baum** m manzano; ~**kuchen** m tarta f de manzana; ~**saft** m zumo, Am jugo de manzana; ~**sine** f naranja; ~**wein** m sidra f

Apostel m apóstol

Apothek|e f farmacia, Am a droguería, botica; ~**er** m farmacéutico

Apparat m aparato

Appell m llamada f; revista f; fig llamamiento

Appetit m apetito; **guten** ~**!** ¡que aproveche!; 2**lich** ape titoso; **~losigkeit** f desgana, falta de apetito

Applaus m aplauso

Aprikose f albaricoque m

April m abril

Aquädukt m acueducto

Aqua|rell n acuarela f; **~rium** n acuario m

Äquator m ecuador

Arbeit f trabajo m; labor; fig obra; **2en** trabajar; **~er** m trabajador; obrero; **~geber** m patrono, Am patrón; **~nehmer** m asalariado; **2~sam** trabajador; laborioso

Arbeits|amt n Delegación f del Trabajo; **2fähig** válido, capaz de trabajar; **2los** sin trabajo; **~losigkeit** f paro m (forzoso), desempleo m; **~platz** m puesto, empleo; **~tag** m jornada f; **2unfähig** inválido; **~zeit** f horario m de trabajo

Archäologie f arqueología

Architekt m arquitecto; **~ur** f arquitectura

Archiv n archivo m

Arena f arena; Stk plaza de toros

Ärger m disgusto; enfado, molestia f; **2lich** fastidioso; (Person) enfadado; **2n** enojar, molestar, enfadar; **s. 2n über** enfadarse por (**über** j-n con alg); **~nis** n escándalo m

arg|listig malicioso; **~los** confiado; ingenuo; **2wohn** m recelo; sospecha f; **2~wöhnisch** desconfiado, receloso

Arie f aria

Aristokrati|e f aristocracia; **2sch** aristocrático

arm pobre (a fig)

Arm m brazo

Armaturenbrett n cuadro m de mando, tablero m de instrumentos

Armband n pulsera f; **~uhr** f reloj m de pulsera

Armbinde f brazal m; Med cabestrillo m

Armee f ejército m

Ärmel m manga f; **2los** sin mangas

Arm|lehne f brazo m (de sillón); **~leuchter** m candelabro; fig P mierda, cero

ärmlich, armselig pobre, miserable

Armut f pobreza

Aroma n aroma m

Arrest m arresto

arrogant arrogante

Arsch P m culo

Art f clase; género m; especie; manera; **auf diese ~** de este modo; **eine ~ ...** una especie de; **... jeder ~ ...** de todas clases

Arterie f arteria

artig bueno, formal

Artikel m Hdl, Gr artículo m

Artillerie f artillería

Artischocke f alcachofa

Artist(in f) m artista su (de circo)

Arznei|, ~mittel n medicina f, medicamento m

Arzt m médico

Ärzt|in f médica; **2lich** médico; **2licher Notdienst** m servicio médico de urgencia

As *n* as *m*

Asbest *m* asbesto; amianto

asch|blond ceniciento; **2e** *f* ceniza; **2enbahn** *f* Sp pista de ceniza; **2(en)becher,** **2er** *m* cenicero; **2ermittwoch** *m* miércoles de ceniza; **~grau** ceniciento

aseptisch aséptico

asozial antisocial

Asphalt *m* asfalto; **2ieren** asfaltar

Aspirin *n* aspirina *f*

Assistent(in *f)* *m* asistente *su; Universität*: ayudante *m*

Ast *m* rama *f*; (*im Holz*) nudo

Asthma *n* asma *f*

Astro|loge *m* astrólogo; **~naut** *m* astronauta; **~nomie** *f* astronomía *f*

Asyl *n* asilo *m*

Atelier *n* estudio *m*; taller *m*

Atem *m* aliento; **außer ~** sin aliento; **~ holen** tomar aliento; **2los** sin aliento; **~not** *f* sofocación; **~zug** *m* inspiración *f*

Atheist *m* ateo

Äther *m* éter

Athlet(in *f)* *m* atleta *su*

Atlas *m* atlas; (*Stoff*) raso, satén

atmen respirar

Atmosphär|e *f* atmósfera; **2isch** atmosférico

Atmung *f* respiración *f*

atom|ar atómico; **2energie** *f* energía atómica; **2waffen** *fpl* armas nucleares

Attaché *m* agregado

Atten|tat *n* atentado *m*; **~tä-ter** *m* autor del atentado

Attest *n* certificado *m*

Attraktion *f* atracción

Attrappe *f* objeto *m* simulado

Aubergine *f* berenjena

auch también; **~ nicht** tampoco; **wenn ~** aunque

Auerhahn *m* urogallo

auf sobre, en, por, de; (*wohin?*) a; hacia; **~ ein Jahr** por un año; **~ deutsch** en alemán; *adv* **die Tür ist ~** la puerta está abierta; **~ sein** (*Person*) estar levantado

auf|arbeiten acabar; renovar; **~atmen** *fig* respirar; **~bahren** amortajar

Aufbau *m* construcción *f*; estructura *f*; **~ten** *pl Mar* superestructura *f*; **2en** construir; organizar; montar

auf|bekommen lograr abrir; *Lektion* preparar; **~bereiten** preparar; **~bessern** *Gehalt*: aumentar

aufbewahr|en conservar; reservar; guardar; **2ung** *f* conservación; depósito *m*

auf|bieten movilizar; **~blähen** hinchar; **~blasen** inflar; **~bleiben** (*abends*) velar; **~blicken** alzar la vista; **~blitzen** relampaguear; **~blühen** abrirse; *fig* florecer; **~brausen** encolerizarse; **~brechen** *vt* romper; forzar; *vi* marcharse; **~bringen** *Geld*: reunir; *Gerücht*: inventar; *fig* irritar; *Schiff*: apresar

Aufbruch *m* marcha *f*, salida *f*

aufbrühen   252

auf|brühen Tee, Kaffee: ha-
cer; **~bügeln** planchar; **~**
decken destapar; fig descubrir

aufdrängen: s. ~ imponerse, pegarse a

auf|drehen Hahn usw:
abrir; **~dringlich** importuno, pesado; **2druck** m impreso

aufeinander uno(s) sobre
(od tras) otro(s); **~folgen**
seguirse; **~folgend** sucesi-
vo; **~prallen, ~stoßen** en-
trechocarse

Aufenthalt m estancia f, Am
estadía f; **~sgenehmigung**
f permiso m de residencia;
~sort m paradero; **~sraum**
m (Hotel) salón

auf|erlegen imponer; **2er-**
stehung f resurrección; **~**
essen comerse (todo)

auffahr|en (auf ac) chocar
contra; fig sobresaltarse;
2t (srampe) f rampa; (Autobahn) acceso m; **2unfall** m
accidente en cadena, cho-
que múltiple

auffall|en llamar la aten-
ción; **~end, auffällig** vistoso, ostentoso; llamativo

auffangen coger al vuelo;
recoger; (Funkspruch) cap-
tar; (Aufprall) amortiguar

auffassen interpretar; considerar (als como); **2ung** f
interpretación; modo m de
ver, concepción

auffinden hallar, descubrir; **~fischen** a fig pescar;
~flackern recrudecerse

reavivarse

auffordern invitar; exhortar; (Tanz) sacar a; **2ung** f
requerimiento m; invita-
ción

Aufforstung f Span repo-
blación forestal, Am refo-
restación

aufführen citar, especificar; Thea representar; **s.**
~en portarse; **2ung** f Thea
representación; Mus ejecu-
ción

auffüllen llenar, rellenar;
completar

Aufgabe f función; tarea,
deber m; Math problema
m; (Verzicht) abandono m;
(Post) expedición

aufge|ben poner, dar; Brief:
echar a Correos; Tele-
gramm: poner; Gepäck: fac-
turar; (verzichten) renun-
ciar a; abandonar (a vi);
2bot n amonestaciones fpl;
~dunsen (Gesicht) abulta-
do, hinchado

aufgehen abrirse; deshacer-
se; (Naht) descoserse; (Ge-
stirne) salir; (Saat) brotar;
(Rechnung) salir bien

aufge|legt: ~legt sein zu es-
tar de humor para; **gut ~**
legt de buen humor; **~regt**
nervioso; excitado; **~**
schlossen abierto (a); **~**
weckt despejado

auf|gießen Tee: hacer; **2guß**
m infusión f; **~haben** Hut:
llevar puesto; (Geschäft) estar abierto; **~halten** tener
abierto; fig parar; detener;

s. ~halten encontrarse; permanecer

aufhäng|en colgar; *Wäsche:* tender; 2er *m* colgadero; 2ung *f Kfz* suspensión

auf|heben recoger, levantar, guardar; *Gesetz, Verbot:* suprimir, abolir; anular; ~heitern animar; s. ~heitern despejarse; ~hellen aclarar; ~hetzen instigar; ~holen recobrar, recuperar; *Sp* ganar ... de terreno; ~hören dejar, cesar (**zu** de); terminar; ~kaufen acaparar; ~klappen abrir

aufklär|en aclarar; *Mil* explorar; **j-n über** *et* informar a alg sobre; abrir los ojos a alg sobre; 2ung *f* aclaración; iniciación sexual

aufkleb|en pegar (en); 2er *m* etiqueta *f* adhesiva; (*Abzeichen*) pegatina *f*

auf|knöpfen desabotonar; ~knüpfen deshacer; ~kochen hervir; ~kommen introducirse; (**für** *et*) responder (de); indemnizar; ~kreuzen *F* descolgarse; ~laden *a El* cargar

Auflage *f Lit* edición; *jur* obligación

auf|lassen dejar abierto; ~lauern *j-m:* acechar; 2lauf *m* agolpamiento; (*Speise*) flan; 2laufbremse *f* freno *m* automático; ~laufen (*Schiff*) encallar; ~legen poner, colocar; *Tel* colgar; *Med* aplicar; ~lehnen: s.

~lehnen rebelarse; ~leuchten lucir, resplandecer

auflös|en (*in Wasser*) diluir; *Versammlung usw:* disolver; *Geschäft:* liquidar; s. ~en disiparse; 2ung *f* solución, disolución; descomposición

aufmach|en abrir; deshacer; 2ung *f* (*Ware usw*) presentación

Aufmarsch *m* desfile

aufmerksam atento; galante; ~ machen auf llamar la atención sobre; 2keit *f* atención

aufmuntern animar; estimular

Aufnahme *f* acogida; recepción; absorción; (*Ton2*) grabación; *Fot* foto; ~prüfung *f* examen *m* de ingreso

aufnehmen recoger; (*im Verein*) admitir; (*beginnen*) entablar, establecer; *Geld:* tomar prestado; *Protokoll:* levantar; *Gast:* acoger; *Phono* grabar

auf|opfernd sacrificado, abnegado; ~passen tener cuidado; cuidar *ac*; 2prall *m* choque; ~prallen chocar (contra); 2preis *m* sobreprecio; ~pumpen inflar; ~raffen: s. ~raffen animarse (**zu** a)

aufräum|en arreglar, poner en orden, recoger; 2ungsarbeiten *fpl* trabajos *mpl* de descombro

aufrecht en pie, *Am* parado; *fig* recto; ~erhalten man-

tener
aufreg|en agitar; excitar; **s.**
~en über alterarse por;
2ung f agitación, emoción
aufreibend agotador
auf|reißen abrir brusca-
mente; *Straße:* levantar; **~**
reizend provocativo; **~**
richten poner en pie, levantar; *fig* alentar
aufrichtig sincero, derecho;
2keit f sinceridad
auf|rollen enrollar; desen-
rollar; **~rücken** avanzar
Aufruf m proclama f; llamamiento; *Flgw* llamada f;
2en llamar
Auf|ruhr m alboroto; **~rüh-**
rer m revoltoso; **2runden**
Summe: redondear; **2rü-**
sten rearmar; **2rütteln** revolver; **2sagen** recitar; **2-**
sammeln recoger; **2sässig**
levantisco, rebelde; **2satz** m
composición f; sobrepues-
to, *Arch* remate; **2scheu-**
chen espantar; **2schieben**
aplazar
Aufschlag m caída f; *Hdl*
aumento; suplemento; *Sp*
saque; **2en** *vt* abrir; cascar
auf|schließen abrir; **~**
schlußreich revelador; **~**
schneiden cortar; *fig* fanfarronear; **2schnitt** m fiambres *mpl* surtidos; **~schrek-**
ken espantar; *vi* sobresaltarse
Aufschrei m balido, grito
auf|schreiben anotar; **2-**
schrift f inscripción
Aufschub m aplazamiento;

~ gewähren conceder una
prórroga
aufschütten amontonar; rellenar
Aufschwung m *fig* impulso;
Hdl auge
Aufseh|en n sensación f; es-
cándalo m; **~en erregen** hacer sensación; **2enerre-**
gend sensacional; **~er** m
guarda, vigilante; *(Mu-*
seum) celador
aufsetzen *Brille, Hut:* ponerse
Aufsicht f vigilancia, inspección; **~srat** m consejo de
administración
auf|sitzen montar a caballo;
fig F ser engañado; **~span-**
nen *Schirm:* abrir; **~spie-**
ßen espetar; **~springen**
saltar; *(Zug)* montar;
(Haut) agrietarse; *(Tür)*
abrirse de golpe; **~spüren**
j-n: dar con la pista de;
~stacheln incitar
Auf|stand m sublevación f,
levantamiento; **~ständi-**
sche(n) *mpl* insurrectos
auf|stapeln apilar; **~stek-**
ken *Haar:* sujetar con hor-
quillas; **~stehen** levantarse,
Am pararse; **~steigen** subir, ascender
aufstellen poner, colocar;
Tech montar, instalar; *Sp*
designar; formar; establecer; *Hdl* especificar; **2ung** f
lista, relación
Aufstieg m subida f, ascensión f; *fig* progreso
auf|stoßen *Tür:* abrir de un

empujón; *vi* eructar; **~suchen** ir a (ver, consultar)

Auftakt *m fig* preludio

auftanken echar gasolina

auf|tauchen emerger; *fig* surgir; **~tauen** *vi* deshelarse; *vt Kost*: descongelar; **~teilen** repartir; *Land*: parcelar

Auftrag *m* encargo, orden *f*; *Hdl* pedido, orden *f*; **im ~** por orden (*od* encargo); **2en** *Farbe, Schminke*: aplicar; *Speisen*: servir; **2geber** *m* comitente; *jur* mandante

auf|treiben lograr hallar; **~trennen** *Naht*: descoser; **~treten** pisar; presentarse; *Thea* entrar en escena

Auftritt *m Thea* escena *f*

auf|wachen despertarse; **~wachsen** criarse; **2wand** *m* gastos *mpl*; lujo; despliegue; **~wärmen** recalentar; **~wärts** (hacia) arriba; **~wecken** despertar; (*zB Hotelportier*) llamar; **~weichen** *vt* ablandar; **2wendungen** *fpl* gastos *mpl*; **~werten** revalorizar; **2wertung** *f* revalorización; **~wickeln** arrollar; **~wiegeln** amotinar, alborotar; **2wiegler** *m* agitador, amotinador; **~wirbeln** levantar; *Staub*: **~wirbeln** *fig* levantar (una) polvareda; **~wischen** recoger, limpiar (con un trapo); **~wühlen** revolver; agitar

aufzähl|en enumerar; detallar; **2ung** *f* enumeración;

relación

aufzeichn|en dibujar; *Tech* registrar; *TV* grabar; **2ung** *f* apuntes *mpl*; *Radio, TV* grabación

auf|ziehen *Uhr*: dar cuerda a; *Vorhang*: descorrer; *Kind*: criar; **2zug** *m* (*Lift*) ascensor; F *fig* atavío, atuendo; **~zwingen** imponer

Aug|apfel *m* globo del ojo; **~e** *n* ojo *m*; **ins ~e fallen** saltar a la vista; **ein ~e zudrücken** hacer la vista gorda; **unter vier ~en** a solas

Augen|arzt *m* oculista; **~blick** *m* momento, instante; **2blicklich** *adj* momentáneo; *adv* al instante, por el momento; (*sofort*) instantáneamente; **~braue** *f* ceja; **~brauenstift** *m* lápiz delineador; **~farbe** *f* color *m* de los ojos; **~höhle** *f* cuenca del ojo; **~licht** *n* vista *f*; **~lid** *n* párpado *m*; **~maß** *n*: **nach ~maß** a ojo; **~tropfen** *mpl* gotas *fpl* para los ojos; **~zeuge** *m* testigo ocular (*od* presencial)

August *m* agosto

Auktion *f* subasta, *Am* remate *m*, licitación

Aula *f* paraninfo *m*

aus (*örtlich*) de; por; (*Stoff*) de; (*Grund*) por; **~ e-m Glas** beber en un vaso; **... ist** está acabado (*od* terminado); **von mir ~** por mí

aus|arbeiten elaborar; re-

dactar; **~arten** degenerar
(**in** en); **~atmen** espirar;
~baden el **~ baden** (müssen) pagar los platos rotos;
2**bau** m ampliación f; fig
ensanche; **~bauen** ampliar;
~bessern arreglar; (Wäsche:
remendar; **~beulen** desabollar

Ausbeut|e f rendimiento m;
fig fruto m; 2**en** explotar;
~er m explotador; **~ung** f
explotación

ausbild|en formar, instruir;
2**er** m instructor; 2**ung** f
instrucción, formación

aus|blasen apagar; **~bleiben** faltar; tardar; 2**blick** m
vista f; **~brechen** vt romper, arrancar; vi (Feuer,
Med) declararse; (Krieg)
estallar; (Gefangene) evadirse; **in Tränen ~brechen**
romper a llorar; **~breiten**
extender; **~brennen** vt
Wunde: cauterizar; vi quemarse; 2**bruch** m (Krieg)
comienzo; (Vulkan) erupción f; (Gefangene) evasión
f; Med aparición f; **~brüten**
empo||lar, incubar; **~bürgern** desnaturalizar; **~bürsten** cepillar

Ausdauer f perseverancia;
2**nd** constante; persistente,
perseverante

ausdehn|en extender;
(zeitl.) alargar; **s. ~en** extenderse; dilatarse; 2**ung** f
extensión; dimensión

ausdenken: s. ~ idear, inventar

ausdrehen cerrar; apagar
Ausdruck m expresión f;
término

ausdrück|en Obst: exprimir; Zigarette: apagar; fig
expresar; **s. ~en** expresarse;
~lich expreso, terminante
~ucks|los inexpresivo;
~voll expresivo; 2**weise** f
manera de expresarse, estilo m

Ausdünstung f exhalación,
transpiración

auseinander separado; **~bringen** separar; **~fallen**
caer(se) a pedazos; **~gehen**
separarse; (Meinung) diferir; **~nehmen** deshacer,
desmontar

auseinandersetz|en explicar; **s. ~en mit** arreglarse
con; (Problem usw) ocuparse de; 2**ung** f disputa

auserlesen selecto, exquisito

Ausfahrt f salida

Ausfall m pérdida f, baja f;
Tech fallo; 2**en** (Haare usw)
caerse; (Schule, Veranstaltung) suspenderse; Tech
fallar; **gut** (**schlecht**) 2**en**
salir (od resultar) bien
(mal); 2**end** injurioso;
~straße f carretera de salida

aus|fegen barrer; **~findig
machen** hallar; averiguar;
2**flüchte machen** buscar
subterfugios; 2**flug** m excursión f; 2**flügler** m excursionista su; 2**fluß** m Med
flujo; **~fragen** sondear; interrogar

Ausfuhr f exportación
ausführ|en ejecutar, realizar; fig detallar, exponer; Hdl exportar
Ausfuhrgenehmigung f permiso m de exportación
ausführ|lich detallado; adv en detalle; 2ung f ejecución, realización
ausfüllen (re)llenar
Ausgabe f distribución; (Geld2) gastos mpl; (Buch) edición
Ausgang m salida f; fig desenlace; resultado; ~spunkt m punto de partida
ausgeben repartir; Geld: gastar; ~ für hacerse pasar por
ausge|dehnt extenso, vasto; ~fallen raro; ~glichen equilibrado
ausgehen salir; Hdl agotarse; (Geld) acabarse; (Licht usw) apagarse; ~ von partir de
ausge|hungert famélico; ~lassen travieso; ~nommen excepto, salvo; ~prägt pronunciado; ~rechnet justamente; ~schlossen imposible; ¡ni hablar!; ~schnitten (Kleid) escotado; ~sucht selecto, exquisito; ~zeichnet excelente
ausgießen verter; Gefäß: vaciar
Ausgleich m compensación f; 2en igualar; compensar
ausgleiten resbalar
ausgrab|en desenterrar;

2ungen fpl excavaciones
Ausguß m pila f, pileta f
aus|halten soportar, aguantar; ~händigen entregar; 2hang m cartel, anuncio; ~harren perseverar; ~heben Graben: sacar; ~heilen curarse; ~helfen ayudar
Aushilfe f ayuda; 2sweise provisionalmente
aus|höhlen ahuecar; ~horchen sondear
auskennen: s. ~ in estar enterado de
Aus|klang m final m; 2kleiden (mit) revestir, forrar (de); 2klingen acabar (en, con); 2klopfen sacudir; ~knipsen Licht: apagar; 2kochen Med esterilizar; 2kratzen raspar; 2kundschaften averiguar
Auskunft f informe m; información; ~ geben dar informes; ~sbüro n agencia f de informes
aus|lachen reírse de; ~laden descargar; 2lage f escaparate m; (Geld) desembolso m; 2land n extranjero m
Ausländ|er m, 2isch extranjero
Auslands|gespräch n Tel conferencia f internacional; ~reise f viaje m al extranjero
aus|lassen Wort usw: omitir; saltar; Fett: derretir; ~laufen derramarse; Mar zarpar; 2läufer m Geogr estribación f; ~leeren vaciar

.legen *Waren:* exponer; (*mit Teppich*) alfombrar; *Geld:* adelantar; *fig* interpretar; **.leihen** prestar; (**s.**) **.leihen** tomar prestado; **.lernen** terminar el aprendizaje

Auslese *f* selección

auslieter|n entregar; **2ung** *f* distribución; *jur* extradición

aus|losen sortear; **.lösen** desencadenar; **.löser** *m* Fot disparador; **2losung** *f* sorteo *m*; **.lüften** airear, ventilar; **.machen** cerrar; apagar; *fig* importar

ausmalen pintar; **s. ~** imaginarse

Ausmaß *n* dimensión *f*

aus|merzen destruir; **.messen** medir

Ausnahme *f* excepción; **mit ~ von** excepto; **.zustand** *m* estado de sitio

ausnahms|los sin excepción; **.weise** excepcionalmente

aus|nutzen, .nützen aprovechar(se de); **.packen** desembalar; *Koffer:* deshacer; *fig* desembuchar; **.pfeifen** *vt* silbar; **et .plaudern** irse de la lengua; **.plündern** saquear; **.pressen** exprimir, prensar; **.probieren** probar

Auspuff *m* escape; **.gase** *npl* gases *mpl* de escape; **.rohr** *n* tubo *m* (*Arg* caño *m*) de escape; **.topf** *m* silenciador

aus|pumpen desaguar,

achicar; **.radieren** borrar; **.rangieren** eliminar; **.rauben** despojar; **.räumen** quitar; vaciar; **.rechnen** calcular

Ausrede *f* evasiva; excusa; **2n** *vt j-m et:* disuadir *a alg* de; **2n lassen** dejar hablar

ausreich|en bastar; **.end** bastante, suficiente

Ausreise *f* salida; **2n** salir; **.visum** *n* visado *m* (*Am* visa *f*) de salida

ausreißen arrancar; *fig* F largarse

aus|renken dislocar; **.richten** alinear; *Gruß:* dar; *fig* conseguir; **j-m et .richten** hacer un recado a alg; **.rollen** desenrollar; **.rotten** extirpar; desarraigar; **.rottung** *f* extirpación; exterminio *m*; **.rücken** F largarse

Ausruf *m* grito; exclamación *f*; **2en** exclamar; **.ezeichen** *n* signo *m* de admiración

ausruhen: (**s.**) **~** descansar

ausrüst|en equipar; **2ung** *f* equipo *m*

ausrutschen resbalar

Aussaat *f* siembra; sembradura

Aussag|e *f* declaración; *jur* deposición; **2en** exponer, declarar

Aussatz *m* Med lepra *f*

aus|schachten excavar; **.schalten** cerrar; *Licht:* apagar; *El* desconectar; *Motor:* parar; *fig* excluir;

˖schank *m* venta *f* de bebidas; cantina *f*

ausscheid|en *vt* separar; segregar; *vi* retirarse; darse de baja; *Sp* ser eliminado; **˖ung** *f* secreción *f*; **˖ungskampf** *m* eliminatoria *f*; **˖ungsspiel** *n* partido *m* eliminatorio

aus|schiffen desembarcar; **˖schimpfen** regañar, reñir; **˖schlachten** *Wrack*: desguazar; **˖schlafen** dormir bastante; **˖n Rausch ˖schlafen** dormir la mona

Ausschlag *m Med* erupción *f*, exantema; **den ˖ geben** decidir algo; **˖en** *Zahn, Auge*: saltar; *Angebot*: rechazar; *vi* (*Pferd*) cocear; *Bot* brotar; (*Zeiger*) desviarse; **˖gebend** decisivo

ausschließ|en excluir; **˖lich** exclusivo; *prp* con exclusión de

Ausschluß *m* exclusión *f*

aus|schmücken adornar, decorar; **˖schneiden** recortar; **˖schnitt** *m* recorte; (*Kleid˖*) escote; **˖schreiben** escribir en letras; *Scheck*: extender; *öffentlich*: sacar a concurso; **˖schreitungen** *fpl* excesos *mpl*

Ausschuß *m* comité, comisión *f*; *Tech* desecho; **˖ware** *f* pacotilla

ausschütten verter, derramar

ausschweif|end libertino, licencioso; **˖ung** *f* exceso *m*

aussehen tener cara de, parecer (**als ob** que); **es sieht nach ... aus** parece que va a ...; **˖n** apariencia *f*; aspecto *m*; **dem ˖ nach** por las apariencias

außen (a)fuera; exterior; **nach** (**von**) **˖** hacia (de) fuera; **˖** *f* exterior *m*; **˖bordmotor** *m* fuera-borda; **˖dienst** *m* servicio exterior; **˖handel** *m* comercio exterior; **˖kabine** *f Mar* camarote *m* exterior; **˖ministerium** *n* Ministerio *m* de Asuntos Exteriores; **˖seite** *f* exterior *m*; **˖seiter** *m Sp* outsider; **˖stürmer** *m* delantero extremo

außer *prp* además; salvo, excepto (**daß** que); **˖ Betrieb** fuera de servicio; ¡no funciona!; **˖ Dienst** jubilado; *Mil* retirado; **˖dem** además

äußere exterior; **2(s)** *n* exterior *m*

außer|ehelich ilegítimo, extramatrimonial; **˖gewöhnlich** extraordinario; **˖halb** *prp* fuera de; *adv* fuera, al exterior

äußerlich exterior, externo; **˖ anwenden** *Med* para el uso externo

äußern expresar; **s. ˖** manifestarse (**in** en)

außerordentlich extraordinario, singular

äußerst extremo; (*Preis*) último; *adv* sumamente

außerstande

außerstande: ~ **sein** ser incapaz (**zu** de)

Äußerung f expresión; manifestacíon

aussetzen *Belohnung:* fijar; *jur* suspender; *vi* (*Motor usw*) pararse; **et auszusetzen haben an** poner reparos a

Aussicht f vista; panorama m; *fig* perspectiva

aussichts|los desesperado; ♀**punkt** m, ♀**turm** m mirador

aussöhn|en reconciliar; ♀**ung** f reconciliación

aus|sortieren seleccionar; ~**spannen** *vt Pferde:* desenganchar; *vi* descansar; ~**sperren** cerrar la puerta a alg; ♀**sperrung** f cierre m patronal; ~**spielen** *Karte:* jugar; *vi* ser mano, salir; ~**spionieren** espiar

Aussprache f pronunciación; entrevista, discusión

aus|sprechen pronunciar; expresar; **s.** ~**sprechen** declararse (**für** a favor de); explicarse (**mit j-m** con alg); ♀**spruch** m dicho; ~**spucken** escupir; ~**spülen** *Wäsche:* aclarar; ♀**stand** m huelga f

ausstatten equipar, decorar; ♀**ung** f equipo m; decoración

ausstehen estar pendiente, faltar; **nicht** ~ **können** no poder aguantar (*od* soportar)

aussteigen bajar(se) (de)

ausstell|en extender; *Ware:* exponer; ♀**er** m expositor; ♀**ung** f exposición

Ausstellungs|gelände n terrenos *mpl* de la exposición; ~**stand** m puesto; ~**stück** n objeto m expuesto

aus|sterben extinguirse; *fig* desaparecer; ♀**steuer** f ajuar m; ♀**stieg** m salida f; ~**stopfen** rellenar; *Tiere:* disecar; ~**stoßen** *Schrei usw:* lanzar; echar; *j-n:* expulsar; ~**strahlen** irradiar; *Rf* emitir

ausstrecken extender; *Hand:* tender; **s.** (**lang**) ~ tenderse

aus|streichen rayar, tachar; ~**strömen** *vi* (*Gas*) escaparse; ~**suchen** escoger, seleccionar

Austausch m (inter)cambio; *Tech* recambio; ♀**en** cambiar; ~**student** m estudiante de intercambio

austeilen repartir, distribuir

Auster f ostra, *Méj* ostión m

austoben: s. ~ desfogarse

austragen *Briefe:* repartir; *Kampf, Spiel:* disputar

aus|treiben expulsar; ~**treten** darse de baja (*WC*) ir al servicio (*Am* al baño); ~**trinken** beber; *Glas:* apurar; ♀**tritt** m salida f; separación f; ~**trocknen** (de)secar; ~**üben** ejercer; *Amt:* desempeñar

Ausverkauf m venta f total; ♀**t** *Hdl* vendido; *Thea* completo

Aus|wahl f elección, selección; *Hdl* surtido m; **2wählen** escoger; seleccionar
auswander|n emigrar; **2er** m emigrante su; **2ung** f emigración
auswärt|ig forastero; *Pol* exterior; **~s** fuera (de casa); **von ~s** de fuera
aus|waschen *Wäsche:* lavar; **~wechseln** cambiar
Ausweg m recurso; **2los** sin remedio
ausweichen apartarse; esquivar; *fig* eludir; **~d** evasivo
ausweinen: s. ~ desahogarse llorando
Ausweis m legitimación f, carnet; **2en** expulsar; **s. 2en** legitimarse; **~papiere** npl documentación f; **~ung** f expulsión
aus|weiten dilatar; ensanchar, ampliar; **~wendig** de memoria; **~werfen** lanzar, echar; **~werten** evaluar; interpretar; **2wertung** f evaluación; aprovechamiento m; interpretación; **~wikkeln** desenvolver
auswirken: s. ~ repercutir **(auf** en)
aus|wischen limpiar; **~wringen** retorcer; **~wuchten** *Rad:* equilibrar, *Am* balancear; **2wuchten** n equilibrado m, *Am* balanceo m; **2wurf** m *Med* esputo m; **~zahlen** pagar; **~zählen** contar; **2zahlung** f pago m
auszeichn|en *Waren:* mar-

car; *j-n:* distinguir; **2ung** f distinción; condecoración
auszieh|bar extensible; **~en** *vt* tirar; *Kleid:* quitar(se); *vi* mudarse (de casa); **s. ~en** desnudarse; **2tisch** m mesa f extensible
Auszug m (*Buch*) extracto; mudanza f
auszupfen arrancar
authentisch auténtico
Auto n auto(móvil) m, coche m, *Am* a carro m; **~bahn** f autopista; **~bahngebühr** f peaje m
Autobus m autobús; **~haltestelle** f parada de autobuses; **~linie** f línea de buses
Auto|fähre f transbordador m; **~fahrer** m automovilista su, conductor; **~fahrt** f (*kurze*) excursión en coche; (*längere*) viaje m en coche; **~gramm** n autógrafo m; **~karte** f mapa m de carreteras
Automat m (*Waren*) distribuidor (automático), máquina f expendedora; *Tech u fig* autómata; **~ik** f *Kfz* marcha automática; **~ion** f automatización; **2isch** automático
Automobilklub m club automóvil
auto|nom autónomo; **2nomie** f autonomía
Autor m autor
Auto|radio n autorradio m; **~reifen** m neumático, *Col* llanta f; **~reisezug** m auto-expreso, autotrén; **~ren-**

nen n carrera f de automó-
viles
autori|tär autoritario; **2tät** f
autoridad
Auto|unfall m accidente de
coche; **~verkehr** m tráfico;
~vermietung f alquiler m

de coches; **~zubehör** n acce-
sorios mpl de coche
Avocado f aguacate m
Axt f hacha
Azalee f azalea
Azeton n acetona f
azurblau azul celeste

B

Baby n bebé m; **~ausstat-**
tung f canastilla; **~sitter** m
babysitter su, Span a canguro; **~tragkorb** m moisés,
Am a abuelita f
Bach m arroyo
Backbord n babor m
Backe f mejilla
backen freír; (im Rohr) cocer, Am hornear; Kuchen:
hacer
Backen|bart m patillas fpl;
~knochen m pómulo; **~**
zahn m muela f
Bäcker m panadero; **~ei** f,
~laden m panadería f
Back|hähnchen n pollo m
empanado (asado); **~obst** n
fruta f pasa; **~ofen** m horno;
~pfeife f bofetada); **~pflau-**
men fpl ciruelas pasas; **~**
werk n pasteles mpl
Bad n baño m; (Ort) balneario m
Bade|anstalt f piscina; **~an-**
zug m traje (Am a vestido)
de baño; **~hose** f bañador
m; **~kappe** f gorro m de
baño; **~mantel** m albornoz,
Am bata f de baño; **~mei-**
ster m bañero
baden vt bañar; vi bañarse

Bade|ort m balneario; **~salz**
n sal f de baño; **~schuhe**
mpl zapatillas fpl de baño;
~strand m playa f; **~tuch** n
toalla f de baño; **~wanne** f
bañera, Am a tina, Arg ba-
ñadera; **~zimmer** n (cuarto
m de) baño m
Bagger m draga f; excava-
dora f
Bahn f camino m, ruta; Sp
pista; (Eisen2) ferrocarril
m; **~beamte(r)** m ferroviario; **~damm** m terraplén;
2en: s. e-n Weg 2en abrirse
camino
Bahn|fahrt f viaje m en tren;
~hof m estación f
Bahnhofs|halle f vestíbulo
m; **~vorsteher** m jefe de
estación
Bahnsteig m andén; **~karte**
f billete m de andén
Bahn|überführung f puen-
te m sobre la vía; **~über-**
gang m paso a nivel (un-)
beschrankter (sin) con ba-
rreras); **~unterführung** f
paso m interior; **~wärter**
(-häuschen n) m (garita f
de) guardavía
Bahre f camilla; (Toten2)

Barriere

féretro *m*
Baiser *n* merengue *m*
Bajonett *n* bayoneta *f*
Bake *f* baliza
Bakterie *f* bacteria
balancieren balancear
bald pronto, en breve; ~
darauf poco después; **so** ~
wie möglich cuanto antes
Baldriantropfen *mpl* gotas
fpl de valeriana
Balken *m* viga *f*, madero
Balkon *m* balcón
Ball *m* pelota *f*, balón;
(*Tanz*) baile
Ballast *m* lastre
ballen *Faust:* cerrar
Ballen *m Hdl* bala *f*, bulto
Ballett *n* ballet *m*
Ballon *m* globo
Ballspiel *n* juego *m* de pelota
Balsam *m* bálsamo
Balz *f* época de celo
Bambus *m* bambú
banal trivial
Banane *f* plátano *m*, *Süda*
banana, banano *m*
Band *m* tomo, volumen
Band *n* cinta *f*; cordel *m*; *fig*
lazo *m*
Banda|ge *f* vendaje *m*; 2**gie-
ren** vendar
Bandaufnahme *f* graba-
ción (en cinta)
Bande *f* banda, cuadrilla,
pandilla
bändigen refrenar, conte-
ner; domar; dominar
Bandit *m* bandido
Band|maß *n* cinta *f* métrica;
~**scheibe** *f* disco *m* interver-
tebral; ~**wurm** *m* tenia *f*

bang|(e) inquieto, temeroso;
~**en um** inquietarse por
Bank *f* banco *m*; ~**anweisung** *f* giro *m* bancario; ~
beamte(r) *m* empleado de
banco; ~**halter** *m* banque-
ro; ~**konto** *n* cuenta *f* ban-
caria; ~**note** *f* billete *m* de
banco
bankrott quebrado, en
quiebra
Bantamgewicht *n* peso *m*
gallo
bar al contado; **in** ~ en metálico
Bar *f* bar *m*
Bär *m* oso
Baracke *f* barraca
Barbar *m*, 2**isch** bárbaro
Barbe *f* barbo *m*
Bärenhunger *m* hambre *f*
canina
barfuß descalzo
Bargeld *n* metálico *m*, dinero *m* efectivo; 2**los** con cheque *bzw* por giro
Barhocker *m* taburete de
bar
Bariton *m* barítono
Barkasse *f* barcaza
Barkeeper *m* barman
barmherzig compasivo; caritativo; 2**keit** *f* caridad;
misericordia
barock barroco; 2**stil** *m* estilo barroco (*Span* churri-
gueresco)
Barometer *n* barómetro
Barren *m* barra *f*; *Sp* (barras
fpl) paralelas *fpl*; (*Gold*2)
lingote
Barriere *f* barrera

Barrikade f barricada
barsch áspero, rudo, seco
Barsch m perca f
Bar|schaft f dinero m líquido; **~scheck** m cheque abierto
Bart m barba f; **~los** sin barba
Barzahlung f pago m al contado
Basar m bazar
Base f prima; *Chem* base
Basilika f basílica
Basis f base; *Arch* basa; *fig* fundamento m
Baskenmütze f boina
Basketball m baloncesto, *Am* a básquetbol
Baß m bajo
Bast m *Bot* líber; (*Material*) rafia f
basteln construir por afición; 2 n bricolaje m
Batist m batista f
Batterie f batería, pila; **~ladegerät** n cargador m de batería
Bau m construcción f; edificio; **~arbeiten** fpl obras; **~arbeiter** m obrero de la construcción; **~art** f construcción, tipo m; estilo m
Bauch m vientre; **~binde** f faja; (*Zigarre*) vitola; **~fellentzündung** f peritonitis; **~schmerzen** mpl dolor m de vientre; **~speicheldrüse** f páncreas m
bauen construir
Bauer 1. m campesino; (*Schach*) peón; 2. n jaula f
Bäuer|in f campesina; 2**lich**

campesino
Bauern|haus n casa f de labor; **~hof** m finca f
bau|fällig ruinoso; 2**genehmigung** f permiso m de construcción; 2**gerüst** n andamio m; 2**ingenieur** m ingeniero constructor; 2**jahr** n año m de construcción; 2**kosten** pl gastos mpl de construcción; 2**kunst** f arquitectura
Baum m árbol
Bau|material n materiales mpl de construcción; **~meister** m arquitecto; aparejador
baumeln bambolear(se)
Baum|krone f copa; **~schule** f vivero m; **~stamm** m tronco; **~wolle** f algodón m
Bausch m tapón; 2**ig** henchido
Bau|stelle f obras fpl; **~stil** m estilo; **~unternehmer** m contratista; **~werk** n edificio m
Bazillus m bacilo
beabsichtigen intentar + *inf*
beacht|en considerar, tener en cuenta; *Vorschrift:* observar; **~lich** considerable, atendible; 2**ung** f atención, consideración
Beamte(r) m funcionario; **~in** f funcionaria
beängstigend alarmante
beanspruchen reclamar; pretender; *Platz, Zeit:* requerir
beanstand|en protestar, re-

clamar (contra); 2ung f reclamación, *Am* reclamo *m*;

beantragen solicitar

beantwort|en contestar; 2ung f contestación

bearbeit|en elaborar; *Tech* labrar; *Buch*: refundir; *Gesuch*: tramitar; 2ung f elaboración; refundición; *Thea usw* adaptación

Beatmung f: künstliche ~ respiración artificial

beaufsichtig|en inspeccionar; *Kind*: cuidar; 2ung f inspección

beauftrag|en encargar; 2te(r) *m* encargado

bebauen urbanizar; *Land*: cultivar

beben temblar

Becher *m* vaso

Becken *n* pila f; (*Wasch*2) lavabo *m*, *Am* lavamanos *m*; *Geogr* cuenca f; *Anat* pelvis f; (*Schwimm*2) piscina f, *RPl* pileta f, *Méj* alberca f

bedächtig mesurado

bedanken: s. ~ dar las gracias (**bei** a; **für** por)

Bedarf *m* necesidad f; **nach** ~ según fuera preciso

Bedarfs|artikel *m* artículo de consumo; ~haltestelle f parada discrecional

bedauer|lich deplorable; ~n sentir; *j-n*: compadecer; 2n *n* sentimiento *m*, pesar *m*; ~nswert digno de lástima; (*Sache*) lamentable

bedeck|en cubrir; tapar; ~t cubierto, encapotado

bedenk|en considerar, tener

en cuenta; ~lich grave; arriesgado

bedeut|en significar, querer decir; ~end importante, considerable; (*j*) eminente; ~sam importancia; ~ungslos insignificante

bedien|en servir; *Hdl* atender; *Tech* manejar; **s.** ~en servirse (*gen* de); 2ung f servicio *m*; (*Person*) camarera

Bedienungsanleitung f instrucciones fpl para el servicio (*od* manejo)

Bedingung f condición; 2slos incondicional

bedräng|en acosar, asediar; 2nis f apuro *m*

bedroh|en amenazar; ~lich amenazador

bedrück|en agobiar, oprimir; ~end opresivo; ~t deprimido

bedürf|en necesitar; requerir; 2nis *n* necesidad f; 2nisanstalt f evacuatorio *m*; ~tig necesitado, indigente

Beefsteak *n* bistec *m*, biftec *m*; **deutsches** ~ filete *m* ruso

beeil|en: s. ~ darse prisa, *Am* apurarse

beein|drucken impresionar; ~flussen influir (*j-n*, en); ~trächtigen afectar, perjudicar

beenden acabar, terminar

beerben heredar a *alg*

beerdig|en enterrar; 2ung f entierro *m*

Beere f baya
Beet n parterre m, macizo m
befahr|bar transitable; **~en** vt circular en (od por)
befallen Med asaltar, acometer (a Schlaf)
befangen encogido, cohibido; (voreingenommen) parcial; **2heit** f encogimiento m; parcialidad
befassen: s. ~ mit ocuparse en
Befehl m orden f; **2en** mandar, ordenar; **~shaber** m comandante
befestigen fijar; sujetar; Straße: revestir
befeuchten mojar, humedecer
befind|en: s. ~en hallarse, encontrarse; **2en** n (estado m de) salud f
befolgen seguir; observar
beförder|n Hdl expedir, transportar; (im Rang) ascender, promover; **2ung** f transporte m; promoción, ascenso m
befragen interrogar; consultar
befrei|en liberar; (v Pflicht) eximir, dispensar; **2er** m libertador; **2ung** f liberación; exención
befremden extrañar
befreund|en: s. ~en mit trabar amistad con; **~et sein** ser amigo (mit de)
befriedig|en satisfacer; **~end** satisfactorio; **~t** satisfecho, complacido; **2ung** f satisfacción

befristet a plazo fijo, limitado
befrucht|en fecundar; **2ung** f fecundación
Befug|nis f competencia, autorización; **2t** autorizado; competente
Befund m resultado; Med diagnóstico
befürchten temer; **2ung** f temor m
befürworten abogar por
begab|t talentoso; **2ung** f talento m, aptitud
Begebenheit f suceso m, acontecimiento m
begegn|en j-m: encontrar; **2ung** f encuentro m
begehen Fest: celebrar; Verbrechen usw: cometer
begehr|en apetecer; **~enswert** apetecible; **~t** Hdl solicitado
begeister|n entusiasmar; s. **~n für** entusiasmarse, apasionarse por; **2ung** f entusiasmo m
Begier|de f ansia; apetito m; **2ig** deseoso, ávido
Beginn m comienzo, principio; **zu ~** al principio; **2en** comenzar, empezar (zu a)
beglaubig|en certificar, legalizar; **~t** certificado; jur legalizado
begleichen pagar, arreglar
begleit|en acompañar (a Mus); Mil escoltar; **2er** m acompañante; **2schreiben** n carta f de aviso (od de envío); **2ung** f acompañamiento m; compañía

beglückwünschen felicitar, dar la enhorabuena a

begnadig|en indultar; 2ung f indulto m, gracia

begnügen: s. ~ mit contentarse con

Begonie f begonia

be|graben enterrar; **~graben sein** yacer; 2gräbnis n entierro m

begreif|en coger, concebir; **~lich** comprensible; **~lich machen** hacer comprender

begrenz|en limitar; restringir; 2ung f limitación

Begriff m concepto, idea f; **im ~ sein zu ...** estar para; 2sstutzig lento de comprensión

begründ|en motivar, fundar; 2ung f motivación

begrüß|en saludar; 2ung f salutación; bienvenida

begünstig|en favorecer; . 2ung f protección

be|gutachten dictaminar sobre; **~gütert** acaudalado; hacendado; **~haart** peludo; **~häbig** tardo, espacioso

behag|en agradar; **~lich** agradable; cómodo; **s. ~lich fühlen** sentirse a gusto

behalten guardar; quedarse con

Behälter m recipiente; depósito; Vkw contenedor

behand|eln tratar (a Med); 2ung f tratamiento m

beharr|en (auf dat) perseverar, mantenerse (en); **~lich** perseverante, insisten-

te; constante; 2lichkeit f perseverancia, persistencia

behaupt|en afirmar; **s. ~en** mantenerse; 2ung f afirmación

behelfen: s. ~ mit arreglarse con

Behelfs..., 2mäßig provisional, improvisado

beherbergen hospedar, alojar

beherrsch|en dominar; conocer; Sprache: poseer; **s. ~en** dominarse, vencerse; 2ung f señorío m; dominio m

beherzigen tomar a pecho

behilflich: ~ sein ayudar (**bei** en; **j-m** a alg)

behindern embarazar, estorbar; 2ung f estorbo m

Behörde f autoridad

behüten guardar, preservar (**vor** dat de)

behutsam cauteloso; 2keit f cautela

bei cerca de, junto a; en, de, a; **~ mir** conmigo; **~ Gelegenheit** si hay ocasión; **~ Nacht** de noche

beibehalten conservar

Beiboot n esquife m

beibringen: j-m ~t enseñar a alg

Beichte f confesión; 2en confesar(se); **~stuhl** m confesionario

beide ambos, los dos; **alle ~** los dos; **eins von ~n** uno de los dos

beider|seitig mutuo; **~seits** mutuamente, de ambas

beieinander

partes

beieinander juntos (*f*: juntas)

Bei|fahrer *m* (*Auto*) copiloto; (*Motorrad*) paquete; **~fall** *m* aplauso; **2fällig** aprobatorio; **2fügen** incluir

beige beige

Bei|geschmack *m* gustillo; *fig* dejo; **~hilfe** *f* (*Geld*) socorro *m*; *jur* complicidad

Beil *n* hacha *f*

Beilage *f* (*Brief*) anexo *m*; *Gastr* guarnición

beiläufig incidental; *adv* de paso

beilegen incluir; *Streit*: arreglar

Beileid *n* pésame *m*; **~schreiben** *n* carta *f* de pésame

bei|liegend adjunto, incluido; **~messen** atribuir, conceder

Bein *n* pierna *f*; (*Tier*) pata *f*; (*Tisch*) pie *m*

beinah(e) casi; *m.* ~
por poco

Beiname *m* sobrenombre

Bein|bruch *m* fractura *f* de pierna; **~prothese** *f* pierna artificial

beipflichten (*dat*) asentir (a)

beirren: s. nicht ~ lassen no dejarse desconcertar

beisammen juntos, reunidos; **2sein** *n* reunión *f*

Beischlaf *m* coito

Beisein *n*: **im ~ von** en presencia de

beiseite aparte, a un lado

Beisetzung *f* sepelio *m*

Beisitzer *m* asesor

Beispiel *n* ejemplo *m*; **zum ~** por ejemplo (*Abk* p. ej.); **2haft** ejemplar; **2los** sin ejemplo (*od* par); **2sweise** por ejemplo

beißen morder; *fig* picar

Bei|stand *m* asistencia *f*; **2stehen** (*j-m*: asistir; **2steuern** (**zu**) contribuir (a); **~trag** *m* contribución *f*; (*Summe*) cuota *f*; **2tragen** (**zu**) contribuir (a); **2treten** (*dat*) ingresar en; *Pol* adherirse a; **~wagen** *m* *Kfz* sidecar; **2wohnen** (*dat*) presenciar (*ac*)

Beize *f* corrosivo *m*; (*Holz2*) barniz *m*

beizeiten a tiempo, (*früh*) temprano

bejahen responder afirmativamente a; **~d** afirmativo

bejahrt entrado en años

bekämpfen luchar contra, combatir; **2ung** *f* lucha

bekannt conocido; **~ machen** (**mit**) presentar (a); **2e(r)** *m* conocido; **2gabe** *f* publicación; **~geben** dar a conocer; **~lich** como es sabido; **~machen** publicar; anunciar; **2machung** *f* proclamación; aviso *m*; bando *m*; **2schaft** *f* conocimiento *m*

bekehren convertir

bekenn|en confesar; **s. ...
~en** reconocerse + *adj*; **s. ~en zu** hacer profesión de; **2tnis** *n* confesión *f*

beklag|en lamentar; **s. ~en**

über quejarse de; **~enswert** deplorable; **2te(r)** *m jur* demandado

bekleid|en *fig Amt usw*: desempeñar, ocupar; **2ung** *f* vestidos *mpl*; **2ungsindustrie** *f* (industria de) confección

beklemmend opresivo

bekommen recibir, obtener; conseguir; *Krankheit*: coger *(nicht RPI!)*, contraer; *Kind*: tener; *Hunger*: ir teniendo; *j-m* **gut (schlecht)** **~** sentar bien (mal) *a alg*

be|köstigen dar comida a; **~kräftigen** corroborar

bekreuzigen: s. ~ persignarse, santiguarse

bekund|en manifestar; demostrar; **2ung** *f* manifestación; demostración

be|lächeln sonreír de; **~laden** cargar

Belag *m* capa *f*; revestimiento

belager|n sitiar; *fig* asediar; **2ung** *f* sitio *m*

belangen: j-n ~ wegen demandar a alg por

belanglos fútil, insignificante

belasten cargar; pesar sobre; *Konto*: cargar en cuenta

belästig|en molestar, importunar; **2ung** *f* molestia

Belastung *f* carga *(a fig)*

belaufen: s. ~ auf importar *(ac)*, elevarse a

beleb|en animar; *Hdl* acti-

var; **~end** vivificador; **~t** animado; *(Ort)* frecuentado; **2ung** *f* animación; activación

Beleg *m* comprobante; justificante; **2en** documentar, justificar; *Platz*: reservar; *Kurs*: matricularse; *Sp* clasificarse en; **~schaft** *f* (plantilla de) personal *m*; **2t** *(Platz)* ocupado; *(Zunge)* sucio; *(Stimme)* empañado; *Tel* comunicando, *Am* ocupado; **2tes Brötchen** bocadillo *m*

belehr|en instruir; **2ung** *f* instrucción

beleibt corpulento

beleidig|en ofender, insultar; **~end** ofensivo, insultante; **~t** ofendido; **2ung** *f* ofensa, insulto *m*

belesen leído

beleuchten alumbrar; **2er** *m* alumbrante; **2ung** *f* alumbrado *m*

belichten *Fot* exponer; **2ung** *f* exposición

Belichtungs|messer *m* fotómetro, exposímetro; **~tabelle** *f* tabla de exposiciones

Belieb|en *n*: **nach ~en** a discreción, a (su) gusto; **2ig** cualquiera

beliebt querido; popular; *(et)* en boga; **2heit** *f* popularidad

beliefern abastecer, surtir

bellen ladrar

Belletristik *f* bellas letras *fpl*

belohn|en recompensar;

2ung f recompensa; (*Fund-sachen*) gratificación

Belüftung f ventilación

belügen mentir a *alg*

belustigend divertido; 2ung f diversión

be|malen pintar; **~mängeln** criticar

bemerk|bar: s. ~bar machen atraer la atención; (*et*) manifestarse; **~en** notar, percibir; observar; (*sagen*) decir, mencionar; **~enswert** notable; 2ung f observación; nota, advertencia

bemitleiden compadecer(se de); **~swert** digno de compasión

bemüh|en molestar, incomodar; **s. ~en** esforzarse (**um** por); solicitar (*ac*); 2ung f esfuerzo m; diligencia

benachbart vecino

benachrichtig|en avisar, enterar; informar; 2ung f aviso m; información

benachteilig|en perjudicar; 2ung f perjuicio m

benehm|en: s. ~en portarse, conducirse; 2en n conducta f, comportamiento m

beneiden envidiar (**j-n um et** a *alg* por u/c); **~swert** envidiable

Bengel m rapaz, mocoso

benommen atontado; 2heit f modorra

benötigen necesitar

benutz|en, benützen usar, utilizar; aprovechar(se de); 2er m utilizador; 2ung f uso

m; empleo m; 2ungsgebühr f (*Autobahn*) peaje m

Benzin n gasolina f, *Arg* nafta f; *Chem* bencina f; **~gutscheine** mpl cheques-gasolina; **~kanister** m bidón (de gasolina); **~pumpe** f bomba de gasolina; **~tank** m depósito (de gasolina); **~uhr** f contador m de gasolina; **~verbrauch** m consumo de gasolina

beobacht|en observar; 2er m observador; 2ung f observación

be|packt cargado; **~pflanzen** plantar (**mit** de)

bequem cómodo; (*Kleidung*) holgado; (*j*) F comodón; **es s. ~ machen** ponerse cómodo; 2lichkeit f comodidad; pereza

berat|en *j-n*: aconsejar (a); *et*: deliberar (sobre); **s. ~en** aconsejarse (**mit j-m** de, con *alg*); 2er m consejero; 2ung f deliberación, consulta; 2ungsstelle f consultorio m

berauben robar (**j-n a** *alg*); *fig* (*gen*) privar de

berausch|en: s. ~en an embriagarse de; **~end** embriagador; **~t** borracho; *fig* embriagado

berechn|en calcular; *Hdl* cargar en cuenta; 2ung f calculación, cálculo m; *fig* **aus** 2ung por cálculo

berechtig|en (zu) autorizar (para); habilitar; **~t** (*j*) autorizado; fundado, justo;

2ung f autorización, derecho m

Beredsamkeit f elocuencia

Bereich m ámbito, sector; zona f; fig esfera f, campo

bereichern: s. ~ (an) enriquecerse (con)

Bereifung f neumáticos mpl

bereit dispuesto (**zu a, für** para); (**fertig**) listo (para); **~en** fig causar, hacer; dar; **s. ~machen zu** disponerse a

bereits ya

Bereitschaft f disposición; **~dienst** m servicio de urgencia; (Apotheke) turno

bereitstellen poner a la disposición; **~willig** gustoso

bereuen arrepentirse de

Berg m montaña f; fig montón; **2ab** cuesta abajo; **2an**, **2auf** cuesta arriba; **~arbeiter** m minero; **~bahn** f ferrocarril m de montaña; **~bau** m minería f

bergen poner a salvo, salvar, rescatar

Berg|führer m guía alpino; **2ig** montañoso; **~mann** m minero; **~pfad** m vericueto; **~rutsch** m derrumbamiento; **~sport** m alpinismo, montañismo; **~steiger** m alpinista, montañero; **~und-Tal-Bahn** f montaña rusa; **~ung** f salvamento m, rescate m; **~wacht** f servicio m de salvamento; **~werk** n mina f

Bericht m informe, relación f; relato; (Zeitung) crónica f; **2en** informar; relatar, referir; **~erstatter** m informador; reportero, corresponsal

berichtig|en rectificar; corregir; **2ung** f rectificación; corrección

berieseln regar, rociar

Bernstein m ámbar

bersten reventar, estallar

berüchtigt de mala fama, desacreditado

berücksichtig|en tener en cuenta; considerar; **2ung** f consideración

Beruf m profesión f; oficio; **von ~ ...** de profesión

berufen adj destinado, llamado; vt **s. ~ auf** (j-n) remitirse a; (et) referirse a

beruflich profesional

Berufs|beratung f orientación profesional; **2mäßig** profesional; **~schule** f escuela de formación profesional; **~sportler** m profesional su

Berufung f vocación f; (Amt) nombramiento m; jur apelación; **~einlegen** apelar

beruhen (auf dat) basarse, fundarse (en); **et auf s. ~lassen** dejar correr, dar por terminado

beruhig|en calmar, tranquilizar; **~end** tranquilizador; **2ung** f apaciguamiento m; **zu Ihrer 2ung** para su tranquilidad; **2ungsmittel** n sedante m, calmante m

berühmt famoso, célebre; **2heit** f renombre m; celebridad (a Person)

berühren

berühren

berühr|en tocar; *fig* impresionar; **2ung** *f* toque *m*; contacto *m*, relación

besagt citado, mencionado

besänftigen apaciguar, calmar

Besatz *m* guarnición *f*

Besatzung *f* tripulación; *Mil* ocupación; 2smitglied *n Flgw, Mar* tripulante *m*

beschädig|en *vt* deteriorar, estropear; averiar; .t deteriorado, estropeado; 2ung *f* deterioro *m*, desperfecto *m*

beschaffen *vt* proporcionar; *adj* hecho, constituido; gut (schlecht) .en bien (mal) acondicionado; 2enheit *f* estado *m*, condición; calidad

beschäftig|en ocupar, dar trabajo; ~ mit ocuparse de (*od* en); .t ocupado; empleado; 2ung *f* ocupación, quehaceres *mpl*; empleo *m*

beschäm|en avergonzar; .end vergonzoso; humillante

Bescheid *m* respuesta *f*, decisión; ~ wissen estar al corriente; ~ geben avisar; dar razón

bescheiden modesto; 2heit *f* modestia

bescheinig|en certificar; 2ung *f* certificado *m*

Bescherung *f* reparto *m* de regalos; schöne ~! ¡estamos frescos!

be|schießen tirar sobre, *Am* balacear, abalear; ~

schimpfen insultar, afrentar

beschlafen: et ~ consultar u/c con la almohada

Beschlag *m*: in ~ nehmen embargar; ocupar; 2en *vt Pferd*: herrar; *vi* empañarse; *adj fig* versado; 2nahmen confiscar, embargar

beschleunig|en acelerar; 2ung *f* aceleración

beschließen resolver, decidir

Beschluß *m* resolución *f*, acuerdo

be|schmieren embadurnar; ~schmutzen ensuciar; ~schneiden recortar; *Pflanzen*: podar; ~schnüffeln husmear; ~schönigen suavizar; disimular

beschränk|en limitar; reducir; s. .en auf limitarse a; .t limitado, restringido; (*geistig*) corto de alcances; 2ung *f* limitación; restricción

beschreib|en *f* describir; detallar; 2ung *f* descripción

beschriften marcar, rotular

beschuldig|en inculpar; 2ung *f* inculpación

Beschuß *m* fuego; bombardeo

beschütz|en proteger, amparar; 2er *m* protector

Beschwer|de *f* reclamación; queja; ~den *pl Med* dolores *mpl*; molestias *fpl*; s. 2en (über) quejarse (de); reclamar (*ac*); 2lich oneroso, fatigoso

beschwichtigen acallar; aquietar

be|schwindeln mentir a *alg*; **~schwingt** animado, alegre, lanzado; **~schwipst** achispado; **~schwören** *et*: jurar; **~seitigen** apartar; eliminar

Besen *m* escoba *f*

besessen poseído; obseso

besetz|en *Mil, Platz*: ocupar; *Stelle*: cubrir; **~t** ocupado; (*Bus usw*) completo; *Tel están* comunicando; *Am* ocupado; **2ung** *f* ocupación; *Thea* reparto *m*, elenco *m*

besichtig|en inspeccionar; visitar; **2ung** *f* inspección; visita

besiedelt: dicht ~ densamente poblado

besiegen vencer

besinn|lich pensativo; **2ung** *f* conocimiento *m*, sentido *m*; reflexión, meditación; **zur 2ung kommen** recobrar el conocimiento; *fig* entrar en razón; **~ungslos** sin conocimiento

Besitz *m* posesión *f*; en poseer; tener; **~er** *m* dueño; **~tum** *n* posesión *f*, propiedad *f*

besoffen F borracho

besohlen poner (media) suela a, *Col* remontar

Besoldung *f* sueldo *m*

besonder particular; peculiar; especial; **~e Kennzeichen** *npl* señas *fpl* particulares; **2heit** *f* particulari-

dad; característica; **~s** especialmente; sobre todo

besonnen *adj* circunspecto, sensato

besorg|en procurar; ir por; **~nis** *f* preocupación; **~niserregend** alarmante; **~t** preocupado; **~t sein (um)** inquietarse (por); **2ung** *f* recado *m*; **2ungen machen** ir de compras

besprech|en discutir; **s. ~en** conferenciar (con *alg*); entrevistarse (**über** sobre); **2ung** *f* conferencia, entrevista; *Lit* reseña

bespritzen rociar; (*mit Schmutz*) salpicar

besser mejor; **um so** (*od* **desto**) **~** tanto mejor; **~n** mejorar; **s. ~en** enmendarse; *Med* mejorarse; **2ung** *f* mejora; **gute 2ung!** ¡que se alivie!

best mejor; **am ~en** lo mejor; **der erste ~e** el primero que se presente

Be|stand *m* duración *f*; *Hdl* existencias *fpl*; **2ständig** constante, estable (*a Wetter*); duradero; **~standfest** *m* parte *f* (integrante); componente, *m* elemento *m*

bestätig|en confirmar; certificar; **den Empfang ~en** acusar recibo; **2ung** *f* confirmación; certificado *m*

Bestattung *f* sepultura *f*; **~sinstitut** *n* funeraria *f*

bestech|en sobornar, cohechar; **~lich** sobornable, corruptible; **2ung** *f* soborno *m*; corrupción

Besteck *n* cubierto *m*; *Med* estuche *m*

bestehen *vt* sostener; *Examen*: aprobar; *vi* existir; durar; **~ auf** (*dat*) insistir en; **~ aus** (*dat*) componerse de

be|**stehlen** robar; **~steigen** subir a; *Pferd*: montar a; *Berg*: ascender a; **~stellen** *Ware*: pedir; *j-n*: citar a; *Feld*: cultivar; *Gruß*: dar; *Zimmer*: reservar

Bestell|nummer *f* número *m* de pedido; **~schein** *m*, **~zettel** *m* nota *f* de pedido; **~ung** *f* pedido *m*, orden

besten|falls en el mejor de los casos; **~s** óptimamente

besti|**alisch** bestial; **Qe** *f* bestia

bestimm|en determinar; fijar; (*j-n* **zu**) destinar (para); disponer, ordenar; **~t** cierto; fijo; determinado, decidido; *adv* seguramente; **Qt-heit** *f* certeza; **Qung** *f* prescripción; *fig* destino *m*, **Qungsort** *m* (lugar de) destino

Bestleistung *f Sp* mejor resultado *m*

bestrafen castigar; **Qung** *f* castigo *m*

bestrahl|en iluminar; *Med* tratar con rayos X; **Qung** *f* radioterapia

Be|streben *n* anhelo *m*; esfuerzo *m*; **Qstreichen** pintar; *Brot*: untar; **Qstreiten** disputar; negar; *Kosten*: cubrir; **Qstreuen** espolvo-

rear; **Qstürmen** asediar

bestürz|t consternado, desconcertado; **Qung** *f* consternación

Besuch *m* visita *f*; **Qen** visitar; ir a ver; *Schule*: ir a; *Vortrag usw*: asistir a; **~er** *m* visitante *su*; *Thea* espectador; **~szeit** *f* horas *fpl* de visita

betagt viejo, anciano

betätig|en accionar; **s. ~en** actuar (**als** de); **Qung** *f* accionamiento *m*; actividad, ocupación

betäub|en narcotizar; *fig* atolondrar; **Qung** *f* narcosis, anestesia; **Qungsmittel** *n* narcótico *m*

Bete *f* **~rote** ~remolacha roja

beteilig|en interesar (**an** en); **s. ~en an** tomar parte en, participar en, (*Beitrag*) contribuir a; **Qung** *f* participación; cooperación

beten orar, rezar

beteuern protestar de

Beton *m* hormigón, *Am* concreto

beton|en acentuar; *fig* insistir en; **~t** acentuado; **Qung** *f* acento *m*

Betracht *m*: **in ~ ziehen** tomar en consideración; **nicht in ~ kommen** no venir al caso; **Qen** contemplar; *fig* considerar (**als** como)

beträchtlich considerable

Betrachtung *f* contemplación; reflexión

Betrag *m* importe, cantidad

f; **2en** ascender a, importar;
s. 2en portarse; **~en** *n* porte
m, conducta *f*
betreffen concernir; tocar;
~d respectivo
betreffs en cuanto a, respecto a
betreiben dedicarse a, ejer-
cer; *Angelegenheit:* agen-
ciar, gestionar
betreten entrar en; *adj fig*
cortado; **2 verboten!** ¡prohibido el paso!
betreu|en atender a; **2ung** *f*
cuidado *m*
Betrieb *m* establecimiento,
empresa *f*; *Esb* servicio; *fig*
animación *f*, jaleo *m*; **in ~** en
explotación (*od* marcha);
außer ~ fuera de servicio;
no funciona; **in ~ setzen**
poner en marcha
Betriebs|kapital *n* capital *m*
de explotación; **~rat** *m* comité de empresa; **~sicher-**
heit *f* seguridad de servicio;
~unfall *m* accidente de trabajo; **~wirtschaft** *f* ciencias
fpl empresariales
betrinken: s. ~ embriagarse
betroffen atónito
betrübt afligido, triste
Betrug *m* engaño, estafa *f*
betrüg|en engañar; estafar
(**um** *ac*); **2er** *m* estafador;
~erisch fraudulento
betrunken borracho, em-
briagado; **2e(r)** *m* borracho
Bett *n* cama *f*; **zu ~ gehen**
acostarse; **~couch** *f* sofá-
-cama *m*; **~decke** *f* colcha,
manta, *RPl, Pe* frazada,

Méj, Col, Ven cobija
betteln mendigar
Bett|karte *f* billete *m* de co-
che-cama; **2läg(e)rig** enca-
mado; **~laken** *n* sábana *f*
Bettler(in *f*) *m* mendigo(-a
f)
Bett|ruhe *f* reposo *m* en ca-
ma; **~vorleger** *m* antecama
f, alfombrilla *f*; **~wäsche** *f*
ropa de cama
beugen doblar, doblegar; *fig*
humillar; agobiar; **s. ~** *fig*
rendirse, someterse
Beule *f* bollo *m*, abolladura;
am Kopf chichón *m*
beunruhigen perturbar; in-
quietar
beurlauben dar permiso a;
Mil licenciar
beurteil|en juzgar de; **2ung**
f juicio *m*, crítica
Beute *f* presa *f*, *fig* víctima
Beutel *m* bolsa *f*
Bevölkerung *f* población
bevollmächtig|en apode-
rar; **2te(r)** *m* apoderado
bevor antes de + *inf*; antes
(de) que; **~munden** tener a
tutela; **~stehen** estar próximo; **~stehend** próximo, inminente; **~zugen** preferir;
2zugung *f* preferencia
bewachen vigilar; **2er** *m* vigilante, guarda; **2t** vigilado;
2ung *f* custodia
bewaffn|en armar; **2ung** *f*
armamento *m*; (*Waffen*) armas *fpl*
bewahren conservar; guardar; **~ vor** preservar de
bewähr|en: s. ~en acreditar-

se; dar (buen) resultado; **ǫung** f prueba; **ǫungsfrist** f *jur* plazo m de prueba

bewältigen vencer; dominar; *Aufgabe:* llevar a cabo

bewandert (**in**) versado, entendido (en)

bewässer|n regar; **ǫung** f riego m, regadío m

bewegen mover; agitar; *fig* conmover; **s. ‿en** moverse; **ǫgrund** m móvil; **‿lich** móvil; *fig* ágil; **‿t** conmovido; (*See*) agitado; **ǫung** f movimiento m; gesto m; *fig* emoción f

Bewegungs|freiheit f libertad de acción; **ǫlos** inmóvil

Beweis m prueba f; **ǫen** probar; demostrar

bewerb|en: s. ‿en um solicitar (*ac*); **ǫer** m solicitante; candidato; **ǫung** f solicitud

bewerkstelligen realizar

bewert|en (a)valorar; **ǫung** f valoración

bewilligen otorgar, conceder; **ǫung** f otorgamiento m; permiso m

bewirken causar

bewirt|en obsequiar; **‿schaften** explotar; **ǫung** f agasajo m

bewohn|en habitar; **ǫer** m habitante

bewölk|en: s. ‿en anublarse; **‿t** (*Himmel*) cubierto, anublado; **ǫung** f nubes fpl

bewunder|n admirar; **‿nswert** admirable; **ǫung** f admiración

bewußt *fig* consabido; *adv*

conscientemente; de propósito; **s. ‿ sein** (*gen*) hacerse cargo de; **‿los** sin conocimiento; **ǫlosigkeit** f desmayo m; **ǫsein** n conciencia f

bezahl|en pagar; **ǫung** f pago m

bezähmen refrenar, domar

bezaubernd encantador

bezeichn|en significar; marcar, designar; **‿end** significativo; típico; **ǫung** f designación, nombre m

be|zeugen atestiguar, testimoniar; **‿zichtigen** (*gen*) inculpar, acriminar (de)

beziehen *Haus:* ocupar, instalarse en; *Ware:* comprar; *Rente, Gehalt:* cobrar, percibir; *Bett:* poner ropa; **s. ‿en auf** referirse a; **ǫung** f relación; **in jeder ǫung** en todos los respectos; **‿ungsweise** o sea, o bien

Bezirk m distrito; (*Stadt*) barrio

bezirzen F engatusar

Bezug m funda f; *Hdl* adquisición f; referencia f (**auf** a); (*Bett:*) sábanas fpl; **Bezüge** pl emolumentos m; **in ǫ** respecto a

be|züglich (*gen*) relativo, referente (a); **‿zwecken** tener por objeto; **‿zweifeln** dudar de; **‿zwingen** vencer; *fig* dominar

Bibel f Biblia

Biblio|thek f biblioteca; **‿thekar** m bibliotecario

biegen vt torcer, encorvar;

bitten

vi **um die Ecke ~en** doblar
la esquina; **s. ~en** doblarse;
~sam flexible

Biene *f* abeja

Bier *n* cerveza *f*; *(kleines)*
caña *f*; **helles (dunkles) ~**
cerveza rubia (negra)

Biest *n* F mal bicho *m*

bieten ofrecer; *(Versteigerung)* pujar; *(Spiel)* envi-
dar; **s. ~** presentarse, ofrecerse; **s. nicht ~ lassen** no
tolerar

Bikini *m* bikini, RPl *f*

Bilanz *f* balance *m*; **~ziehen**
hacer balance

Bild *n* imagen *f*; cuadro *m*;
Fot foto *f*; **~bericht** *m* reportaje gráfico

bilden formar; *(geistig)* instruir; **s. ~** formarse; **~de
Künste** *fpl* artes plásticas

Bilder|buch *n* libro *m* de
estampas; **~galerie** *f* galería
de pinturas; **~rahmen** *m*
marco

Bild|hauer *m* escultor; **2lich**
plástico; **~schirm** *m* pantalla *f*; **2schön** hermosísimo;
~ung *f* cultura; educación,
instrucción; formación

Billard *n* billar *m*; **~kugel** *f*
bola de billar; **~stock** *m*
taco

billig barato; **~en** aprobar;
2ung *f* aprobación

Bimsstein *m* piedra *f* pómez

Binde *f* venda; *(Damen2)*
compresa, apósito *(od* paño*)*
higiénico; **~** Am toalla sani-
taria; **~gewebe** *n* tejido *m*
conjuntivo; **~hautentzün-**

~dung *f* conjuntivitis

Bind|emittel *n* aglutinante
m; **2en** atar; liar; *Buch:* en-
cuadernar; **2end** obligatorio; **~faden** *m* cordel; **~ung**
f (Ski) fijación; *fig* lazo *m*

binnen dentro de; **~ kurzem** dentro de poco

Binnen... in Zssgn interior

Binse *f* junco *m*

Bio|graphie *f* biografía; **~
logie** *f* biología; **2logisch**
biológico

Birk|e *f* abedul *m*; **~hahn** *m*,
~huhn *n* gallo *m* de abedul

Birn|baum *m* peral; **~e** *f*
pera; El bombilla, Am a
foco *m*, bombillo *m*

bis hasta, a; **~ dahin** hasta
entonces; **~ jetzt** hasta ahora; **~ auf** *(ac)* excepto, menos; **~ auf weiteres** por de
pronto

Bisam *m* almizcle

Bischof *m* obispo

bisher hasta ahora *(od* la fecha*)*

Biskuit *n* bizcocho *m*

Biß *m* mordedura *f*; mordisco

bißchen; ein ~ un poco

Bissen *m* bocado, mordisco

bissig mordedor; *fig*

Bißwunde *f* mordedura

bisweilen a veces

bitte por favor; tenga la bondad de, haga el favor de; **~?**
¿perdone?; **~!** no hay de
qué, de nada; **~ sehr!** sírva-
se

Bitte *f* ruego *m*; súplica

bitten rogar, pedir

bitter

bitter amargo; **2keit** *f fig* amargura; **~lich** *adv* amargamente

Bittschrift *f* memorial *m*

Blähungen *fpl* flatos *mpl*

Blamage *f* F plancha *f*

blamieren comprometer; **s.** ~ F tirarse una plancha

blank blanco; pulido

Blankoscheck *m* cheque en blanco

Bläschen *f* burbujita *f*; *Med* vesícula *f*

Blase *f* burbuja *f*; (*Haut*) ampolla; *Anat* vejiga; **~balg** *m* fuelle

blas|en *vi* soplar; *vt Mus* tocar; **2instrument** *n* instrumento *m* de viento; **2kapelle** *f* charanga

blaß pálido; descolorido

Blatt *n* hoja *f*

Blattern *pl* viruelas *fpl*

blättern hojear

Blätterteig *m* hojaldre

Blatt|gold *n* pan *m* de oro; **~laus** *f* pulgón *m*

blau azul; F *fig* borracho; **~er Fleck** cardenal *m*, moratón *m*

Blau *n* azul *m*; **2äugig** *de* ojos azules; **~beere** *f* arándano *m*

bläulich azulado

Blau|säure *f* ácido *m* prúsico; **~stift** *m* lápiz azul

Blech *n* hojalata *f*, chapa *f*; plancha *f*; **~dose** *f* lata

blechen F apoquinar

Blei *n* plomo *m*

Bleibe F *f* paradero *m*

bleiben quedar; seguir; **es**

bleibt dabei lo dicho dicho, queda convenido; **~d** permanente, duradero; **~ lassen** dejar de hacer

bleich pálido; **~en** blanquear

bleifrei sin plomo

Bleistift *m* lápiz; **~spitzer** *m* sacapuntas

Blende *f* Fot diafragma *m*; **2en** cegar; deslumbrar; **2end** *fig* brillante

Blick *m* mirada *f*, vista *f*; **auf den ersten** a primera vista; **2en** mirar; **s. 2en lassen** asomarse; **~feld** *n* campo *m* visual; *fig* horizonte *m*

blind ciego; **~er Alarm** falsa alarma *f*; **~er Passagier** polizón *m*; **~ werden** quedar ciego

Blinddarm *m* apéndice; **~entzündung** *f* apendicitis

Blinden|hund *m* perro lazarillo; **~schrift** *f* escritura Braille, cecografía

Blinde(r) *m* ciego

Blind|heit *f* ceguera; **2lings** a ciegas

Blink|er *m* Kfz intermitente; *Angeln* cucharilla *f*; **~feuer** *n* fuego *m* de destellos

blinzeln parpadear

Blitz *m* relámpago; **~ableiter** *m* pararrayos; **2en: es 2t** relampaguea; **~licht** *n* Fot flash *m*; **~schlag** *m* rayo; **2schnell** rápido como un rayo; **~telegramm** *n* telegrama *m* urgentísimo

Block *m* bloque (*a Pol*); taco, bloc; (*Häuser2*) macizo, manzana f; **~de** f bloqueo m; **~flöte** f flauta de pico; **2frei** no alineado; **~haus** n cabaña f de troncos; **2ieren** bloquear; **~schrift** f caracteres mpl de imprenta

blöd(e) imbécil, tonto

Blödsinn m tontería f, disparate; **2ig** idiota; imbécil

blöken (*Schaf*) balar

blond rubio, *Col* mono, *Méj* güero; **~ieren** teñir de rubio

bloß desnudo, descubierto; (*Füße*) descalzo; (*nur*) mero; *adv* sólo

Blöße f desnudez, *fig* flaco m

bloß|legen descubrir; **~stellen** comprometer

Blue jeans pl pantalón m vaquero, *Am* a bluyín m

Bluff m bluf(f), *Am* blof(e)

blühen florecer

Blume f flor; (*Wein*) buqué m

Blumen|beet n parterre m (*od* macizo m) de flores; **~geschäft** m **~handlung** f floristería; **~kohl** m coliflor f; **~ständer** m macetero; **~strauß** m ramo de flores; **~topf** m maceta f, tiesto m; **~vase** f florero m

Bluse f blusa

Blut n sangre f; **~armut** f anemia; **~bank** f banco m de sangre; **~bild** n cuadro m hemático; **~druck** m presión f sanguínea; **~druckmesser** m tensiómetro

Blüte f flor; (*Zeit*) florescencia

blut|en echar sangre, sangrar; **2erguß** m derrame; **2gefäß** n vaso m sanguíneo; **2gruppe** f grupo m sanguíneo; **2ig** sangriento; **2probe** f análisis m de la sangre; **~rünstig** sanguinario; **2spender** m donante m de sangre

blutstillend: ~es Mittel n hemostático m

Blut|sturz m derrame; **~transfusion** f, **~übertragung** f transfusión de sangre; **~ung** f hemorragia; **~untersuchung** f análisis m de la sangre; **~vergiftung** f septicemia; **~verlust** m pérdida f de sangre; **~wurst** f morcilla

Bö f racha

Bob m *Sp* bob; **~bahn** f pista de bob

Boccia n bocha f

Bock m caballete; *Sp* potro; (*Ziegen2*) macho cabrío; **2ig** terco, testarudo

Boden m suelo; (*Erde*) tierra f; (*Dach2*) desván; (*v Gefäß*) fondo; **zu ~ fallen** caer(se) al suelo; **2los** sin fondo; *fig* increíble, enorme; **~personal** n personal m de tierra; **~schätze** mpl riquezas fpl del subsuelo; **~turnen** n ejercicios mpl al suelo

Bogen m arco; curva f; (*Papier*) hoja f; arcada f; **~lampe** f lámpara de arco; **~schießen** n tiro m al arco

Bohle f tablón m

Bohne f judía, alubia, *Am* frijol m, *Arg* poroto m; **dicke ~** haba; **grüne ~n** judías verdes, *Arg* chauchas, *Col* habichuelas, *Méj* ejotes mpl

Bohnenkaffee m café auténtico

bohner|n encerar; **2wachs** n cera f para pisos

bohr|en taladrar; **2er** m taladro, barrena f; **2maschine** f taladradora; **2turm** m torre f de perforación; **2ung** f sondeo m

Boiler m calentador de agua, termo(sifón)

Boje f boya, baliza

Bombardement n bombardeo m

Bombe f bomba; **~nerfolg** m éxito clamoroso, F exitazo; **~nflugzeug** n bombardero m

Bon m bono, cupón

Bonbon m caramelo

Boot n bote m, lancha f; **~ssteg** m pasarela f, embarcadero; **~sverleih** m alquiler de botes

Bord 1. m bordo; **an ~ (gehen)** (ir) a bordo; **Mann über ~!** ¡hombre al agua!; 2. n estante m

Bordell n burdel m

Bord|karte f *Flgw* tarjeta de embarque; **~stein** m bordillo de la acera

borgen prestar

Borke f corteza

Bor|salbe f pomada boricada; **~wasser** n agua f boricada

Börse f *Hdl* Bolsa; (*Geld2*) monedero m

Borste(n pl) f cerda(s)

Borte f pasamano m

bösartig malo; *Med* maligno; **2keit** f malicia

Böschung f repecho m, talud m

böse malo; **~ sein** estar disgustado (**auf, mit** con)

bos|haft malicioso; **2heit** f maldad, malicia

böswillig malévolo

Botani|k f botánica; **2scher Garten** jardín m botánico

Bote m mensajero, recadero; **durch ~n** a mano

Botschaft f mensaje m, noticia; *Pol* embajada; **~er** m embajador

Bottich m cuba f, tina f

Bouillon f consomé m, caldo m

Bowdenzug m transmisión f Bowden

Bowle f cap m, tisana

Box f box m

box|en boxear; **2er** m boxeador; (*Hund*) bóxer; **2kampf** m boxeo

Boy m botones, *Chi* cadete

Boykott m boicot(eo) m; **2ieren** boicotear

brachliegen estar de barbecho

Branche f ramo m; **2nkundig** experto en el ramo

Brand m incendio; **in ~ geraten** inflamarse; **in ~ stecken** pegar fuego a; **~**

blase f ampolla
Brand|geruch m olor a quemado; 2**ig** Med gangrenoso; ~**salbe** f pomada para quemaduras; 2**stiftung** f incendio m intencionado
Brandung f resaca
Brandwunde f quemadura
Branntwein m aguardiente
brat|en vt asar; freír; 2**en** m asado; 2**fisch** m pescado frito; 2**hähnchen** n, 2**huhn** n pollo m asado; 2**kartoffeln** fpl patatas doradas; 2**pfanne** f sartén; 2**rost** m parrilla f
Bratsche f viola
Brat|spieß m asador; ~**wurst** f salchicha
Brauch m costumbre f, hábito; 2**bar** utilizable; 2**en** necesitar; **man 2t nur ...** basta + inf, sólo hay que + inf
Brauerei f fábrica de cerveza
braun marrón; pardo; (Haar) castaño; (Haut) moreno; ~ **werden** broncearse, ponerse moreno
Bräun|e f tez morena; (Sonnen2) bronceado m; 2**en** tostar, dorar; broncear
braun|gebrannt bronceado, moreno; 2**kohle** f lignito m
bräunlich parduzco
Brause f ducha; (Gießkanne) roseta; ~(**limonade** f) gaseosa
Braut f novia
Bräutigam m novio

Brautpaar n novios mpl
brav bueno
Brech|durchfall m colerina f; ~**eisen** n palanqueta f; 2**en** vt romper, quebrar; vi quebrarse; Med vomitar; ~**mittel** n vomitivo m; ~**reiz** m basca f, ganas fpl de vomitar (**haben** sentir)
Brei m papilla f; (Kartoffel2 etc) puré
breit ancho, espacioso; **weit und** ~ a la redonda; ~**beinig** esparrancado; 2**e** f anchura; Geogr latitud; ~**schultrig** espaldudo; ~**spurig** Esb de vía ancha; 2**wand** f pantalla panorámica
Brems|belag m guarnición f od forro de freno, Am basca fpl del freno; ~**e** f freno m, Am a breque m; Zo tábano m; 2**en** frenar; ~**flüssigkeit** f líquido m de frenos; ~**klotz** m zapata f, cepo (de freno); ~**licht** n luz f de frenado; ~**pedal** n pedal m de freno; ~**spur** f huella del frenado; ~**trommel** f tambor m del freno
brenn|bar inflamable, combustible; ~**en** vi arder, quemar; (Sonne) abrasar; (Licht) estar encendido; picar, escocer; ~**end** ardiente; fig palpitante; 2**erei** f destilería
Brennessel f ortiga
Brenn|holz n leña f; ~**punkt** m foco; ~**schere** f tenacillas fpl; ~**spiritus** m alcohol de quemar; ~**stoff** m combus-

tible; **~weite** f Fot distancia focal

brenzlig crítico, espinoso

Brett n tabla f; (Spiel2) tablero m

Brezel f rosquilla

Brief m carta f; **~kasten** m buzón; **2lich** por carta; **~marke** f sello m, Am estampilla, Méj timbre m; **~markensammler** m filatelista; **~papier** n papel m de cartas; **~tasche** f cartera; **~träger** m cartero; **~umschlag** m sobre

Briefwechsel m correspondencia f

Brikett n briqueta f

Brillant m brillante

Brille f anteojos mpl, gafas fpl, lentes mpl; **~netui** n estuche m para las gafas; **~nfassung** f montura

bringen (her2) traer; (weg2) llevar; acompañar; zum Schweigen usw **~** hacer callar usw

Brise f brisa

Brokat m brocado

Brokkoli pl brécoles mpl

Brom n bromo m

Brombeer|e f (zarza)mora; **~strauch** m zarza f

Bronchitis f bronquitis

Bronze f bronce m

Brosche f broche m

Broschüre f folleto m

Brot n pan m

Brötchen n panecillo m

Brot|korb m panera f; **~rinde** f corteza; **~schnitte** f rebanada

Bruch m rotura f; Math fracción f; Med fractura f; (Leisten2) hernia f; fig ruptura f

Bruch|stück n fragmento m; **~teil** m fracción f

Brücke f puente m

Bruder m hermano; Rel fraile

brüderlich fraternal

Brüh|e f caldo m; **~würfel** m cubito de caldo

brüllen bramar, rugir

brummen gruñir; fig rezongar

brünett moreno

Brunft f brama

Brunnen m pozo; Arch fuente f; **~kur** f cura de aguas

brüsk brusco

Brust f pecho m; (Busen) seno m

brüsten: s. ~ mit presumir con, ufanarse de

Brust|fell n pleura f; **~fellentzündung** f pleuresía; **~korb** m tórax; **~schwimmen** n estilo m braza

Brüstung f pretil m, balaustrada

Brustwarze f pezón m

Brut f cría f; (Zeit) incubación

brutal brutal; **2ität** f brutalidad

brüten incubar

Brut|kasten m Med incubadora f; **~stätte** f fig semillero m

brutto bruto; **2gewicht** n peso m bruto; **2register-**

tonne f tonelada de registro bruto

Bube m (*Karte*) sota f

Buch n libro m; **~binderei** f (taller m de) encuadernación; **~deckel** m tapa f; **~druckerei** f imprenta

Buch|e f haya; **~ecker** f hayuco m

buchen *Flug usw*: reservar

Bücher|brett n estante m; **~ei** f biblioteca

Buchfink m pinzón

Buchhalt|er m contable, *Am* contador; **~ung** f contabilidad

Buch|händler m librero; **~handlung** f librería; **~macher** m corredor de apuestas; **~prüfer** m revisor de cuentas, *Am* auditor

Büchse f caja; (*Blech2*) lata; (*Gewehr*) rifle m

Büchsen|fleisch n carne f enlatada; **~milch** f leche condensada; **~öffner** m abrelatas

Buchstab|e m letra f; **2ieren** deletrear

buchstäblich *adv* literalmente

Bucht f bahía; (*kleine*) cala

Buchung f reserva

Buckel m corcova, joroba f

bücken: s. ~ agacharse

bucklig corcovado, jorobado

buddeln F (*Kinder*) jugar en la arena

Bude f F tinglado m; leonera

Büfett n aparador m; **kaltes ~** ambigú m, cena-merien-

da f

Büffel m búfalo

Bug m proa f

Bügel m aro; (*Kleider2*) percha f, *Am* a gancho; **~eisen** n plancha f; **~falte** f raya del pantalón; **2frei** no necesita plancha; **2n** planchar

Bühne f tablado m; *Thea* escenario m

Bühnen|bild n escena f; decoración f; **~bildner** m escenógrafo

Bulette f filete m ruso

Bulle m toro; *fig* F polizonte

Bulletin n boletín m

Bummel m vuelta f, callejeo; **~ei** f gandulería, descuido m; **2n** callejear; gandulear; **~streik** m huelga f de celo, trabajo lento, *Am* a operación f tortuga; **~zug** m F tren botijo

bumsen V joder

Bund 1. n haz m; **2.** m unión f, alianza f; (*Rock*, *Hose*) pretina f

Bündel n lío m; haz m

Bundes... in *Zssgn* federal; **~genosse** m aliado; **~kanzler** m canciller federal; **~republik** f República Federal; **~staat** m Estado federal; **~wehr** f fuerzas *fpl* armadas de la República Federal de Alemania

bündig: kurz und ~ sin rodeos

Bündnis n alianza f

Bungalow m bungaló

Bunker m refugio

bunt multicolor; **2stift** m lápiz de color; **2wäsche** f ropa de color

Bürde f carga, peso m

Burg f castillo m; (*maurische*) alcázar m

Bürg|e m fiador, garante; **2en für** (*et*) garantizar (*ac*); (*j-n*) salir fiador de

Bürger m ciudadano; burgués; **~krieg** m guerra f civil; **2lich** civil; **~meister** m alcalde; **~steig** m acera f, *Süda* vereda f, *Col* andén; **~tum** n burguesía f

Bürgschaft f fianza

Büro n oficina f; **~klammer** f clip m, *Süda* broche m; **2kratisch** burocrático

Bursche m mozo

Bürste f cepillo m; **2n** cepillar

Bus m autobús; (*Überland2*) *Span* coche m de línea, *Col*

flota f; **~bahnhof** m estación f de autobuses

Busch m arbusto

Büschel n manojo m; (*Haare*) mechón m

Busch|hemd n guayabera f; **~messer** n machete m

Busen m pecho, *fig* seno m; **~freund** m amigo íntimo

Bussard m ratonero m

Buße f penitencia; (*Geld2*) multa

büßen expiar; pagar por; **mit dem Leben ~** pagar con la vida

Büste f busto m

Büstenhalter m sostén, sujetador, *Am a* brasier

Butter f mantequilla, *RPl* manteca; **~brot** n pan m con mantequilla; **~dose** f mantequera; **~milch** f suero m de mantequilla

C

Café n cafetería f

campe|n acampar; **2r** m campista, acampador

Camping n camping m; **~ausrüstung** f equipo m de camping; **~platz** m (terreno de) camping

Cape n capa f

Cello n violoncelo m

Champagner m champán, *Am a* champaña

Champignon m champiñón m

Chance f oportunidad

Charakter m carácter; **2istisch** característico

Charter|flug m vuelo chár-

ter; **~maschine** f avión m chárter; **2n** fletar

Chauffeur m chófer, *Am* chofer

Chaussee f carretera

Chef m jefe; **~... in Zssgn ...** jefe; **~sekretärin** f secretaria f de dirección

Chemie f química; **~kalien** fpl substancias químicas; **~ker** m, **2sch** químico

Chicorée f endibia

Chiffre f cifra

Chinin n quinina f

Chips mpl patatas fpl fritas

Chirurg m cirujano

Chlor n cloro m
Cholera f cólera m
Cholesterin n colesterol m
Chor m coro
Christ n cristiano; **~baum** m árbol de Navidad; **~entum** n cristianismo m; **~in** f cristiana; **2lich** cristiano; **~us** m Cristo
Clown n payaso
Cockpit n carlinga f
Cocktail m cóctel, combinado
Comics pl Span tebeo m,

Am tiras fpl cómicas
Computer m ordenador, computador(a f) m
Conférencier m animador
Container m contenedor
Couch f sofá m
Countdown m cuenta f atrás
Coup m golpe; **~on** m cupón
Cousin m primo; **~e** f prima
Creme f crema; (~speise) natillas fpl
Cup m Sp copa f
Cut m chaqué

D

da adv (örtlich) ahí, allí; (zeitlich) entonces; cj puesto que, como
dabei además; con todo eso, sin embargo; **~ sein** et zu tun estar haciendo
dableiben quedarse
Dach n tejado m; **~boden** m desván, buhardilla f; **~decker** m tejador; **~garten** m azotea f (jardín); **~gepäckträger** m baca f; **~pappe** f cartón m asfaltado (para tejados); **~rinne** f canalón m
Dachs m tejón
Dach|stuhl m entramado del tejado; **~ziegel** m teja f
Dackel m teckel, F perro m tranvía
dadurch así, de este modo
dafür por eso; **ich kann nichts ~** no es culpa mía
dagegen comparado con eso; **~ sein** estar en contra

(de); **nichts ~ haben** no tener inconveniente (**zu** en)
daheim en casa
daher adv de allí; (kausal) de ahí; cj por eso, pues
dahin (hacia) allí; (zeitlich) **bis ~** hasta entonces; **~ter** detrás
damals entonces
Dame f señora; (Karte) caballo m; (Schach) reina; **~ spielen** jugar a las damas
Damenfriseur m peluquería f de señoras
damit con es(t)o (od ello); cj para que
Damm m dique
dämmer|n (morgens) amanecer; (abends) anochecer; **2ung** f alba; crepúsculo m
Dampf m vapor; **~bad** n baño m turco; **2en** echar vapor
dämpfen amortiguar; Stimme: bajar; Licht: ate-

nuar

Dampf|er *m* vapor; **~hei- zung** *f* calefacción a vapor

danach después (de esto), luego

daneben junto, al lado; (*au- ßerdem*) además

Dank *m* gracias *fpl*; agrade- cimiento; ② *prp* (*gen*, *dat*) gracias a; **vielen ~!** ¡muchas gracias!; ②**bar** agradecido; **~barkeit** *f* gratitud

dank|en für dar las gracias por, agradecer (*ac*); **~e (schön)!** ¡gracias!

dann luego, entonces; **~ und wann** de cuando en cuando

dar|an de, en, por (eso); **na- he ~an (zu)** por poco ...; **~auf** encima, sobre ello; **bald ~auf** poco después; **~aufhin** siendo así; **~aus** de eso; de ahí

darbiet|en ofrecer; ②**ung** *f* espectáculo *m*

darin en esto; dentro

darlegen exponer, explicar

Darleh(e)n *n* préstamo *m*

Darm *m* intestino; **~ka- tarrh** *m* enteritis *f*; **~stö- rung** *f* desarreglo *m* intesti- nal

darstell|en representar; describir; *Thea* interpretar; ②**er** *m* actor, intérprete

darüber sobre esto; **~ hin- aus** *fig* además

darum por eso

darunter (por) debajo; (*zwischen*) entre ellos

das *art* el, la, lo; *pron* esto, eso; **~ heißt** es decir

da|sein estar presente; exis- tir; ②**sein** *n* existencia *f*

daß que; **außer ~** excepto que; **so ~** de modo que

dasselbe lo mismo

Daten *npl* datos *mpl*; **~bank** *f* banco *m* de datos; **~verar- beitung** *f* procesamiento *m* de datos

datieren fechar

Dattel *f* dátil *m*

Datum *n* fecha *f*

Dauer *f* duración; ②**haft** du- radero, resistente

dauern durar; **~d** continuo, duradero

Dauer|welle *f* permanente; **~wurst** *f* salchichón *m* ahu- mado

Daumen *m* pulgar

davon de ello (*od* esto)

davor delante (de)

dazu a, con esto; para esto; **~gehören** ser parte de; **~ tun** añadir

dazwischen entre (*od* en medio de) ellos; **~kommen** sobrevenir, ocurrir

Debatte *f* debate *m*

Deck *n* cubierta *f*

Decke *f* manta, *RPl* frazada, *Col* cobija; (*Zimmer*②) techo *m*, *Am* a cielorraso *m*; **~l** *m* tapa *f*

deck|en cubrir; *Tisch*: po- ner; **s. ~en** corresponderse; ②**ung** *f* *Mil* abrigo *m*; *Hdl* fondos *mpl*, garantía

defekt estropeado, *Am* da- ñado; ② *m* defecto

Defizit *n* déficit *m*

deformieren deformar

287   **Deutlichkeit**

Defroster *m* descongelante
Degen *m* espada *f*
dehn|bar extensible, elástico; **~en** extender; **2ung** *f* extensión
Deich *m* dique
Deichsel *f* pértigo *m*
dein tu; **~erseits** por tu parte; **~etwegen** por ti
deklarieren declarar
Deklination *f* declinación *f*
Dekora|teur *m* decorador; **~tion** *f* decoración; *Thea* decorado *m*
dekorieren decorar
Delega|tion *f* delegación; **~gierte(r)** *m* delegado
delikat delicado; (*Speise*) delicioso
Delikatesse *f* plato *m* exquisito
Delikt *n* delito *m*
Delphin *m* delfín
dem|entsprechend conforme a eso; **~nach** según eso; **~nächst** dentro de poco
Demokra|t *m* demócrata; **~tie** *f* democracia; **2tisch** demócrata; democrático
Demonstr|ation *f* manifestación; **2ieren** demostrar; *Pol* manifestarse
demütig humilde; **~en** humillar
denk|bar imaginable; **~en** pensar (**an** en); **s. et ~en** imaginarse, figurarse
Denkmal *n* monumento *m*
denk|würdig memorable; **2zettel** *m* fig lección *f*
denn pues; porque; **wo ist er ...?** pues ¿dónde está?;

mehr ~ je más que nunca
dennoch sin embargo, no obstante
denunzieren delatar
Deodorant *n* desodorante *m*
Dependance *f* (*Hotel*) anexo *m*
Deponie *f* vertedero *m* de basuras, *Am* a basurero *m*; **2ren** depositar
Depot *n* depósito *m*
der *art* el; (*welcher*) que, quien; *pron* ése, éste; **~artig** tal, semejante
derb recio; grosero
der|en cuyo, cuya; *pl* cuyos, cuyas; **~gleichen** tal, semejante; **~jenige** el ... (que); **~selbe** el mismo
desertieren desertar
des|gleichen igualmente; **~halb** por eso
Desinfektion *f* desinfección; **~smittel** *n* desinfectante *m*
desinfizieren desinfectar
dessen cuyo; **~ungeachtet** no obstante
Dessert *n* postre *m*; **~wein** *m* vino de postre (*od* generoso)
destillier|en destilar; **~tes Wasser** agua *f* destilada
desto tanto; **~ mehr** tanto más
deswegen por esto
detailliert detallado
Detektiv *m* detective; **~büro** *n* agencia *f* de información
deuten interpretar; **auf** *et* **~** señalar (*ac*); indicar (*ac*)
deutlich claro; distinto; **2keit** *f* claridad; precisión

Deutung f interpretación

Devise divisa; **~n** pl divisas, moneda f extranjera; **~n-bestimmungen** fpl disposiciones sobre divisas

Dezember m diciembre

dezent decente; discreto

Diabet|es n diabetes f; **~i-ker** m diabético

Diagnose f diagnóstico m

Dialekt m dialecto

Dialog m diálogo

Diamant m diamante

Dia|(positiv) n diapositiva f, Am a transparencia f; **~rähmchen** n marquito m

Diät f dieta, régimen m; **~halten** guardar dieta

dich te; **für ~** para ti

dicht denso; espeso; **~ an (am)** muy cerca de, junto a

dicht|en hacer versos; componer; **2er** m poeta; **2ung** f poesía; Tech junta, Am empaque m

dick grueso, gordo; **~flüssig** espeso; denso; **2icht** n espesura f, matorral m; **2kopf** m testarudo; **~köpfig** cabezudo, terco, cabeciduro

die art la; fpl las, mpl los

Dieb m ladrón; **~stahl** m robo; **~stahlversicherung** f seguro m contra el robo

Diele f zaguán m; (Holz) tablón m

diene|n servir (**als** de; **zu** para, a): ; **2r** m criado

Dienst m servicio; **außer ~** jubilado, Mil retirado; **~ haben, im ~ sein** estar de servicio

Dienstag m martes

dienstbereit servicial; (Apotheke) de turno, de guardia

Dienst|bote m criado; pl servidumbre f; **2frei** libre de servicio; **~leistung** f (prestación de) servicio m; **2lich** oficial; **~mädchen** n criada f, muchacha f (de servicio), Arg mucama f; **~reise** f viaje m oficial; **~stelle** f negociado m; **~stunden** fpl horas de servicio

diesbezüglich correspondiente; adv respecto a es(t)o

Diesel|(motor) m (motor) Diesel; **~öl** n gasóleo m, gas-oil m

dies|er, ~e, ~es este, esta, esto; **~e** pl estos, estas; **~jährig** de este año; **~mal** esta vez; **~seits** de este lado

Dietrich m ganzúa f

Differentialgetriebe n (engranaje m) diferencial m

Differenz f diferencia

Digitaluhr f reloj m digital

Diktat n dictado m; **~or** m dictador; **~ur** f dictadura

diktieren dictar

Dill m eneldo

Ding n cosa f; objeto m; F chisme m, Am a coso m; **vor allen ~en** ante todo

Dioptrie f dioptría

Diözese f diócesis

Diphtherie f difteria

Diplom n diploma m; **~at** m diplomático; **2atisch** diplomático

dir te; a ti; **mit ~** contigo

direkt directo; 2flug m vuelo directo; 2ion f dirección; 2or m director; 2übertragung f transmisión en directo

Dirig|ent m director de orquesta; 2ieren dirigir

Diskontsatz m tipo de descuento

Diskothek f discoteca

diskret discreto

Diskussion f discusión

Diskuswerfen n lanzamiento m de disco

diskutieren discutir

disqualifizieren descalificar

Distanz f distancia; s. 2ieren distanciarse

Distel f cardo m

Disziplin f disciplina

dividieren dividir (**durch** por)

D-Mark f marco m alemán

doch pues; pero; ~! ¡que sí!

Docht m mecha f, pábilo

Dock n dársena f, dique m

Doktor m doctor

Dokument n documento m

Dolch m puñal

Dollar m dólar

Dolmetscher(in) m intérprete su

Dom m catedral f

Domäne f dominio m

Domino m dominó m

Donner m trueno; 2n tronar; es 2t está tronando

Donnerstag m jueves

dopen drogar, dopar

Doppel n duplicado m; Sp doble m; ~bett n cama f

doble; ~fenster n contraviddriera f; ~gänger m doble; ~punkt m dos puntos mpl; 2seitig adj bilateral; adv por ambos lados; 2sinnig ambiguo, equívoco; 2t doble; **das** ~**te** el doble; ~zentner m quintal métrico; ~zimmer n habitación f doble

Dorf n pueblo m, aldea f

Dorn m espina f

dörren secar

Dorsch m bacalao (pequeño)

dort ahí, allí; ~ **oben** (**unten**) allí arriba (abajo); **von** ~ de ahí (od allí, allá); ~**hin** (hacia) allí

Dose f cajita; (Konserven2) lata; ~**n...** s Büchsen...

dosieren dosificar

Dosis f dosis

Dotter m yema f de huevo

Dozent m profesor (no numerario)

Drache m dragón; ~**n** m (Papier2) cometa f; ~**nfliegen** n deltaplano m

Dragée n gragea f

Draht m alambre; ~**bürste** f cepillo m metálico; ~**schere** f cortaalambres m; ~**seilbahn** f teleférico m; ~**zaun** m alambrado

Drama n drama m; ~**tiker** m dramaturgo; 2**tisch** dramático

dran s daran; jetzt bin ich ~ a mí me toca

drängen empujar; fig atosigar, apurar; vi apretar; **die Zeit drängt** el tiempo apremia; **s.** ~ agolparse

draußen fuera; al aire libre; **nach** ~ afuera; **von** ~ de afuera

drechseln tornear

Dreck m lodo; **2ig** sucio

Dreh... in Zssgn giratorio

Dreh|bank f torno m; **2bar** giratorio; **~bleistift** m portaminas; **~buch** n guión m; **~bühne** f escenario m giratorio; **2en** volver; hacer girar; Film: rodar; Zigarette: liar; **s. 2en** girar; fig tratarse (**um** de); **~knopf** m botón giratorio; **~kreuz** n torniquete m; **~ung** f vuelta; rotación

drei tres; **2bettzimmer** n habitación f de tres camas; **2eck** n triángulo m; **~eckig** triangular; **~erlei** de tres clases; **~fach** triple; **~hundert** trescientos; **~mal** tres veces; **2rad** n triciclo m; **~ßig** treinta

dreist atrevido

drei|stöckig de tres pisos; **~stündig** de tres horas; **~viertel** tres cuartos; **~zehn** trece

dresch|en trillar; **2maschine** f trilladora

dressieren amaestrar, adiestrar

Dressur f domadura, adiestramiento m

dringen (**durch, in**) penetrar (por, en); ~ **aus** venir de; ~ **bis** llegar hasta; **auf** et ~ insistir en; **~d** urgente

drinnen dentro

dritt|e(r) tercero; **zu** ~ de a tres; **2el** n tercio m; **~ens** tercero

Droge f droga; **2enabhängig** drogadicto; **~erie** f droguería

drohen amenazar; annazador; inminente

dröhnen retumbar, resonar

Drohung f amenaza

drollig chusco, mono

Drossel f tordo m; **~klappe** f válvula de mariposa; **2n** Tech estrangular, reducir

drüben al otro lado, más allá

Druck m presión f; (Buch2) imprenta f; (Bild) estampa f; **j-n unter** ~ **setzen** hacer presión sobre alg; **~ausgleichskabine** f Flgw cabina presurizada; **2en** imprimir

drücken empujar; oprimir, apretar; Hand: estrechar; **s.** ~ evadirse, zafarse (**vor** de); **~d** abrumador; (Wetter) sofocante

Drucker m impresor

Drücker m (Tür2) picaporte

Druck|erei f imprenta; **~fehler** m errata f; **~knopf** m pulsador, botón; (Kleidung) botón de presión; **~luft** f aire m comprimido; **~sache** f impreso m

drum: das 2 und Dran todo el jaleo

drunter: ~ darunter; ~ und drüber gehen andar manga por hombro

Drüse f glándula

Dschungel m jungla f

du tú

Dübel m taco, tarugo

ducken: s. ~ agazaparse

Dudelsack m gaita f

Duft m olor, perfume; 2**en (nach)** oler (a)

dulden tolerar, sufrir

dumm tonto; necio; 2**heit** f estupidez; tontería; 2**kopf** m imbécil

dumpf sordo; (*Luft*) pesado

Düne f duna

Dünger m abono

dunkel oscuro; *fig* vago, abstruso; **es wird** ~ anochece; **im** 2**n** a oscuras; **im** ~**n tappen** *fig* dar palos de ciego

Dünkel m presunción f

Dunkel n f oscuridad; ~**kammer** f cámara oscura; 2**rot** rojo oscuro

dünn delgado; sutil, fino; (*Kaffee*) flojo; (*Suppe*) claro; (*Stoff*) ralo

Dunst m vapor, vaho

dünsten estofar

dunstig vaporoso

Duplikat n duplicado m

Dur n modo (*od* tono) m mayor

durch por; a través de; (*mittels*) mediante, por medio de; (*Zeit*) durante; ~ **und** ~ completamente; ~ **die Post** por (el) correo; ~**arbeiten** vt estudiar a fondo

durchaus del todo; a todo trance; ~ **nicht** de ningún modo

durch|blättern hojear; ~**blicken lassen** hacer en-

trever; ~**bohren** perforar; *fig* traspasar; ~**braten** asar bien

durch|brechen romper, quebrar; *vi* romperse; ~**brennen** El fundirse; *fig* fugarse; 2**bruch** m ruptura f; brecha f; ~**denken** pensar bien; ~**dringen** penetrar

durcheinander revuelto(s); sin distinción; 2 n jaleo m, caos m; (*Lärm*) barullo m

Durch|fahrt f paso m; puerta; ~**fall** m Med diarrea f; 2**fallen** ser suspendido; *Thea* fracasar; 2**fließen** fluir por

durchführ|bar realizable; ~**en** cumplir, realizar; 2**ung** f realización

Durchgang m paso; **kein** ~ **!** prohibido el paso

Durchgangs... de tránsito; ~**bahnhof** m estación f de tránsito

durch|gebraten bien hecho; ~**gehen** pasar; (*Pferd*) desbocarse; ~**gehen lassen** *fig* perdonar, tolerar; ~**gehend** (*Zug*) directo; ~**halten** resistir

durch|kommen pasar; *fig* salir de apuros, arreglárselas; ~**kreuzen** cruzar; *fig* desbaratar; ~**lassen** dejar pasar; ~**laufen** pasar (*Wasser*); recorrer; ~**lesen** recorrer, leer

durchleucht|en Med examinar por rayos X; 2**ung** f radioscopia

durch|löchern perforar;
agujerear; **~lüften** ventilar;
2messer *m* diámetro; **~**
näßt mojado, calado; **~**
queren atravesar; **~rech-**
nen calcular

Durchreise *f*: **auf der ~** de
paso; de tránsito; **~visum** *n*
visado *m* (*Am* visa *f*) de
tránsito

durch|**reißen** rasgar, rom-
per; **2sage** *f* Rf mensaje
m personal; **~schauen** mirar
(a través de); *fig j-n*: calar la
intención de; **~scheinen**
traslucirse

Durchschlag *m* colador;
Hdl copia *f*; **~papier** *n* papel *m* de copia

durchschneiden cortar

Durchschnitt *m* término
medio, promedio; **im ~, 2-**
lich por término medio; **~**
geschwindigkeit *f* velocidad media

durchsehen mirar *m*; *vt*
examinar, revisar

durchsetzen conseguir; **s-n**
Willen ~ F salirse con la
suya; **s. ~** imponerse

Durchsicht *f* revisión, repa-
so *m*; **2ig** transparente

durch|**sickern** filtrarse; *fig*
rezumarse; **~sprechen** discutir; **~streichen** borrar,
tachar

durchsuch|en registrar;
(*nach Waffen*) cachear;
2ung *f* registro *m*; cacheo *m*

durch|**trieben** taimado; **~**
wachsen (*Speck*) entreve-
rado; *fig* F regular; **~wäh-**
len *Tel* llamar en directo;
~weg sin excepción; **~wüh-**
len revolver; **~zählen** re-
contar; **~ziehen** hacer pasar
(**durch** por); **2zug** *m* paso;
(*Luft*) corriente *f*

dürfen poder; deber; **darf**
ich ...? ¿puedo...?, ¿me per-
mite...?; **man darf nicht**
no se puede (*od* debe)

dürftig escaso, insuficiente;
menguado

dürr árido; seco; (*Person*)
flaco; **2e** *f* sequedad; sequía

Durst *m* sed *f*; **ich habe ~**
tengo sed; **2ig** sediento

Dusche *f* ducha; **2en** du-
char(se)

Düse *f* tobera

Dusel *m* F mucha suerte *f*

Düsen|flugzeug *n* avión *m*
de reacción; **~jäger** *m* caza
de reacción

düster tenebroso; fúnebre

Dutzend *n* docena *f*

duzen: j-n ~ tutear a alg

Dynamit *n* dinamita *f*

Dynamo *m* dínamo *f*

D-Zug *m* tren directo, expreso

E

Ebbe *f* marea baja
eben plano; llano; *adv* justamente; (*Zeit*) ahora mismo;

~! ¡eso es!
Ebene *f* llanura; *Tech* plano
m; *Pol*, *fig* nivel *m*

ebenfalls igualmente, asimismo

ebenso lo mismo (**wie** que); **~ ... wie** tan ... como; **~viel** tanto (**wie** como); **~wenig** tan poco (**wie** como)

Eber m verraco

Eberesche f serbal m

ebnen aplanar

Echo n eco m

echt verdadero, auténtico; puro, natural

Eck|ball m saque de esquina; **~e** f esquina; canto m; (**innen**) rincón m; **um die ~e** a la vuelta de la esquina; **2ig** angular, anguloso; **~möbel** n mueble m rinconero; **~platz** m asiento de rincón; **~zahn** m colmillo

Economyklasse f clase económica

edel noble; generoso; **2metall** n metal m precioso; **~pilzkäse** m queso azul; **2stein** m piedra f preciosa

Efeu m yedra f, hiedra f

Effekt m efecto; **2voll** de gran efecto

egal igual; **das ist mir ganz ~** me da lo mismo

Egoist m, **2isch** egoista m

ehe antes de (que)

Ehe f matrimonio m; **~bruch** m adulterio; **~frau** f esposa; **~leute** pl esposos mpl; **2lich** conyugal; (**Kind**) legítimo

ehemalig antiguo; ex...

Ehe|mann m esposo, marido; **~paar** n matrimonio m

eher más bien; (**zeitlich**) antes

Ehe|ring m alianza f, Col argolla f; **~scheidung** f divorcio m

ehr|bar honrado; honesto; **2e** f honor m; honra f; **~en** honrar; respetar

ehren|amtlich a título honorífico; **~bürger** m ciudadano honorario; **~haft** honorable; **2mitglied** n miembro m honorario; **2~rechte** npl: **bürgerliche 2~rechte** derechos mpl cívicos; **2sache** f cuestión de honor; **~wort** n palabra f de honor

ehrerbiet|ig respetuoso, reverente; **2ung** f respeto m

Ehr|furcht f reverencia; **~gefühl** n pundonor m; **~geiz** m ambición f; **2geizig** ambicioso

ehrlich sincero; franco; honrado; **2keit** f sinceridad

Ehr|ung f homenaje m; **2würdig** respetable, venerable

Ei n huevo m; **hart-(weich-)gekochtes ~** huevo duro (pasado por agua)

Eiche f roble m; **~l** f bellota

eich|en Gewichte: contrastar, aforar; **2hörnchen** n ardilla f

Eid m juramento

Eidechse f lagartija

eidesstattlich: **~e Erklärung** f declaración jurada

Eidotter m yema f

Eier|becher m huevera f; **~kuchen** m tortilla f, crepé m

Eierlikör

~likör *m* licor de huevos, *Am* a zabajón; **~schale** *f* cascarón *m*; **~stock** *m* ovario

Eifer *m* celo, afán; **~sucht** *f* celos *mpl*; **2süchtig** celoso **(auf** de)

eifrig celoso, activo

Eigelb *n* yema *f*

eigen propio; peculiar; singular; **~artig** particular; raro, extraño; **2bedarf** *m* necesidades *fpl* propias; **~händig** por su propia mano; personalmente; (*unterschrieben*) de mi (tu *usw*) puño y letra; **~mächtig** arbitrario; **2name** *m* nombre propio; **~nützig** interesado, egoísta

Eigen|schaft *f* cualidad; carácter *m*; **2sinnig** obstinado; voluntarioso; **2tlich** verdadero; *adv* en el fondo; a decir verdad; **~tum** *n* propiedad *f*; **~tümer** *m* propietario, dueño; **2tümlich** propio, raro; **~tumswohnung** *f* piso *m* de propiedad, *Am* a condominio *m*

eignen: s. ~ für ser apropiado (*od* adecuado) para; servir para

Eil|bote *m*: **durch ~boten** por expreso; **~brief** *m* carta *f* urgente, *Am* a carta *f* de entrega inmediata; **es pr**isa, *Col* afán *m* pr**isa; ich bin i**n tengo prisa, *Col* tengo de afán; **2en** correr; correr prisa, ser urgente; **es eilt!** ur-ge; **2ends** (muy) de prisa;

~gut *n* gran velocidad *f*; **2ig** urgente; apresurado (*Person*); **es 2ig haben** tener prisa, *Am* a estar apurado, *Col* tener afán; **~zug** *m* (tren) rápido

Eimer *m* cubo, *Am* balde

ein: ~er, ~e un, uno, una; **~ für allemal** una vez para siempre; **in ~em fort** continuamente; **~ Uhr** la una; **~ und ~** uno(s) a otro(s)

einander uno(s) a otro(s)

einarbeiten: s. ~ iniciarse

Ein|äscherung *f* incineración; **2atmen** aspirar, inhalar; **~bahnstraße** *f* calle de dirección única, *Am* a una mano; **2e** encuadernación *f*, tapa *f*; **~baumöbel** *npl* muebles *mpl* funcionales *od* por elementos; **~bauschrank** *m* *Span* armario empotrado, *Méj, Col, Ven* clóset, *RPl* placar; **2begriffen** incluido, comprendido

einberuf|en convocar, *Mil* llamar a filas; **2ung** *f* convocatoria; llamamiento *m*

Einbettzimmer *n* habitación *f* individual

ein|beziehen incluir; **~biegen** *vi* torcer, *Am* a girar, voltear **(nach** a)

einbild|en: s. ~ *et* imaginarse; *fig* envanecerse **(auf** de); **2ung** *f* imaginación *f*, ilusión *f*; *fig* presunción

einbrech|en escalar; **2er** *m* ladrón

einbringen *Nutzen*: producir, rendir; *Antrag*: presentar

Einbruch m robo con fractura; **bei ~ der Nacht** al anochecer

ein|bürgern naturalizar; **~büßen** perder

eindecken: s. ~ mit abastecerse de

eindeutig inequívoco, claro

eindring|en penetrar (en); **2ling** m intruso

Eindruck m impresión f, efecto; **2svoll** impresionante

einebnen aplanar, nivelar

eineinhalb uno y medio

einer|lei: es ist ~lei es lo mismo; **~seits** de una parte

einfach sencillo; simple; fácil; (*Fahrkarte*) de ida

einfahr|en vi *Esb* llegar, entrar; vt *Kfz* rodar; **2t** f entrada

Einfall m idea f; salida f; *Mil* invasión f; **2en** derribarse; *Mil* invadir (**in** ac); *fig* ocurrirse; **... fällt mir nicht ein** no se me ocurre ...; **es fällt mir nicht ein** no lo recuerdo

einfältig ingenuo, simple

Einfamilienhaus n casa f unifamiliar

ein|fangen coger, capturar; **~farbig** unicolor; (*Stoff*) liso; **~fetten** engrasar

einfinden: s. ~ personarse, acudir, presentarse

einflößen infundir

Einfluß m influencia f, influjo; **~ haben auf** tener influjo sobre; **2reich** in-

fluyente

ein|förmig uniforme; monótono; **~frieren** congelar; **~fügen** incorporar; añadir

Einfuhr f importación

einführen introducir, implantar; *j-n:* iniciar (**in** en); *Hdl* importar

Einfuhrgenehmigung f permiso m de importación

Einführung f introducción

Einfuhr|verbot n prohibición f de importar; **~zoll** m derecho de entrada

Ein|gabe f instancia, solicitud; **~gang** m entrada f; *Hdl* recepción f; llegada f

ein|gebildet imaginario; (*j*) presumido; **2geborene(r)** m indígena su; **2gebung** f inspiración; **~gehen** vt *Verpflichtung:* contraer; *Wette:* hacer; vi (*Brief*) llegar; (*Geld*) ingresar; *Zo* morirse; *Bot* perecer; (*Kleidung*) encogerse; **~gehend** detallado; adv a fondo

Eingemachte(s) n conservas fpl

eingeschrieben: ~er Brief m carta f certificada (*Am* registrada *od* recomendada)

Einge|ständnis n confesión f; **2stehen** confesar, reconocer; **~weide** npl vísceras fpl; tripas fpl

ein|gießen echar; verter; **~gleisig** de una vía; **~gliedern** incorporar, integrar; **~greifen** intervenir; **2griff** m intervención f; **~halten** cumplir con; *Frist:* observar; ~**hängen** *Tel* colgar; *Tür usw*: enquiciar

einheimisch nacional, del país; 2e(r) *m* natural *su* del país

Einheit *f* unidad; conjunto *m*; *Tel* paso *m*; 2**lich** uniforme; concorde; ~**spreis** *m* precio único

ein|holen alcanzar; *Auskunft usw*: pedir, tomar; ~**hüllen** envolver

einig conforme; unido; ~ **sein** estar de acuerdo (*od* conforme)

einige unos, algunos; ~ **Zeit** algún tiempo; ~**mal** algunas veces

einigen: s. ~ (**über**) llegar a un acuerdo (sobre)

einig|ermaßen más o menos; ~**es** algo; 2**keit** *f* unión; conformidad; 2**ung** *f* acuerdo *m*; arreglo *m*

ein|jährig de un año; ~**kassieren** cobrar; 2**kauf** *m* compra *f*; ~**kaufen** comprar; ~**kaufen gehen** ir de compras

Einkaufs|preis *m* precio de compra; ~**tasche** *f* bolsa; ~**wagen** *m* carrito de compra; ~**zentrum** *n* centro *m* comercial

ein|kehren entrar; ~**klammern** poner entre paréntesis

Einklang *m*: **in** ~ **bringen** concertar, conciliar

ein|kleiden vestir; ~**klemmen** *Glied*: coger(se)

Einkommen *n* ingresos

mpl; ~**steuer** *f* impuesto *m* sobre la renta

ein|kreisen cercar; ~**kremen** poner crema a; ~**laden** invitar; convidar; 2**ladung** *f* invitación

Einlage *f* (*Bank*) imposición; *Thea* intermedio *m*; (*Schuh*2) plantilla; ~**sohle** *f* plantilla

Einlaß *m* entrada *f*, admisión *f*

einlassen dejar entrar; **s. auf** *et* ~ meterse (*od* embarcarse)

Einlaßkarte *f* tarjeta de admisión, pase *m*

Einlauf *m Med* lavativa *f*, *Am* lavado

einlaufen *Mar* llegar, entrar; (*Stoff*) encogerse

Einlege|arbeit *f* taracea; 2**n** salar; escabechar; poner en vinagre; *Haare*: marcar

einleit|en iniciar, entablar; introducir; ~**end** preliminar; 2**ung** *f* introducción

einleuchtend obvio, evidente

Einlieferungsschein *m* resguardo

ein|lösen cobrar; rescatar; *fig* cumplir; ~**machen** *Früchte*: conservar

einmal una vez; (*künftig*) un día; **auf** ~ de una vez; de repente; de un golpe (*od* tirón); **nicht** ~ ni siquiera; **noch** ~ otra vez; 2**eins** *n* tabla *f* de multiplicar; ~**ig** único; *fig* sin par

Einmarsch *m* entrada *f*

einmisch|en: s. ~en meterse, mezclarse; 2ung f intervención

einmünden desembocar

einmütig unánime

Einnahme f entrada, ingreso m; Med, Mil toma

einnehmen ocupar; Med, Mil tomar; Geld: recibir, cobrar; fig für s. ~ atraer

Einöde f desierto m, soledad

ein|ölen engrasar, lubri(fi)car; ~ordnen: Kfz s. ~ordnen tomar su fila; ~packen empaquetar, embalar, Am empacar; ~pflanzen plantar; ~planen prever; ~pökeln salar

einprägen estampar, grabar (a fig); s. ~ grabarse

ein|quartieren aposentar, alojar; ~räumen colocar (en), arreglar; conceder; reconocer; ~reden hacer creer

einreib|en friccionar; 2ung f fricción

einreichen presentar

Einreise f entrada; ~erlaubnis f (~visum n) permiso m (visado m, Am visa f) de entrada; 2n entrar

ein|reißen rasgar; derribar; ~renken Med reducir

einricht|en establecer, instalar; organizar; arreglar; Wohnung: decorar, poner; 2ung f organización; institución; instalación; mobiliario m

eins uno; 2 f uno m

einsalzen salar

einsam solo; solitario; retirado; desierto; 2keit f soledad

einsammeln recoger

Einsatz m empleo, misión f; (Spiel) puesta f

einschalten intercalar; poner, encender, Am a prender; Kfz poner en marcha; j-n: acudir a alg.; s. ~ (in) intervenir, tomar cartas (en u/c)

ein|schätzen tasar, valorar; apreciar; ~schicken enviar; ~schieben interponer; intercalar

einschiff|en embarcar; s. ~en embarcarse; 2ung f embarco m

ein|schlafen dormirse; (Glieder) entumecerse; **nicht ~schlafen können** no poder conciliar el sueño; ~schlagen romper; Nagel usw: hincar; Weg: tomar; fig seguir; vi (Blitz) caer; fig cuajar

einschleich|en: s. ~ colarse

einschließ|en encerrar; fig comprender, incluir; ~lich inclusive, incluido

einschmuggeln introducir de contrabando; s. ~ colarse

einschneid|en entallar; ~end radical, drástico; decisivo

einschränk|en limitar, restringir; s. ~en reducirse; 2ung f limitación, restricción; reducción; **ohne** 2ung sin reservas

einschrauben atornillar

Einschreibebrief

Einschreibe|brief m carta f certificada (*Am* registrada *od* recomendada); **2n** inscribir

ein|schreiten intervenir; **~schüchtern** intimidar

ein|sehen comprender, ver; *Irrtum*: reconocer; **~seifen** enjabonar; **~seitig** de un lado; unilateral; simplista

einsend|en remitir, enviar; **2er** m remitente; **2ung** f envío m

einsetz|en instituir; constituir; *j-n*: instalar, designar; emplear; **s. ~ für** interceder por

Einsicht f fig comprensión; **zur ~ kommen** entrar en razón; **2ig** razonable, comprensivo

Ein|siedler m ermitaño; **~sperren** encerrar; (*Gefängnis*) encarcelar; **2springen für j-n** remplazar a alg

einspritz|en inyectar; **~pumpe** f bomba de inyección

Einspruch m protesta f; reclamación f; **~erheben** protestar

einspurig de una sola vía; *Kfz* de un (solo) carril

einst en otros tiempos; (*Zukunft*) algún día

ein|stauben vi empolvarse; **~stecken** poner, meter; **~steigen** subir; **~stehen für** responder de

einstell|en regular, ajustar; *Kfz Vergaser etc*: poner a punto; *Arbeiter*: contratar;

Betrieb usw: suspender; cesar, parar; **s. ~en auf** prepararse para; **2ung** f regulación, ajuste m; paro m, suspensión; *fig* punto m de vista

Einstieg m entrada f

ein|stimmig *fig* unánime; **~stöckig** de un piso; **~stufen** clasificar; **2sturz** m derrumbamiento, *Am* a derrumbe; **~stürzen** derrumbarse, hundirse

einstweil|en por lo pronto; **~ig** interino

ein|tauchen remojar; sumergir; **~tauschen** cambiar, trocar (**gegen** por)

einteil|en dividir; clasificar; *Zeit*: disponer; **2ung** f división; orden m; clasificación; organización

ein|tönig monótono; **2topf** (**-gericht**) m puchero, cocido; **2tracht** f armonía; **~tragen** inscribir; registrar; **~träglich** lucrativo; **2tragung** f inscripción; registro m; apunte m; **~träufeln** instilar; **~treffen** llegar; *fig* cumplirse; **~treten** vi entrar; (*Verein usw*) ingresar; **für j-n ~treten** interceder por alg; **~trichtern** F inculcar

Eintritt(**spreis**) m entrada f; **~skarte** f entrada, localidad; billete m, *Am* a boleto m

ein|trocknen secarse; **~üben** estudiar; *Thea* ensayar

einver|leiben incorporar;

anexionar; **~standen sein** estar conforme (od de acuerdo); 2**ständnis** n conformidad f; consentimiento m, acuerdo m

Einwand m objeción f

Einwander|er m inmigrante; 2**n** inmigrar; **~ung** f inmigración

einwandfrei inmejorable; correcto, intachable

ein|wechseln cambiar; 2**wegflasche** f botella de un solo uso; **~weichen** remojar; **~weihen** inaugurar; (**in et**) iniciar (en); 2**weihung** f inauguración; **~wenden** objetar (**gegen** a); **~werfen** Brief: echar (en); Münze: introducir

einwickel|n envolver; 2**papier** n papel m de embalar

einwillig|en consentir; 2**ung** f consentimiento m

einwirk|en obrar, actuar; influir (**auf** en); 2**ung** f influencia; influjo m

Einwohner m habitante; **~meldeamt** n oficina f de empadronamiento

Einwurf m boca f; ranura f; Sp saque de línea

Einzahl f Gr singular m; 2**en** pagar, ingresar; **~ung** f pago m, ingreso m; **~ungsschein** m resguardo de ingreso

Einzäunung f cerca, vallado m

Einzel|bett n cama f individual; **~gänger** m solitario; **~handel** m comercio al por

menor; **~heit** f detalle m; **~kabine** f camarote m individual

einzeln solo, singular; suelto; **im ~** en detalle

Einzelzimmer n habitación f individual

einziehen Schuld: cobrar; Steuer: recaudar; Mil llamar a filas; vi instalarse

einzig único, solo; **~ und allein** únicamente; **~artig** singular; incomparable, sin par

Einzug m entrada f; mudanza f; Arch perímetro m; (Wasser2) cuenca f

Eis n hielo m; (Speise2) helado m, Méj nieve f; **~bahn** f pista de hielo; patinadero m; **~becher** m copa f de helado; **~diele** f heladería, Méj nevería

Eisen n hierro m

Eisenbahn f ferrocarril m; **~er** m ferroviario; **~ vía férrea**; **~netz** n red f ferroviaria; **~wagen** m vagón

eisern de hierro; fig inflexible; férreo

eis|gekühlt helado; 2**getränk** n granizada f; 2**hockey** n hockey m sobre hielo

eisig glacial

Eis|kaffee m café con helado, blanco y negro; 2**kalt** helado, glacial; **~kunstlauf** m patinaje artístico; **~lauf** m patinaje; 2**laufen** patinar; **~scholle** f témpano m de hielo; **~schrank** m nevera f; **~würfel** m cubito de hielo; **~zapfen** m canelón, carámbano

eitel vanidoso; (*Frau*) coqueta; (*Sache*) vano; **2keit** f vanidad; coquetería

Eit|er m pus; **2(e)rig** purulento; **2ern** supurar

Eiweiß n clara f de huevo; *Chem* proteína f

Ekel m asco; aversión f; **2-haft** asqueroso

Ekzem n eccema m

elastisch elástico

Elefant m elefante

elegan|t elegante; **2z** f elegancia

Elektri|ker m electricista; **2sch** eléctrico; **2sieren** electrizar; **~zität** f electricidad; **~zitätswerk** n central f eléctrica

Elektro|gerät n aparato m electrodoméstico; **~ge-schäft** n (tienda f de) electrodomésticos mpl; **~kar-diogramm** n electrocardiograma m

Elektronen|blitz(gerät n) m flash m electrónico; **~ge-hirn** n cerebro m electrónico; **~rechner** m calculador electrónico

Elektrotechnik f electrotecnia

Element n elemento m; **2ar** elemental

elend miserable, mísero; **2** n miseria f; **2sviertel** n Span chabolas fpl, Col, Ven ranchitos mpl, Arg villa f mise-

ria, Chi callampa f, Pe barriada f

elf once; **2** f once m (a Sp)

Elfenbein n marfil m

Elfmeter m penalty

Ell(en)bogen m codo

Elster f urraca, picaza

Eltern pl padres mpl; **2los** huérfano

Email n esmalte m; **2lieren** esmaltar

Embargo n embargo m

Empfang m recepción f (a Hotel); Hdl recibo; acogida f; **in ~ nehmen** Hdl aceptar; **2en** recibir; acoger

Empfäng|er m destinatario; Tech receptor; **2lich** sensible, susceptible; impresionable

empfängnisverhütend:

~es Mittel m anticonceptivo m

Empfangs|bestätigung f acuse m de recibo; **~chef** m jefe de recepción; **~dame** f recepcionista; **~zimmer** n recibidor m

empfehl|en recomendar; **~enswert** recomendable; **2ung** f recomendación f

empfind|en sentir; considerar (**als** como); **~lich** sensible; susceptible; **2lichkeit** f sensibilidad; **2ung** f sentimiento m; sensación f

empor (hacia) arriba, en lo alto

empörend escandaloso

empor|heben elevar; **2-kömmling** m F arribista, advenedizo

empört indignado, escandalizado

Empörung f indignación

emsig asiduo

Ende n (zeitlich) fin m; final m, término m; (örtlich) extremo m; cabo m; **~ April** a fines de abril; **am ~** al cabo; **letzten ~s** al fin y al cabo; **zu ~ gehen, enden** acabarse; terminar(se)

End|ergebnis n resultado m final; **2gültig** definitivo; **~haltestelle** f término m

Endivie(nsalat m) f escarola f

End|kampf m final f; **2lich** adv finalmente, por (od al) fin; **2los** infinito; inacabable; **~spiel** n final f; **~station** f final; **~ung** f Gr terminación

Energie f energía; **~krise** f crisis energética; **2sch** enérgico

eng estrecho; apretado; (Freunde) íntimo; **~er machen** estrechar; **~anliegend** (Kleid) ceñido, ajustado

Enge f estrechez; **in die ~ treiben** poner a alg entre la espada y la pared

Engel m ángel

Engpaß m desfiladero, garganta f; Kfz paso estrecho; fig escasez f

Enkel(in f) m nieto (nieta)

enorm enorme

Ensemble n compañía f; (Kleid u fig) conjunto m

entartet degenerado; desnaturalizado

entbehr|en (gen od ac) carecer de; echar de menos; **nicht ~en können** no poder pasar sin; **~lich** prescindible

Entbindung f alumbramiento m; **~sanstalt** f casa de maternidad

entblößt descubierto, desnudo

entdeck|en descubrir; **2er** m descubridor; **2ung** f descubrimiento m; fig revelación

Ente f pato m (pata f), ánade m

enteign|en expropiar; **2ung** f expropiación

ent|erben desheredar; **~fallen** fig olvidarse; (Anteil) recaer (auf en); **~fällt** no afecta

entfalten desplegar; fig s. **~** desarrollarse

entfern|en (s.) alejar(se), apartar(se); **~t** apartado; lejano; **2ung** f distancia; **2ungsmesser** m telémetro

ent|fesseln desencadenar; **~flammen** entusiasmar; **~fliehen** huir, escapar

entführ|en raptar; secuestrar; **2er** m secuestrador; **2ung** f rapto m; secuestro m

entgegen al encuentro de; **~gehen** ir al encuentro de; **~gesetzt** opuesto, contrario; **2kommen** n complacencia f; **~nehmen** aceptar, tomar; **~stellen** oponer; **~treten** oponerse a; hacer frente a

entgegnen

entgegn|en replicar; **2ung** f réplica

entgehen escapar de; *fig* **s. ~ lassen** desaprovechar (*ac*)

Entgelt n remuneración f

entgleis|en descarrilar; **2ung** f descarrilamiento m

Enthaarungsmittel n depilatorio m

enthalt|en contener; *fig* comprender; **s. ~en** abstenerse de; **~sam** abstinente, abstemio

enthüll|en revelar; *Denkmal:* descubrir; **2ung** f revelación

ent|kalken *Wasser:* descalcificar; **~kleiden** desnudar; **~kommen** escaparse; **~korken** descorchar; **~kräften** extenuar; *fig* debilitar

entladen descargar

entlang a lo largo de

entlarven desenmascarar

entlass|en despedir; *Häftling:* poner en libertad; *Med* dar de alta; **2ung** f despido m; separación; *Med* alta

entlast|en descargar; **2ung** f descargo m; **2ungsstraße** f carretera de descongestión

entlausen despiojar

entledig|en: s. ~ deshacerse de; (*e-r Aufgabe*) cumplir con

ent|legen remoto; **~leihen** tomar prestado

entlüft|en ventilar; **2ung** f ventilación

ent|mündigen poner bajo tutela; **~mutigen** desanimar, desalentar; **~nehmen**

retirar; *fig* concluir; **~rätseln** descifrar; **~reißen** arrancar

entrüst|en: s. ~en indignarse; **2ung** f indignación

Entsafter m licuadora f, exprimidora f

entschädig|en indemnizar; compensar; **2ung** f indemnización; compensación

entscheid|en decidir; **s. ~en** decidirse; **~end** decisivo; **2ung** f decisión

entschließen: s. ~ decidirse, resolverse (**zu** a)

entschlossen resuelto, determinado; **2heit** f resolución, firmeza

entschlüpfen (*Wort*) escapar(se)

Entschluß m determinación f, resolución f

entschuldig|en disculpar, excusar; perdonar; **s. ~en** excusarse; **~en Sie!** ¡perdone!; **2ung** f excusa; disculpa; **2ung!** ¡perdón!

Entsetz|en n horror m, espanto m; **2lich** horrible, espantoso; **2t** estupefacto

entseuchen descontaminar

entsinnen: s. ~ acordarse (*gen* de)

entspann|en: s. ~en relajarse; *Pol* mejorar, despejarse; **2ung** f relajación; *Pol* distensión

entsprech|en corresponder a; **~end** correspondiente, oportuno; *adv* según, correspondiente a

entspringen nacer, resultar

de

entsteh|en originarse, formarse; **♀ung** f formación; origen m

entstell|en afear; desfigurar; **♀ung** f deformación; desfiguración

enttäusch|en desilusionar, desengañar; **♂t** desengañado; **♀ung** f desengaño m, decepción; desilusión

ent|waffnen desarmar; **♀wässerung** f drenaje m; desecación, desagüe m

entweder: ♒ ... oder o ..., o; **sea ... o sea**

ent|weichen escapar(se); **♒weihen** profanar; **♒wenden** robar; **♒werfen** bosquejar; *Plan:* elaborar; trazar; **♒werten** depreciar; *Briefmarke:* inutilizar; **♒werter** m cobrador automático

entwick|eln desarrollar; *Fot* revelar; *Am* desarrollar; **s. ♒eln** desarrollarse; **♀eln** n revelado m; **♀lung** f desarrollo m; evolución; **♀lungsland** n país m en vías de desarrollo

ent|wirren desembrollar; desenredar; **♒wischen** escabullirse; **♒wöhnen** desacostumbrar; **♒würdigend** degradante; humillante; **♀wurf** m proyecto; bosquejo; borrador (*schriftlich*); **♒wurzeln** desarraigar

entzieh|en quitar, retirar; privar de; **s. ♒en** (*gen*) sustraerse de (*od* a); **♀ungskur**

f cura de desintoxicación

ent|ziffern descifrar; **♒zückend** encantador

entzünd|en inflamar; *a fig* encender; **s. ♒en** *a Med* inflamarse; **♀ung** f *Med* inflamación

entzwei roto; **♒en** (s.) desavenir(se); **♒gehen** romperse

Epidemie f epidemia

Epoche f época

Epos n epopeya f

er él; *selbst* él mismo

Erachten n: **meines ♒s** a mi parecer

erbarmen: s. ♒ (*gen*) compadecerse de; **♀n** compasión f; lástima f

erbärmlich miserable; deplorable

erbarmungslos despiadado

erbau|en edificar; construir; **♒lich** edificante

Erbe 1. n herencia f; sucesión f; 2. m heredero; **♀n** heredar

erbeuten ganar; capturar

erbieten: s. ♒ ofrecerse (**zu** para, a)

Erbin f heredera

erbitten solicitar, pedir

erbittert exasperado; enconado; **♀ung** f exasperación; encono m

erblassen palidecer

erblich hereditario

erblicken divisar

erblinden quedar ciego

erbrechen: (s.) ♒ vomitar; **♀** n vómito m

Erbschaft f herencia

Erbse f guisante m, *Am* ar-

Erdball

veja

Erd|ball m globo; **~beben** n terremoto m, seísmo m; **~beere** f fresa, RPl, Chi, Pe frutilla; **~boden** m suelo; terreno

Erde f tierra; terreno m; **an** conectar a tierra

erdenklich imaginable; posible

Erd|geschoß n planta f baja, Am (ohne RPl) primer piso m; **~kunde** f geografía m; **~nuß** f cacahuete m, Am a maní m; **~öl** n petróleo m

erdrosseln estrangular

erdrücken aplastar; **~d** (Beweis) abrumador; (Mehrheit) aplastante

Erd|rutsch m desprendimiento de tierras; **~stoß** m sacudimiento (de tierra); **~teil** m continente; **~ung** f toma de tierra

ereifern: s. ~ acalorarse

ereignen: s. ~ suceder, ocurrir; **2is** n suceso m, acontecimiento m, evento m

erfahr|en saber, enterarse de; **~en** adj experimentado, versado; **2ung** f experiencia; pericia

erfassen registrar; comprender

erfind|en inventar; **2er** m inventor; **2ung** f invención; invento m; **2ungsgabe** f inventiva

Erfolg m éxito; **2en** suceder; efectuarse; **2los** sin éxito; **2reich** feliz, Am exitoso; adv con éxito

erforder|lich necesario; requerido; **~n** requerir, exigir

erforschen explorar, investigar

erfreu|en: s. **~en** (gen) gozar, disfrutar de; **~lich** agradable; **2t** encantado

erfrieren morir de frío

erfrisch|en refrescarse; **~end** refrescante; **2ung** f refresco m; **2ungs|raum** m bar, cantina f; **2ungstuch** n toalla f refrescante

erfüll|en cumplir; corresponder a; satisfacer; fig llenar (**mit** de); s. **~en** realizarse, cumplirse; **2ung** f cumplimiento m, realización

ergänz|en completar; añadir; **2ung** f complemento m; suplemento m

ergeben arrojar; s. **~** resultar (**aus** de); surgir; Mil rendirse; **2heit** f devoción; rendimiento m

Ergebnis n resultado m; **2los** sin resultado; infructuoso

ergiebig productivo, lucrativo; (Boden) fértil; fecundo

ergießen: s. **~** derramarse

ergraut encanecido

ergreif|en coger (nicht RPl!), RPl tomar; fig tomar; Beruf: abrazar; Flucht: darse a; **~end** emocionante; **2ung** f detención

ergriffen conmovido

ergründen averiguar

erhaben sublime; **über** je-

den Zweifel ~ fuera de duda

erhalten obtener, recibir; mantener, conservar; **gut ~** en buen estado

erhältlich en venta

erhängen: s. ~ ahorcarse

erheb|en levantar; presentar; **Steuern:** recaudar; **s. ~en** levantarse; *Pol* sublevarse; **~lich** considerable

erhellen iluminar

erhitzen calentar

erhöh|en elevar, aumentar; **2ung** *f* elevación, aumento *m*

erhol|en: s. ~en aliviarse; *fig* respirar; **2ung** *f* recreo *m*, descanso *m*; *Med* recuperación; **2ungsgebiet** *n* zona *f* de recreo

erinner|n: j-n an et ~n recordar u/c a alg; **s. ~n** acordarse (**an** de); **2ung** *f* recuerdo *m*; **zur 2ung** en memoria

erkält|en: s. ~en resfriarse, constiparse; **2ung** *f* resfriado *m*, constipado *m*

erkenn|en reconocer (**an** por); identificar; **s. ~lich zeigen** mostrarse reconocido; **2tnis** *f* conocimiento *m*; **2ungszeichen** *n* distintivo *m*

Erker *m* mirador

erklär|en explicar, declarar, manifestar; **~lich** explicable; **2ung** *f* explicación; declaración

erklingen (re)sonar

erkrank|en enfermar, caer

enfermo; **2ung** *f* enfermedad

erkund|en explorar; **~igen: s. ~igen** informarse (**nach** de); **2igung** *f* información

erlangen lograr, conseguir

Erlaß *m* decreto; dispensa *f*, remisión *f*

erlassen ordenar, dictar; *j-m et:* dispensar de; *Strafe:* condonar

erlaub|en permitir; tolerar; **2nis** *f* permiso *m*, autorización

erläutern explicar, comentar

erleb|en vivir, presenciar; experimentar; **2nis** *n* aventura *f*; *Psychologie* vivencia *f*

erledig|en arreglar; despachar, ejecutar; **~t** arreglado; **2ung** *f* despacho *m*, ejecución

erleichter|n facilitar; aliviar; **2ung** *f* aligeramiento *m*; desahogo *m*

er|leiden sufrir; experimentar; **~lernen** aprender; **~lesen** exquisito; **~logen** mentiroso, engañoso

Erlös *m* producto, beneficio

erlöschen apagarse; *fig* expirar, extinguirse

erlös|en salvar; **2er** *m Rel* Redentor; **2ung** *f* liberación; *Rel* redención

ermächtig|en autorizar, apoderar; **2ung** *f* autorización

ermahn|en amonestar; **2ung** *f* amonestación, advertencia

ermäßig|en reducir; **~t** reducido; **2ung** f reducción, descuento m

ermessen juzgar

ermitt|eln averiguar, determinar; *jur* indagar; **2lung** f averiguación; **2lungen** pl indagaciones

er|möglichen posibilitar; **~morden** asesinar; **~müden** cansar; *vi* fatigarse

ermuntern, ermutigen animar, alentar

ermutig|end alentador; **2ung** f animación

ernähr|en alimentar; **2ung** f alimentación

ernenn|en nombrar; **2ung** f nombramiento m

erneuer|n renovar; reformar; **2ung** f renovación; reforma

erneut de nuevo

erniedrigen envilecer; degradar

ernst serio; grave; **2** m seriedad f; **im 2** en serio, de veras; **2fall** m: **im 2fall** en caso de urgencia; **~haft, ~lich** serio, grave

Ernte f cosecha; (*Zuckerrohr*) *Am* zafra; **2n** cosechar, recolectar

Erober|er m conquistador; **2n** conquistar; tomar; **~ung** f conquista; toma

eröffn|en abrir; **2ung** f apertura

erörtern discutir

erpress|en extorsionar (*et von j-m* u/c *a* alg); (*j-n*)

hacer chantaje (a alg); **2er** m chantajista; **2ung** f chantaje m; extorsión

erproben probar, ensayar

erraten acertar, adivinar

erreg|en excitar; *fig* despertar; **~t** excitado, agitado; turbulento; **2ung** f excitación; emoción

erreich|bar asequible; realizable; **~en** alcanzar; lograr, conseguir; ganar

er|richten levantar; establecer; **~röten** ponerse colorado

Errungenschaft f conquista

Ersatz m remplazo, sustitución f; (*Geld*) compensación f; equivalente; **~.. in** *Zssgn* de recambio, de repuesto; **~teil** n (pieza f de) recambio m, repuesto m

erschein|en aparecer; presentarse, comparecer; (*Buch usw*) publicarse; parecer; **2ung** f aparición; signo m, síntoma m; (*Geist*) visión

erschießen fusilar

er|schlaffen relajarse; **~schlagen** matar a golpes

erschließen desarrollar; urbanizar; **2ung** f desarrollo m; explotación; aprovechamiento m

erschöpf|en cansar; agotar; **~end** agotador; exhaustivo; **~t** agotado; **2ung** f agotamiento m; extenuación f

erschrecken *vt* (*vi*) asustar(se), espantar(se)

erschütter|n sacudir; *fig* conmover; **2ung** *f* sacudida; conmoción

erschweren dificultar, agravar

erschwinglich accesible; *(Preis)* razonable

er|setzen remplazar, sustituir; indemnizar, reparar, compensar; **~sichtlich** claro, evidente; **~sinnen** ingeniar

erspar|en evitar; **2nisse** *fpl* ahorros *mpl*, economías

erst primero; antes; **~ge-stern** sólo ayer; **~ recht** tanto más

erstarren entumecerse; helarse *(a fig)*; *Tech* ponerse rígido

erstatten presentar; rendir; *Auslagen:* devolver, rembolsar

Erstaufführung *f* estreno *m*

Erstaun|en *n* asombro *m*; **2lich** sorprendente; estupendo; **2t** asombrado

erste|, ~r, ~s primer(o), primera *(f)*; **am ~n Juni** el primero de junio; **~ Hilfe** primera cura, cura *f* de urgencia, primeros auxilios *mpl*; **fürs ~** de momento; **der ~ beste** el primero que se presente; **zum ~n Mal** por primera vez

erstechen acuchillar

erstens primeramente

ersticken ahogar, sofocar; *vi* sofocarse, *Med* asfixiarse

erst|klassig de primera cla-

se; **~mals** por primera vez

erstreben aspirar a, ambicionar; **~swert** deseable

erstrecken: s. ~ extenderse

ertappen coger *(nicht RPl!)*, sorprender

erteilen dar; conferir

ertönen (re)sonar

Ertrag *m* rendimiento; producto; **2en** soportar; **nicht zu 2en** insoportable, inaguantable

er|träglich soportable; aceptable; **~tränken** ahogar; **~trinken** ahogarse

erübrig|en: es ~t s. (zu) huelga (+ *inf*)

erwachen despertarse; **2 n** despertar *m*

erwachsen adulto, mayor (de edad); **2e(r)** *m* adulto

erwäg|en considerar; **2ung** *f* consideración

erwähn|en mencionar; **2ung** *f* mención

erwärm|en (s.) calentar(se)

erwart|en esperar; **2ung** *f* esperanza

erweisen rendir, hacer; **s. ~ als** mostrarse, resultar

erweitern ensanchar; *fig* ampliar, extender

Erwerb *m* adquisición *f*; **2en** adquirir; ganar

erwerbs|los sin empleo; **~unfähig** incapacitado para trabajar

erwider|n replicar; *Gruß usw:* devolver; **2ung** *f* réplica

er|wischen atrapar, coger *(nicht RPl!)*, pillar;

wünscht deseable; oportuno; **~würgen** estrangular

Erz n mineral m

erzähl|en contar; **2ung** f narración; cuento m

Erzbischof m arzobispo

erzeug|en producir; crear; **2nis** n producto m, fabricado m

erzieh|en educar; **2er** m educador; **2ung** f educación; **2ungswesen** n instrucción f pública

erzielen obtener, conseguir

erzürnen irritar, enojar

erzwingen forzar

es ello; esto; lo; **~ gibt** hay; **~ regnet** llueve; **~ wird erzählt** se dice; **ich weiß ~** lo sé; **ohne ~** sin ello

Esel m burro, asno; **~treiber** m arriero

Espresso m café exprés, espresso

Essay m ensayo

eßbar comestible

Eßbesteck n cubierto m

essen comer; **zu Mittag ~** almorzar, _Span a_ comer; **zu Abend ~** cenar, _Col, Ven_ comer; **2** n comida f

Essig m vinagre; **~gurke** f pepinillo m en vinagre; **~und Ölständer** m vinagreras fpl

Eß|löffel m cuchara f; **~waren** fpl comestibles mpl; **~zimmer** m comedor m

Etage f piso m, planta; **~bett** n _Span_ litera f, _RPl_ cama f superpuesta

Etappe f etapa

Etat m presupuesto

Etikett n rótulo m, etiqueta f

etliche algunos, unos

Etui n estuche m

etwa aproximadamente; unos; **~ig** eventual

etwas algo; un poco

euch (a) vosotros, -as

euer vuestro; **~e** vuestra; _pl_ vuestros, -as

Eule f lechuza

euretwegen por vosotros

Euro|cheque m, **~scheck** m eurocheque

Euter n ubre f

evangeli|sch protestante; **2um** n evangelio m

eventuell eventual

ewig eterno; perpetuo, continuo; **2keit** f eternidad

exakt exacto

Examen n examen m

Exemplar n ejemplar m

Exil n destierro m, exilio m

Exist|enz f existencia; **2ieren** existir

exotisch exótico

Expedition f expedición

Experiment n experimento m; **2ieren** experimentar

explodieren estallar, hacer explosión, explotar

Explosion f explosión

Export m exportación f; **2ieren** exportar

extra extra; separado, aparte; **2blatt** n extraordinario m

Extrakt m extracto

extrem extremo; **2ist** m extremista

Exzeß m exceso

F

Fabel f fábula; **2haft** estupendo, fabuloso

Fabrik f fábrica; **~ant** m fabricante; **~arbeiter** m obrero industrial; **~at** n producto m; **~ation(sfehler** m) f (defecto de) fabricación; **~halle** f nave

fabrizieren fabricar

Fach n casilla f; fig ramo m, especialidad f; asignatura f (Uni); **~arbeiter** m obrero especializado; **~arzt** m especialista; **~ausdruck** m término técnico

Fächer m abanico

Fach|hochschule f etwa colegio m técnico; **~kenntnisse** fpl conocimientos mpl especiales; **~mann** m experto, especialista

Fackel f antorcha; **~zug** m desfile de antorchas

fade insípido; soso

Faden m hilo

fähig capaz (zu de); apto (zu para); **2keit** f capacidad; habilidad; facultad

fahl (Licht) mortecino

fahnden buscar (nach j-m a alg)

Fahne f bandera

Fahr|bahn f calzada; **~dienstleiter** m jefe de servicio

Fähre f transbordador m

fahren vi ir; vt conducir; llevar, transportar; **wann fährt ...?** ¿a qué hora sale ...?

Fahr|er m conductor; chófer, Am chofer; **~gast** m pasajero; (Taxi) cliente; **~geld** n precio m del billete; **~gestell** n chasis m; (Flgw) tren m de aterrizaje; **~karte** f billete m, Am a boleto, tiquete; **~kartenschalter** m despacho de billetes, taquilla f

fahrlässig negligente; imprudente; **2keit** f negligencia

Fahr|lehrer m profesor de conducción; **~plan** m horario (de trenes, de autobuses); **2planmäßig** regular; **~preis** m precio del billete (Am a del boleto)

Fahr|rad n bicicleta f; **~schein** m billete, Am a boleto, tiquete

Fährschiff n barco m transbordador

Fahr|schule f autoescuela; **~spur** f (Straße) carril m

Fahrstuhl m ascensor; **~führer** m ascensorista

Fahrt f viaje m; **freie ~** vía libre

Fährte f pista, huella

Fahrtrichtung f dirección, sentido m de la marcha

Fahr|wasser n canal m; **~zeug** n vehículo m; **~zeughalter** m titular del vehículo; **~zeugschlange** f cola, caravana

Fakultät f facultad

Falke m halcón (a fig Pol)

Fall m caída f; caso; asunto; **für alle ~** por si acaso
Falle f trampa
fallen caer; bajar
fällen cortar, talar; *Urteil:* dictar
fällig pagadero; vencido
falls en caso de que, si
Fallschirm m paracaídas; **~springer** m paracaidista
falsch falso; incorrecto; *(Haar usw)* postizo
fälschen falsificar
Falsch|geld n moneda f falsa; **~meldung** f noticia falsa; **~parken** n estacionamiento m indebido
Fälschung f falsificación
Falt|boot n bote m plegable; **~e** f pliegue m; arruga f *(Haut)*; **2en** doblar, plegar; *Hände:* juntar; **~enrock** m falda f plisada; **~er** m mariposa f; **2ig** plisado; *(Haut)* arrugado
familiär familiar
Familie f familia; **~nangehörige(r)** m miembro de familia, familiar; **~nname** m apellido; **~nstand** m estado civil
Fan m F hincha m
Fang m presa f; *(Fisch)* captura f; **2en** coger *(nicht RPl!)*, RPl agarrar; *j-n:* apresar, capturar
Farb|band n cinta f; **~e** f color m; pintura; **2echt** de color inalterable
färben colorar, teñir
farben|blind daltoniano; **~prächtig** vistoso

Farb|fernsehen n televisión f en color; **~fernseher** m televisor en color; **~film** m película f en color; **2ig** de color; **2los** incoloro; **~stift** m lápiz de color; **~ton** m tinta f, matiz
Färbung f colorido m, tinte m
Farm f granja
Farn|(kraut) n) m helecho m
Fasan m faisán
Fasching m carnaval
faseln desatinar, F chochear
Faser f fibra; **2ig** fibroso
Faß n tonel m; barril m, *(kleines)* barrilito m
Fassade f fachada
fassen coger *(nicht RPl!)*, asir; *(Raum)* caber; *fig* comprender; *Plan:* concebir, tomar; **s. ~** serenarse; **s. kurz ~** ser breve
Fassung f *(Brille)* montura; *El* portalámparas m; *(Text)* versión; redacción; *fig* serenidad; **aus der ~ bringen** sacar de tino; **2slos** consternado
fast casi; por poco ... *(beim Verb)*
fast|en ayunar; **2en** n ayuno m; **2enzeit** f cuaresma; **2nacht** f carnaval m
faszinierend fascinador
faul podrido; *(j)* perezoso, holgazán; **~en** pudrirse; **~enzen** holgazanear; **2enzer** m holgazán; **2heit** f pereza
Fäulnis f putrefacción
Faust f puño m; **~hand-**

schuh *m* manopla *f*; **~schlag** *m* puñetazo

Favorit *m* favorito

Faxen *pl* F gestos *mpl*; bobadas *fpl*

Fayence *f* mayólica

Fazit *n* resultado *m*, conclusión *f*

Februar *m* febrero

Fecht|en *n*, **~sport** *m* esgrima *f*

Feder *f* pluma; *Tech* resorte *m*, muelle *m*; **~ball** *m* volante; (*Spiel*) badmintón; **~bett** *n* edredón *m*; **~gewicht** *n* peso *m* pluma; **~halter** *m* portaplumas; **2n** ser elástico; **~ung** *f* suspensión; **~zeichnung** *f* dibujo *m* a pluma

Fee *f* hada

fegen barrer

Fehl|betrag *m* déficit; **2en** faltar; (*j*) ser ausente; no estar presente; **was 2t Ihnen?** ¿qué le pasa a usted?; **~er** *m* falta *f*, error; *Tech* defecto; **2erfrei** sin falta; correcto; **2erhaft** defectuoso; **2gehen**, **2schlagen** fracasar, fallar; **~tritt** *m fig* desliz; **~zündung** *f Kfz* encendido *m* defectuoso

Feier *f* fiesta; festividad; celebración; **~abend machen** terminar la jornada; **2lich** solemne; **2n** celebrar; **~tag** *m* día de fiesta (*od* festivo)

Feige *f* higo *m*

feig|e cobarde; **2heit** *f* cobardía; **2ling** *m* cobarde

Feile *f* lima; **2n** limar

feilschen regatear

fein fino; delgado; delicado

Feind *m* enemigo; **2lich** hostil; enemigo; **~schaft** *f* hostilidad; **2selig** hostil

fein|fühlig sensible; **2heit** *f* fineza; sutileza; **2kostgeschäft** *n* tienda *f* de comestibles finos; **2mechaniker** *m* mecánico de precisión; **2schmecker** *m* gastrónomo

Feld *n* campo *m*; (*Spiel*) casilla *f*, cuadro *m*; *Sp* pelotón *m*; **das ~ räumen** dejar el campo libre; **~bett** *n* catre *m*; **~flasche** *f* cantimplora; **~stecher** *m* prismáticos *mpl*; **~webel** *m* brigada; **~weg** *m* camino vecinal

Fell *n* piel *f*

Fels|en *m* roca *f*; **~enküste** *f* acantilado *m*; **2ig** rocoso

Fenchel *m* hinojo

Fenster *n* ventana *f*; *Kfz* ventanilla *f*; **~brett** *n* antepecho *m*; **~laden** *m* contraventana *f*; **~platz** *m* asiento de ventanilla; **~rahmen** *m* bastidor; **~scheibe** *f* cristal *m*, vidrio *m*

Ferien *pl* vacaciones *fpl*; **~dorf** *n* colonia *f* de vacaciones; **~haus** *n* chalet *m*; **~kurs** *m* cursillo de verano; **~wohnung** *f* vivienda turística

Ferkel *n* cochinillo *m*, lechón *m*

fern lejano; *adv* lejos; **von ~**

Fernamt												312

desde lejos; ⁓amt n central
f interurbana; ⁓e f distancia; in der ⁓e a lo lejos; ⁓er
adv además

Fern|fahrer m conductor;
⁓gelenkt teledirigido; ⁓ge-
spräch n conferencia f interurbana, Am llamada f de
larga distancia; ⁓glas n gemelos mpl, anteojos mpl; ⁓
heizung f calefacción a distancia; ⁓licht n Kfz luz f de
carretera; ⁓mündlich telefónico; adv por teléfono;
⁓rohr n anteojo m; ⁓
schreiben n télex m; ⁓
schreiber m teletipo

Fernseh|apparat m televi-
sor; ⁓aufzeichnung f gra-
bación de video; ⁓en n televisión f; ⁓en ver televisión;
⁓er m televisor; ⁓film m
telefilm; ⁓schirm m pantalla f de televisión; ⁓sender
m emisora f de televisión;
⁓sendung f emisión de te-
levisión, Span a espacio m

Fernsicht f vista, panorama
m

Fernsprech|amt n central f
telefónica; ⁓buch n guía f
de teléfonos; ⁓er m teléfono; ⁓teilnehmer m abona-
do (al teléfono)

Fern|steuerung f telEman-
do m, control m remoto;
⁓studium n estudio m por
correspondencia

Ferse f talón m

fertig acabado, hecho; listo,
preparado; ⁓gericht n plato
m precocinado; ⁓haus n

casa f prefabricada; ⁓ma-
chen acabar; s. ⁓machen
prepararse (zu, für para);
⁓produkt n producto m
acabado (od elaborado)

Fessel f traba; ⁓n trabar,
atar; ⁓nd fascinante, cautivador

Fest n fiesta f

fest firme; fijo; sólido; ⁓bin-
den atar

Festessen n banquete m

festhalten retener; an et ⁓
seguir en; s. ⁓ agarrarse

Fest|iger m fijador; ⁓igkeit f
estabilidad; resistencia; fig
firmeza; ⁓land n tierra f
firme

festlich solemne; ⁓keit f
fiesta f; acto m

fest|machen fijar; Mar
amarrar; ⁓nahme f deten-
ción; ⁓nehmen detener

Festsaal m salón de fiestas

festsetzen fijar; (vertraglich)
estipular

Festspiele npl festival m

fest|stehen constar, ser se-
guro; ⁓stellen comprobar,
averiguar

Fest|ung f fortaleza; ⁓zug m
desfile

fett graso; (j) gordo; ⁓ werden engordar, F echar carnes; 2 n grasa f; 2fleck m
mancha f de grasa; ⁓ig gra-
siento, pringoso

Fettnäpfchen n: F ins ⁓tre-
ten meter la pata

Fetzen m trapo; (Stück) triza
f

feucht húmedo; ⁓igkeit f

humedad

Feuer n fuego m; (Brand) incendio m; fig ardor m; **~bestattung** f incineración; **2fest** refractario; **2gefährlich** inflamable; **~leiter** f escalera de incendios; **~löscher** m extintor, matafuego; **~melder** m avisador de incendios; **2n** (schießen) disparar; fig F echar

Feuer|spritze f bomba de incendios; **~stein** m piedra f para mechero; **~wehr** f bomberos mpl; **~werk** n fuegos mpl artificiales, castillo m de fuego; **~zeug** n mechero m, encendedor

feurig ardiente

Fibel f abecedario m

Fichte f abeto m rojo

Fieber n fiebre f; **2frei** sin fiebre; **2haft** febril; **~mittel** n antipirético m, febrífugo m; **~thermometer** n termómetro m (clínico)

fies P despreciable

Figur f figura; fig tipo m; (Spiel) pieza

Filet n filete m, solomillo m; **~steak** n bistec m de solomillo

Filiale f sucursal

Film m película f; **~aufnahmen** fpl rodaje m; **2en** rodar, filmar; **~festspiele** npl festival m cinematográfico; **~kamera** f tomavistas m, Am filmadora; **~kassette** f chasis m; **~schauspieler(in** f) m actor (actriz) de cine; **~star** m estrella f de cine

~vorführung f función

Filter m filtro; **~papier** n papel m filtro; **~zigarette** f cigarrillo m emboquillado

filtrieren filtrar

Filz m fieltro; **~stift** m rotulador, marcador

Finale n final m (Sp f)

Finanz|amt n delegación f de Hacienda; **~en** pl finanzas fpl; **2iell** financiero; **2ieren** financiar

finden encontrar; hallar; fig estimar, considerar; **wie ~ Sie ...?** ¿qué le parece a usted ...?

Finger m dedo; **~abdruck** m huella f dactilar; **~hut** m dedal; **~nagel** m uña f; **~spitze** f punta del dedo

Fink m pinzón

finster oscuro; sombrío; **2nis** f oscuridad

Firma f casa, empresa

Firnis m barniz

Fisch m pez (im Wasser); pescado; **2en** pescar; **~er** m pescador; **~erboot** n barco m pesquero; **~erei** f, **~fang** m pesca f; **~filet** n filete m de pescado; **~geschäft** n pescadería f; **~markt** m mercado de pescado; **~messer** n cuchillo m para pescado; **~otter** m nutria f; **~teich** m vivero; **~vergiftung** f Med ictismo m

fit en forma

fix rápido, vivo; **~ und fertig** listo y pronto; fig F rendido, hecho polvo; **~en** P drogarse; **~ieren** fijar

FKK _f_ (des)nudismo _m_, naturismo _m_; **~-Gelände** _n_ zona _f_ de nudistas; **~-Strand** _m_ playa _f_ de nudistas

flach plano; _Geogr_ llano

Fläche _f_ superficie; plano _m_; **~ninhalt** _m_ área _f_

Flachland _n_ llanura _f_

Flachs _m_ lino

Flachzange _f_ alicates _mpl_

flackern oscilar; (_Feuer_) flamear

Flagge _f_ bandera

flambiert flambeado

Flamencosänger _m_ canta(d)or

Flamme _f_ llama

Flanell _m_ franela _f_

Flanke _f_ flanco _m_

Fläschchen _n_ frasco _m_

Flasche _f_ botella; (_Parfüm usw_) frasco _m_

Flaschen|bier _n_ cerveza _f_ embotellada; **~öffner** _m_ abridor, abrebotellas; **~wein** _m_ vino embotellado

flattern aletear; (_im Wind_) flotar

flau flojo

Flaum _m_ pelusilla _f_

Flaute _f_ _Mar_ calma chicha; _Hdl_ desanimación

Flechte _f_ _Bot_ liquen _m_; _Med_ herpe _m_; **2n** trenzar

Fleck _m_ mancha _f_; punto, sitio; **~enentferner** _m_ quitamanchas _m_; **~fieber** _n_ tifus _m_ exantemático; **2ig** manchado

Fledermaus _f_ murciélago _m_

Flegel _m_ paleto, mal edu-

cado

flehen suplicar

Fleisch _n_ carne _f_; (_Frucht2_) pulpa _f_; **~brühe** _f_ consomé _m_, caldo _m_

Fleischer _m_ carnicero; **~ei** _f_, **~laden** _m_ carnicería _f_

Fleisch|kloß _m_ albóndiga _f_; **~wolf** _m_ máquina _f_ de picar carne

Fleiß _m_ diligencia _f_, aplicación _f_; **2ig** aplicado, estudioso; trabajador

flick|en remendar; _Reifen_: poner un parche (a); **2en** _m_ remiendo; **2zeug** _n_ caja _f_ de parches

Flieder _m_ lila _f_

Fliege _f_ mosca

fliegen volar; ir en avión

Fliegen|fänger _m_ papel matamoscas; **~gewicht** _n_ _Sp_ peso _m_ mosca; **~gitter** _n_ tela _f_ metálica; **~pilz** _m_ oronja _f_ falsa, amanita _f_ matamoscas

Flieger _m_ aviador, piloto; **~horst** _m_ _Mil_ base _f_ aérea

fliehen huir

Fliese _f_ baldosa; (_Wand2_) azulejo _m_

Fließ|band _n_ cinta _f_ sin fin; **2en** correr, fluir; circular; **2end** corriente

flimmern titilar, vibrar

flink ágil, vivo

Flinte _f_ escopeta

Flirt _m_ flirteo; **2en** flirtear

Flitter _m_, **~gold** _n_ oropel _m_; **~wochen** _fpl_ luna _f_ de miel

Flocke _f_ copo _m_

Floh _m_ pulga _f_

Flor _m_ crespón

Flora f flora
florieren florecer, prosperar
Floß n balsa f, almadía f, *Am a* changada f
Flosse f aleta
Flöte f flauta
flott alegre; ágil; guapo, elegante
Flotte f flota; armada
Fluch m maldición f; **2en** jurar, maldecir
Flucht f fuga; huida; **in die ~ schlagen** poner en fuga
flücht|en huir, escaparse; **~ig** fugitivo; (*Blick*) rápido; (*Arbeit*) poco esmerado; **2-ling** m *Pol* refugiado
Flug m vuelo; **~blatt** n octavilla f; **~dauer** f duración del vuelo
Flügel m ala f; (*Tür2, Fenster2*) batiente; *Mus* piano de cola
Flug|gast m pasajero; **~hafen** m aeropuerto; **~hafengebühr** f tasa de aeropuerto; **~karte** f pasaje m de avión; **~linie** f línea aérea; **~lotse** m controlador aéreo; **~plan** m horario del servicio aéreo; **~platz** m aeródromo; **~reise** f viaje m en avión; **~sicherung** f control m aéreo; **~steig** m puerta f (de embarque); **~ticket** n billete m; **~verbindung** f comunicación aérea; **~verkehr** m tráfico aéreo
Flugzeug n avión m; **~führer** m piloto; **~träger** m portaviones
Flunder f platija

Flur m pasillo; zaguán
Fluß m río; fig flujo; **2ab-** (**2auf-**)**wärts** río abajo (arriba); **~bett** n lecho m, cauce m
flüssig líquido, fluido; (*Stil*) suelto; **2keit** f líquido m
flüstern cuchichear
Flut f marea alta; fig torrente m; **~licht** n luz f difusa
Fohlen n potro
Folge f consecuencia; serie; continuación; **zur ~ haben** tener por consecuencia; **~ leisten** obedecer a; corresponder a
folgen *j-m:* seguir; (*gehorchen*) obedecer a; **daraus folgt** de ello se deduce; **~d** siguiente; **~dermaßen** como sigue
folger|n deducir; **2ung** f deducción; conclusión
folg|lich por consiguiente; **~sam** obediente
Folie f lámina
Folklore f folklore m, *Am* folclor m
Folter f tortura; fig **auf die ~ spannen** tener suspenso; **2n** torturar, atormentar
Fön m secador de mano
Fonds m fondo
fönen secar con secador
Fontäne f fuente, surtidor m
fordern exigir
fördern *j-n:* favorecer; *et:* fomentar, promover; *Erz usw:* extraer
Forderung f exigencia, reclamación
Förderung f fig promoción,

fomento m

Forelle f trucha

Form f forma; (*Kleid*) hechura; (*Guß2*) molde m

formal formal; **2itäten** fpl formalidades, trámites mpl

Format n tamaño m

Formel f fórmula

formen formar

förmlich formal; ceremonioso

formlos sin ceremonias

Formular n formulario m, impreso m

forsch|en indagar, investigar; **~end** escrutador; **2er** m investigador; (*Land*) explorador; **2ung** f investigación

Forschungs|institut n instituto m de investigaciones, **~reise** f expedición

Forst m bosque, monte

Förster m inspector de montes; guarda forestal

fort ido, marchado; **... ist ~** ha desaparecido; **in einem ~** sin cesar; **und so ~** etcétera; **~bestehen** continuar existiendo, subsistir

fortbewegen: s. ~ moverse

Fortbildung|skurs m) f (cursillo de) perfeccionamiento m

fort|fahren salir; fig continuar; **~gehen** marcharse, salir; **~geschritten** adelantado; avanzado; **~schaffen** quitar, llevarse

Fortschritt m progreso; 2**lich** progresista

fortsetzen| continuar; 2**ung** f continuación; 2**ung folgt**

continuará

fort|während continuo; **~werfen** tirar

Foto n foto f; **~apparat** m máquina f fotográfica; **~geschäft** n tienda f fotográfica; **~graf** m fotógrafo; **~grafie** f fotografía; 2**grafieren** fotografiar; **~kopie** f fotocopia; 2**kopieren** fotocopiar; **~zelle** f célula fotoeléctrica

Foyer n vestíbulo m

Fracht f carga; *Mar* cargamento m; (*Geld*) porte m, flete m; **~brief** m carta f de porte; **~schiff** n buque m de carga

Frack m frac

Frage f pregunta; fig cuestión; **das kommt nicht in ~** F de eso nada; **in ~ stellen** poner en duda; **ohne ~** sin duda; **~bogen** m cuestionario; 2**n** preguntar (**j-n nach** a alg por; **nach j-m** por alg); **~zeichen** n signo m de interrogación

fraglich (**sein**) (ser) dudoso; en cuestión

Franc m franco (**französischer, belgischer** francés, belga)

Franken m: **Schweizer ~** franco suizo

frankieren franquear

Franse f franja

fräsen fresar

Fratze f mueca

Frau f mujer; señora; (*Ehe2*) esposa; 2**enarzt** m ginecólogo; **~enrechtlerin** f feminista

Fräulein n señorita f

frech fresco, descarado; 2**heit** f insolencia, F frescura

frei libre; gratuito; (Stelle) vacante; ~**haben** tener (su día) libre; ~**e Hand lassen** dar carta blanca

Frei|bad n piscina f al aire libre; 2**beruflich** de profesión liberal; ~**denker** m librepensador; ~**e** n: **im ~en** al aire libre; 2**exemplar** n ejemplar m gratuito; 2**geben** poner en libertad; fig desbloquear; autorizar; 2**gebig** generoso; **Gepäck** n equipaje m libre (od incluido od franco); ~**hafen** m puerto franco; 2**halten** Platz: reservar

Freiheit f libertad; ~**strafe** f pena privativa de libertad

Frei|karte f entrada gratuita; ~**körperkultur** f (des-)nudismo m; 2**lassen** soltar, emancipar; ~**lassung** f liberación, emancipación; 2**lich** claro está; por cierto que ...; ~**lichtbühne** f teatro m al aire libre; ~**lichtkino** n cine m al aire libre

freimachen Platz: desocupar; Weg: despejar; **s. ~** Med aligerarse

Frei|maurer m masón; 2**mütig** franco; 2**sprechen** absolver; ~**spruch** m absolución f; 2**stehen**: **es Ihnen frei ...** (usted) es muy dueño de ...; Sp saque libre

Freitag m viernes

Frei|treppe f escalinata; 2**willig**, ~**willige(r)** m voluntario; ~**zeit** f ratos mpl, horas fpl de ocio

fremd extraño; desconocido; extranjero, ajeno; (von auswärts) forastero; ~**artig** extraño, exótico; 2**e** f extranjero m; 2**e(r)** m (Orts-) forastero; extranjero

Fremden|führer m guía; ~**verkehr** m turismo; ~**verkehrsamt** n oficina f de turismo; 2**zimmer** n habitación f

Fremd|sprache f idioma m extranjero; 2**sprachig** de idiomas; en otro idioma; ~**wort** n extranjerismo m

Frequenz f frecuencia

Fresko n fresco m

fressen (Tiere) comer

Freude f alegría; placer m; **mit ~en** con mucho gusto; 2**ig** alegre, gozoso

freuen: s. ~ über alegrarse de; **s. ~ auf** esperar gozoso (ac); **es freut mich** me alegro

Freund m amigo; fig aficionado (**von** a); ~**in** f amiga; 2**lich** amable; complaciente, agradable; ~**lichkeit** f amabilidad; ~**schaft** f amistad; 2**schaftlich** amistoso

Frieden m paz f; **lassen Sie mich in ~** déjeme en paz; ~**svertrag** m tratado de paz

Friedhof m cementerio

friedlich pacífico; fig apacible, tranquilo

frieren tener frío; **es friert está helando, hiela**

Fries m Arch friso

Frikassee n fricasé m

frisch fresco; nuevo; limpio; fig vivo; **~ gestrichen** recién pintado; **auf ~er Tat en flagrante**

Frische f frescura; **~haltepackung** f envase m de conservación

Friseur m peluquero; **~se** f peluquera

frisieren peinar; **2salon** m peluquería f; **2tisch** m tocador; **2umhang** m peinador

Frist f plazo m; **2los** sin (pre)aviso

Frisur f peinado m

froh contento, alegre

fröhlich alegre; feliz

fromm piadoso, religioso

Fronleichnam m (día del) Corpus

Front f Arch fachada; Mil, Pol frente m; **2al** frontal; **~antrieb** m tracción f delantera

Frosch m rana f; **~mann** m hombre rana

Frost m helada f

frösteln tiritar

frostig fig frío

Frostschutzmittel n anticongelante m

Frotteetuch n toalla-esponja f; **2ieren** frotar

Frucht f fruto m; **2bar** fértil; fecundo; **~eis** n sorbete m; **~fleisch** n pulpa f; **2los** infructuoso; **~saft** m zumo de frutas

früh: (zu) ~ temprano; **heute ~** esta mañana; **2e** f: **in aller 2e** de madrugada; **~er** antiguo; anterior; adv antes; **2jahr** n, **2ling** m primavera f; **2messe** f primera misa; **~morgens** muy de mañana, de madrugada; **~reif** porcal

Frühstück n desayuno m; **2en** desayunar

frühzeitig temprano; a tiempo

Fuchs m zorro; (Pferd) alazán; **~schwanz** m (Säge) serrucho

Fuge f Mus fuga; Tech juntura, ranura

fügen: s. ~ someterse, allanarse

fühlbar palpable; perceptible; **~en** palpar; sentir; **s. ~en** sentirse

Fuhre f carretada

führen conducir, guiar; Ware: llevar; vi conducir; **s. ~** portarse

Führer m guía m (Person); guía f (Buch); Kfz conductor; Pol caudillo; **~schein** m carnet de conducir, Am a pase, licencia f; **internationaler ~schein** carnet internacional

Führung f dirección; gestión; visita guiada; fig conducta; **~skraft** f ejecutivo m, directivo m; **~szeugnis** n certificado m de buena conducta

Fuhrunternehmen n empresa f de transportes

Futter

Fülle f: **in Hülle und ~ en gran abundancia**
füllen llenar (**mit** de, con); *Gastr* rellenar; **in Flaschen ~** embotellar
Füll(federhalt)er m estilográfica f, *Am* a estilógrafo
Füllung f relleno m; (*Zahn*) empaste m, *Col* calza
fummeln F manosear
Fund n hallazgo
Fundament n fundamento m
Fund|büro n oficina f de objetos perdidos; **~sache** f objeto m hallado
fünf cinco; **~hundert** quinientos; **~zehn** quince; **~zig** cincuenta
Funkbild n telefoto f
Funke(n) m chispa f
funkel|n brillar, centellear; **~nagelneu** flamante
funk|en radiografiar; **2er** m radiotelegrafista; **2gerät** n aparato m de radiotelegrafía; **2sprechgerät** n radioteléfono m; **2spruch** m radiograma; **2streifenwagen** m coche radiopatrulla; **2wagen** m unidad f móvil
für para; por; en lugar de; **~ dich** para ti; **~ zwei Mark (Tage)** por dos marcos (días)
Furche f surco m
Furcht f miedo m, temor m; **2bar** temible, terrible
fürchte|n: s. ~ (**vor**) tener miedo (a); temer (ac); **ich ~, daß ...** (me) temo que ...
fürchterlich horrible, tre-

mendo
furcht|los sin miedo, impávido; **~sam** miedoso, temeroso
Furnier n chapa f (*od* hoja f) de madera
Fürsorge f asistencia; **~r(in** f) m asistente su social
Fürsprache f intervención
Fürst m príncipe; **~entum** n principado m; **2lich** fig regio
Furt f vado m
Furunkel m *Med* forúnculo
Furz m V pedo; **2en** V peer, *Am* pedear(se)
Fusel m F aguardiente malo
Fuß m pie; fig base f; **zu ~** a pie
Fußball m balón; (*Spiel*) fútbol m; **~ spielen** jugar al fútbol; **~platz** m campo de fútbol; **~spieler** m futbolista; **~toto** n quinielas fpl (de fútbol), *Am* a polla f
Fuß|boden m suelo; **~bremse** f freno m de pie
Fussel f pelus(ill)a
Fußgänger m peatón; **~überweg** m paso de peatones
Fuß|matte f estera; **~note** f nota (al pie); **~pflege** f pedicura; **~sohle** f planta del pie; **~spitze** f: **auf ~spitzen** de puntillas; **~spur** f pisada; **~tritt** m puntapié, patada f; **~weg** m camino para peatones
Futter n alimento m; (*Trokken2*) pienso m; (*Grün2*) forraje m; (*Kleider2*) fo-

rro *m*

Futteral *n* funda *f*; estuche *m*

füttern dar de comer; *Vieh:*

echar de comer (a); *Kleidung:* forrar

Fütterung *f* alimentación

G

Gabe *f* talento *m*; presente *m*, donativo *m*

Gabel *f* tenedor *m*; (*Fahrrad*) horquilla

gabeln: s. ∼ bifurcarse

gackern cacarear

gaffe|n F papar moscas; ∼r *m* F mirón

Gage *f* honorarios *mpl*

gähnen bostezar

galant galante

Galerie *f* galería

Galgen *m* horca *f*, patíbulo; ∼frist *f* respiro *m* de gracia; ∼humor *m* humor patibulario

Galle *f* bilis; hiel

Gallen|blase *f* vesícula biliar; ∼kolik *f* cólico *m* biliar; ∼stein *m* cálculo biliar

Galopp *m* galope; ∼ieren galopar

Gammler *m* melenudo, gasota

Gang *m* marcha *f*; modo de andar; *Kfz* velocidad *f*; (*Haus, Esb*) pasillo; (*Speise*) plato

gängig corriente; *Hdl* de fácil venta

Gangschaltung *f* cambio *m* de velocidades

Gangster *m* gángster

Gangway *f* escalerilla

Ganove *m* tunante

Gans *f* ganso *m*, oca

Gänse|braten *m* ganso asado; ∼haut *f*: **ich bekomme e-e** ∼haut se me pone carne de gallina; ∼klein *n* menudillos *mpl* de ganso; ∼leberpastete *f* paté *m* de fuagrás; ∼marsch *m*: **im** ∼marsch en fila india

ganz todo; entero; completo; **nicht** ∼ no del todo; **und gar nicht** de ningún modo; ∼ **gut** bastante bien

gar a punto; *adv* ∼ **nicht** no ... del todo (*od* en absoluto); **es ist** ∼ **nicht leicht** no es nada fácil; ∼ **nichts** absolutamente nada

Garage *f* garaje *m*

Garantie *f* garantía; ∼ren garantizar; ∼schein *m* certificado de garantía

Garbe *f* gavilla

Garderobe *f* (*Thea* guardarropa *m*; (*Künstler*2) camarín *m*; ∼nmarke *f* ficha de guardarropa; contraseña

Gardine *f* cortina

gären fermentar

Garn *n* hilo *m*

Garnele *f* gamba, *Am* camarón *m*

garnieren guarnecer

Garnison *f* guarnición

Garnitur *f* (*Satz Gläser usw*) juego (*m*)

Garten *m* jardín; ∼bau *m*

horticultura f; **grill** m barbacoa f; **laube** f cenador m; pabellón m; **stadt** f ciudad jardín

Gärtner m jardinero; **ei** f horticultura, jardinería

Gärung f fermentación

Gas n gas m; **geben** (**wegnehmen**) acelerar (cortar el gas); **anschluß** m toma f de gas; **anzünder** m encendedor de gas; **feuerzeug** n mechero m de gas; **flasche** f bombona de gas; **hahn** m llave f de gas; **heizung** f calefacción de gas; **maske** f careta antigás; **pedal** n acelerador m

Gasse f calleja, callejón m; **njunge** m golfo

Gast m huésped; invitado; **arbeiter** m trabajador extranjero

Gästebuch n álbum m de visitantes

Gast|**freundschaft** f hospitalidad; **geber**(**in** f) m anfitrión (señora de la casa); **haus** n fonda f, posada; **hörer** m oyente; **lich** hospitalario, acogedor; **ronomie** f gastronomía; **stätte** f restaurante m; **wirt** m fondista, posadero; dueño

Gas|**vergiftung** f intoxicación por gas; **werk** n fábrica f de gas; **zähler** m contador de gas; **zug** m Kfz cable del acelerador

Gatte m marido, esposo; **in** f esposa, señora

Gattung f género m; fig clase, tipo m

Gaul m rocín

Gaumen m paladar

Gauner m pícaro, pillo; **ei** f bribonada, estafa

Gaze f gasa

Gazelle f gacela

Gebäck n pasteles mpl

gebacken frito; (im Backrohr) cocido al horno, Am horneado

Gebärde f ademán m; **n** (a Tier) parir; Kind: dar a luz; **mutter** f matriz, útero m

Gebäude n edificio m

geben dar; presentar; **es gibt** hay; **was gibt es?** ¿qué pasa?

Gebet n oración f

Gebiet n región f, territorio m; fig campo m, terreno m

gebieterisch imperioso, imperativo

gebildet instruido

Gebirg|**e** n montaña f; sierra f; **ig** montañoso; **skette** f cordillera; **spaß** n puerto, paso

Gebiß n dentadura f (**künstliches** postiza)

Gebläse n soplete m, ventilador m

geblümt floreado

geboren nacido; **in** natural de; **er Deutscher** alemán de nacimiento

geborgen a salvo

Gebot n a Rel mandamiento m

gebraten asado; (in der

Pfanne) frito

Gebrauch *m* uso, empleo; ~ **machen** hacer uso de; 2**en** usar; servirse de

gebräuchlich usual; de uso; habitual, corriente

Gebrauchs|anweisung *f* modo *m* de empleo; 2**fertig** listo para el uso

Gebraucht... *in Zssgn* usado; de segunda mano, de ocasión; ~**wagen** *m* coche usado (*od* de ocasión)

Gebrechen *n* defecto *m*; 2~**lich** caduco; decrépito

Gebrüder *pl Hdl* hermanos *mpl*

Gebrüll *n* rugido *m*; (*Rind*) mugido *m*

Gebühr *f* tasa, tarifa; derecho *m*; 2**end** debido; *adv* debidamente, como es debido

gebühren|frei exento de derechos; ~**pflichtig** sujeto a derechos; (*Autobahn*) de peaje

Geburt *f* nacimiento *m*

Geburten|kontrolle *f* control *m* de nacimientos; ~**rückgang** *m* descenso de la natalidad

gebürtig ... de nacimiento

Geburts|datum *n* fecha *f* de nacimiento; ~**helfer** *m* tocólogo; ~**jahr** *n* (~**ort** *m*) año *m* (lugar) de nacimiento; ~**tag** *m* cumpleaños; ~**urkunde** *f* partida *f* de nacimiento

Gebüsch *n* arbustos *mpl*, matorral *m*

Gedächtnis *n* memoria *f*

gedämpft atenuado; apagado; (*Speise*) estofado

Gedanke *m* pensamiento; idea *f*; **s.** ~ **machen** (**über**) pensar (*ac*); preocuparse (por); **in** ~**n sein** estar ensimismado; 2**ngang** *m* razonamiento; 2**nlos** distraído, irreflexivo; 2**nstrich** *m* raya *f*; ~**nübertragung** *f* telepatía

Gedeck *n* cubierto *m*

gedeihen criarse bien; prosperar

gedenken (*gen*) acordarse de; ~ **zu** proponerse, pensar + *inf*

Gedenk|feier *f* (~**tafel** *f*) fiesta (placa) conmemorativa; ~**tag** *m* aniversario

Gedicht *n* poesía *f*

gediegen sólido; *fig* serio

Gedränge *n* apretura *f*, gentío *m*

Geduld *f* paciencia; 2**en: s.** 2**en** esperar, aguantar; 2**ig** paciente

gedünstet estofado

geeignet apropiado, adecuado; apto; (*Zeit*) oportuno

Gefahr *f* peligro *m*; riesgo *m*; ~ **laufen zu** correr el riesgo de; **auf eigene** ~ a propio riesgo; **bei** ~ en caso de peligro

gefähr|den exponer, comprometer; arriesgar; ~**lich** peligroso; *Med* grave

gefahrlos sin peligro

Gefährt|e *m* compañero; ~**in** *f* compañera

Gefälle n declive m, desnivel m

gefallen adj caído; vi gustar, complacer; **s. et ~ lassen** tolerar u/c

Gefallen 1. m favor m; **2.** n placer m, gusto m

gefällig complaciente; **2keit** f complacencia; favor m

gefangen, 2e(r) m prisionero; **2enlager** n Mil campo m de prisioneros; **~nehmen** Mil hacer prisionero; **2schaft** f cautividad

Gefängnis n cárcel f, prisión f; **~wärter** m carcelero

Gefäß n recipiente m, vasija f

gefaßt fig sereno; **auf alles ~** preparado para todo

Gefecht n combate m

Gefieder n plumaje m

Geflecht n mimbre m; (Draht) enrejado m

Geflügel n aves fpl; **~ge- schäft** n pollería f; **~zucht** f avicultura

Geflüster n cuchicheo m

Gefolge n séquito m

gefragt (muy) solicitado

gefräßig voraz, comilón

Gefreite(r) m cabo m

gefrier|en helar(se); **~fach** n congelador m; **2fleisch** n carne f congelada; **2punkt** m punto álgido; **~trocknen** liofilizar; **2truhe** f congelador m

Gefrorene(s) n helado m, Méj nieve f

gefügig dúctil, acomodaticio

Gefühl n sentimiento m, impresión f; sensación f; **2los**

insensible; duro; **2voll** sensible, sentimental; delicado

gefüllt Gastr relleno

gegebenenfalls en su caso

gegen contra; para (con); (Zeit, Ort) hacia; (Tausch) en cambio de, por; **~ Quittung** contra recibo; **2an- griff** m contraataque

Gegend f región f

Gegen|dienst m servicio recíproco; **2einander** uno(s) contra otro(s); **~gewicht** n contrapeso m; **2gift** n contraveneno m, antídoto m; **~licht** n contraluz f; **~par- tei** f parte contraria; **2satz** m contraste; **im ~satz zu** contrariamente a; **~seite** f lado m opuesto

gegenseitig mutuo, recíproco; **2keit** f reciprocidad

Gegen|stand m objeto m (a fig); fig tema; **~teil** n lo contrario; **ganz im ~teil** al contrario

gegenüber enfrente de; enfrente; (Person) (para) con; **2stellung** f confrontación; jur careo m

Gegen|verkehr m circulación f en sentido opuesto; **~wart** f actualidad; (v Personen) presencia; Gr presente m; **2wärtig** adj actual, del momento; **~wehr** f resistencia; **~wert** m contravalor; equivalente; **~wind** m viento contrario

Gegner m adversario; rival

gegrillt asado a la parrilla

Gehackte(s) n carne f picada

Gehalt

(*Am a* molida)

Gehalt 1. *m* contenido; sustancia *f*; **2.** *n* sueldo *m*; **2los** sin valor, insignificante; **~empfänger** *m* asalariado; **~serhöhung** *f* aumento *m* de sueldo; **2voll** rico, sustancioso

gehässig odioso; **2keit** *f* odiosidad; feo *m*

Gehäuse *n* caja *f*, estuche *m*; *Kfz* cárter *m*

Gehege *n* vedado *m*

geheim secreto; **2nis** *n* secreto *m*; misterio *m*; **~nisvoll** misterioso; **2polizei** *f* policía secreta; **2ratsecken** *fpl* F entradas; **2sender** *m* emisora *f* clandestina

gehen ir, andar (*a Uhr*), marchar; salir (*Zug*); *Tech* funcionar; *Hdl* darse, venderse; **wie geht's** ¿qué tal?; **wie geht es Ihnen?** ¿cómo está usted?; **es geht mir gut** estoy bien; **das geht nicht** no puede ser; *fig* **~ um** tratarse de; **s. ~lassen** dejarse

Geheul *n* aullido *m*

Gehilfe *m* ayudante, asistente

Gehirn *n* cerebro *m*; *Anat* encéfalo *m*; **~erschütterung** *f* conmoción cerebral; **~schlag** *m* apoplejía *f*

Gehöft *n* granja *f*, casa *f* de labor, finca *f*, *RPl, Chi* chacra *f*

Gehölz *n* bosque *m*

Gehör *n* oído *m*

gehorchen obedecer

gehören pertenecer a, ser de; **~zu** formar parte de; **das gehört s. nicht** eso no se hace

gehorsam obediente

Geh|**steig** *m*, **~weg** *m* acera *f*, *Süda* vereda *f*, *Col* andén

Geier *m* buitre

Geige *f* violín *m*; **~r** *m* violinista; **2rzähler** *m* contador Geiger

Geisel *f* rehén *m*; **~nahme** *f* toma de rehenes

Geißel *f* *fig* azote *m*

Geist *m* espíritu *m*; mente *f*; ánimo; (*Spuk*) espectro; **~erbahn** *f* tren *m* fantasma

geistes|**abwesend** distraído, ausente; **2blitz** *m* rasgo de ingenio; **2gegenwart** *f* presencia *f* de ánimo; **~krank** alienado; **2zustand** *m* estado mental

geistig mental, intelectual

geistlich clerical; **2e(r)** *m* clérigo

geistreich ingenioso

Geiz *m* avaricia *f*; **~hals** *m* avaro, tacaño; **2ig** avaro

gekachelt embaldosado

Ge|**klapper** *n* tableteo *m*; **~knatter** *n* traqueteo *m*

gekocht cocido; hervido

Gekritzel *n* garrapato *m*

gekünstelt afectado

Ge|**lächter** *n* risa *f*, carcajada *f*; **~lage** *n* francachela *f*

gelähmt *Med* paralítico

Gelände *n* terreno *m*; **~fahrzeug** *n* vehículo *m* todo terreno

Geländer *n* pasamano *m*.

baranda f
gelangen llegar (**zu** a); alcanzar (*ac*)
gelassen sereno, sosegado; **2heit** f serenidad
Gelatine f gelatina
geläufig corriente, usual, familiar
gelaunt: gut (**schlecht**) **~** de buen (mal) humor
Geläut n toque m de las campanas
gelb amarillo; **2fieber** n fiebre f amarilla; **2filter** m Fot filtro amarillo; **2sucht** f ictericia
Geld n dinero m; moneda f; **~anweisung** f giro m postal; **~beutel** m monedero; **~einwurf** m (*Schlitz*) ranura f; **~mittel** npl recursos mpl, medios mpl; **~schein** m billete m de banco; **~schrank** m (caja f de caudales; **~strafe** f multa; **~stück** n pieza f, moneda f; **~wechsel** m cambio
Gelee n jalea f; gelatina f
gelegen situado; *fig* oportuno; *adv* a propósito; **mir ist daran ~** me importa (que), tengo interés en (que)
Gelegenheit f ocasión; **bei dieser ~** con este motivo
gelehrig dócil; **~t, 2te(r)** m sabio, erudito
Geleit n escolta f
Gelenk n articulación f; *Tech* juntura f; **2ig** flexible
Geliebte(r) su querido (-a f) m, amante su

gelingen salir bien; **es gelingt mir zu** logro ..., consigo ...
gellend estridente
geloben prometer; *Rel* hacer un voto
gelten ser válido; valer; **das gilt nicht** esto no vale; **~ als** pasar como; **~ lassen** admitir; **~d vigente**
Geltung f validez; *jur* vigor m; **zur ~ bringen** hacer valer
Gelübde n voto m
gemächlich cómodo, lento
Gemälde n cuadro m; **~galerie** f galería de pinturas
gemäß conforme a, según; **~igt** moderado; (*Klima*) templado
gemein común; ordinario, vulgar; infame; (*Soldat*) raso
Gemeinde f municipio m; *Rel* parroquia; **~rat** m concejo; **~vorsteher** m alcalde
Gemein|heit f bajeza; infamia; (*Tat*) canallada; **2nützig** de utilidad pública; **2sam** común
Gemeinschaft f comunidad; **2lich** *adv* en común
Gemetzel n carnicería f, matanza f
Gemisch n mezcla f; **2t** mezclado; mixto
Gemse f gamuza
Gemurmel n murmullo m
Gemüse n verduras fpl, hortalizas fpl; **~garten** m huerto; **~händler** m verdulero; **~suppe** f sopa de verduras

gemütlich cómodo; acogedor; íntimo; **2keit** f ambiente m acogedor (od íntimo)

gemütskrank melancólico

genau exacto; preciso; justo; **es ist ~ zwei Uhr** son las dos en punto; **2igkeit** f exactitud; precisión

genauso ... wie tan ... como

genehmig|en permitir, autorizar; **2ung** f autorización, aprobación, permiso m

geneigt inclinado (a fig); fig (zu) dispuesto (a)

General m general; **~ ... in** Zssgn ... general; **~untersuchung** f Med chequeo m

Generation f generación

Generator m generador

generell general; adv en general

genes|en convalecer, restablecerse; **2ung** f convalecencia

genial genial

Genick n nuca f, cerviz f

Genie n ingenio m; genio

genieren: s. ~ avergonzarse

genieß|bar comestible; potable; fig tolerable; **~en** saborear; fig gozar, disfrutar de

genormt estandarizado, normalizado

Genosse m Pol compañero, camarada su; **~nschaft** f cooperativa

genug bastante; suficiente

Genüg|e f: **zur ~e** suficientemente; **2en** bastar;

(Pflicht) cumplir con; **2end** suficiente, bastante; **2sam** contentadizo; sobrio

Genugtuung f satisfacción

Genuß m consumo; goce, placer; fig disfrute; **~mittel** npl estimulantes mpl

geöffnet abierto

Geo|graphie f geografía; **~logie** f geología; **~metrie** f geometría

Gepäck n equipaje m, bagaje m; **~abfertigung** f facturación de equipajes; **~annahme** f recepción de equipajes; **~aufbewahrung** f consigna; **~ausgabe** f entrega de equipajes; **~brücke** f Kfz portaequipajes m; **~netz** n rejilla f; **~schein** m talón de equipajes; **~schließfach** n consigna f automática; **~stück** n bulto m; **~träger** m mozo; (Rad) portaequipajes m; Kfz (Dach2) baca f; **~versicherung** f seguro m de equipaje; **~wagen** m furgón

gepanzert blindado; **~pflegt** bien cuidado; **2polter** n estrépito m

gerade recto, derecho; adv precisamente, justamente; (Zeit) ahora mismo; **~ dabei sein zu ...** estar a punto de; **2 f** recta; **~aus** todo derecho; **~biegen** enderezar; **~heraus** francamente, sin rodeos; **~stehen (für et)** responder (de u/c); dar la cara; **~wegs** directamente; **~zu** verdaderamente

geradlinig rectilíneo; *fig* recto

Gerät *n* aparato *m*; (*Werkzeug*) herramienta *f*

geraten *vi* salir; caer (**in** en); **in Schwierigkeiten** ~ encontrar dificultades; **außer s.** ~ ponerse fuera de sí

Geräteturnen *n* ejercicios *mpl* con aparatos

Geratewohl *n*: **aufs** ~ al azar, a la buena de Dios

geräuchert ahumado

geräumig espacioso, amplio

Geräusch *n* ruido *m*; ⚲**los** silencioso; ⚲**voll** ruidoso

gerben curtir; ⚲**rei** *f* curtiduría

gerecht justo; legítimo; (*Person*) recto; (*Strafe*) merecido; ~**fertigt** justificado; ⚲**igkeit** *f* justicia

Gerede *n* habladurías *fpl*, chismes *mpl*

gereizt irritado

Gericht *n* plato *m*, comida *f*; *jur* tribunal *m*; ⚲**lich** judicial; forense

Gerichts|akten *fpl* autos *mpl*; ~**barkeit** *f* jurisdicción; ~**kosten** *pl* costas *pl*; ~**saal** *m* sala *f* de audiencia; ~**stand** *m* jurisdicción *f* competente; ~**verhandlung** *f* vista; ~**vollzieher** *m* ejecutor, alguacil

gering pequeño; modico; bajo; **nicht im** ~**sten** de ninguna manera; **ein** *fig* insignificante; ~**schätzig** despreciativo, despectivo; *adv* con menosprecio; ⚲-

schätzung *f* menosprecio *m*, desprecio *m*

gerinnen coagular(se); (*Milch*) cuajar

Gerippe *n* esqueleto *m*

Germanistik *f* filología germánica

gern con mucho gusto; **j-n** ~ **haben** querer a algo; ~ **geschehen!** de nada; **ich möchte** ~ ... quisiera ...

Geröll *n* cantos *mpl* rodados

geröstet tostado

Gerste *f* cebada; ~**nkorn** *n* *Med* orzuelo *m*

Gerte *f* vara

Geruch *m* olor; perfume; (*Sinn*) olfato; ⚲**los** inodoro

Gerücht *n* rumor *m*

Gerümpel *n* trastos *mpl* viejos

Gerüst *n* andamio *m*

gesalzen salado

gesamt total, entero; global; ⚲**ansicht** *f* vista de conjunto; ⚲**betrag** *m* importe total; ⚲**eindruck** *m* impresión *f* general; ⚲**heit** *f* totalidad, conjunto *m*; ⚲**schule** *f* colegio *m* de enseñanza básica

Gesandt|e(r) *m* ministro plenipotenciario; ~**schaft** *f* legación

Gesang *m* canto; ~**verein** *m* orfeón

Gesäß *n* posaderas *fpl*, nalgas *fpl*

Geschäft *n* tienda *f*, *RPl* negocio *m*; casa *f*, oficina *f*; *fig* negocio *m*, comercio *m*; ⚲**ig** activo; ⚲**lich** comercial, de negocios

Geschäfts|abschluß *m* conclusión *f* del negocio; transacción *f*; **~freund** *m* corresponsal; **~führer** *m* gerente, encargado; **~mann** *m* hombre de negocios; **~ordnung** *f* reglamento *m* interior; **~reise** *f* viaje *m* de negocios; **~schluß** *m* cierre; **~stunden** *fpl* horas de oficina; **~zweig** *m* ramo de comercio

geschält pelado, mondado

geschehen suceder, ocurrir; pasar; 2 *n* suceso *m*, acontecimiento *m*

gescheit discreto; *fig* razonable

Geschenk *n* regalo *m*; **~papier** *n* papel *m* regalo

Geschichte *f* historia; *Lit* cuento *m*; 2**lich** histórico

Geschick|lichkeit *f* habilidad, maña; 2**t** hábil, mañoso

geschieden (*j*) divorciado; (*Ehe*) disuelto

Geschirr *n* vajilla *f*; servicio *m*; **~spülautomat** *m*, **~spüler** *m* lavaplatos, *Am a* lavavajillas

Geschlecht *n* generación *f*; casta *f*, raza *f*; *Anat*, 2*oo* sexo *m*; *Gr* género *m*;

Geschlechts|krankheit *f* enfermedad venérea; **~organ** *n* órgano *m* sexual; **~verkehr** *m* comercio carnal

geschlossen cerrado

Geschmack *m* sabor; gusto; 2**los** soso, insípido; 2**voll** de buen gusto

geschmeidig flexible, suave

Ge|schmorte(s) *n* estofado *m*; **~schöpf** *n* criatura *f*; **~schoß** *n* piso *m*, planta *f*; (*Waffe*) proyectil *m*; **~schrei** *n* gritos *mpl*; **~schütz** *n* pieza *f*, cañón *m*; **~schwader** *n* escuadra *f*; **~schwätz** *n* habladuría *f*

Geschwindigkeit *f* velocidad; **~begrenzung** *f* limitación de velocidad; **~überschreitung** *f* exceso *m* de velocidad

Geschwister *pl* hermanos *mpl*

geschwollen hinchado

Geschworene(r) *m* jurado

Ge|schwulst *f* hinchazón; tumor *m*; **~schwür** *n* úlcera *f*

Gesell|e *m* oficial; operario; 2**ig** sociable

Gesellschaft *f* *Hdl* sociedad; compañía (*a fig*); (*Abend2*) reunión, velada; **~leisten** hacer compañía; **~er** *m* *Hdl* socio; 2**lich** *Pol* social; **~ordnung** *f* orden *m* social; **~reise** *f* viaje *m* colectivo; **~spiel** *n* juego *m* de sociedad (*od* de mesa)

Gesetz *n* ley *f*; **~buch** *n* código *m*; **~gebung** *f* legislación; 2**lich** legal; 2**mäßig** legal; legítimo; 2**los**, 2**widrig** ilegal; contrario a la ley

Gesicht *n* cara *f*; *et* **ins ~ sagen** dar en el rostro con; **sein wahres ~ zeigen** descubrir la oreja

Gesichts|ausdruck *m* expresión *f* de la cara; **∼kreis** *m* horizonte; **∼maske** *f* (*Kosmetik*) mascarilla; **∼punkt** *m* aspecto, punto de vista; **∼wasser** *n* loción *f* facial; **∼züge** *mpl* facciones *fpl*

Gesindel *n* canalla *f*, gentuza *f*

Gesinnung *f* ideas *fpl*; mentalidad

gesittet civilizado, decente

Gesöff *n* P brebaje *m* (infame)

gesondert separado; aparte

Gespann *n* tiro *m*; **2ig** tirante; **2t auf** ansioso de

Gespenst *n* fantasma *m*; espectro *m*

gesperrt (*Straße*) cortado

gespickt mechado

Gespött *n*: **zum ∼ machen** poner en ridículo

Gespräch *n* conversación *f*; *Tel* llamada *f*; (*Fern2*) conferencia *f*, *Am* llamada *f* de larga distancia; **2ig** comunicativo; **∼igkeit** *f* locuacidad

Gesprächs|partner *m* interlocutor; **∼stoff** *m*, **∼thema** *n* tema *m* de conversación

gespreizt abierto; *fig* amanerado

Gestalt *f* forma, figura, estatura; **2en** formar; estructurar; organizar; **∼ung** *f* formación; configuración

Gestammel *n* balbuceo *m*

Geständnis *n* confesión *f*; **ein ∼ ablegen** confesar

Gestank *m* hedor, mal olor

gestatten permitir; tolerar; **∼ Sie?** con su permiso

Geste *f* gesto *m*

gestehen *jur* confesar, reconocer; **offen gestanden** a decir verdad

Gestell *n* estante *m*; *Tech* bastidor *m*, tablado *m*; (*Brille*) montura *f*

gestern ayer; **∼ abend** anoche; **∼ morgen** ayer por la mañana

gestikulieren gesticular

Ge|stirn *n* astro *m*; **2storben** muerto; **2streift** rayado

gestrig de ayer

Ge|strüpp *n* matorral *m*; **∼stüt** *n* acaballadero *m*, *RPl* haras *m*; **∼such** *n* solicitud *f*; petición *f*

gesund sano; saludable; **∼ werden** sanar, curarse; **2heit** *f* salud; **2heit!** ¡Jesús!

Gesundheits|amt *n* delegación *f* de Sanidad; **2schädlich** insalubre; **∼wesen** *n* sanidad *f*; **∼zustand** *m* estado de salud

Getränk *n* bebida *f*; **∼ekarte** *f* carta de bebidas

Getreide *n* cereales *mpl*

getrennt separado; aparte; *adv* por separado

Getriebe *n* *Tech* engranaje *m*; *Kfz* caja *f* de cambios; **∼öl** *n* aceite *m* para la caja de cambios

ge|trocknet secado; **∼trost** confiadamente; **2tue** *n* afectación *f*, melindres *mpl*; **2tuschel** *n* cuchicheo *m*

Gewächs n planta f

gewachsen: ~er Sache ~ sein estar a la altura de

Gewächshaus n invernadero m, Am a estufa f

gewagt atrevido, arriesgado

Gewähr f garantía; **2en** conceder, otorgar; permitir; **2en lassen** dejar hacer; **2leisten** garantizar

Gewahrsam m guardia f; custodia f

Gewalt f poder m; potencia; autoridad; fuerza, violencia; **höhere ~** fuerza mayor; **mit ~** a viva fuerza; **fig** a todo trance; **mit ~ aufbrechen** forzar; **~ haben über** j-n tener autoridad sobre; **2ig** potente; fuerte; enorme, grandioso; **2sam** violento; adv a la fuerza; **2tätig** violento, brutal

gewandt ágil; diestro

Gewässer n agua(s) f(pl)

Gewebe n tejido m

Gewehr n fusil m; escopeta f

Geweih n cornamenta f

geweiht sagrado; bendito

Gewerbe n industria f; oficio m; **~gebiet** n polígono m industrial; **~schein** m licencia f industrial

gewerb|lich industrial, comercial; **~smäßig** profesional

Gewerkschaft f sindicato m (obrero); **~(l)er** m, **2lich** sindicalista

Gewicht n peso m; fig importancia f; **~heben** n levantamiento m de pesos

gewieft astuto, taimado

Gewimmel n hervidero m, hormigueo m

Gewinde n Tech rosca f, filete m

Gewinn m ganancia f; Hdl beneficio; (Lotterie) premio; **2bringend** lucrativo; beneficioso; **2en** ganar; **~er** m acertante; **~spanne** f margen m de beneficio; **~ung** (Erze) extracción; Chem obtención

Gewirr n enredo m; laberinto m

gewiß cierto, seguro; adv seguramente; **aber ~!** claro que sí; **ein gewisser (Herr) ...** un tal ...

Gewissen n conciencia f; **2haft** concienzudo, escrupuloso; **2los** sin escrúpulos

Gewissens|bisse mpl remordimientos; **~frage** f caso m de conciencia

Gewißheit f certeza; **s. ~ verschaffen** cerciorarse

Gewitter n tormenta f; **~schauer** m chubasco; **~wolke** f nubarrón m

gewitzt escarmentado

gewöhnen habituar, acostumbrar; **s. ~ (an)** acostumbrarse (a), familiarizarse (con)

Gewohnheit f costumbre f

gewöhnlich habitual; común, ordinario; adv ordinariamente, de costumbre

gewohnt habituado, acostumbrado (an, zu a)

Gewölbe n bóveda f

Gewühl n apretura f, gentío m

Gewürz n especia f, condimento m; **~gurke** f pepinillo m en vinagre; **~nelke** f clavo m; **2t** condimentado; aromático

ge|zackt dentado; **2zeiten** pl marea f; **~ziert** afectado; **2zwitscher** n gorjeo m; **~zwungen** fig forzado, afectado

Gicht f gota

Giebel m hastial, frontón f

gierig ávido

gieß|en verter; Blumen: regar; Tech fundir; Form: moldear; **es ~t** llueve a cántaros; **2erei** f fundición; **2kanne** f regadera

Gift n veneno m; Med tóxico m; **~gas** n gas m tóxico (od asfixiante); **2ig** venenoso; **~pilz** m hongo venenoso; **~schlange** f serpiente venenosa

Gin m ginebra f

Ginster m retama f

Gipfel m cumbre f, cima f; fig apogeo; **das ist der ~!** es el colmo

Gips m yeso m; **~verband** m vendaje m de escayola

Giraffe f jirafa

Girlande f guirnalda

Girokonto n cuenta f corriente

Gischt m espuma f

Gitarre f guitarra

Gitter n reja f; (Tür) cancela f; **~fenster** n ventana f enrejada

Gladiole f gladiolo m

Glanz m brillo, lustre; fig esplendor

glänzen brillar, resplandecer; **~d** brillante; fig espléndido

glanz|los sin brillo; mate; **2papier** n Fot papel m satinado; **~voll** brillante, espléndido

Glas n cristal m; vidrio m; (Trink2) vaso m; (Stiel2) copa f; **2läser** pl (Brille) cristales mpl; **~aal** m angula f

Gläschen n vasito m, copita f

Glaser m vidriero f

gläsern de vidrio (od cristal)

glas|ieren vidriar; esmaltar; Kuchen: garapiñar, glasear; **~ig** vidrioso; **2scheibe** f vidrio m, cristal m; **2scherbe** f casco m de vidrio; **2tür** f puerta vidriera; **2ur** f vidriado m; esmalte m; glaseado m; **2wolle** f lana de vidrio

glatt liso; llano; plano; (rutschig) resbaladizo, Am resbaloso; adv sin dificultad, fácilmente

Glätte f lisura; pulimento m; (Straße) estado m resbaladizo

Glatteis n hielo m (resbaladizo)

glätten alisar, desarrugar

glattrasiert apurado

Glatz|e f calva; **2köpfig** calvo

Glaube m fe f; religión f, confesión f; **~n schenken**

dar crédito; **2n** creer

Glaubens|bekenntnis n credo m; **~freiheit** f libertad de cultos

glaubhaft (digno) de crédito, creíble

gläubig, 2e(r) m fiel; **2er** m Hdl acreedor

glaubwürdig digno de fe

gleich 1. igual; **das ist ~ es** igual, es lo mismo; y lo mismo; **2. adv** (Zeit) en seguida; ahora mismo; (Ort) directamente; **bis ~** hasta luego; **~ groß** del mismo tamaño; **~altrig** de la misma edad; **~artig** similar; **~bedeutend** sinónimo, equivalente; **~berechtigt sein** tener los mismos derechos

gleichen vi u refl parecerse a

gleich|falls igualmente, así mismo; **2gewicht** n equilibrio m; **~gültig** indiferente; **2heit** f igualdad; **~klang** m consonancia f; **~lautend** conforme; idéntico; **~mäßig** proporcionado, regular; **2mut** m ecuanimidad f; **~namig** del mismo nombre (od apellido); **Gr** homónimo

Gleich|nis n Rel parábola f; **~richter** m El rectificador; **2schalten** Tech sincronizar; **~schritt** m: **im ~schritt** a compás; **~strom** m corriente f continua; **~ung** f Math ecuación f; **~wertig** equivalente; **2zeitig** adv al mismo tiempo

Gleis n vía f, Am a carrilera f

Gleit|boot n deslizador m; **2en** resbalar, deslizar; pasar; **~flug** m vuelo planeado; **~schutz** m antideslizante

Gletscher m glaciar; **~spalte** f grieta de ventisquero

Glied n miembro m; (Ketten2) eslabón m; **in Reih und ~** en fila; **2ern** dividir, clasificar; **~erung** f disposición, estructura; **~maßen** pl miembros mpl

glimmen arder sin llama

glitschig resbaladizo, Am resbaloso

glitzern centellear

Globetrotter m trotamundos

Globus m globo

Glocke f campana

Glocken|blume f campanilla; **~geläut** n toque m de campanas; **~spiel** n carillón m; **~turm** m campanario

Glück n felicidad f; fortuna f, suerte f; **zum ~** por suerte

Glucke f clueca

glück|en salir bien; **~lich** feliz; fig afortunado; **~licherweise** afortunadamente

Glücks|fall m golpe de fortuna; **~spiel** n juego m de azar

Glückwunsch m felicitación f, enhorabuena f; **herzlichen ~!** mi cordial felicitación

Glüh|birne f bombilla, Am a foco m, Col bombillo m; **2en** vi arder; **2end** vi ardiente; **~würmchen** n luciérnaga f

Glut f brasa, ascua; ardor m
Glyzerin n glicerina f
Gnade f gracia; merced; **ohne** ~ sin piedad; **~nfrist** f plazo m de gracia
gnädig benigno; (dat) propicio a
Gobelin m (tapiz) gobelino
Gold n oro m; **~barren** m lingote de oro; **2en** de oro; dorado; **~fisch** m pez dorado; **~medaille** f medalla de oro; **~schmied** m orfebre
Golf 1. m golfo; **2.** n Sp golf m; **~platz** m campo de golf; **~schläger** m palo (de golf)
Gondel f góndola
gönnen no envidiar (ac) a; **s. et ~** permitirse u/c
Gönner m protector
Göre f rapaz(a f) m, chaval(a f) m
Gosse f arroyo m a fig
Gotik f (estilo m) gótico
Gott m Dios; **~ sei Dank!** gracias a Dios; **um ~es willen!** ¡por Dios!; **~esdienst** m oficio
Göttlin f diosa; **2lich** divino
gottlos impío, ateo
Götze m ídolo
Gouverneur m gobernador
Grab n tumba f, sepulcro m; **2en** cavar; **~en** m foso; **~hügel** m túmulo; **~mal** n monumento m fúnebre; **~stein** m lápida f (sepulcral)
Grad m grado; **~einteilung** f graduación
Graf m conde
Gräfin f condesa
Grafschaft f condado m

grämen: s. ~ afligirse (über con, de, por)
Gramm n gramo m
Grammatik f gramática
Granatapfel m granada f
Granate f granada
Granit m granito
Grapefruit f pomelo m, Am a grape-fruit m
Graphilk f artes fpl gráficas; grabado m; **~ker** m dibujante; **2sch** gráfico
Graphit m grafito
Graphologe m grafólogo
Gras n hierba f, Am a yerba f, Am a pasto m; **2en** pacer; **~halm** m tallo m (de hierba)
gräßlich atroz, horrible
Grat m cresta f
Gräte f espina (de pescado)
gratis gratuitamente, gratis
Gratullation f felicitación; **2lieren** felicitar (j-m zu a alg por)
grau gris; **2brot** n pan m de centeno
grauen: mir graut (vor) me da horror (u/c od inf); **2 n** horror m, espanto m; **~haft** horrible
grauhaarig cano(so)
Graupen fpl cebada f mondada
grausam cruel; inhumano; **2keit** f crueldad; atrocidad
gravierend grave
gravitätisch grave, solemne
Grazlie f gracia; **2iös** gracioso
greiflbar al alcance de la mano; fig concreto; **~en** asir, tomar; **um s. ~en** pro-

pagarse, ganar terreno

Greis *m* anciano

grell (*Licht*) deslumbrante; (*Ton*) agudo, estridente; (*Farbe*) llamativo

Grenz|bahnhof *m* estación *f* fronteriza; **~e** *f* límite *m*; *Pol* frontera

grenzen an confinar con, lindar con; *fig* rayar en; **~los** ilimitado; inmenso

Grenz|gebiet *n* región *f* fronteriza; **~polizei** *f* policía de fronteras; **~posten** *m* guardia fronterizo; **~stein** *m* mojón, hito; **~übergang** *m* paso de la frontera; **~zwischenfall** *m* incidente fronterizo

Greuel *m* abominación *f*, horror; **~tat** *f* atrocidad

Grieben *fpl* chicharrones *mpl*

Grieß *m* sémola *f*, **~brei** *m* papilla *f* de sémola

Griff *m* asa *f*, asidero; puño; (*Tür*) tirador; (*Ringkampf*) llave *f*; **2ig** fácil de agarrar; de fácil manejo; (*Reifen*) antideslizante

Grill *m* parrilla *f*

Grille *f* grillo *m*; cigarra; *fig* capricho *m*

grillen asar a la parrilla

Grimasse *f* mueca

grinsen reír burlonamente

Grippe *f* gripe, *Am a* gripa

grob grueso, (*Stoff*) burdo; (*j*) grosero, rudo; brusco; *fig* grave; **~heit** *f* grosería

Grog *m* grog

grölen berrear

Groll *m* rencor; **2en** *j-m*: guardar rencor a *alg*

groß grande; amplio; **~artig** grandioso, imponente; **2aufnahme** *f* primer plano *m*; **2betrieb** *m* gran empresa *f*; **2buchstabe** *m* mayúscula *f*

Größe *f* tamaño *m*; talla (*a Konfektion*); extensión, dimensión; *fig* grandeza

Groß|eltern *pl* abuelos *mpl*; **~grundbesitzer** *m* latifundista; **~handel** *m* comercio al por mayor; **~macht** *f* gran potencia; **~maul** *n* bocón; **2mütig** generoso; **~mutter** *f* abuela; **~reinemachen** *n* limpieza general; **2spurig** arrogante; **~stadt** *f* gran ciudad

größtenteils por (*od* en) la mayor parte, en general

Groß|vater *m* abuelo; **~wild** *n* caza *f* mayor; **2ziehen** criar; **2zügig** generoso

grotesk grotesco

Grotte *f* gruta

Grübchen *n* hoyuelo *m*

Grube *f* fosa, hoyo *m*; mina

grübeln cavilar

Gruft *f* cripta

grün verde; **~e Welle** onda verde; **~ werden** verdecer; **2anlage** *f* parque *m*, zona verde

Grund *m* fondo; *fig* causa *f*, razón *f*; motivo; **im ~e** en el fondo, bien mirado; **ohne ~** sin motivo; **aus diesem ~** por esta razón, con este motivo; **~bedingung** *f* condición fundamental; **~besitz** *m* terreno; **~buch** *n* registro *m* de la propiedad

gründ|en fundar, establecer; 2er *m* fundador

Grund|fläche *f* base; **~gebühr** *f* tarifa básica; **~gehalt** *n* sueldo *m* base; **~gesetz** *n* ley *f* fundamental; **2legend** fundamental, elemental

gründlich profundo; *adv* a fondo

grundlos infundado; sin motivo

Gründonnerstag *m* Jueves Santo

Grund|riß *m* planta *f*, plano; **~satz** *m* principio; 2**sätzlich** de (*adv* en) principio; **~schule** *f* escuela primaria; **~steuer** *f* contribución territorial; **~stück** *n* finca *f*, inmueble; solar *m*

Gründung *f* fundación

Grundwasser *n* agua *f* subterránea

grün|en verdear; 2**kohl** *m* col *f* común; **~lich** verdoso; 2**span** *m* cardenillo

grunzen gruñir

Gruppe *f* grupo *m*; **~nreise** *f* viaje *m* colectivo; **~nsex** *m* sexualidad *f* de grupo

gruppieren agrupar

gruselig escalofriante

Gruß *m* saludo; **Grüße bestellen** mandar (*od* dar) recuerdos a

grüßen saludar

gucken mirar

Guerill|a(krieg *m*) *f* guerra *f* de guerrillas; **~ero** *m* guerrillero

Gulasch *n* estofado *m* (picante) a la húngara

Gulden *m* florín

gültig válido; valedero; **~keit** *f* validez; 2**keitsdauer** *f* plazo *m* de validez

Gummi *n* goma *f*; caucho *m*; **~band** *n* cinta *f* elástica; **~knüppel** *m* porra *f*; **~stiefel** *mpl* botas *fpl* de goma; **~zug** *m* elástico

günstig favorable, ventajoso

Gurgel *f* garganta, gorja; 2**n** hacer gárgaras

Gurke *f* pepino *m*; **~nsalat** *m* ensalada *f* de pepinos

Gurt *m* correa *f*, faja *f*; *Kfz, Flgw* cinturón

Gürtel *m* cinturón, *Am* a cinto, correa *f*; **~tier** *n* armadillo *m*

Guß|eisen *n* hierro *m* colado; **~form** *f* molde *m*

gut bueno; *adv* bien; **im ~en** por las buenas; **kurz und ~** en suma; **~ aussehend** de buena presencia, de buen ver

Gut *n* finca *f* rústica; **~achten** *n* dictamen *m*, peritaje *m*; 2**artig** de buen natural; *Med* benigno

Gutdünken *n*: **nach ~** a discreción

Güte *f* bondad; *Hdl* calidad; **du meine ~!** ¡Dios mío!

Güter *npl* mercancías *fpl*; **~bahnhof** *m* estación *f* de mercancías; **~wagen** *m* va-

gón; **~zug** m tren de mercancías (*Am* de carga)
gut|gelaunt de buen humor; **~gläubig** de buena fe; **~haben** n crédito m; **~heißen** aprobar
güt|ig bondadoso; **~lich** amistoso, amigable
gutmütig bondadoso
Gutsbesitzer m hacendado

Arg estanciero
Gut|schein m vale, bono; **~schreiben** acreditar (*od* abonar) en cuenta; **~schrift** f abono m
Gymnasium n colegio m; *Span* instituto m de segunda enseñanza
Gymnastik f gimnasia
Gynäkologe m ginecólogo

H

Haar n pelo m; (*Kopf*) cabello m; **um ein ~** por poco ...; **~ausfall** m caída f del pelo; **~bürste** f cepillo m para el pelo; **~festiger** m fijador; **~klein** con pelos y señales; **~klemme** f clip m; **~nadel** f horquilla; **~nadelkurve** f curva en herradura; **~netz** n redecilla f; **~schnitt** m corte de pelo; **~spray** m laca f; **~sträubend** espeluznante; **~teil** n postizo m; **~trockner** m secador; **~wasser** n loción f capilar; **~wuchsmittel** n crecepelo m, *Am* vitalizador m
Habe f bienes mpl
haben haber; *vt* tener; **wir den 3. Mai** estamos a tres de mayo; **was ~ Sie?** ¿qué le falta a usted?; **bei s. ~** llevar (consigo)
Habenichts m pobre diablo, F pelagatos
Habgier f codicia; **2ig** codicioso
Habicht m azor
Habseligkeiten fpl chismes

mpl
Hack|braten m rollo asado de carne picada; **~e** f azada; **~en** m talón; **2en** picar; *Holz:* cortar; **~fleisch** n picadillo m, carne f picada (*Am* a molida)
Hafen m puerto; **~becken** n dársena f; **~behörde** f administración del puerto, capitanía; **~gebühr** f derechos mpl portuarios; **~polizei** f policía del puerto; **~stadt** f ciudad marítima
Hafer m avena f; **~flocken** fpl copos mpl de avena
Haft f detención, arresto m; **in ~ nehmen** arrestar; **~bar** responsable; **~befehl** m auto de prisión
haften (**an**) pegar a; **~ für** (**mit**) responder de (con)
Häftling m detenido
Haftpflicht(versicherung) f (seguro m de) responsabilidad civil
Haftschalen fpl lentes de contacto
Haftung f responsabilidad

Hagebutte f escaramujo m
Hagel m granizo, *Span* a
 piedra f; **~schauer** m grani-
 zada f
hager flaco, magro
Hahn m gallo; *Tech* grifo,
 llave f; (Gewehr2) gatillo;
 ~enkampf m riña f (od pelea f) de gallos
Hai m tiburón
Hain m bosquecillo, floresta
 f
Häkchen n ganchillo m
häkel|n hacer ganchillo; 2-
 nadel f ganchillo m, *Am* a
 gancho m de croché
Haken m gancho, corchete;
 ~kreuz n svástica f, cruz f
 gamada
halb medio; *adv* a medias,
 por la mitad; *in Zssgn*
 semi...; **~e-e ~e Stunde** media hora; **auf ~em Wege** a
 la mitad del camino; **~ leer**
 (**voll**) medio vacío (lleno);
 ~ zwölf las once y media; **~ so**
 groß la mitad de grande
Halb|dunkel n penumbra f;
 ~finale n semifinal f; **2ge-**
 frorene(s) n sorbete m
halbieren partir en dos
Halb|insel f península; **~**
 jahr n semestre m; **~**
 semicírculo; **~kugel** f hemisferio m; **2laut** a media
 voz; **~mond** m media luna
 f; **2nackt** medio desnudo;
 2offen entreabierto; **~pen-**
 sion f media pensión; **2roh**
 (*Steak*) poco hecho
Halb|schlaf m: **im ~schlaf**
 medio dormido; **~schuh** m

zapato; **~starke(r)** m gam-
 berro; **2stündlich** cada media hora; **2tägig** de medio
 día; **~tagsarbeit** f trabajo m
 de media jornada; **~zeit** f
 Sp (medio) tiempo m
Halde f escombrera, escorial
 m
Hälfte f mitad f; **zur ~** a mitad
Halle f vestíbulo m; (*Fa-*
 brik2) nave f; (*Hotel*) hall m;
 2n resonar; **~nbad** n piscina f cubierta
hallo! ¡hola!; ¡oiga!
Halm m tallo
Hals m cuello; (*Kehle*) garganta f; **aus vollem ~e** a
 voz en cuello; **über Kopf**
 atropelladamente; **~band** n
 collar m; **~entzündung** f
 faringitis; **~kette** f collar m,
 cadena; **~Nasen-Ohren-**
 Arzt m otorrinolaringólogo; **~schmerzen** mpl dolor
 m de garganta; **2starrig**
 testarudo; **~tuch** n pañuelo
 m
Halt m alto, parada f; *fig*
 apoyo, sostén; 2! ¡alto!; un
 momento; **2bar** sólido, du-
 rable
halten vi hacer alto; parar;
 (*fest, dauerhaft sein*) estar
 fijo, durar; vt tener; *Wort*:
 cumplir; *Rede*: pronunciar;
 den Mund ~ callarse la boca; **~ für** tomar por, creer;
 für gut ~ juzgar bueno; **~**
 von pensar de, opinar; **~**
 was ~ Sie davon? ¿qué le
 parece?; **s. ~** mantenerse;
 (*Essen*) conservarse

Halte|platz m estaciona-
miento; **~signal** n señal f de
parada; **~stelle** f parada;
~verbot n parada f prohibida
haltmachen pararse
Haltung f actitud, porte m;
(*Körper*) postura
Halunke m pillo, bribón
Hamburger m *Gastr* hamburguesa f
Hammel m carnero; **~bra-
ten** m cordero asado; **~
fleisch** n cordero m
Hammer m martillo
Hämorrhoiden pl hemo-
rroides fpl, almorranas fpl
Hampelmann m títere
Hamster m hámster
Hand f mano; **bei der ~, zur
~** a mano, al alcance (de la
mano)
Hand|arbeit f labor; hecho
a mano; **~ball** m balon-
mano; **~bewegung** f ademán m; **~bremse** f freno m
de mano; **~buch** n manual
m
Händedruck m apretón de
manos
Handel m comercio
handeln vi proceder, obrar;
comerciar (**mit** con); **~von**
tratar de (*od* sobre); **s. ~ um**
tratarse de
Handels|abkommen n
acuerdo m comercial; **~
kammer** f Cámara de Co-
mercio; **~marine** f marina
mercante; **~niederlassung**
f factoría; **~schule** f escuela
de comercio; **~zweig** m ra-

mo comercial
Hand|feger m escobón; **~
fläche** f palma de la mano;
~gelenk n muñeca f; **~ge-
lenktasche** f bolso m uni-
sex(o), F maricorera; **~ge-
menge** n riña f, pelea f;
~gepäck n equipaje m de
mano; **~granate** f bomba
de mano; **~haben** manejar
Händler m comerciante;
marchante
handlich manejable
Handlung f acto m; acción
(*a Thea*); *Hdl* tienda; **~s-
reisende(r)** m viajante
Hand|schellen fpl esposas;
~schrift f letra, escritura;
₂schriftlich manuscrito;
adv por escrito; **~schuh** m
guante; **~schuhfach** n
guantera f; **~stand** m Sp
vertical f; **~tasche** f bolso
m, Am a cartera; **~tuch** n
toalla f; **~voll** f puñado m
Handwerk n oficio m; **~er** m
artesano; **~sbetrieb** m empresa f artesanal; **~szeug** n
útiles mpl
Hanf m cáñamo
Hang m cuesta f, pendiente
f; *fig* inclinación f, tenden-
cia f
Hänge|brücke f puente m
colgante; **~lampe** f lámpara de suspensión; **~matte** f
hamaca, Am a chinchorro m
hängen vi colgar, pender; vt
suspender; *fig* **~an** tener
apego a; **~bleiben** quedar
enganchado
Hantel f pesa

Happen *m* bocado

Harfe *f* harpa

Harke *f* rastrillo *m*; **2n** rastrillar

harmlos inofensivo (*a Med*)

Harmo|nie *f* armonía; **2-nisch** armonioso

Harn *m* orina *f*; **~blase** *f* vejiga; **~drang** *m* ganas *fpl* de orinar

Harpune *f* arpón *m*

hart duro (*a Ei*); firme; *fig* rudo; (*j*) severo

Härte *f* dureza

Hart|geld *n* moneda *f* metálica; **~gummi** *n* ebonita *f*; **2herzig** duro; **2näckig** obstinado; pertinaz (*a Med*)

Harz *n* resina *f*

Hasch *n* F, **~isch** *n* hachís *m*

Haschee *n* picadillo *m* de carne

Hase *m* liebre *f*

Haselnuß *f* avellana

Hasenscharte *f* labio *m* leporino

Haß *m* odio

hassen odiar

häßlich feo; **2keit** *f* fealdad

Hast *f* prisa; *fig* precipitación

Hauch *m* soplo, aliento; **2en** soplar

hauen pegar (**j-n** a alg); **übers Ohr ~** timar

Hauer *m* Zo colmillo

Haufen *m* pila *f*; *fig* montón

häufen apilar, acumular

haufenweise a montones

häufig frecuente; *adv* a menudo; **2keit** *f* frecuencia

Häufung *f* acumulación

Haupt *n* cabeza *f*

Haupt... *in Zssgn* principal, central, mayor; **~bahnhof** *m* estación *f* central; **~darsteller** *m* protagonista; **~eingang** *m* entrada *f* principal; **~gericht** *n* plato *m* fuerte; **~gewinn** *m* premio *m* mayor; **~ling** *m* jefe de tribu; *Am* cacique

Haupt|mann *m* capitán; **~postamt** *n* Central *f* de Correos; **~quartier** *n* cuartel *m* general; **~rolle** *f* papel *m* principal; **~sache** *f* lo principal; **2sächlich** principal, esencial; *adv* sobre todo; **~saison** *f* temporada; **~sicherung** *f* fusible *m* principal; **~stadt** *f* capital; **~straße** *f* calle principal; **~verkehrsstraße** *f* carretera general; **~verkehrszeit** *f* horas *fpl* (de) punta

Haus *n* casa *f*; **nach (zu) ~** a (en) casa; **~angestellte** *f* empleada doméstica; **~apotheke** *f* botiquín *m*; **~arbeit** *f* quehaceres *mpl* domésticos; (*Schule*) deber *m*; **~arzt** *m* médico de cabecera; **~bar** *f* mueble-bar *m*; **~bewohner** *m* inquilino

Häuschen *n* casita *f*

Hausdiener *m* (*Hotel*) mozo

Häuserblock *m* manzana *f* (de casas), *Am* cuadra *f*

Haus|flur *m* zaguán; **~frau** *f* ama de casa; **~friedensbruch** *m* violación *f* de morada; **~halt** *m* casa *f*; *Pol* presupuesto; **~hälterin** *f* ama de gobierno (*od* de llaves); **~haltungskosten** pl gastos mpl domésticos; **~herr** m amo de la casa

Hausierer m buhonero

häuslich casero; doméstico

Haus|mädchen n criada f; **~meister** m portero, conserje; **~mittel** n remedio m casero; **~ordnung** f reglamento m f de la casa; **~schlüssel** m llave f de la casa; **~schuhe** mpl zapatillas fpl; **~telefon** n teléfono m interior; **~tier** n animal m doméstico; **~tür** f puerta de la calle, Am a portón m; **~wirt** m dueño de la casa; **~wirtschaft** f economía doméstica; **~zelt** n tienda f familiar

Haut f piel; Med (bsd Gesicht) cutis m; **~abschürfung** f desollamiento m; **~arzt** m dermatólogo; **~ausschlag** m erupción f cutánea; exantema

Häutchen n membrana f; película f

Hautcreme f crema para el cutis

häuten: s. ~ Zo mudar (la piel)

haut|eng muy ceñido, ajustado; **~farbe** f tez; **2krankheit** f enfermedad cutánea

Havarie f avería

Hebamme f comadrona, partera

Hebel m palanca f

heben levantar; alzar, elevar

hebräisch hebreo

Hecht m lucio; **~sprung** m salto de carpa

Heck n Mar popa f; Kfz parte f trasera

Hecke f seto m vivo

Hecken|rose f rosa silvestre; **~schütze** m emboscado

Heck|klappe f puerta trasera; **~motor** m motor trasero; **~scheibe** f lun(et)a trasera

Heer n ejército m

Hefe f levadura

Heft n cuaderno m; folleto m; número m

heften Naht: hilvanar; Blick: clavar, fijar

heftig vehemente, violento; impetuoso; **2keit** f vehemencia; impetuosidad

Heft|klammer f grapa; **~maschine** f grapadora, cosedora; **~pflaster** n esparadrapo m; (Schnellverband) tirita f, Am curita f; **~zwecke** f chinche, chincheta f

hegen abrigar; cuidar; proteger

Hehler m encubridor; **~ei** f encubrimiento m

Heide m pagano

Heide f brezal m; **~kraut** n brezo m

Heidelbeere f arándano m

heidnisch pagano

heikel delicado

Heil n felicidad f; Rel salud f; **~sein ~versuchen** probar fortuna

Heiland m Salvador

Heil|anstalt f sanatorio m; **2bar** curable; **2en** curar, sanar; **~gymnastik** f gimnasia terapéutica

heilig santo, sagrado; 2**abend** m Nochebuena f; 2**enbild** n imagen f; 2**e(r)** m santo; **sprechen** canonizar; 2**tum** n santuario f

Heil|kraft f virtud (de curar); **kräuter** npl hierbas fpl medicinales; **mittel** n remedio m; 2**sam** sano; a fig saludable; **sarmee** f Ejército m de Salvación; **ung** f curación; **verfahren** n tratamiento m, terapéutica f

heim a casa; a mi usw tierra

Heim n asilo m; residencia f; fig hogar m; **arbeit** f trabajo m a domicilio

Heimat f patria; 2**los** sin domicilio (od familia, patria); **ort** m pueblo natal; **vertriebene(r)** m expulsado

Heim|fahrt f regreso m, vuelta; 2**isch** local; familiar; **s.** 2**isch fühlen** sentirse como en casa; **kehr** f regreso m a casa (od a la patria)

heimlich secreto; clandestino; adv en secreto, a escondidas

heim|tückisch alevoso; 2**weg** m vuelta f; 2**weh** n nostalgia f

Heirat f casamiento m; 2**en** casarse (j-n con)

Heirats|antrag m propuesta f de matrimonio; **anzeige** f participación de boda; **-**

schwindler m estafador de bodas; **urkunde** f acta matrimonial

heiser ronco; enronquecido; 2**keit** f ronquera

heiß caliente; m (Klima) cálido; caluroso; **es (mir) ist** **~** hace (tengo) calor

heißen llamarse; significar; **das heißt (daß)** es (od quiere) decir (que); **es heißt daß** se dice que

heiter sereno, alegre; (Himmel) despejado; 2**keit** f serenidad; hilaridad

heiz|bar con calefacción; **en** calentar; Ofen: encender; 2**er** m fogonero; 2**kissen** n almohadilla f eléctrica; **körper** m radiador; 2**lüfter** m calentador; 2**material** n combustibles mpl; 2**öl** n aceite m combustible; 2**sonne** f radiador m parabólico; 2**ung** f calefacción

Hektar m hectárea f

Held m héroe; 2**enhaft** heroico; **entat** f hazaña

helfen ayudar, socorrer; asistir; **j-m** asistente, ayudante; 2**rshelfer** m cómplice

hell claro; (Farbe a) vivo; iluminado; **es wird ~** amanece; 2**igkeit** f claridad; luminosidad; 2**seher** m vidente

Helm m casco; hist yelmo

Hemd n camisa f; **bluse** f camisero m

hemmen detener; impedir, entorpecer; Biol inhibir

Hemmung f fig escrúpulo m; **2slos** desenfrenado; sin escrúpulos

Hengst m (caballo) semental

Henkel m asa f

Henker m verdugo

Henne f gallina

her (hacia) aquí; **von ... ~ desde ...; es ist ... ~** hace ...

herab hacia abajo; **von oben ~** de arriba abajo; **~hängen** colgar; **~lassen** bajar; **~lassend** condescendiente; **~setzen** j-n: desacreditar; Preis: bajar, reducir; **~steigen** descender; **~stürzen** despeñar

heran por aquí; **~kommen** acercarse; **~wachsen** crecer; **~ziehen** llamar a

herauf hacia arriba; **~beschwören** evocar; **~kommen** subir; **~ziehen** (Gewitter) amenazar

heraus fuera; afuera; **von innen ~** desde dentro; **~bekommen** resolver; Geld: recibir (la vuelta); **~bringen** Lit publicar; Hdl lanzar; fig sacar, averiguar; **~fordern** provocar; Sp retar, desafiar; **2forderung** f Sp, fig reto m, desafío m; **~geben** devolver; Lit editar, sacar; **~holen** sacar; **~kommen** salir; Lit publicarse; **~lassen** dejar salir; **~nehmen** sacar, quitar; **~ragen** fig sobresalir (aus en); **~stellen** poner de relieve; **s.~stellen** resultar; mostrarse; **~ziehen** retirar

herb acerbo; áspero; (Wein) seco

herbei|eilen acudir; **~holen** ir a buscar

Herberge f albergue m; posada

herbringen traer

Herbst m otoño; **2lich** otoñal

Herd m cocina f, Am a estufa f; fig, Med foco

Herde f rebaño m, hato m

herein adentro; hacia el interior; **~!** ¡adelante!; **~bitten** hacer pasar; **~fallen** fig llevarse un chasco; **~kommen** entrar; **~lassen** dejar entrar; **~legen** fig engañar

Her|fahrt f viaje m de ida; **~gang** m marcha f; lo ocurrido

Hering m arenque

herkommen venir; proceder (von de); **wo kommen Sie her?** ¿de dónde viene usted?; ¿de qué país es usted?

herkömmlich usual, corriente; tradicional

Herkunft f procedencia, origen m

hermetisch hermético

Heroin n heroína f

Herr m señor; caballero

Herren... in Zssgn de (od para) caballero(s); **~anzug** m traje de caballero, Ven flux, Pe terno, RPl ambo, Col a vestido; **~friseur** m peluquero de caballeros; **~konfektion** f confección para caballeros; **2los** aban-

donado; (*Tier*) sin dueño;
~schneider *m* sastre; ~ta·
sche *f* bolso *m* unisex(o), F
mariconera
herrichten preparar; arre·
glar
Herr|in *f* ama; dueña; 2isch
imperioso; autoritario; 2·
lich magnífico
Herrschaft *f* dominación;
dominio *m*, mando *m*; mei·
ne ~en! ¡señores!; 2lich
señorial
herrsch|en dominar; gober·
nar; *a fig* reinar; 2er *m*
soberano
her|rühren proceder, ema·
nar (von de); ~sagen reci·
tar; ~schicken enviar
(aquí); ~stammen ser na·
tural de; proceder de
herstell|en establecer;
crear; *Hdl* fabricar, produ·
cir; 2er *m* fabricante, pro·
ductor; 2ung *f* fabricación,
producción
herüber a este lado; hacia
aquí
herum alrededor (de); im
Kreis ~ a la redonda; ~dre·
hen dar la vuelta a; *Kopf:*
volver; ~führen servir de
guía a; dar la vuelta (um *et*
alrededor de); ~irren andar
errando; ~liegen estar aquí
y allá; ~reichen pasar; ~
stehen rodear; ~treiben: s.
~treiben callejear; andar
por
herunter (hacia) abajo; ~
fallen caer (al suelo); ~
klappen, ~lassen bajar;

nehmen descender
hervor adelante; ~bringen
producir; *Worte:* proferir; ~
gehen salir (aus de; als
ac); ~heben poner de relie·
ve; destacar; ~holen sacar
de; ~ragend sobresaliente,
destacado; excelente; ~ru·
fen *fig* causar, provocar
Herz *n* corazón *m*; (*Karten*)
copas *fpl*; s. zu ~en neh·
men tomar a pecho; ~an·
fall *m* ataque cardíaco; ~
beklemmung *f* opresión
de corazón
Herzenslust *f*: nach ~ a pe·
dir de boca
herz|ergreifend conmove·
dor; 2fehler *m* lesión *f* car·
díaca; 2infarkt *m* infarto
del miocardio (*Am* cardía·
co); 2klopfen *n* palpita·
ciones *fpl*; ~krank cardía·
co; 2leiden *n* afección *f* car·
díaca
herzlich cordial; afectuoso;
~gern con mucho gusto;
2keit *f* cordialidad
herzlos insensible
Herzog *m* duque; ~in *f* du·
quesa
Herz|schlag *m* latido; *Med*
apoplejía *f*; 2schrittma·
cher *m Med* marcapasos;
~tropfen *mpl* gotas *fpl* car·
díacas; 2versagen *n* fallo *m*
cardíaco; 2zerreißend des·
garrador
Hetz|e *f* prisa; trajín *m*; aje·
treo *m*; *bsd Pol* agitación;
2en acosar; ~jagd *f* caza de
acoso; ~kampagne *f* cam·

paña difamatoria

Heu *n* heno *m*; **~boden** *m* henil

Heuch|elei *f* hipocresía; **~ler** *m* hipócrita

Heuernte *f* siega

heulen aullar; (*Wind*) bramar

Heu|schnupfen *m* fiebre *f* de heno; **~schober** *m* henil; **~schrecke** *f* langosta, saltamontes *m*

heut|e hoy; **~e morgen (abend, nacht)** esta mañana (noche); **~e in ...** de hoy en ...; **~ig** de hoy; actual; **~zutage** hoy día

Hexe *f* bruja; **~nschuß** *m* lumbago

Hieb *m* golpe

hier aquí; ¡toma!; **~ ist (sind)** está (están aquí); **~auf** después de esto; **~bei** en (*od* haciendo) esto; **~bleiben** quedarse aquí; **~durch** por aquí; *fig* por esto, así; **~für** para esto; **~her** (para) acá; **~bis ~her** hasta aquí; **~herum** aquí cerca; **~hin** aquí; **~mit** con esto; **~zu** para esto

hiesig de aquí; *Hdl* de esta plaza

Hi-Fi-Anlage *f* equipo *m* de alta fidelidad

Hilfe *f* ayuda; socorro *m*; asistencia; (*zu*) **~!** ¡socorro!; **mit ~ von** mediante, con la ayuda de; **Erste ~** cura de urgencia, primeros auxilios *mpl*; **~ruf** *m* grito de socorro

hilflos desamparado; abandonado

Hilfs|aktion *f* acción de socorro; **~arbeiter** *m* peón; **2bedürftig** necesitado; **2bereit** servicial; **~mittel** *n* remedio *m*; **~motor** *m* motor auxiliar

Himbeere *f* frambuesa

Himmel *m* cielo; **unter freiem ~** al aire libre, al raso; **2blau** celeste; **~fahrt** *f* Ascensión; (*Mariä*) Asunción

Himmels|körper *m* cuerpo celeste; **~richtung** *f* punto *m* cardinal

himmlisch celeste; *Rel* divino, angélico; *fig* encantador

hin hacia; **~ und wieder** de vez en cuando; **~ und zurück** ida y vuelta

hinab (hacia) abajo; **~fahren, ~gehen, ~steigen** bajar

hinauf (hacia) arriba; **~fahren** subir; **~klettern** trepar a (*an* por)

hinaus (hacia) afuera; **~begleiten** acompañar a la puerta; **~gehen** salir; (*Fenster*) dar a; **~lehnen: s. ~lehnen** asomarse; **~schieben** diferir, alargar; **~werfen** echar (*aus* por, a); **~zögern** retardar

Hinblick *m*: **im ~ auf** en vista de, con miras a

hinder|lich embarazoso; impeditivo; **~n** impedir, estorbar; detener; **2nis** *n* obs-

táculo *m*; estorbo *m*; **2nis-
rennen** *n Sp* carrera *f* de
obstáculos

hindurch a través de; (*zeitl.*)
durante; **die ganze Nacht
~** toda la noche

hinein (a)dentro; en; **~ge-
hen** entrar; **~lassen** dejar
entrar; **~passen** caber

Hinfahrt *f* viaje *m* de ida

hin|fallen caerse; **~fällig** ca-
duco; nulo; **2flug** *m* vuelo
de ida; **~führen** llevar
(**nach** a); **2gabe** *f* fervor *m*;
~gebungsvoll con fervor

hinken cojear

hin|legen poner, colocar; **s.
~legen** tenderse; **~nehmen**
aceptar, tolerar; **2reise** *f*
viaje *m* de ida; **~richten**
ejecutar; **2richtung** *f* eje-
cución

Hinsicht *f*: **in dieser ~** a este
respecto; **in gewisser ~** en
cierto modo; **2lich** respecto
a

hinstellen poner, colocar

hinten detrás; en el fondo; al
final; **von ~** por detrás

hinter detrás de; **2achse** *f*
eje *m* trasero; **2bliebene(n)**
mpl supervivientes; **~e** posterior; trasero; **~einander**
uno tras otro; **2grund** *m*
fondo; **~hältig** disimulado;
2haus *n* traspatio *f*; **~her**
detrás de; (*zeitl.*) después

Hinter|kopf *m* cogote; **~
land** *n* interior *m*; **2lassen**
dejar; *jur* legar; **2legen** depositar; **2listig** alevoso; **~
mann** *m Sp* zaguero

Hintern *m* F trasero

Hinterrad *n* rueda *f* trasera;
~antrieb *m* tracción *f* posterior

hinterrücks por la espalda

Hinter|treppe *f* escalera de
servicio; **~tür** *f* puerta trasera, puerta de servicio; **2-
ziehen** defraudar

hinüber al otro lado

hinunter abajo; **~schluk-
ken** tragar

Hinweg *m*: **auf dem ~** a la
ida

hinweg|sehen über no ha-
cer caso de; **~setzen: s. ~
setzen über** sobreponerse a

Hinweis *m* indicación *f*; **2en**
indicar (**auf** *u/c*)

hinziehen dar largas a; **s. ~**
extenderse; (*zeitl.*) prolon-
garse

hinzu a eso; además; **~fügen**
añadir; **2ziehen** consultar,
llamar

Hirn *n* cerebro *m*; *Gastr* sesos *mpl*; **~gespinst** *n* qui-
mera *f*; **~hautentzündung**
f meningitis

Hirsch *m* ciervo; **~kuh** *f*
cierva

Hirse *f* mijo *m*

Hirt *m* pastor

Hispanist *m* hispanista; **~ik**
f filología hispánica

hissen izar

Histor|iker *m*, **2isch** histó-
rico

Hit *m* éxito

Hitze *f* calor *m*; **~welle** *f* ola
de calor

hitz|ig acalorado, fogoso;

ȝkopf m hombre arrebatado; **ȝschlag** m insolación f
Hobby n afición f, hobby m
Hobel m cepillo; **ȝn** (a)cepillar
hoch alto; elevado; **ȝ!** ¡viva!; **ȝ** n (*Wetter*) anticiclón m
Hoch|achtung f gran estima; **ȝachtungsvoll** le saluda atentamente; **ȝamt** n misa f mayor; **ȝantenne** f antena alta; **ȝbetrieb** m actividad f intensa
Hochdruck m alta presión f; **mit ȝ arbeiten** trabajar a toda marcha; **ȝgebiet** n zona f de alta presión
Hoch|ebene f meseta, altiplanicie, *Am* altiplano m; **ȝempfindlich** suprasensible; **ȝformat** n tamaño m alto; **ȝgebirge** n altas montañas *fpl*; **ȝgeschlossen** (*Kleid*) cerrado; **ȝhaus** n edificio m, *Span* a torre f; **ȝkant** de canto; **ȝland** n tierras *fpl* altas; **ȝmütig** orgulloso, altanero
Hoch|ofen m alto horno; **ȝprozentig** concentrado; **ȝrot** rojo vivo; **ȝsaison** f plena temporada; **ȝschule** f universidad; **ȝseefischerei** f pesca de altura; **ȝspannung** f alta tensión; **ȝsprung** m salto de altura
höchst más alto (*od* elevado); máximo; sumo; **im ȝen Grade** sumamente
Hochstapler m estafador
Höchst|belastung f carga máxima; **ȝens** a lo sumo (*od*

más); **ȝgeschwindigkeit** f velocidad máxima; **ȝleistung** f rendimiento m máximo; potencia máxima
hochtrabend grandilocuente
Hoch|verrat m alta traición f; **ȝwasser** n inundación f; crecida f; **ȝwertig** de alto valor
Hochzeit f boda; **ȝsreise** f viaje m de novios
hocken estar en cuclillas; estar agachado
Hocker m taburete
Höcker m corcova f, giba f
Hockey n hockey m
Hode f, **ȝn** m testículo m
Hof m patio; **am ȝe** en la corte
hoffen esperar; **ȝtlich** espero que ...; ojalá ...
Hoffnung f esperanza; **ȝslos** desesperado; **ȝsvoll** lleno de esperanza; prometedor
höflich cortés; **ȝkeit** f cortesía
Höhe f altura; *fig* colmo m
Hoheits|gebiet n territorio m (de soberanía); **ȝgewässer** *npl* aguas *fpl* territoriales
Höhen|krankheit f mal m de las alturas, *Am* soroche m; **ȝmesser** m altímetro; **ȝsonne** f sol m artificial; **ȝunterschied** m desnivel
Höhepunkt m punto culminante, apogeo
höher más alto; superior
hohl hueco; vacío; cóncavo

Höhle f cueva, caverna; Zo guarida

Hohn m escarnio

höhnisch sarcástico, escarnecedor

holen ir a buscar; Atem, Rat: tomar; Med **s. ~** pescar; **~ lassen** mandar por

Höll|e f infierno m; **²isch** fig enorme

holp(e)rig escabroso; áspero

Holunder m saúco

Holz n madera f; (Brenn²) leña f

hölzern de madera

Holz|fäller m leñador, talador; **²ig** leñoso; **~kohle** f carbón m vegetal; **~schnitt** m grabado en madera; **~schnitzerei** f talla(do m); **~wolle** f virutas fpl; **~wurm** m carcoma f

Homöopath m homeópata

homosexuell homosexual, invertido

Honig m miel f

Honorar n honorarios mpl

Hopfen m lúpulo

hopsen brincar

Hör|apparat m (für Schwerhörige) audífono m; **²bar** oíble, audible

horchen escuchar

Horde f horda

höre|n oír; **auf j-n** escuchar a alg; **~n Sie mal!** ¡oiga!; **²r** m oyente; Tel auricular

Horizont m horizonte; **²al** horizontal

Hormon n hormona f

Horn n cuerno m; (Stier)

asta f

Hörnchen n Span croissant m, Am media luna f

Hornhaut f callo(sidad f) m; (des Auges) córnea

Horoskop n horóscopo m

Hör|rohr n trompetilla f; **~saal** m aula f; **~spiel** n guión m radiofónico; **~weite** f: **in ~weite** al alcance del oído

Hose f pantalón m

Hosen|anzug m traje (de) pantalón; **~bein** n pernera f; **~schlitz** m bragueta f; **~träger** mpl tirantes

Hostess f azafata

Hostie f hostia

Hotel n hotel m; **~halle** f hall m

Hubraum m cilindrada f

hübsch guapo, mono; lindo

Hubschrauber m helicóptero

huckepack a cuestas

Huf m uña f, casco; **~eisen** n herradura f

Hüft|e f cadera; **~gürtel** m, **~halter** m faja f

Hügel m colina f; **²ig** montuoso

Huhn n gallina f

Hühnchen n pollo m

Hühner|auge n callo m; **~brühe** f caldo m de gallina; **~brust** f Gastr pechuga de pollo; **~frikassee** n pepitoria f; **~stall** m gallinero

Hülle f envoltura, funda

Hülsenfrüchte fpl legumbres

Hummel f abejarrón m

Hummer m bogavante

Humor m humor

humpeln cojear

Hund m perro

Hunde|futter n alimento m para perros; **~hütte** f perrera; **~kuchen** m perruna f; **~leine** f cuerda; **~marke** f chapa

hundert ciento; cien; **2-jahrfeier** f centenario m

Hundewetter n tiempo m de perros

Hündin f perra

Hunger m hambre f; **2n** pasar hambre; **~snot** f hambre; **~streik** m huelga f del hambre

hungrig hambriento

Hupe f bocina, claxon m; **2n** tocar la bocina

hüpfen brincar

Hürde f Sp valla; fig obstáculo m; **~nlauf** m carrera f de vallas

Hure f ramera, puta

hüsteln tosquear

husten toser; **2** m tos f; **2saft** m jarabe (contra la tos)

Hut 1. m sombrero; 2. f: **auf der ~ sein** estar sobre aviso

hüten guardar; Vieh a: apacentar; **das Bett ~** guardar cama; **s. ~ vor** guardarse de

Hut|geschäft n sombrería f; **~krempe** f ala

Hütte f cabaña, choza; Tech planta siderúrgica; (Schutz2) refugio m

Hyäne f Zo hiena

Hyazinthe f jacinto

Hydrant m boca f de riego

hydraulisch hidráulico

Hygien|e f higiene; **2isch** higiénico

Hymne f himno

Hypno|se f hipnosis; **2tisieren** hipnotizar

Hypothek f hipoteca

Hyster|ie f histerismo m, histeria; **2sch** histérico

I

ich yo; **~ bin's** soy yo

ideal ideal

Idee f idea

ident|ifizieren identificar; **~isch** idéntico (mit a); **2i-tät** f identidad

ideologisch ideológico

Idiot m, **2isch** idiota

idyllisch idílico

Igel m erizo

ignorieren no hacer caso a, desatender (ac)

ihm a él; le

ihn a él; le, lo

ihnen a ellos, a ellas; les; **2** a usted(es pl); le, les

ihr a ella; le; (gen) sg su; pl sus; **2** su; pl/sus; de usted(es pl)

illegal ilegal

Illusion f ilusión

Illustrierte f revista ilustrada

Iltis m turón

Image n imagen f pública

Imbiß m colación f, refrigerio; F piscolabis, tentempié; **~halle** f, **~stube** f cafetería bar m, Am a lonchería, salón m de onces

Imitation f imitación

Imker m apicultor

Immatrikulation f matrícula

immer siempre; ~ **besser** cada vez mejor; ~ **noch** todavía, aun; **für** ~ para siempre; ~**fort** siempre; continuamente; ~**hin** como hay todo eso, sea como sea; ~**zu** sin cesar

Immobilien pl bienes mpl inmuebles; ~**makler** m corredor de fincas, agente de la propiedad inmobiliaria

immun inmune

Imperialismus m imperialismo

Impf|bescheinigung f certificado m de vacuna; ~**en** vacunar; ~**ung** f vacunación; ~**zwang** m vacunación f obligatoria

imponieren impresionar; ~**d** imponente

Import m importación f; ~**eur** m importador; ~**ieren** importar

imposant imponente

impotent impotente

imprägniert impregnado; impermeabilizado

improvisieren improvisar

impulsiv impulsivo

imstande (**nicht**) ~ **sein** (no) ser capaz (**zu** de)

in en; a; (zeitl.) dentro de; **die Schule gehen** ir a la escuela; ~ **Madrid** en Madrid

Inbegriff m síntesis f; ~**en:** **alles** ~**en** todo incluido

inbrünstig adv con fervor

Index m índice

Indian|er m indio, Am a amerindio

indirekt indirecto

indiskret indiscreto

individuell individual

Indizien npl indicios mpl

Industrialisierung f industrialización

Industrie f industria; ~**gebiet** n región f industrial, polígono m industrial

Infektion f infección; ~**skrankheit** f enfermedad infecciosa

infizieren (s.) infectar(se)

Inflation f inflación

infolge a consecuencia de; ~**dessen** por consiguiente

Information f información; ~**sbüro** n oficina f de información

informieren (s.) informar (-se) (**über** de, sobre)

Infra|rotstrahler m radiador infrarrojo; ~**struktur** f infraestructura

Ingenieur m ingeniero

Ingwer m jengibre

Inhaber m propietario; Hdl portador; tenedor; titular

inhalieren inhalar

Inhalt m contenido; ~**sverzeichnis** n índice m (de materias)

Initiative f iniciativa; **aus eigener** ~ por propia iniciativa

Injektion f inyección

inklusive inclusive, incluido

Inland n interior m

inländisch del país; interior

Inlandsflüge mpl vuelos nacionales

inmitten en medio de

innen (a)dentro; **von ~** de dentro; **nach ~** adentro; **²architekt** m arquitecto-decorador; **²ministerium** n Ministerio m del Interior; **²politik** f política interior; **²stadt** f centro m de la ciudad

inner interior, interno; íntimo; **²e(s)** n interior m; fig **im ²en** en su fuero interno; **~halb** dentro de; **~lich** interior; íntimo; Med para uso interno

innig entrañable, efusivo

Innung f gremio m, corporación

Insasse m ocupante

insbesondere particularmente

Inschrift f inscripción

Insekt n insecto m

Insekten|mittel n insecticida m; **~schutzmittel** n repelente m; **~stich** m picadura f de insecto

Insel f isla; **~bewohner** m isleño

Inser|at n anuncio m, Am aviso m; **²ieren** poner un anuncio (**in** en)

insgesamt en total; todos juntos

insofern en esto; en cuanto que

Inspektion f inspección; Kfz, Tech revisión

Installateur m (Wasser) fontanero, Am plomero, Chi gasfiter; El lampista, electricista

instand: ~ halten mantener; **~ setzen** arreglar, componer

Instanz f instancia

Instinkt m instinto

Institut n instituto m; **~ion** f institución

Instrument n instrumento m

Insulin n insulina f

Inszenierung f puesta en escena

intakt intacto

intelligen|t inteligente; **²z** f inteligencia

intensiv intenso; **²station** f unidad de cuidados intensivos (od de vigilancia intensiva)

interes|sant interesante; **~se** n interés m; **~sieren** interesar

Internat n internado m

inter|national internacional; **~nieren** internar; **²nist** m médico internista; **²pret** m intérprete; **²ven-tion** f intervención; **²view** n entrevista f, interviú f

intim íntimo

intra|muskulär intramuscular; **~venös** intravenoso

Intrige f intriga

Invalide m inválido; (Kriegs²) mutilado

Invasion f invasión

Inventur f inventario m
invest|ieren invertir; **2ition** f inversión
inwiefern hasta qué punto
inzwischen entretanto
irdisch terrenal, de este mundo
irgend|ein algún; **~einer,** **~jemand** alguno; alguien; **~etwas** algo; **~wann** algún día; **~wie** de cualquier manera; **~wo** en alguna parte; **~wohin** a no importa dónde de
Ironie f ironía; **2sch** irónico
irre loco, demente; **2(r)** su loco m, loca f; **~führen** desorientar, extraviar; **~n** vi

andar errante; fig estar equivocado; **s. ~n** equivocarse; **2nanstalt** f manicomio m
irrig erróneo, equivocado
Irr|licht n fuego m fatuo; **~sinn** m locura f; **~tum** m error, equivocación f; **2tümlich** adv equivocadamente
Ischias f ciática f
Islam m islam(ismo); **2isch** islámico
Isolier|band n cinta f aislante; **2en** aislar; Gefangene: incomunicar; **~ung** f aislamiento m
Israelit m Rel israelita

J

ja sí
Jacht f yate m
Jacke f, **~tt** n chaqueta f, Span a americana f, Am saco m
Jagd f caza, Am cacería; **2bar** cazable; **~gewehr** n escopeta f; **~revier** n coto m; **~schein** m licencia f de caza
jagen vt cazar; fig perseguir
Jäger m cazador; Flgw caza
jäh súbito
Jahr n año m; **seit ~en** desde (od durante) años
Jahres- in Zssgn anual; **~tag** m aniversario; **~zeit** f estación
Jahr|gang m año; **~hundert** n siglo m
jährlich anual; adv cada año
Jahr|markt m feria f; **~**

zehnt n decenio m
jähzornig iracundo
Jalousie f persiana, celosía
jämmerlich lastimoso; lamentable
jammern lamentarse
Januar m enero m
Jasmin m jazmín m
jäten escardar
Jauche f estiércol m líquido
jauchzen lanzar gritos de júbilo
jaulen aullar
Jazzband f orquesta de jazz
je jamás, nunca; cada; **~zwei (von)** cada dos; **j-m** en sendos; **~zwei geben** dar dos a cada uno; **~ ... desto** cuanto ... (tanto) ...; **~ desto** cuanto ... (tanto) ...;
nachdem según el caso;
nachdem ob según que,

depende de

jede, **~r**, **~s** cada (uno)
jedenfalls sea como fuera
jeder|mann todo el mundo;
~**zeit** en cualquier momento
jedesmal cada vez (**wenn** que)
jedoch pero, sin embargo
jemals jamás
jemand alguien, alguno
jen|e, **~er**, **~es** aquel, aquella, aquello; **~seits** (gen, dat) a (u del) otro lado de
Jesuit m jesuita
jetz|ig de ahora (od hoy), actual; **~t** ahora, al presente
jeweils respectivamente
Jodtinktur f tintura de yodo
Jogging n jogging m
Joghurt m yogur
Johannisbeere f grosella
Johannisbrot n algarroba f; **~baum** m algarrobo
Jolle f yola, balandro m
Journalist m periodista
Jubel m júbilo
Jubiläum n aniversario m
juck|en picar; **~reiz** m picor
Jude m judío

jüdisch judío, hebreo
Jugend f (Zeit) juventud; los jóvenes; **2frei** (Film) tolerado (para) menores; **~fürsorge** f protección de menores; **~herberge** f albergue m juvenil; **2lich** joven; juvenil; **~liche(r)** su menor
Juli m julio
jung joven; **2e** m muchacho, chico; **2e(s)** n Zo cría f
jünger joven; menor
Jungfrau f virgen; Rel Virgen
Junggeselle m soltero; **~in** f soltera
Jüngling m adolescente, joven
jüngst el (la) más joven; el (la) menor
Juni m junio
Jurist m jurista, abogado; **2isch** jurídico
Jury f jurado m
Justiz f justicia
Juwel|en npl joyas fpl; **~ier** m joyero
Jux m chanza f; F cachondeo

K

Kabarett n café-teatro m
Kabel n cable m; **~fernsehen** n cablovisión f
Kabeljau m bacalao
Kabine f cabina; Mar camarote m; Tel locutorio m; **~nlift** m telecabina f; **~t** n a Pol gabinete m
Kabriolett n descapotable

m, Am convertible m
Kachel f azulejo
Kacke f F caca; **2n** F cagar
Käfer m escarabajo
Kaff n F poblacho m, pueblo m de mala muerte
Kaffee m café; **schwarzer ~** café solo, Col tinto; **~ mit wenig Milch** café cortado.

~kanne f cafetera; **~ma-
schine** f cafetera (eléctrica); **~mühle** f molinillo m
de café

Käfig m jaula f

kahl escueto; pelado; (*Kopf*)
calvo; (*Baum*) deshojado

Kahn m barca f

Kai m muelle m

Kaiser m emperador; **~in** f
emperatriz; **~reich** n imperio m; **~schnitt** m *Med* cesá-
rea f

Kajak m kayak

Kajüte f camarote m

Kakao m cacao; chocolate

Kakerlak m cucaracha f

Kak|tee f, **~tus** m cacto m,
cactus m

Kalb n ternero m; **~fleisch** n
ternera f

Kaldaunen fpl callos mpl

Kalender m calendario, almanaque

Kalk m cal f

kalkulieren calcular

kalt frío; **~es Büffet** ambigú
m; **es ist ~** hace frío; **~
stellen** poner al fresco; **~
werden** enfriarse; **~blütig**
adv con sangre fría

Kälte f frío m

Kaltwelle f permanente en
frío

Kamel n camello m

Kamera f (*Film2*) tomavistas m, cámara; (*Foto2*) máquina (fotográfica)

Kamerad m camarada,
~schaft f com-
pañerismo m

Kamille f manzanilla; **~ntee**

m infusión f de manzanilla

Kamin m chimenea f

Kamm m peine

kämmen (s.) peinar(se)

Kammer f cámara; **~musik**
f música de cámara

Kampf m combate; lucha f

kämpfen combatir, luchar

Kampfer m alcanfor

Kämpfer m combatiente;
luchador

kampf|los sin lucha; **£rich-
ter** m árbitro; **~unfähig
sein** estar fuera de combate

kampieren acampar

Kanal m canal; **~isation** f
alcantarillado m; canaliza-
ción

Kanarienvogel m canario

Kandidat m candidato

kandiert: ~e Früchte fpl
frutas escarchadas

Kaninchen n conejo m

Kanister m bidón, lata f

Kännchen n jarrita f

Kanne f jarro m, jarra

Kanone f cañón m

Kante f canto m; borde m

Kantine f cantina

Kanu n canoa f, piragua f;
~te m piragüista

Kanzel f púlpito m

Kanz|lei f cancillería; **~ler** m
canciller

Kapazität f capacidad

Kapelle f capilla; *Mus* banda, orquesta

Kapern fpl alcaparras

kapieren F entender

Kapital n capital m; **~ist** m,
~istisch capitalista

Kapitän m capitán; *Flgw* co-

mandante
Kapitel n capítulo m
kapitulieren capitular
Kaplan m capellán
Kappe f capucha, gorra
Kapsel f cápsula
kaputt roto, estropeado;
(j) rendido; **~gehen** romperse; **~machen** estropear
Kapuze f capucha
Karaffe f garrafa
Karambolage f choque m;
(Billard) carambola
Karamellen fpl caramelos
mpl de café con leche
Karat n quilate m
Karawane f caravana
Kardanwelle f árbol m cardán
Kardinal m cardenal
Karfreitag m Viernes Santo
kariert de cuadros; (Papier)
cuadriculado
Karies f caries
Karikatur f caricatura
Karneval m carnaval
Karosserie f carrocería
Karotte f zanahoria
Karpfen m carpa f
Karre(n m) f carro m, carreta f
Karriere f carrera
Karte f (Spiel?) carta, naipe
m; (Geogr) mapa m; (Speise?)
carta; (Eintritts?) entrada;
~n spielen jugar a las cartas
Kartei f fichero m; **~karte** f
ficha
Kartoffel f patata, Am papa;
~brei m, **~mus** n puré m de
patatas, Col naco m; **~salat**
m ensalada f de patatas

Karton m cartón; caja f
Karussell n tiovivo m, Am a
carrusel m
Karwoche f Semana Santa
Käse m queso; **brot** n bocadillo m de queso
Kaserne f cuartel m
Kasino n casino m
Kaskoversicherung f Kfz
seguro a todo riesgo
Kasse f caja; **~nzettel** m vale m
Kasserolle f cacerola
Kassette f cajita; Fot chasis
m, bastidor m; (Ton?) cas-
(s)et(t)e m u f; **~nrecorder**
m grabadora f
kassier|en cobrar; **?er** m cajero
Kastagnetten fpl castañuelas
Kastanie f castaña; (Baum)
castaño m
Kästchen n cajita f
Kasten m caja f, cajón m
Katalog m catálogo
Katarrh m catarro
Katastrophe f catástrofe,
desastre m
Kater m gato; f fig resaca f,
Méj cruda f, Col guayabo m
Kathedrale f catedral
Katholi|k m, **?sch** católico
Katze f gato m, gata f
Kauderwelsch n chapurreo m
kauen mascar
Kauf m compra f; **?en** comprar
Käufer m comprador
Kauf|haus n (grandes) almacenes mpl; **~mann** m comerciante; **~vertrag** m

contrato de compraventa
Kaugummi m chicle
kaum apenas
Kautabak m tabaco de mascar
Kaution f fianza
Kautschuk m caucho
Kavalier m caballero
Kaviar m caviar
Kegel m Math cono; **~bahn** f bolera; **2n** jugar a los bolos
Kehl|e f garganta; **~kopf** m laringe f
Kehr|e f curva, viraje m; recodo m; **2en** barrer; **~schaufel** f pala; **~seite** f revés m
Keil m cuña f
Keiler m jabalí
Keil|kissen m travesero m; **~riemen** m Kfz correa f del ventilador
Keim m germen; **2en** germinar; **2frei** esterilizado
kein ningún; nach Su: no ... alguno; vor Verb: no ...; **~er** ninguno, nadie; **~esfalls**, **~eswegs** de ningún modo
Keks m galleta f
Kelle f cucharón m; (Maurer2) paleta
Keller m sótano; cueva f
Kellner m camarero, Col, Méj mesero, Arg mozo, Chi garzón; **~in** f camarera
kenn|en conocer; **~enlernen** conocer a; **2er** m conocedor; experto; **2tnis** f conocimiento m; **2tnisse** pl conocimientos mpl
Kennzeich|en n característica f; Kfz matrícula f; **2nen**

marcar; caracterizar
kentern zozobrar
Keramik f cerámica
Kerbe f muesca
Kerl m tipo; tío
Kern m núcleo; fig fondo; (Obst2) hueso; (Apfel usw) pipa f, pepita f; **~energie** f energía nuclear; **2gesund** rebosante de salud; **~kraftwerk** n central f nuclear
Kerze f vela, Col esperma; Kfz bujía; **~nhalter** m candelero
Kessel m marmita f; a Tech caldera f
Ketchup n Span catsup m, Am salsa f de tomate
Kette f cadena; (Hals2) collar m; **~nraucher** m fumador empedernido
Ketzer m hereje; **2isch** herético
keuch|en jadear, anhelar; **~husten** m tos f ferina
Keule f maza, porra; (Huhn) muslo m; pierna f
keusch casto
Kicher|erbsen fpl garbanzos mpl; **2n** reírse sofocadamente
Kiefer 1. m mandíbula f; 2. f pino m; **~höhle** f seno m maxilar
Kiel m Mar quilla f
Kiemen fpl branquias, agallas
Kies m guijo
Kilo(gramm) n kilo(gramo) m
Kilometer m kilómetro; **~stein** m mojón kilométrico

zähler m cuentakilómetros

Kilowattstunde f kilovatio--hora m

Kind n niño m; hijo m

Kinder|arzt m pediatra; **~bett** n cuna f; **~garten** m jardín de infancia, Span parvulario; Am a kinder (-garten) m; **~geld** n puntos mpl por hijos; **~heim** n asilo m de niños; **~hort** m guardería f infantil; **~lähmung** f poliomielitis; **~los** sin hijos; **~mädchen** n niñera f; **~spielplatz** m parque infantil; **~wagen** m cochecito

Kind|heit f infancia; **~isch** aniñado, pueril; **~lich** infantil

Kinn n barbilla f; **~haken** m gancho a la mandíbula

Kino n cine m

Kiosk m quiosco

kippen vt volcar; vi perder el equilibrio

Kirche f iglesia; **~ndiener** m sacristán; **~lich** eclesiástico; clerical; **~turm** m campanario

Kirmes f Span verbena

Kirsch|baum m cerezo; **~e** f cereza

Kissen n almohada f, bsd Am cojín m; **~bezug** m funda f

Kiste f caja; F (Auto) cafetera rusa

Kitsch m cursilería f; **~ig** cursi

Kitt m masilla f

Kittchen n F chirona f

Kittel m bata f

kitten enmasillar

kitz|eln cosquillear; **~lig** cosquilloso

Klage f queja; lamentación; jur demanda, querella; **~n** quejarse (**über** de); jur poner pleito (**gegen** a; **auf** por)

Kläg|er m actor, demandante; **~lich** triste, lastimoso

Klammer f grapa; (im Text) paréntesis m, (eckige) corchete m

Klang m sonido

Klapp|bett n cama f plegable; **~e** f tapa; válvula (a Med); **~en: es ~t** (nicht) (no) cuaja, (no) va bien; **~ern** tabletear; **~rad** n bicicleta f plegable; **~sitz** m silla f plegable; **~tisch** m mesa f plegable

Klaps m palmada f

klar claro; limpio; (Himmel) despejado

klären fig aclarar

Klarheit f claridad

Klasse f clase; (Schule) curso m

klassisch clásico

Klatsch m chismes mpl; **~en** chismear; **Beifall ~en** dar palmadas, aplaudir

Klaue f uña; garra

klauen F pispar

Klavier n piano m; **~spieler** m pianista

Kleb|eband n cinta f adhesiva (Am pegante); **~en** vt pegar; vi adherirse a; **~rig** pegajoso; **~stoff** m pegamento, cola f

knirschen

Klee m trébol
Kleid n vestido m, traje m
Kleider|bügel m percha f,
colgador, Am a gancho; ~
haken m colgadero; ~
schrank m armario ropero
kleid|sam que viste mucho;
♀ung f vestidos mpl
klein pequeño; **♀bus** m Span
microbús, Am a buseta f;
♀geld n suelto m, cambio m,
Am a menudo; **♀igkeit** f
pequeñez; menudencia; **♀ig-
keit** f bagatela; detalle m; **♀kind** n
párvulo m; **~laut** apocado;
~lich estrecho (de miras);
mezquino; **♀stadt** f ciudad
pequeña
Kleister m cola f
Klemme f Tech borne m;
fig **in der ~e sitzen** estar en
un aprieto (od apuro); **♀en**
vt Finger: cogerse; vi (Tür)
encajar mal, estar atascado
Klempner m fontanero, Am
plomero, Chi gasfiter
Klette f bardana, lampazo m
kletter|n trepar (a), escalar
(ac); **♀pflanze** f planta tre-
padora
Klima n clima m; **~anlage** f
aire m acondicionado
Klinge f hoja, cuchilla
Kling|el f timbre m; **♀eln**
tocar el timbre; **es läßt** lla-
man; Tel suena; **♀en** sonar
Klinik f clínica
Klinke f picaporte m
Klippe f escollo m, roca
klirren tintinear
klopfen vt golpear; Steine:
labrar; Teppich: sacudir; vi

(Herz) palpitar; (Motor) ra-
tear; **es hat geklopft** han
llamado a la puerta
Klops m albóndiga f
Klosett n Span servicio m,
Am baño m
Kloster n monasterio m;
convento m
Klotz m bloque; leño;
(Hau♀) tajo
Klub m club m
klug inteligente; prudente;
sensato; **♀heit** f inteligencia
Klumpen m pella f
knabbern mordiscar (ac);
(Maus) roer
Knäckebrot n pan m crujiente
knacken vt Nüsse: cascar; vi
crujir
Knall m estallido, estampi-
do; **♀en** estallar; detonar
knapp escaso
knarren rechinar, crujir
knattern traquetear
Knäuel m ovillo
kneif|en pellizcar; **♀zange** f
tenazas fpl
Kneipe f taberna, F tasca
kneten amasar
Knick m codo; (Papier) do-
bladura f; **♀en** doblar
Knie n rodilla f; Tech codo
m; **~beuge** f genuflexión f;
♀n estar (u ponerse) de rodillas; **~scheibe** f rótula f;
~strümpfe mpl medias fpl
cortas
Kniff m pliegue f; fig treta f,
truco
knirschen crujir; **mit den
Zähnen ~** rechinar los

dientes

knistern crepitar

knitter|frei inarrugable; **~n** arrugarse

Knoblauch m ajo

Knöchel m (Fuß&) tobillo; (Hand&) nudillo

Knochen m hueso; **~bruch** m fractura f; **~mark** f médula f ósea; Gastr tuétano m, RPl caracú m

Knolle f bulbo m, tubérculo m

Knopf m botón; **~loch** n ojal m

Knorpel m cartílago

Knospe f botón m, capullo m

Knoten m nudo; **~punkt** m empalme

Knüppel m palo, garrote

knurren (Hund) gruñir

knusprig reseco, crujiente

Koch m cocinero; **~buch** n libro m de cocina; **2en** vt u vi cocer, guisar; cocinar; Kaffee: hacer; vi (Wasser) hervir; **~er** m hornillo (eléctrico); **~gelegenheit** f posibilidad de cocinar; **~geschirr** n batería f de cocina

Köchin f cocinera

Koch|nische f rincón m cocina, Am cocineta; **~topf** m olla f, marmita f

Köder m cebo; fig gancho

koffeinfrei descafeinado

Koffer m maleta f, Am a valija f; (gr.) baúl; **~kuli** m carrito; **~radio** n radio f portátil; **~raum** m Kfz maleta f, portamaletas, Am a baúl

Kognak m coñac

Kohl m col f, berza f

Kohle f carbón m; **~nbekken** n brasero m; **~nsäure** f ácido m carbónico; **~papier** n papel m carbón

Kohlrabi m colinabo

Koje f litera

kokett coqueta; **~ieren** coquetear

Kokosnuß f coco m

Koks m coque

Kolben m Tech émbolo, pistón; (Gewehr) culata f

Kolik f cólico m

Kollege m colega su

Kölnischwasser n (agua f de) colonia f

Kolonie f colonia

Kolonne f columna

Kombi|nation f combinación; **~wagen** m camioneta f, Span f rubia f

Komfort m confort, comodidades fpl; **2abel** cómodo, confortable

Komi|ker m cómico; humorista; **2sch** cómico; fig raro

Komma n coma f

Kommando n mando m; **~brücke** f Mar puente m de mando

kommen (her) venir; (hin) llegar (a); **nach Hause ~** volver a casa; **zu spät ~** llegar tarde; **komm!** ¡ven!

Kommentar m comentario

Kommis|sar m comisario; **~sion** f Pol, Hdl comisión

Kommode f cómoda

Kommun|albehörde f municipalidad; **~ismus** m co-

munismo; ~ist(in f) m, 2i-
stisch comunista
Komödie f comedia
Kompanie f compañía
Kompaß m brújula f
Kompetenz f competencia
komplett completo
Kompli|kation f complicación; ~ment n cumplimiento m; piropo m; ~ziert complicado
Kom|ponist m compositor; ~pott n compota f; ~presse f compresa; ~pressor m compresor; ~promiß m compromiso
Kon|densmilch f leche condensada; ~dition f Sp condición; ~ditorei f pastelería; 2dolieren dar el pésame; ~fekt n bombones mpl; ~fektion f confección; ~ferenz f conferencia; ~fession f confesión; ~flikt m conflicto
Kongreß m congreso; ~teilnehmer m congresista
König m rey; ~in f reina; 2lich real; ~reich n reino m
Konjunktur f coyuntura
Konkurrenz f competencia
können poder; (gelernt haben) saber; **es kann sein** puede ser, es posible
konser|vativ conservador; 2ve f conserva; ~vieren conservar
konstru|ieren construir; 2ktion f construcción
Konsul m cónsul; ~at n consulado m
Konsum|ent m consumi-

dor; ~güter npl bienes mpl de consumo
Kon|takt m contacto; ~taktlinsen fpl lentes de contacto; ~tinent m continente; ~tingent n contingente m; ~to n cuenta f; ~toristin f empleada de oficina; ~trast m contraste
Kontroll|ampe f lámpara piloto; ~e f control m; revisión; ~eur m inspector; revisor; 2ieren controlar, comprobar; revisar; ~marke f, ~zettel m comprobante m, contraseña f
kon|ventionell convencional; 2versation f conversación; 2zentrationslager n campo m de concentración; ~zentrieren concentrar; 2zern m consorcio m
Konzert n concierto m; (Solo2) recital m
Konzession f concesión
Kopf m cabeza f; ~hörer m auricular; ~kissen n almohada f; ~salat m lechuga f; ~schmerzen mpl dolor m de cabeza; ~schützer m pasamontañas; ~sprung m zambullida f, ~stütze f Kfz cabezal m, reposacabezas m; ~tuch n pañuelo m
Kopie f copia; 2ren copiar
Kopierstift m lápiz tinta
Kopilot m copiloto
Koralle f coral m
Korb m cesta f; ~ball m baloncesto, Am básquetbol; ~flasche f bombona, damajuana

Korken m corcho; **~zieher** m sacacorchos, descorchador

Korn n grano m; cereales mpl; **~(branntwein)** m aguardiente de trigo

körnig granulado

Körper m cuerpo; **~behinderte(r)** m minusválido; **~lich** corporal; físico; **~pflege** f higiene

Korrespondent m corresponsal; **~z** f correspondencia

Korridor m corredor, pasillo

korrigieren corregir

Korsett n corsé m

Kosmetik f cosmética; **~salon** m instituto de belleza

kosmetisch cosmético, de belleza

Kost f alimentación; comida

kostbar precioso

kosten vt gustar, probar; vi costar, valer; **was ~et ...?** ¿cuánto vale (od cuesta) ...?; **~en** pl gastos mpl; **~enlos** gratuito; adv gratis

köstlich delicioso

Kost|probe f degustación; **~spielig** costoso

Kostüm n traje m sastre

Kot m barro; excremento

Kotelett n chuleta f; **~en** pl patillas fpl

Kotflügel m guardabarros, aleta f

Krabbe f gamba, camarón m

Krach m ruido, estrépito; fig camorra f; **~en** crujir; restallar

krächzen graznar

Kraft f fuerza; vigor m; potencia; **~brühe** f consomé m

Kraftfahr|er m conductor; automovilista; **~zeug** n automóvil m

kräftig fuerte; robusto

kraft|los débil, flojo; **²stoff** m carburante; **²werk** n central f eléctrica, Arg usina f

Kragen m cuello; **~weite** f ancho m del cuello

Krähe f corneja

krähen (Hahn) cantar

Kralle f uña, garra

Kram m F trastos mpl

Krampf m convulsión f; calambre; **~adern** fpl várices; **²haft** convulsivo

Kran m grúa f

krank enfermo

kränken ofender, mortificar

Kranken|haus n hospital m; **~kasse** f caja de seguro de enfermedad; **~pfleger** m enfermero; **~schein** m volante del seguro; **~schwester** f enfermera; **~versicherung** f seguro m de enfermedad; **~wagen** m ambulancia f

Kranke(r) m enfermo; **²haft** morboso; enfermizo (a fig); **~heit** f enfermedad

kränklich enfermizo

Kranz m corona f

Krapfen m buñuelo

Krater m cráter

Krätze f Med sarna

kratzen rascar; rasguñar; vi picar; **s. ~en** rascarse; **²er** m arañazo; raya f

kraulen vt acariciar; vi nadar crol

kraus crespo; rizado

Kraut n hierba f; (Kohl) repollo m

Kräuter|likör m licor de hierbas aromáticas; **~tee** m tisana f, infusión f, Col agua f aromática

Krawall m tumulto, alboroto

Krawatte f corbata

Krebs m cangrejo; Med cáncer

Kredit m crédito; **~karte** f tarjeta de crédito

Kreide f tiza; Geogr creta

Kreis m círculo; distrito

Kreis|el m peonza f; **2en** girar; **2förmig** circular; **~lauf** m circulación f; **~lauf-mittel** m fármaco m circulatorio; **~laufstörungen** fpl trastornos mpl circulatorios; **~säge** f sierra circular; **~stadt** f capital de partido; **~verkehr** m circulación f giratoria

Krematorium n crematorio m

Kreole m criollo

krepieren F estirar la pata

Krepp m (Stoff) crespón f; **~(p)apier** n papel m crepé

Kresse f berro m

Kreuz n cruz f; Med riñones mpl; 2 **und quer** acá y allá; 2**en** cruzar; **~er** m crucero; **~fahrt** f crucero m; **~gang** m claustro; **~otter** f víbora; **~schmerzen** fpl dolor m de riñones; **~ung** f cruce m;

Zo, Bot cruzamiento m; **~worträtsel** n crucigrama m

kriechen reptar, arrastrar(se)

Krieg m guerra f

Kriegs|beschädigte(r) m mutilado de guerra; **~ge-fangene(r)** m prisionero de guerra; **~schiff** n buque m de guerra; **~verbrecher** m criminal de guerra

Kriminal|film m película f policíaca; **~polizei** f policía judicial, Span brigada criminal; **~roman** m novela f policíaca

kriminell criminal

Krippe f pesebre m; (Weih-nachts2) Span belén m, Am pesebre m

Krise f crisis

Kristall m u n cristal m

Kriti|k f crítica; **~ker** m, **2sch** crítico

Kroketten fpl croquetas

Krokodil n cocodrilo m

Kron|e f corona; (Baum2) copa; **~leuchter** m araña f

Kropf m Med bocio

Kröte f sapo m

Krücke f muleta

Krug m jarro

krumm corvo; torcido

krümmen encorvar, doblar

Krüppel m lisiado, mutilado

Kruste f costra; corteza

Kruzifix n crucifijo m

Krypta f cripta

Kübel m cubo, Am balde

Kubikmeter m metro cúbico

Küche f cocina; **kalte ~**

Kuchen 362

fiambres *mpl*, platos *mpl* fríos

Kuchen *m* pastel; (*Obst2*) tarta *f*

Küchenchef *m* cocinero jefe

Kuckuck *m* cuco, cucú

Kugel /bola; *Mil* bala; *förmig* esférico; globular; *lager* *m* cojinete *m* de bolas; *schreiber* *m* bolígrafo, *Méj* atómica *f*, *Arg* birome, *Col* esfero; *stoßen* *m* lanzamiento *m* de peso (*Am de balas*)

Kuh *f* vaca

kühl fresco; *en* refrescar, enfriar; *2er* *m* radiador; *2schrank* *m* refrigerador, nevera *f*, *RPl* heladera *f*; *2tasche* *f* bolsa isotérmica; *2truhe* *f* congelador *m*; *2wasser* *n* agua *f* de refrigeración

kühn atrevido

Küken *n* polluelo *m*

Kultur *f* cultura, civilización; *Biol*, *Med* cultivo *m*; *beutel* *m* neceser de aseo; *film* *m* documental

Kümmel *m* comino

Kummer *m* pena *f*; preocupación *f*

kümmern: s. ~ um (pre)ocuparse de, cuidar (*ac*)

Kunde *m* cliente; *ndienst* *m* servicio posventa

Kundgebung *f* manifestación

kündig|en *j-m*: despedir; denunciar; *2ung* *f* denuncia, aviso *m*; *2ungsfrist* *f* plazo *m* de despido (*od de*

denuncia)

Kund|in *f* clienta; *schaft* *f* clientela

Kunst *f* arte *m* (*pl*: *f*); *ausstellung* *f* exposición de arte; *dünger* *m* abono químico; *faser* *f* fibra sintética; *gewerbe* *n* artesanía *f*; *leder* *n* cuero *m* sintético

Künst|ler(in *f)* *m* artista *su*; *2lich* artificial, imitado; (*Haar*, *Gebiß*) postizo

Kunst|sammlung *f* colección de arte; *stoff* *m* plástico; *stück* *n* artificio *m*; *2voll* artificioso; *werk* *n* obra *f* de arte

Kupfer *n* cobre *m*; *stich* *m* grabado (en cobre)

Kuppel *f* cúpula

Kupplung *f* embrague *m*; *spedal* *n* pedal *m* de embrague

Kur *f* cura, tratamiento *m*

Kurbel *f* manivela; *welle* *f* cigüeñal *m*

Kürbis *m* calabaza *f*, *RPl*, *Bol*, *Pe*, *Chi* zapallo *m*, *Col a* ahuyama *f*

Kur|gast *m* bañista; *ort* *m* balneario

Kurs *m* curso, cursillo; *Mar* rumbo; *Hdl* cambio; *buch* *n* guía *f* de ferrocarriles

Kürschner *m* peletero

Kurswagen *m* coche directo

Kurtaxe *f* impuesto *m* balneario

Kurve *f* curva

kurz corto; breve; **vor *em** hace poco; **~ vor ...** a poca distancia de; *2arbeit* *f* jor-

nada reducida; **~ärmelig**
de manga corta
kürzen reducir; abreviar
Kurz|film m cortometraje;
2fristig a corto plazo; **~ge-
schichte** f cuento m, narra-
ción corta; **~parkzone** f zona azul; **~schluß** m corto-
circuito; **2sichtig** miope;

L

labil inestable
Labor n laboratorio m
Lache f charco m
lächeln sonreír; 2 n sonrisa f
lachen reír (**über** de); 2 n
risa f
lächerlich ridículo; **s. ~
machen** hacer el ridículo
Lachs m salmón
Lack m laca f; barniz; **2ie-
ren** barnizar; **~leder** n charol m
Laden m tienda f, RPl negocio, Col almacén; **~schluß** m cierre de
los comercios; **~tisch** m
mostrador
Ladung f carga
Lage f situación; sitio m;
(Schicht) capa; (Getränke)
ronda
Lager n Hdl almacén m, depósito m; Tech cojinete m;
Mil, Pol campo m; (Wild)
cama f; (feuer n fogata f,
hoguera f, **2n** vt almacenar;
vi acampar
Lagune f laguna
lahm cojo
lähm|en paralizar; **2ung** f

~welle f onda corta
Kuß m beso
küssen (**s.**) besar(se)
Küste f costa; **~nstraße** f
carretera (del) litoral
Kutsche f coche m; **~r** m
cochero
Kutte f hábito m
Kutter m cúter

Med parálisis
Laie m profano; (Kirche)
lego
Laken n sábana f
Lakritze f regaliz m
Lamm n cordero m
Lampe f lámpara; **~n-
schirm** m pantalla f
Land n campo m; Pol país m;
Geogr tierra f; **an ~ gehen** ir
a tierra
Lande|bahn f pista de ate-
rrizaje; **2n** vi aterrizar; Mar
desembarcar
Landenge f istmo m
Länderspiel n encuentro m
internacional
Land|gut n finca f, hacienda
f; **~haus** n quinta f, casa f de
campo; **~karte** f mapa m
ländlich rural, campesino
Land|schaft f paisaje m; **~s-
mann** m compatriota, paisano; **~straße** f carretera;
~streicher m vagabundo;
~ung f Flgw aterrizaje m;
(auf Wasser) amaraje m;
Mar, Mil desembarco m;
~ungsbrücke f desembar-
cadero m; **~ungssteg** m pa-

sarela f; ~weg m: **auf dem
~weg** por vía terrestre; ~
wein m vino corriente

Landwirt m agricultor; ~
schaft f agricultura

lang largo m; **zwei Wochen** ~
durante quince días; ~e adv
mucho tiempo; **seit ~em**
desde hace mucho tiempo

Länge f largo m; (Zeit) duración; **2r** adv más (tiempo)

Langeweile f aburrimiento
m

lang|fristig a largo plazo; ~
haarig melenudo, cabe-
lludo; **~jährig** de muchos
años; **2lauf** m Skisp esquí
de fondo

läng|lich alargado; **~s** + gen
a lo largo de

lang|sam lento; adv lenta-
mente, despacio; **2spiel-
platte** f disco m microsurco, L.P. m, elepé m

längst hace mucho tiempo

Languste f langosta

langweil|en (s.) aburrir(se);
~ig aburrido

Lang|welle f onda larga; **2-
wierig** largo

Lappen m trapo

Lärm m ruido, barullo; **2en**
hacer ruido

Larve f Zo larva

lassen dejar; hacer; (zu~)
permitir, tolerar; **laß das
(sein)!** ¡déjalo!

lässig dejado

Last f carga; ~**enaufzug** m
montacargas

Laster n vicio m

lästern maldecir (**über** de)

lästig latoso, molesto

Last|kahn m gabarra f; ~
(kraft)wagen m camión

lateinisch latino

Laterne f linterna; (Stra-
ßen2) farol m; ~**npfahl** m
poste de farol

Latte f ripia, listón m

Latzhose f pantalón m (de)
peto

lau tibio

Laub n follaje m; ~**baum** m
árbol de fronda; ~**e** f glorie-
ta f

lauern acechar (**auf** ac)

Lauf m corrida f; **im ~** (gen)
en el curso de; ~**bahn** f fig
carrera; **2en** correr; andar;
(Gefäß) irse; (Film) proyec-
tarse; Tech marchar; **2end**
corriente; **2enlassen** soltar
a alg

Läufer m alfombra f; Sp
medio; (Schach) alfil

Lauf|masche f carrera; ~
stall m corralito; ~**steg** m
(Mode) pasarela f

Lauge f lejía

Laun|e f humor m; capricho
m; **gute** (**schlechte**) ~**e haben** estar de buen (mal)
humor; **2isch** caprichoso

Laus f piojo m

lauschen (dat) escuchar

Laus|ejunge m rapaz, golfi-
llo; **2ig** a fig piojoso

laut ruidoso; alto, fuerte;
prp (gen) según, conforme
a; **2** m sonido; ~**en** decir,
rezar

läuten llamar; (Glocken: tocar

laut|los silencioso, sin ruido; **2sprecher** *m* altavoz, *Am* altoparlante; **2stärke** *f* volumen *m*, potencia

lauwarm tibio, templado

Lava *f* lava

Lawine *f* alud *m*, avalancha

leb|en vivir; **~wohl!** ¡adiós!; **2en** *n* vida *f*; **~endig** viviente; vivo

Lebens|gefahr *f* peligro *m* de muerte; **~haltungskosten** *pl* coste *m* de la vida; **2länglich** vitalicio; *jur* perpetuo; **~lauf** *m* curriculum vitae, *Am* a hoja *f* de vida

Lebensmittel *npl* víveres *mpl*, comestibles *mpl*; **~geschäft** *n* tienda *f* de comestibles, *RPl* almacén *m*, *Col* tienda *f*; **~vergiftung** *f* botulismo *m*, intoxicación alimenticia

lebens|müde cansado de vivir; **2standard** *m* nivel de vida; **2unterhalt** *m* subsistencia *f*; **2versicherung** *f* seguro *m* de vida; **2wandel** *m* conducta *f*

Leber *f* hígado *m*; **~tran** *m* aceite *m* de hígado de bacalao

Lebewesen *n* ser *m* vivo, organismo *m*

lebhaft vivo, animado

Lebkuchen *m* pan de especias

leblos inanimado

leck: ~ sein derramarse, hacer agua; **~en** *vt* lamer

lecker apetitoso, sabroso; **2bissen** *m* golosina *f*

Leder *n* cuero *m*; piel *f*;

~waren *fpl* artículos *mpl* de piel; *(Kunst)* marroquinería *f*

ledig soltero

leer vacío; *(Batterie)* descargado; **~en** vaciar; **2gewicht** *n* peso *m* muerto; **2lauf** *m* *Kfz* punto muerto; **2ung** *f* *(Post)* recogida

legal legal

legen poner, meter; colocar; *(Friseur)* marcar; **Karten ~** echar las cartas; **s. ~** calmarse; *(Wind)* amainar

Legende *f* leyenda

Legierung *f* aleación

Lehm *m* barro

Lehne *f* apoyo *m*, arrimo *m*; **2en (s. 2en)** apoyar(se) **(an** contra; **auf** en); **~stuhl** *m* sillón

Lehr|buch *n* manual *m*; *(Schule)* libro *m* de texto; **~e** *f* aprendizaje *m*; *fig* lección; *Rel usw* doctrina; **2en** enseñar; **~er(in** *f)* *m* profesor(a); **~gang** *m* cursillo; **~ling** *m* aprendiz; **~stuhl** *m* cátedra *f*; **~zeit** *f* aprendizaje *m*

Leib *m* vientre, cuerpo

Leibes|erziehung *f* educación física); **~übungen** *fpl* gimnasia *f*; **~visitation** *f* cacheo *m*

Leibwächter *m* guardaespaldas

Leiche *f* cadáver *m*

leicht ligero; *(einfach)* fácil; **2athletik** *f* atletismo *m*; **~fertig** aturdido; ligero; **~gläubig** crédulo; **2igkeit** *f* facilidad; 2**metall** n metal m ligero; 2**sinn** m ligereza f; **~sinnig** ligero

leid: es tut mir ~ lo siento; **er tut mir ~** me da pena; 2 n pena f; sufrimiento m; **~en** vi sufrir, padecer; **nicht ~en können** no poder tragar a; 2**en** n sufrimiento m, dolor m

Leidenschaft f pasión; 2**lich** apasionado

leid|er desgraciadamente; **~lich** tolerable

Leierkasten m organillo

Leih|bücherei f biblioteca comercial; 2**en** j-m: prestar, dejar; (sich) tomar prestado; **~gebühr** f alquiler m; **~haus** n monte m de piedad; **~wagen** m coche de alquiler sin chófer; 2**weise** prestado

Leim m cola f

Lein|e f cuerda; 2**en** n tela f; **~samen** m linaza f; **~wand** f lienzo m; (Film2) pantalla

leise silencioso; adv (sprechen) en voz baja

Leiste f listón m; Anat ingle

leisten hacer, cumplir; prestar; **s. ~** permitirse

Leistung f rendimiento m; resultado m, trabajo m; **~en** fpl prestaciones

Leit|artikel m artículo de fondo; 2**en** dirigir, guiar; conducir; **~er 1.** m director; gerente; jefe; Phys conductor; **2.** f escalera; **~planke** f carril m protector; **~ung** f dirección; Tech conduc-

ción; El línea; **~ungswasser** n agua f del grifo

Lektion f lección

Lektüre f lectura

Lende f lomo m

lenken dirigir, guiar; Kfz conducir, Am a manejar

Lenk|rad n volante m, Col timón m, Chi manubrio m; **~stange** f manillar m, guía; **~ung** f dirección; conducción

Lepra f lepra

Lerche f alondra

lernen aprender

lesbar legible

Lese|lampe f lámpara para lectura; 2**n** leer; **~r** m lector; 2**rlich** legible; **~saal** m sala f de lectura; **~zeichen** n señal f

letzt último; extremo; (Zeit) pasado

Leucht|e f lámpara; 2**en** lucir, brillar; 2**end** luminoso; (Farbe) vivo; **~er** m candelabro; **~feuer** n Mar, Flgw fanal m; **~reklame** f anuncio m luminoso; **~turm** m faro; **~zifferblatt** n esfera f luminosa

leugnen negar

Leukämie f leucemia

Leute pl gente f

Lexikon n (Sprach2) diccionario m; (Sach2) enciclopedia f

liberal liberal

Licht n luz f; **bei ~** con luz; **~machen** dar la luz; **~bild** n fotografía f; **~bildervortrag** m conferencia f con

proyecciones; 2en *Mar*:
die Anker 2en levar an-
clas; s. 2en aclararse; ~**hupe** f avisador m luminoso;
~**maschine** f dínamo; ~
schalter m interruptor;
~**ung** f calvero m, claro m
Lid n párpado m; ~**schatten**
m sombra f de ojos
lieb amable; querido; 2e f
amor m; afección; ~en querer; amar
liebenswürdig amable; 2-
keit f amabilidad
lieber adv más bien; ~ tun
usw preferir, gustar más ...
Liebes|brief m carta f de
amor; ~**kummer** m penas
fpl de amor
lieb|evoll cariñoso; ~**ling** m
favorito; cariño
Lied n canción f
liederlich desordenado,
descuidado
Liefer|ant m proveedor; 2-
bar entregable; disponible;
~**bedingungen** fpl condiciones de entrega; ~**frist** f
plazo m de entrega; 2n entregar, suministrar;
~**schein** m talón de entrega;
~**ung** f entrega; suministro
m; ~**wagen** m camioneta f
de reparto
Liege f tumbona; 2n estar
echado (od tendido, coloca-
do; situado); 2**nlassen** dejar; olvidarse de; ~**sitz** m
asiento tumbable (od
reclinable); ~**stuhl** m hamaca
f, silla f de extensión; ~**wagen** m coche-litera(s); ~**wa-**

genkarte f billete m de litera; ~**wiese** f prado m para
baños de sol
Lift m ascensor; ~**boy** m ascensorista
Likör m licor
lila lila
Lilie f lirio m
Limonade f limonada;
(*Brause*) gaseosa
Linde f tilo m; ~**nblütentee**
m (infusión f de) tila f
linder|n aliviar, mitigar;
2**ung** f alivio m, mitigación f
Lineal n regla f
Linie f línea; ~**nflugzeug** m,
~**nmaschine** f avión m de
línea; ~**nrichter** m Sp juez
de línea, linier
link izquierdo; 2e f izquierda; ~**s** a la izquierda; 2**s-
händer** m zurdo
Linse f Optik lente; bot len-
teja; ~**nsuppe** f sopa de
lentejas
Lippe f labio m; ~**nstift** m
barrita f de carmín, lápiz
labial
lispeln cecear
List f astucia
Liste f lista; especificación
listig astuto
Liter n od m litro m
Literatur f literatura
Litfaßsäule f columna
anunciadora
Live-Sendung f transmisión en directo
Lizenz f licencia; concesión
Lkw m camión
Lob n alabanza f, elogio m;
2**en** alabar; 2**enswert** lau-

dable

Loch n agujero m; abertura f; 2en agujerear; *Fahrkarte:* picar; ~er m perforador; ~karte f ficha perforada

Locke f rizo m; 2n atraer; ~nwickel m rulo, bigudí

locker flojo; ~n relajar; **s. ~n** relajarse, aflojarse

lockig rizado

Löffel m cuchara f

Loge f *Thea* palco m

logisch lógico

Lohn m salario; sueldo; ~büro n oficina f de pagos; 2en: **es 2t s.** (**nicht**) (no) vale la pena; 2end ventajoso; rentable; ~erhöhung f aumento m de salario; ~steuer f impuesto m sobre el salario

Loipe f *Skisp* pista para esquí de fondo

Lokal n restaurante m

Lokomotive f locomotora f

Lorbeerblatt n hoja f de laurel

los! ¡vamos!; ¡ya!; **was ist ~?** ¿qué pasa?

Los n billete m de lotería; *fig* suerte f, destino m; **das große ~** el gordo

losbinden desatar

Lösch|blatt n (papel m) secante m; 2en *Durst, Licht:* apagar; *Feuer:* extinguir; *Mar* descargar; *Waren:* desembarcar

lose flojo; suelto; *Hdl* a granel

Lösegeld n rescate m

losen echar suertes

lösen soltar; *Fahrkarte:* sacar; *Vertrag:* anular; *Aufgabe:* resolver

los|lassen soltar; **s. ~reißen** soltarse

Lösung f solución f

loswerden desembarazarse de, librarse de

Lot n plomada f; *Mar* sonda f

löt|en soldar; 2kolben m soldador; 2lampe f lámpara para soldar

Lotse m práctico; ~ndienst m servicio de práctico

Lötstelle f soldadura f

Lotterie f lotería f

Löwe m león

Lücke f vacío m; omisión f

Luder n carroña f; *fig pej* pajarraca f

Luft f aire m; ~ ... in *Zssgn* aéreo; ~ballon m globo; 2dicht hermético; 2druck m presión f atmosférica

lüften ventilar, airear

Luftfahrt f aviación f; ~gesellschaft f compañía aérea

Luft|fracht f flete m aéreo; ~gewehr n escopeta f de aire comprimido; ~kissenboot n aerodeslizador m; ~krankheit f mareo m; ~kühlung f refrigeración por aire; ~kurort m estación f climática; 2leer vacío; *nach in Flgw* bache m; ~matratze f colchón m neumático; ~pirat m pirata aéreo; ~post f correo m aéreo; **mit ~post** por avión; ~pumpe f bomba neumá-

tica; **~röhre** f tráquea
Lüftung f ventilación
Luftwaffe f fuerzas fpl
aéreas
Lüg|e f mentira; **2en** mentir;
~ner m mentiroso
Luke f tragaluz m; Mar escotilla
Lump m canalla; **~en** mpl
harapos
Lunchpaket n bolsa f de
merienda
Lunge f pulmón m; **~nent-**
zündung f pulmonía

Lupe f lupa
Lust f ganas fpl; placer m;
(keine) ~ haben zu (no)
tener ganas de
lüstern lascivo
lustig alegre; divertido; **s. ~**
machen über burlarse de
Lustspiel n comedia f
Lutscher m caramelo de palo, pirulí
Luxus m lujo; **~hotel** n hotel
m de lujo
lynchen linchar
Lyri|k f lírica; **2sch** lírico

M

mach|en hacer; dar; **wie-**
viel ~t es? ¿cuánto es?; **das**
~t nichts no importa
Macht f poder m; autoridad;
~haber m dirigente
mächtig poderoso; fig enorme, imponente
machtlos impotente
Mädchen n muchacha f,
chica f; **~name** m apellido
de soltera
Made f cresa
Magazin n almacén m;
(Waffe) cargador m
Magd f sirvienta
Magen m estómago; **~bitter**
m estomacal; **~geschwür** n
úlcera f del estómago; **~-**
schmerzen mpl dolores de
estómago
mager flaco; magro; **2-**
milch f leche desnatada
Magnet m imán
Mäh|drescher m segadora-
-trilladora f, cosechadora f;

2en segar
Mahl n comida f; (Fest2)
banquete m; **2en** moler; **~-**
zeit f comida
Mähmaschine f segadora
Mähne f crines fpl; fig melena
mahn|en reclamar; **2ung** f
Hdl reclamación
Mai m mayo; **~feiertag** m
Fiesta f del Trabajo; **~-**
glöckchen n muguete m
Mais m maíz; **~brot** n borona f; **~kolben** m mazorca f;
(zarter) Am choclo
Majoran m mejorana f
makellos inmaculado
Make-up n maquillaje m
Makkaroni pl macarrones
mpl
Makler m corredor, agente
Makrele f caballa
Makrone f macarrón m
mal Math: **zwei ~ zwei** dos
por dos

Mal n vez f; **das nächste** ~ la próxima vez

Malaria f paludismo m

mall|en pintar; **2er** m pintor; **2erei** f pintura

Malz|bier n cerveza f de malta; **~kaffe** m malta f

man: ~ **sagt** se dice, dicen; ~ **muß** hay que

Manager m directivo, ejecutivo

manch|e, ~er, ~es alguno, alguna; **~e** pl algunos, varios; **~mal** algunas veces, a veces

Mandarine f mandarina

Mandel f almendra; *Anat* amígdala; **~entzündung** f amigdalitis, angina(s) f(pl)

Manege f pista de circo

Mangel m defecto; vicio; falta f, carencia f (**an** de); **2haft** defectuoso

Mangold m acelgas fpl

Manieren fpl maneras, ademanes mpl

Maniküre f (*Tätigkeit*) manicura; (*Person*) Span manicura, *Am* manicurista

Mann m hombre

Männchen n Zo macho m; *fig* hombrecillo m

Mannequin n (*Person*) maniquí f

mannigfaltig variado, diverso

männlich masculino; Zo macho

Mannschaft f equipo m

Manöver n maniobra f

Mansarde f mansarda, buhardilla

Manschette f puño m; **~knopf** m gemelo, *Méj* mancuerna f, *Col* mancorna f, *Chi* collera f

Mantel m abrigo; (*Reifen2*) cubierta f

Mappe f cartera; carpeta

Märchen n cuento m; **~buch** n libro m de cuentos; **2haft** fabuloso

Marder m marta f

Margarine f margarina

Marinade f escabeche m

Marine f marina; (*Kriegs2*) armada

mariniert en escabeche

Marionette f títere m, fantoche m, marioneta

Mark 1. f marco m; 2. f médula f, tuétano m

Marke f Hdl marca; (*Spiel2, Tel*) ficha; (*Brief2*) sello m; *Süda* estampilla; *Méj* timbre m; **~nartikel** m artículo de marca

markier|en marcar, señalar; **2ung** f señales fpl

Markise f marquesina

Markt m mercado; **~halle** f mercado m cubierto; **~platz** m plaza f

Marmelade f mermelada

Marmor m mármol

Marone f castaña (comestible)

Marsch m marcha f; **2ieren** marchar; **~route** f itinerario m

Märtyrer m mártir su

Marxist m marxista; **2isch** m marxista

März m marzo

Marzipan n mazapán m

Masche f malla; *fig* F truco m; **~ndraht** m tela f metálica

Maschine f máquina; aparato m; *Flgw* avión m

Maschinen|gewehr n ametralladora f; **~pistole** f pistola ametralladora, metralleta; **~raum** m sala f de máquinas; **~schaden** m avería f

Maschineschreiben n mecanografía f

Maschinist m maquinista

Masern pl sarampión m

Maske f máscara; disfraz m

Maß n medida f; *fig* grado m; **nach ~** a medida

Massage f masaje m

Maßanzug m traje a medida

Masse f masa

Massen|artikel m artículo de gran consumo; **~grab** n fosa f común; **2haft** inmenso, en masa; **~medien** npl medios mpl de comunicación social

Masseur m masajista

maß|gebend, ~geblich decisivo; competente; **~halten** contenerse

massieren dar un masaje a

mäßig moderado; en moderar, contener; **s. ~en** moderarse

maß|los desmesurado; excesivo; **2nahme** f medida; **2stab** m escala f; *fig* norma f; **~voll** mesurado

Mast m poste; *Mar* mástil

Mastdarm m recto

mästen cebar, engordar

Mater|ial n material m; **~ie** f materia; **2iell** material

Mathematik f matemáticas fpl; **~er** m matemático

Matinee f función de mañana

Matratze f colchón m

Matrose m marinero

matt mate (a Schach, Fot); (Glas) opaco; (j) débil

Matte f estera

Mauer f muro m; (Stadt2) muralla

Maul n boca f; **~beerbaum** m morera f; **~esel** m macho; **~korb** m bozal; **~tier** n mulo m; **~wurf** m topo

Maurer m albañil, Span F a paleta

Maus f ratón m; **~efalle** f ratonera

mausern: s. ~ Zo estar de muda

Mausoleum n mausoleo m

Maut f peaje m; **~straße** f carretera de peaje

Mayonnaise f mayonesa

Mecha|nik f mecánica; **~niker** m, 2nisch mecánico; **~nismus** m mecanismo

Medaill|e f medalla; **~on** n medallón m

Medikament n medicamento m, medicina f

Medizin f medicina; 2isch médico; medicinal

Meer n mar m; **~blick** m vista f al mar; **~enge** f estrecho m; **~rettich** m rábano picante; **~schweinchen** n cobayo m, Col curí m, Pe cuy m, Par chanchito m de la

la India; **~wasser** n agua f
de mar
Mehl n harina f
mehr más; **~ als** (ohne Vergleich) más de; (mit Vergleich) más que; **immer ~** más y más; **nichts ~** nada
más; **um so ~** tanto más;
~deutig ambiguo
mehrere varios
mehr|fach múltiple; adv repetidas veces; **~gewicht** n
exceso m de peso; **~heit** f
mayoría; **~mals** varias veces; **~tägig** de varios días;
~zahl f Gr plural m
meiden evitar
Meile f Mar milla marina (od náutica); (Land~) legua
mein, ~e mi(s)
Meineid m perjurio
meinen pensar, opinar;
querer decir
meinetwegen por mí; ¡sea!
Meinung f opinión; **~verschiedenheit** f disentimiento m, discrepancia
Meise f paro m
Meißel m cincel
meist: der, die, das ~e la
mayor parte (de); **am ~en**
más; **~ens** generalmente,
las más veces
Meister m maestro; patrono; Sp campeón; **~schaft** f
maestría; Sp campeonato
m; **~werk** n obra f maestra
melden avisar; anunciar; s.
~ presentarse; **s. krank ~**
darse de baja como enfermo
Melde|schluß m cierre de
inscripciones; **~ung** f aviso

m; noticia; Mil parte m
melken ordeñar
Melodie f melodía
Melone f melón m; (Wasser~) sandía; (Hut) sombrero m hongo
Menge f cantidad; montón
m; fig muchedumbre
Mensa f comedor m universitario
Mensch m hombre
menschen|leer despoblado,
desierto; **~menge** f muchedumbre; **~rechte** npl derechos mpl del hombre;
~scheu huraño
Mensch|heit f género m humano, humanidad; **~lich**
humano; **~lichkeit** f humanidad
Menstruation f menstruación
Menthol n mentol m
Menü n menú m, cubierto m
fijo
Merk|blatt n hoja f informativa; **~en** notar, percibir; s.
~en no olvidar; **~lich** perceptible; **~mal** n característica f; distintivo m; **~würdig** curioso
Meß|band n cinta f métrica;
~bar mensurable
Messe f Rel misa; Hdl feria;
~gelände n recinto m de la
feria; **~halle** f pabellón m de
feria
messen medir
Messer n cuchillo m; (Taschen~, Rasier~) navaja f;
~schnitt m corte de navaja
Messing n latón m, bsd Am

cobre *m* amarillo

Metall *n* metal *m*; **~arbeiter** *m* obrero metalúrgico

meteorologisch meteorológico

Meter *m od n* metro *m*

Methode *f* método *m*

Metzger *m* carnicero; **~ei** *f* carnicería

Meuterei *f* motín *m*

mich me; (a) mí

Mieder *n* corpiño *m*

Miene *f* cara

Miesmuscheln *fpl* mejillones *mpl*

Miet|e *f* alquiler *m*, *Am a* arriendo *m*; **2en** alquilar, *Méj* rentar, *Süda* arrendar; **~er** *m* inquilino; **~wagen** *m* coche de alquiler

Migräne *f* jaqueca

Mikro|phon *n* micrófono *m*; **~skop** *n* microscopio *m*

Milch *f* leche; **~bar** *f* granja; **~flasche** *f* (*fürs Kind*) biberón *m*, *Col* tetero *m*; **~kaffee** *m* café con leche; **~mixgetränk** *n* batido *m* de leche; **~pulver** *n* leche *f* en polvo; **~reis** *m* arroz con leche; **~zahn** *m* diente de leche

mild suave, atenuado; **~ern** suavizar, atenuar; templar

Militär *n* milicia *f*; **2isch** militar

Milli|arde *f* mil millones *mpl*; **~meter** *m od n* milímetro *m*; **~on** *f* millón *m*

Milz *f* bazo *m*

Minarett *n* alminar *m*

minder menor; inferior; 2

heit *f* minoría; **~jährig** menor (de edad); **~wertig** (de) inferior (calidad)

mindest el, la menor; **~ens** al (*od* por lo) menos; **2lohn** *m* salario mínimo; **2preis** *m* precio mínimo

Mine *f* mina

Mineral *n* mineral *m*; **~wasser** *n* agua *f* mineral (**mit** (**ohne**) **Kohlensäure** con (sin) gas)

Mini|bus *m Span* microbús, *Am a* buseta *f*; **~golf** *n* minigolf *m*; **~kleid** *n* minivestido *m*; **2mal** mínimo; **~rock** *m* minifalda *f*

Minister *m* ministro; **~ium** *n* ministerio *m*

minus menos; **~ 15 Grad** 15 grados bajo cero

Minute *f* minuto *m*

mir me; a mí; **mit ~** conmigo

mischen mezclar; *Karten*: barajar; **2ung** *f* mezcla

miserabel miserable

Mispeln *fpl* nísperos *mpl*

miß|achten desatender; **2bildung** *f* deformidad; **~billigen** desaprobar; **2brauch** *m* abuso; **~brauchen** abusar de; **2erfolg** *m* fracaso; **2ernte** *f* mala cosecha; **2geburt** *f* engendro *m*; **2geschick** *n* adversidad *f*, percance *m*; **~handeln** maltratar

Mission *f* misión *f*; **~ar** *m* misionero

miß|lingen fracasar; **~trauen** desconfiar (*dat* de);

Ωtrauen *n* desconfianza *f*; ~trauisch desconfiado, suspicaz; Ωverständnis *n* malentendido *m*; ~verstehen entender mal; Ωwirtschaft *f* desgobierno *m*

Mist *m* estiércol; ~haufen *m* estercolero; ~stück *n* F pej pájara *f*, mal bicho *m*

mit con; ~dem Auto (dem Zug) fahren ir en coche (en tren); Ωarbeiter *m* colaborador; ~bringen traer; Ωbürger *m* conciudadano; ~einander uno(s) con otro(s); Ωgefühl *n* simpatía *f*; ~gehen acompañar (a); Ωglied *n* miembro *m*, socio *m*; Ωgliedsbeitrag *m* cuota *f* (de socio); Ωgliedskarte *f* carné *m* (*od* credencial) de socio; ~kommen ir (mit con)

Mitleid *n* compasión *f*; Ωig compasivo, piadoso

mit|nehmen llevar (consigo); Ωreisende(r) *m* compañero de viaje; ~schuldig cómplice (an de); Ωschüler *m* condiscípulo

Mittag *m* mediodía; zu ~essen almorzar, *Span* a comer; ~essen *n* almuerzo *m*, *Span* a comida *f*

mittags a mediodía; Ωpause *f* descanso *m* de mediodía; Ωruhe *f* siesta

Mitte *f* medio *m*; centro *m*

mitteil|en comunicar, participar; Ωung *f* comunicación, informe *m*

Mittel *n* medio *m*; (Heil~)

remedio *m*; ~alter *n* Edad *f* Media; Ωalterlich medieval; ~deck *n* cubierta *f* media; ~finger *m* dedo del corazón; Ωlos sin recursos; ~ohrentzündung *f* otitis media; ~punkt *m* centro; ~schule *f* colegio *m* de enseñanza media; ~streifen *m* Vkw mediana *f*; ~welle *f* onda media

mitten: ~ in en medio de; ~ unter entre

Mitternacht *f* medianoche

mittlere (del) medio; *fig* mediano

Mittwoch *m* miércoles

mitunter de vez en cuando

mitwirk|en cooperar; Ωung *f* cooperación

Mix|becher *m* coctelera *f*; Ωen mezclar; ~er *m* batidora *f*

Möbel *npl* muebles *mpl*; ~politur *f* pulimento *m* para muebles, *Am* a lustramuebles *m*; ~wagen *m* camión de mudanzas (*Col* de trasteo)

Mobilmachung *f* movilización

möbliert amueblado

Mode *f* moda

Modell *n* modelo *m* (*Person f*)

Mode(n)schau *f* desfile *m* de modelos

modern moderno; ~isieren modernizar

Modeschmuck *m* bisutería *f*

modisch a la moda

mogeln F hacer trampa

mögen querer; **ich möchte ... quisiera, desearía ...**

möglich posible; 2**keit** f posibilidad

Mohammedaner m mahometano, musulmán

Mohn m amapola f; (*Schlaf*-2) adormidera f

Möhre f, **Mohrrübe** f zanahoria

Mokka m moca

Mole f muelle m

Molkerei f lechería

Moment m momento; instante; **~aufnahme** f Fot instantánea

Monarchie f monarquía

Monat m mes; 2**lich** mensual; **~skarte** f abono m mensual; **~srate** f mensualidad

Mönch m monje

Mond m luna f; **~fähre** f módulo m lunar; **~finsternis** f eclipse m lunar; **~landung** f alunizaje m; **~schein** m luz f de la luna

Montag m lunes

Montage f montaje m; ajuste m; 2**ags** los lunes; **~eur** m ajustador; mecánico; 2**ieren** montar

Moor n pantano m; **~bad** n baño m de lodo

Moos n musgo m

Moped n ciclomotor m

Moral f 2**isch** moral

Morast m lodo, fango

Morchel f Bot, Gastr colmenilla

Mord m asesinato

Mörder m asesino

morgen mañana; **~ früh** mañana por la mañana; 2 m mañana f; **guten** 2!¡buenos días!; 2**dämmerung** f alba, amanecer m; 2**rock** m bata f; **~s** de (*od* por la) mañana

morgig de mañana

Morphium n morfina f

morsch podrido

Mörtel m mortero

Mosaik n mosaico m

Moschee f mezquita

Moskitonetz n mosquitero m

Most m mosto; sidra f

Motel n motel m

Motor m motor; **~boot** n lancha f (motora); *Süda* voladora f; **~haube** f capó m; **~öl** n aceite m de motor; **~rad** n motocicleta f; **~roller** m scooter, escúter; **~schiff** n motonave f

Motte f polilla

Möwe f gaviota

Mücke f mosquito m; **~nstich** m picadura f de mosquito

müd|e cansado, fatigado; 2**igkeit** f cansancio m; fatiga

muffig: **~ riechen** oler a enmohecido

Mühe f pena; esfuerzo m; 2**los** sin esfuerzo, fácilmente

Mühle f molino m; (*Spiel*) tres m en raya

mühsam penoso; fatigoso;

arduo
Mulatte *m* mulato
Mulde *f* hondonada
Müll *m* basura *f*; **~abfuhr** *f* recogida de basuras; **~aufbereitung** *f* transformación de basura; **~beutel** *m* bolsa *f* para basura
Mullbinde *f* venda de gasa
Mülleimer *m* cubo de la basura, *Col* caneca *f*, *PR* zafacón
multiplizieren multiplicar
Mumps *m od f* paperas *fpl*
Mund *m* boca *f*; **~art** *f* habla
münden desembocar
Mundharmonika *f* armónica
mündig mayor de edad; **~lich** verbal; oral
Mundstück *n* boquilla *f*
Mündung *f* desembocadura; *Tech* boca
Mundwasser *n* agua *f* dentífrica
Munition *f* munición
munter alegre; vivo, despierto
Münze *f* moneda; **~fernsprecher** *m* teléfono público
murmeln murmurar
murren gruñir

mürrisch huraño; gruñón, acedo
Muschel *f* concha; (*Mies2*) mejillón *m*; (*Venus2*) almeja
Museum *n* museo *m*
Musik *f* música; **2alisch** musical; músico; **~box** *f* máquina tocadiscos; **~er** *m* músico; **~instrument** *n* instrumento *m* de música
Muskat|eller(wein) *m* moscatel; **~nuß** *f* nuez moscada
Muskel *m* músculo; **~kater** *m* agujetas *fpl*; **~zerrung** *f* distorsión muscular
muskulös musculoso
Muße *f* ocio *m*
müssen deber, tener que, estar obligado a
Muster *n* modelo *m*; *Hdl* muestra *f*; **2gültig** ejemplar; **2n** examinar; **~ung** *f* *Mil* reclutamiento *m*
Mut *m* ánimo, valor; **2ig** animoso, valiente; **2maßlich** presunto, supuesto
Mutter *f* madre; *Tech* tuerca; **~mal** *n* lunar *m*; **~sprache** *f* lengua materna
mutwillig petulante
Mütze *f* gorro *m*; (*Schirm2*) gorra (de visera)
Mythos *m* mito

N

Nabel *m* ombligo
nach (*Ort*) a, para; hacia; (*Zeit*) después de, tras; al cabo de; *fig* según; **~ und ~** poco a poco
nachahm|en imitar; copiar;

2ung *f* imitación
Nachbar *m* vecino; **~schaft** *f* vecindad
nach|bestellen *Hdl* hacer un nuevo pedido; **2bildung** *f* copia; **~dem** después de

(que); **je ~dem** eso depende; **~denken** reflexionar, meditar; **~denklich** pensativo; **~drücklich** enérgico; insistente; **~einander** (dat) emular a; **~einander** uno(s) tras otro(s); **2folger** m sucesor; **2forschung** f indagación, pesquisa; **2frage** f Hdl demanda; **~füllen** echar, rellenar; **~geben** ceder, condescender; (Stoff usw) doblegarse; **2gebühr** f sobretasa; **~gehen** (Uhr) retrasar; **2geschmack** m resabio, gustillo; **~giebig** indulgente, deferente

nachher después

Nach|hilfestunde f clase (od lección) de repaso; **2holen** recuperar; **~komme** m descendiente; **~kriegszeit** f pos(t)guerra; **~kur** f cura ulterior; **~laß** m Hdl rebaja f; jur herencia f; **2lassen** vi ceder; relajarse; calmarse; (Wind) amainar; **2lässig** negligente, dejado; **2lösen** Fahrkarte: pagar un suplemento; **2machen** imitar

Nachmittag m tarde f; **am ~** = **2s** por la tarde

Nachnahme f: **gegen ~** contra rembolso

nach|prüfen comprobar, verificar; **2prüfung** f verificación; **~rechnen** repasar; **2richt** f noticia, información, aviso m; **2richten** pl noticiario m, diario m hablado; **2richtenagentur** f agencia de noticias; **~rich-**

tensatellit m satélite de comunicaciones

nach|rücken avanzar; **2ruf** m necrología f; **2saison** f postemporada, fin m de temporada; **2schicken** hacer seguir; reexpedir; **2schlagewerk** n obra f de consulta; **2schlüssel** m llave f falsa; **2schub** m acarreo; **2sehen** revisar; ver (**ob** si); **2sichtig** indulgente

nächst próximo; siguiente; **~e Woche** la próxima semana; **in den ~en Tagen** los días siguientes; **am ~en** más cercano

Nacht f noche; **~...** in Zssgn nocturno; **gute ~!** ¡buenas noches!; **~dienst** m servicio nocturno

Nachteil m desventaja f; perjuicio; **2ig** desventajoso

Nacht|flug m vuelo nocturno; **~geschirr** n orinal m; **~glocke** f timbre m de noche; **~hemd** n camisón m, camisa f de noche

Nachtisch m postre

Nacht|klub m, **~lokal** n sala f de fiestas, club m nocturno

Nach|trag m suplemento; **j-m et 2tragen** guardar rencor a alg por u/c; **2träglich** posterior; suplementario

nacht|s durante la noche; **2schicht** f turno m de noche; **2tisch** m mesita f de noche; **2tischlampe** f lámpara de mesilla; **2wächter** m sereno; **2zug** m tren nocturno

Nach|weis m prueba f; **2-weisen** comprobar, demostrar; **~wirkung** f repercusión, reacción; **2zahlen** pagar un suplemento; **2zählen** recontar; **~zahlung** f pago m adicional; **~zügler** m rezagado

Nacken m nuca f

nackt desnudo; **2kultur** f (des)nudismo m

Nadel f (Näh2) aguja; (Steck2) alfiler m; Bot pinocha; **~wald** m bosque de coníferas

Nagel m clavo; Anat uña f; **~bürste** f cepillo m de uñas; **~feile** f lima de uñas; **~lack** m laca f para uñas; **~lackentferner** m quitaesmaltes; **2n** clavar

nage|n roer (**an** ac); **2tier** n roedor m

nah(e) cercano; próximo; adv cerca

Nähe f proximidad, cercanía

nähen coser

näher más cercano; **n:s. ~n** aproximarse, acercarse

Näh|garn n hilo m; **~käst-chen** n, **~körbchen** n costurero m; **~maschine** f máquina de coser; **~nadel** f aguja

nahr|haft nutritivo; **~** f alimento m; **2ungsmittel** npl alimentos mpl

Naht f costura; **2los** sin costura

naiv ingenuo

Name m nombre; **~nstag** m (día del) santo; **2ntlich** no-

minal; fig particularmente

namhaft notable; considerable

nämlich adv a saber; es que

Napf m escudilla f

Narbe f cicatriz

Narkose f narcosis

Narr m loco, chiflado

Narzisse f narciso m

naschen comer golosinas

Nase f nariz

Nasen|bluten n hemorragia f nasal; **~loch** n ventana f de la nariz; **~tropfen** mpl gotas fpl para la nariz

Nashorn n rinoceronte m

naß mojado; **~ machen** mojar

Nassauer m F pej gorrón, aprovechado

Nässe f humedad

naßkalt frío y húmedo

Nation f nación

national nacional; **2ität** f nacionalidad; **2mannschaft** f equipo m nacional, selección

Natron n sosa f; F bicarbonato m

Natur f naturaleza; **~ereignis** n fenómeno m natural; **~forscher** m naturalista; **~getreu** al natural; **~katastrophe** f catástrofe de la naturaleza

natürlich natural

Naturschutz|gebiet n reserva f; **~park** m parque nacional

Nebel m niebla f; **2ig** brumoso; **~scheinwerfer** m faro antiniebla; **~schluß-**

nie

leuchte f luz posterior de niebla

neben al lado de; fig además de; **~an** al lado; **2anschluß** m Tel extensión f; **2apparat** m Tel supletorio; **~bei** de paso; **2beschäftigung** f ocupación accesoria; **~einander** uno(s) al lado de otro(s); **2fluß** m afluente; **2gebäude** n dependencia f; **2kosten** pl gastos mpl accesorios; **2stelle** f Tel extensión f; **2straße** f calle lateral; **2verdienst** m ingresos mpl extra; **2wirkung** f efecto m secundario

Necessaire n neceser m

Neffe m sobrino

Negativ n negativo m; **2film** m película f negativa

Neger(in f) m negro (negra)

nehmen tomar; **Platz ~** tomar asiento, sentarse

Neid m envidia f; **2isch** envidioso

neig|en inclinar; fig tender a; **s. ~en** inclinarse; **2ung** f inclinación; fig propensión

nein no

Nelke f Bot clavel m; (Gewürz2) clavo m

nennen llamar; nombrar; **~swert** notable

Neonröhre f tubo m de neón

neppen F clavar, robar

Nerv m nervio

Nerven|arzt m neurólogo; **~heilanstalt** f hospital m (od sanatorio m) siquiátrico; **2krank** neurópata, neurótico; **~zusammenbruch** m

ataque nervioso

nervös nervioso

Nervosität f nerviosidad

Nerz m visón

Nesselfieber n urticaria f

Nest n nido m

nett amable; bonito

netto neto; **2preis** m precio neto

Netz n red f; **~anschluß** m conexión f a la red; **~haut** f retina; **~strumpf** m media f de rejilla (od de malla)

neu nuevo; fresco; **von ~em** de nuevo; **~artig** nuevo; **2bau** m casa f en construcción; edificio nuevo; **2erung** f innovación, reforma

Neugier f curiosidad; **2ig** curioso

Neu|heit f novedad; **~igkeit** f novedad; **~jahr** n año nuevo m; **2lich** recientemente, el otro día; **~mond** m luna f nueva

neun nueve

Neuralgie f neuralgia

neutral neutral

neuvermählt recién casado

nicht no; **~ganz** no del todo; **~einmal** ni siquiera; **~mehr** ya no; **~wahr?** ¿verdad?

Nichte f sobrina

Nichtraucher m(pl) no fumador(es)

nichts nada

Nichtschwimmer m(pl) no nadador(es)

nicken inclinar la cabeza

nie nunca, jamás; **noch ~** habe ich ... en mi vida

nieder abajo; por tierra; ~
drücken apretar hacia abajo; **~geschlagen** abatido, deprimido; **~knien** ponerse de rodillas; **2lage** f derrota

niederlassen: s. ~ establecerse

nieder|legen _Amt_: renunciar (_ac_); **2schlag** m precipitaciones _fpl_; _fig_ reflejo; **~schlagen** abatir; **~trächtig** infame

niedlich bonito, mono

niedrig bajo

niemand nadie; ninguno

Niere f riñón m; **~nentzündung** f nefritis; **~nkolik** f cólico m renal; **~nstein** m cálculo renal

nieseln: es ~t llovizna

niesen estornudar

nikotinarm pobre en nicotina

Nippsachen _fpl_ bibelots _mpl_

nirgends en ninguna parte

Nische f nicho m; hornacina

nisten anidar

Niveau n nivel m

noch todavía, aún; **~ ein** (eine) ... otro (otra) ...; **~ etwas?** ¿algo más? **~ mals** una vez más, otra vez

Nockenwelle f árbol m de levas

Nonne f monja, religiosa

Nonstopflug m vuelo sin escala

Norden m norte

nördlich del norte; **~ von** al norte de

Nord|licht n aurora f boreal; **~osten** m nordeste; **~pol** m

Polo Norte; **~westen** m noroeste

nörgeln criticizar

Norm f norma

normal normal; **2benzin** n gasolina f normal; **2isierung** f normalización, vuelta a la normalidad

Nostalgiewelle f moda retro

Not f miseria; necesidad; pena; **~...** _in Zssgn_ de urgencia, de emergencia

Notar m notario

Not|arzt m médico de urgencia; **~ausgang** m salida f de emergencia; **~bremse** f freno m de alarma; **~dienst** m servicio de urgencia (_od_ de emergencia) (_Apotheke_) turno; **2dürftig** provisional, improvisado

Note f nota

Notfall m caso de emergencia, urgencia f

notieren apuntar, anotar

nötig necesario; **~ haben** necesitar; **~enfalls** si fuera necesario

Notiz f nota, apunte m; noticia; **~block** m bloc de notas; **~buch** n agenda f, libreta f

Not|lage f aprieto m, apuro m; **~landung** f aterrizaje m forzoso; **2leidend** necesitado m provisional; **~ruf** m Tel llamada f de urgencia; **~ruf(anlage** f) (_an Autobahn_) teléfono m SOS; **~signal** n señal f de socorro; **~sitz** m traspuntín m; **~verband** m vendaje provisional; ⁓**wehr** f legítima defensa; ⁓**wendig** necesario, indispensable; ⁓**zucht** f estupro m

Nougat n turrón m

Novelle f novela corta

November m noviembre

nüchtern en ayunas; *fig* sobrio, prosaico

Nudeln fpl pastas; (*Faden*⁓) fideos mpl

Nudist m desnudista su

null, 2 f cero m

numerier|en numerar; 2**ung** f numeración

Nummer f número m; ⁓**n-**

schild n matrícula f, *Am* a chapa f, placa f

nun ahora; pues; (bien); **was ⁓ ?** ¿y ahora qué?

nur sólo, solamente

Nuß f nuez; ⁓**baum** m nogal; ⁓**knacker** m cascanueces

Nutte f F fulana

nützen vt utilizar; vi ser útil, servir (**zu** para)

Nutz|en m utilidad f; provecho; ⁓**last** f carga útil

nützlich útil

nutzlos inútil; perdido

Nylon n nilón m

O

ob si; **als ⁓** como si

obdachlos sin domicilio (*od* asilo)

obduzieren practicar la autopsia

oben arriba; en lo alto; ⁓ **auf** (por) encima (de); ⁓**hin** fig a la ligera

Ober m camarero, *Col, Méj* mesero, *Arg* mozo, *Chi* garzón

Ober|arm m brazo; ⁓**deck** n (*Bus*) imperial f; *Mar* cubierta f superior

obere, ⁓r, ⁓s superior; alto

Ober|fläche f superficie; 2**flächlich** superficial, somero; *adv* por encima; 2**hemd** n camisa f; ⁓**kellner** m maitre; ⁓**körper** m busto; ⁓**schenkel** m muslo; ⁓**schwester** f enfermera jefe

Oberst m coronel

oberste, ⁓r, ⁓s superior; supremo

Oberteil m od n parte f superior

obgleich aunque

Obhut f guardia, protección

Objekt n objeto m; ⁓**iv** n objetivo m

Obst n fruta(s) f(pl); ⁓**baum** m árbol frutal; ⁓**garten** m huerto; ⁓**geschäft** n frutería f; ⁓**händler** m frutero; ⁓**salat** m ensalada f de fruta; ⁓**wein** m vino m de fruta

obszön obsceno

Obus m trolebús

obwohl aunque, bien que

Ochse m buey

öde desierto, yermo

oder o (*vor* o- *od* ho- u)

Ofen m estufa f; *Tech* horno; ⁓**rohr** n tubo m de estufa;

~setzer m fumista

offen abierto; *fig* franco; (*Problem*) pendiente; (*Stelle*) vacante; (*Wein*) en garrafa

offen|bar evidente; *adv* por lo visto, evidentemente; **~heit** f franqueza; **~kundig** manifiesto; **~lassen** dejar abierto; *fig* dejar en suspenso; **~sichtlich** manifiesto, evidente

Offensive f ofensiva

öffentlich público; **2keit** f público m; publicidad

offiziell oficial

Offizier m oficial

öffn|en abrir; **2ung** f abertura; **2ungszeiten** fpl horas de apertura

oft a menudo, con frecuencia, frecuentemente; **wie ~?** ¿cuántas veces?

öfter(s) con más frecuencia, muy a menudo

ohne sin; **~ weiteres** sin más (ni más)

Ohn|macht f desmayo m; **2mächtig** desmayado; **~mächtig werden** desmayarse

Ohr n oreja f; oído m (innen)

ohren|betäubend ensordecedor; **2schmerzen** mpl dolor m de oídos; **2tropfen** mpl gotas fpl óticas

Ohr|feige f bofetada; F torja; **~ring** m pendiente

Ökologie f ecología; **2isch** ecológico

Oktober m octubre

Öl n aceite m; *Mal* óleo m; (*Erd2*) petróleo m; **2en** aceitar, engrasar; **~farbe** f pintura al aceite (*Mal* al óleo); **~gemälde** n cuadro m al óleo; **~heizung** f calefacción de aceite

Olive f aceituna; **~nbaum** m olivo; **~nöl** n aceite m de oliva

Öl|kanister m lata f (*od* bidón) de aceite; **~kanne** f aceitera; **~sardinen** fpl sardinas en aceite; **~stand** m nivel del aceite; **~wechsel** m cambio de aceite

olympisch: **2e Spiele** npl Juegos mpl Olímpicos

Ölzeug n traje m de aguas

Omelett n tortilla (francesa) f

Omnibus m autobús; autocar; **~bahnhof** m estación f de autobuses

Onkel m tío

Oper f ópera

Operation f operación; **~ssaal** m quirófano

Operette f opereta

operieren operar; **s. ~ lassen** operarse

Opernglas n gemelos mpl de teatro

Opfer n sacrificio m; (*Person*) víctima f; **2n** sacrificar

Opium n opio m

Opposition f oposición

Optiker m óptico

Optimist m; **2isch** optimista

orange, **2** f naranja; **2ade** f naranjada; **2nbaum** m naranjo; **2nsaft** m zumo de naranja

Orchester n orquesta f

Orchidee f orquídea

Orden m condecoración f; *Rel* orden f

ordentlich ordenado; esmerado; decente

ordinär vulgar

ordn|en ordenar, arreglar; ℒer m clasificador; ℒung f orden m; ℒungsstrafe f multa

Organ n órgano m; ℒisation f organización f; ℒisch orgánico; ℒisieren organizar

Orgel f órgano m

Orient m oriente; ℒalisch oriental

orientier|en: s. ℒen orientarse; ℒung f orientación f

original, ℒ n original m

originell original, raro

Ort m lugar; sitio

Orthographie f ortografía

orthopädisch ortopédico

örtlich, Orts... local

Ortschaft f población, localidad

Orts|gespräch n llamada f urbana (*od* local); ℒzeit f hora local

Öse f corchete m

Osten m este; **Naher (Mittlerer, Ferner)** ~ Próximo (Medio, Extremo) Oriente

Ostern f Pascua f (de Resurrección)

östlich al este; oriental

Otter f víbora

oval oval(ado)

Overall m mono, *bsd Am* overol

oxydieren oxidarse

Ozean m océano

Ozelot m ocelote

P

Paar n par m; pareja f; **ein ℒ ... un par de ...**; ℒweise a pares, dos a dos

Pacht f arriendo m; ℒen arrendar

Pächter m arrendatario

Pachtvertrag m contrato de arrendamiento

Päckchen n (pequeño) paquete m

pack|en Koffer: hacer (las maletas); j-n: agarrar; ℒend cautivador; ℒung f paquete m; embalaje m; Med envoltura

Paddel n canalete m; ℒboot n canoa f, piragua f; ℒn

remar con canalete

Page m (Hotel) botones m

Paket n paquete m; ℒkarte f boletín m de expedición

Pakt m pacto

Palast m palacio

Palme f palmera; **j-n auf die ℒ bringen** F sacar a alg de quicio; ℒsonntag m Domingo de Ramos

Pampelmuse f pomelo m

paniert empanado

Panik f pánico m

Panne f avería; ℒhilfe f auxilio m en carretera, servicio m de averías

Panorama n panorama m

Pantoffel m pantufla f
pantschen F bautizar
Panzer m tanque; Zo caparazón; **~schrank** m caja f
fuerte
Papa m papá
Papagei m papagayo, loro
Papier n papel m; **~e** pl documentación f; **~korb** m
cesto de papeles; **~serviette**
f servilleta de papel; **~taschentuch** n pañuelo m de
papel
Pappe f cartón m
Pappel f álamo m
Paprika m pimentón; **~schote** f pimiento m, (rote)
pimiento m morrón
Papst m papa
Parade f desfile m, revista
Paradies n paraíso m
Paragraph m artículo m
parallel paralelo
Pärchen n parejita f
Parfüm n perfume m; **~erie**
f perfumería
Park m parque
parken vt u vi aparcar, Col
parquear, RPl estacionar
Parkett n entarimado m;
Thea patio m
Park|gebühr f tasa de aparcamiento; **~haus** n garaje
m; **~lücke** f hueco m para
aparcar (Am parquear o
estacionar); **~platz** m aparcamiento, RPl, Chi, Pe
playa f de estacionamiento,
Col parqueadero; **~scheibe**
f disco m de control; **~uhr** f
parquímetro m; **~verbot** n
prohibición f de aparca-

miento
Parlament n parlamento m;
Span Cortes fpl
Parodie f parodia
Partei f partido m; jur parte;
~isch parcial; **~los** sin partido; independiente
Parterre n planta f baja, Am
(außer RPl) primer piso m;
Thea platea f
Partie f partida; Sp partido
m
Partisan m guerrillero; partisano
Partner m compañero; Hdl
socio; (Tanz&) pareja f
Party f guateque m, fiesta
Parzelle f parcela, Am a lote
m
Paß m pasaporte; Geogr
puerto, paso
Passage f pasaje m
Passagier m pasajero;
~schiff n barco m de pasaje
Passant m transeúnte su
passen convenir, venir bien;
ser apropiado; (Kleid) sentar bien; **~d** conveniente,
adecuado; pertinente; **~zu**
(Kleider, Möbel usw) a
juego con, a tono con
passier|en pasar; **&schein** m
pase, salvoconducto
Passionszeit f cuaresma
passiv pasivo
Paßkontrolle f control m de
pasaportes
Pastete f empanada; pastel
m (de carne usw)
pasteurisiert pasteurizado
Pastor m pastor
Pate m padrino; **~nkind** n

ahijado *m*

Patent *n* patente *f*

Patient(in *f*) *m* paciente

Patin *f* madrina

patriotisch patriótico

Patronatsfest *n* fiesta *f* mayor

Patrone *f* cartucho *m*

Patsche *f*: **in der ~ sitzen** estar en un apuro (*Col* en la olla)

Pauke *f* timbal *m*, bombo *m*

pauschal global; **2e** *f* importe *m* global

Pause *f* pausa, recreación; descanso *m*; **2nlos** incesante; *adv* sin cesar (*od* descanso)

Pauspapier *n* papel *m* de calcar

Pavillon *m* pabellón; quiosco

Pech *n* *fig* mala pata (*od* sombra) *f*; **~vogel** *m* cenizo

Pedal *n* pedal *m*

Pediküre *f* (*Tätigkeit*) pedicura; (*Person*) *Span* pedicura, *Am* pedicurista

peinlich desagradable, embarazoso; precario; **~ genau** escrupuloso

Peitsche *f* látigo *m*, *Am a* fuete *m*

Pelikan *m* pelícano

Pelz *m* piel *f*; **~geschäft** *n* peletería *f*; **~jacke** *f* chaquetón *m* de piel; **~mantel** *m* abrigo de pieles

Pendelverkehr *m* vaivén

Penis *m* pene

Penizillin *n* penicilina *f*

Pension *f* pensión; **~är** *m*

pensionista; **2iert** jubilado; *Mil* retirado

perfekt perfecto

Pergamentpapier *n* papel *m* pergamino

Periode *f* período *m* (*a Med*)

Perl|e *f* perla; **2en** burbujear; **~mutt** *n* nácar *m*

Persianer *m* astracán

Person *f* persona

Personal *n* personal *m*; **~ausweis** *m* documento nacional de identidad, *Am* cédula *f*; **~ien** *pl* datos *mpl* personales

Personen|(kraft)wagen *m* turismo, *Am* (*außer RPl*) carro; **~zug** *m* (tren) ómnibus

persönlich personal, individual; *adv* en persona; **2keit** *f* personalidad; personaje *m*

Perücke *f* peluca

pervers perverso

Pesete *f* peseta

Pest *f* peste

Petersilie *f* perejil *m*

Petroleum *n* petróleo *m*

Pfad *m* sendero; **~finder** *m* explorador

Pfahl *m* palo

Pfand *n* prenda *f*; **~haus** *n* monte de piedad, casa *f* de empeños, *Col* prendería *f*; **~leiher** *m* prestamista

Pfann|e *f* sartén; **~kuchen** *m* (*aus Eiern*) *Am* panqueque; (*Gebäck*) buñuelo

Pfarre|r *f* párroco, cura; (*ev.*) pastor *m*

Pfau *m* pavo real

Pfeffer *m* pimienta *f*; **~ku-**

chen *m* pan de especias
Pfefferminz|e *f* menta; **~tee**
m infusión *f* de menta
Pfeffer|mühle *f* molinillo *m*
de pimienta; **~streuer** *m*
pimentero
Pfeife *f* pipa; *Sp* silbato *m*,
pito *m*; **2n** silbar, tocar el
pito; **~ntabak** *m* tabaco
para pipa
Pfeil *m* flecha *f*
Pfeiler *m* pilar
Pferd *n* caballo *m*; **~erenn-
bahn** *f* hipódromo *m*;
~rennen *n* carrera *f* de caba-
llos; **~estall** *m* establo *m*;
~estärke *f* caballo *m* (de)
vapor
Pfiff *m* pitada *f*, silbido
Pfifferling *m* cantarela *f*
Pfingsten *n* Pentecostés *m*
Pfirsich *m* melocotón, *Süd*a
durazno
Pflanze *f* planta; **2n** plantar;
~nschutzmittel *n* plaguici-
da *m*
Pflaster *n* pavimento *m*, em-
pedrado *m*; *Med* emplasto
m; (*Heftℓ*) esparadrapo *m*;
~stein *m* adoquín
Pflaume *f* ciruela
Pflege *f* cuidado *m*; *Med*
asistencia; **2n** cuidar, aten-
der a; **~r** *m* enfermero
Pflicht *f* deber *m*, obligación; **2bewußt** cumplidor;
~versicherung *f* seguro *m*
obligatorio
Pflock *m* tarugo, estaca *f*
pflücken coger
Pflug *m* arado
pflügen arar

Pförtner *m* portero
Pfosten *m* poste
Pfote *f* pata
Pfropfen *m* tapón
Pfund *n* libra *f*; (*beim Ein-
kauf*) medio kilo *m*
pfusche|n chapucear; **2r** *m*
chapucero
Pfütze *f* charco *m*
Phanta|sie *f* imaginación,
fantasía; **2stisch** fantástico
Philo|loge *m* filólogo; **~logie**
f filología; **2soph** *m* filó-
sofo; **~sophie** *f* filosofía
Photo *n usw s* Foto
Physik *f* física; **2alisch**, **~er**
m físico
Pickel *m* pico; *Med* grano
picken picotear
Picknick *n* merienda *f* (cam-
pestre), pícnic *m*
Pik *n* espadas *fpl*
pikant picante
Pilger *m* peregrino
Pille *f* píldora; **die** (*Anti-
baby-*)- la píldora
Pilot *m* piloto
Pilz *m* hongo; seta *f*
Pinie *f* pino *m*
Pinsel *m* pincel; (*breiter*)
brocha *f*
Pinzette *f* pinzas *fpl*
Pionier *m Mil* zapador
Pirat *m* pirata
Pistazie *f* pistacho *m*
Piste *f* pista
Pistole *f* pistola
Pkw *m* (coche de) turismo
Plage *f* molestia; **2n** ator-
mentar; **s. 2n** ajetrearse
Plakat *n* cartel *m*, *Am* afiche
m

Pony

Plakette f placa; pegatina

Plan m plan; proyecto; (Arch, Stadt2) plano; ~f lona; 2en proyectar

Planet m planeta

planieren aplanar

Planke f tablón m, tabla

plan|los sin plan (od método); ~**mäßig** metódico; Esb, Flgw regular

Plantage f plantación

Plan|ung f planificación; ~**wirtschaft** f economía dirigida

Plastik n plástico m; ~**beutel** m, ~**tüte** f bolsa f de plástico

Platane f plátano m

platt aplanado, aplastado; (Nase) chato

Platte f plancha, placa; (Schall2) disco m; **kalte** ~ plato m de fiambres

plätten t bügeln

Platten|spieler m tocadiscos; ~**form** f plataforma; ~**fuß** m pie plano; F Kfz pinchazo

Platz m plaza f; sitio; (Sitz2) asiento; Thea localidad f; ~**anweisern** f acomodadora; 2en reventar, estallar; ~**karte** f reserva de asiento; ~**miete** f alquiler m; ~**regen** m chubasco

Plauder|ei f charla; 2n charlar

Pleite f quiebra; 2 **sein** F estar sin blanca

plissiert plisado

Plombe f Hdl precinto m; Med empaste m, Am a calza; 2**ieren** Hdl precintar; Med empastar

plötzlich súbito, repentino; adv de repente

plump torpe, grosero

plündern n saquear; 2**ung** f saqueo m, pillaje m

plus más; 2**zeichen** n signo m de adición

Pöbel m populacho

pochen auf invocar (ac)

Pocken fpl viruelas; ~**schutzimpfung** f vacunación antivariólica

Podium n estrado m

Pokal m copa f

Pökelfleisch n carne f salada, adobado m

Poker n póquer m

Pol m polo

Police f póliza

polieren pulir; lustrar

Politesse f mujer policía, Arg chica policía, Chi paca, Col mota

Poli|tik f política; ~**tiker** m, 2**tisch** político; ~**tur** f pulimento m, lustre m

Polizei f policía; ~**streife** f patrulla de policía; ~**stunde** f hora de cierre; ~**wache** f puesto m de policía

Polizist m (agente de) policía, guardia

Polster n acolchado m, almohada f

Pommes frites pl patatas fpl fritas, Am papas fpl a la francesa

Pony 1. n pony m; 2. m flequillo

Popcorn n palomitas fpl

Popo m F pompis, Am cola f

populär popular

Pore f poro m

Pornographie f pornografía

porös poroso

Porree m puerro

Portemonnaie n portamonedas m, monedero m

Portier m portero

Portion f ración f, Am porción

Porto n porte m, franqueo m; 2frei franco de porte

Porträt n retrato m

Portwein m oporto

Porzellan n porcelana f

Posaune f trombón m

Position f posición f

positiv positivo; afirmativo

Posse f farsa

Post f correo m; .amt n oficina f de correos; .anweisung f giro m postal; .bote m cartero

Posten m puesto, empleo, cargo; Hdl partida f, lote; Mil centinela

Postfach n apartado m, Süda casilla f; .karte f (tarjeta) postal; .lagernd lista de correos; .leitzahl f cifra postal directriz

Postscheck m cheque postal; .amt n oficina f de cheques postales; .konto n cuenta f de cheques postales

Postsparbuch n libreta f de ahorro postal; .sparkasse f caja postal de ahorros; .stempel m matasellos; 2-

wendend a vuelta de correo

Pracht f esplendor m

prächtig magnífico

prahlen alardear; jactarse (**mit** de)

Praktikant m practicante; .kum n práctica f; 2sch práctico; 2scher Arzt m médico general; 2zieren practicar

Praline f bombón m, chocolatina

prall apretado, tenso

Prämie f prima; premio m; .parat n preparado m; .servativ n preservativo m; .sident m presidente

prasseln crepitar, crujir

Praxis f práctica; Med consulta; bsd Am consultorio m; jur bufete m

predigen predicar; 2t f sermón m

Preis m precio; fig premio; .ausschreiben n concurso m

Preiselbeeren fpl arándanos mpl encarnados

Preiserhöhung f aumento m (od subida) de precio; .ermäßigung f reducción (od rebaja) de precio; 2gekrönt premiado; .lage f categoría de precios; .liste f lista de precios; .senkung f reducción de precios; 2wert barato; a buen precio

Prellung f contusión f

Presse f prensa; 2n prensar, apretar

Preßluftbohrer m perfora-

psychologisch

dor neumático

prickeln picar, hormiguear

Priester m sacerdote

prima F estupendo, de primera, Col, Ven a chévere

primitiv primitivo, simple

Prinz m príncipe; **~essin** f princesa

Prinzip n principio m; **2iell** en principio

Prise f toma; Mar presa; Gastr pizca

privat privado; particular; **2besitz** m propiedad f particular; **2leben** n vida f privada; **2patient** m paciente particular; **2strand** m playa f particular; **2stunde** f clase particular

Privileg n privilegio m

pro: **~ Person** por cabeza

Probe f prueba; a Thea ensayo m; Hdl muestra; **~fahrt** f viaje m de prueba; **2n** ensayar; **2weise** como (od a título de) prueba

probieren probar

Problem n problema m; **~stellung** f enfoque m

Produkt n producto m; **~ion** f producción; fabricación

produzieren producir

Professor m catedrático, Am profesor

Profi m Sp profesional

Profil n perfil m

profitieren: von et ~ aprovecharse de u/c

Programm n programa m; TV **erstes ~** primera cadena; **2ieren** programar; **~**

vorschau f avance m de programa

Projekt n proyecto m; **~or** m proyector

Promenade f paseo m; **~deck** n cubierta f de paseo

Promille n tanto m por mil

prominent prominente

prompt inmediato, pronto

Propaganda f propaganda

Propangas n (gas m) propano m

Propellerflugzeug n avión m de hélice

pro|**phezeien** profetizar; **~sit!** ¡a su salud!; **2spekt** m prospecto, folleto; **2stituierte** f prostituta; **2test** m protesta f; **~testieren** protestar; **2testsong** m canción f protesta; **2these** f prótesis; **2tokoll** n acta f; **2viant** m víveres mpl; **2vinz** f provincia; **2vision** f comisión; **~visorisch** provisional, bsd Am provisorio; **2vokation** f provocación; **~vozieren** provocar; **2zent** n por ciento m; **2zeß** m proceso; jur a pleito; **2zession** f procesión

prüde gazmoño

prüf|**en** examinar; revisar; comprobar; **2ung** f examen m; revisión

Prügel pl paliza f; **2n: s. 2n** pegarse

prunkvoll pomposo, suntuoso

Psych|**iater** m siquiatra; **2isch** síquico; **~oanalyse** f sicoanálisis m; **2ologisch** sicológico

Publikum n público m

Pudding m budín

Pudel m perro de aguas (od de lanas)

Puder m polvos mpl; **∼dose** f polvera; **∼n** empolvar

Puff m (Möbel) puf; (Bordell) burdel, prostíbulo

Pullover m jersey, Am pulóver, suéter

Puls m pulso

Pult n pupitre m

Pulver n polvo m (meist pl)

Puma f puma, Am a león

Pumpe f bomba; **∼n** bomb-e(ar)

Punkt m punto

pünktlich puntual; a la hora

Punsch m ponche

Pupille f pupila

Puppe f muñeca

pur puro

Püree n puré m

Purzelbaum m voltereta f

Pustel f pústula

pusten soplar

Pute f pava; **∼r** m pavo

Putsch m pronunciamiento

putz|en limpiar; pulir; **∼-frau** f asistenta; **∼lappen** m trapo de limpieza; **∼ma-cherin** f modista

Puzzle n rompecabezas m

Pyjama m pijama, Am piyama f od m

Pyramide f pirámide

Q

Quacksalber m curandero

Quadrat n, **∼isch** cuadrado m; **∼meter** m metro cuadrado

quaken croar

Qual f pena, tormento m

quäl|en atormentar; maltratar; **s. ∼** afanarse

Qualität f calidad

Qualle f medusa, Am aguamala

Qualm m humazo; **∼en** humear

Quarantäne f cuarentena

Quark m requesón

Quartal n trimestre m

Quartier n alojamiento m

Quarz m cuarzo

Quaste f borla

Quatsch F m tontería f

Quecksilber n mercurio m

Quell|e f fuente, manantial m; **∼en** hincharse

quer transversal; adv a través (de); **∼feldein** a campo traviesa; **∼format** n tamaño m apaisado; **∼schnitt** m sección f transversal; **∼straße** f travesía, bocacalle

quetsch|en aplastar; magullar; **∼ung** f contusión

quietschen rechinar

Quirl m batidor; **∼en** batir

quitt: ∼ sein estar en paz (od pagados)

Quitte f membrillo m; **∼n-brot** n carne f de membrillo

quitt|ieren dar recibo de; **∼ung** f recibo m

Quiz n concurso m radiofónico (bzw televisivo)

Quote f cuota

R

Rabatt m descuento, rebaja f
Rabbiner m rabino
Rabe m cuervo
Rache f venganza
Rachen m faringe f
rächen vengar
Rad n rueda f; (Fahr2) bicicleta f
Radar m radar m
Radau F m alboroto
radfahr|en ir en bicicleta; **2er** m ciclista; **2weg** m pista f para ciclistas
radier|en borrar; **2gummi** m goma f (de borrar), Am a borrador; **2ung** f grabado m al agua fuerte
Radieschen m rabanito m
Radio n radio f; **~hören** escuchar la radio; **2aktiv** radiactivo; **~hörer** m radioyente; **~recorder** m Span radio-cassette, Am radiograbadora f
Radius m radio
Rad|kappe f tapacubos m; **~rennen** n carrera f ciclista; **~sport** m ciclismo; **~tour** f excursión en bicicleta
raffiniert fig astuto, refinado
Ragout n guisado m, ragú m
Rahmen m marco; (Fahrrad2) cuadro
Rakete f cohete m
rammen Mar abordar
Rampe f Esb rampa; Thea proscenio m
Ramsch m pacotilla f
Rand m borde, margen

randalieren alborotar
Rand|bemerkung f nota marginal; **~streifen** m (Straße) arcén, escalón lateral
Rang m categoría f; grado; rango; Thea anfiteatro
rangieren Esb maniobrar
Ranke f zarcillo m; (Wein2) pámpano m; **2n: s. 2n** trepar
Ranzen m mochila f; fig F panza f
ranzig rancio
rar raro; **2ität** f rareza
rasch rápido; **~eln** crujir
Rasen m césped
rasen correr a toda velocidad; **~d** furioso, enfurecido; loco; frenético
Rasier|apparat m maquinilla f de afeitar; (elektr.) afeitadora f; **~creme** f crema de afeitar; **~klinge** f hoja de afeitar, cuchilla; **~pinsel** m brocha f de afeitar; **~schaum** m espuma f de afeitar; **~seife** f jabón m de afeitar; **~wasser** n loción f para el afeitado
Rasse f raza
Rast f descanso m; alto m; **~machen** descansar; **~haus** n albergue m de carreteras, Am motel m; **~platz** m lugar de descanso; (Autobahn) área f de descanso (od de reposo); **~stätte** f restaurante m de carreteras; (Autobahn) área de servicio

Rasur f afeitado m

Rat m consejo (a *Körperschaft*); (*Person*) consejero

Rate f cuota; *Hdl* plazo m; **in ~n** a plazos

raten aconsejar (**j-m et** u/c a alg); (*er~*) adivinar

Ratenzahlung f pago m a plazos

Rat|geber m consejero; **~haus** n ayuntamiento m

ration|alisieren racionalizar; **~ieren** racionar

rat|los perplejo; **~sam** aconsejable, indicado; **2schlag** m consejo

Rätsel n acertijo m, adivinanza f; *fig* enigma m; **2haft** enigmático

Ratte f rata

Raub m robo; **2en** robar

Räuber m ladrón

Raub|mord m asesinato con robo; **~tier** n animal m de presa; **~überfall** m atraco; **~vogel** m ave f de rapiña

Rauch m humo; **2en** vi echar humo; vt u vi fumar; **Pfeife 2en** fumar en pipa; **~en verboten!** prohibido fumar; **~er** m fumador; **~erabteil** n departamento m de fumadores

räuchern ahumar

Rauch|fahne f penacho m de humo; **2ig** humoso; **~wolke** f humareda

rauf|en (s.) **~en** reñir, F andar a la greña; **2erei** f pelea, camorra

rauh áspero; duro, rudo; (*Stimme*) ronco; **2reif** m es-

carcha f

Raum m espacio; lugar; (*Zimmer*) habitación f

räumen desocupar; *Straße, Saal*: despejar

Raum|fähre f transbordador m espacial; **~fahrt** f astronáutica; **~flug** m vuelo m espacial

räumlich del espacio, espacial

Raum|pflegerin f asistenta; **~schiff** n astronave f

Räumung f evacuación, desocupación

Raupe f oruga

Rausch m borrachera f; **2en** murmurar; **~gift** n estupefaciente m, droga f

räuspern: s. ~ carraspear

Razzia f redada

reagieren reaccionar

real real; efectivo; **~istisch** realista; **2ität** f realidad

Rebe f sarmiento m, vid

Rebell m rebelde; **2ieren** rebelarse

Rebhuhn n perdiz f

Rechen m rastro, rastrillo

rechen rastrillar

Rechen|aufgabe f problema m de aritmética; **~fehler** m error de cálculo; **~maschine** f calculadora

Rechenschaft f cuenta; **~ ablegen über ~** dar cuenta de; **zur ~ ziehen wegen** pedir cuenta por

rechn|en calcular; contar (**auf, mit** con); **2ung** f cálculo m; *Hdl, Lokal* cuenta; *Hdl* a factura

recht derecho; *fig* justo; ~ **haben** tener razón

Recht *n* derecho *m*; im ~ **sein** tener razón

Rechteck *n* rectángulo *m*; 2ig rectangular

recht|fertigen justificar; ~lich jurídico; ~mäßig legítimo; legal

rechts a la derecha

Rechts|anwalt *m* abogado; ~berater *m* consejero jurídico

recht|schaffen recto, sincero; 2schreibung *f* ortografía

rechts|gültig legal; ~kräftig válido; 2schutzversicherung *f* seguro de protección jurídica; ~widrig ilegal

recht|winklig rectangular; ~zeitig *adv* a tiempo

Reck *n* barra *f* fija

Recorder *m* grabadora *f*

Redakt|eur *m* redactor; ~ion *f* redacción

Rede *f* discurso *m*; alocución *f*

red|en hablar; 2ensart *f* locución; 2ner *m* orador

Reede *f* rada; ~rei *f* compañía naviera

reell real; (*j*) leal; formal; *Hdl* bueno, sólido

refle|ktieren reflejar; 2x *m* reflejo (*a Med*)

Reform *f* reforma; ~haus *n* tienda *f* de alimentación de régimen

Regal *n* estante *m*, estantería *f*

Regatta *f* regata

rege activo; vivo, animada

Regel *f* regla; norma; 2mäßig regular; 2n arreglar; *Verkehr:* regular; ~ung *f* arreglo *m*; *mst Tech* regulación

regen: s. ~ moverse

Regen *m* lluvia *f*; ~bogen *m* arco iris; ~haut *f* impermeable *m* de plástico; ~mantel *m* impermeable; ~schauer *m* chubasco; ~schirm *m* paraguas, *Am a* sombrilla *f*; ~wasser *n* agua *f* pluvial; ~wurm *m* lombriz *f* de tierra; ~zeit *f* estación de lluvias

Regie *f* dirección artística

regier|en gobernar; 2ung *f* gobierno *m*

Regim|e *n* régimen *m*; ~ent *n Mil* regimiento *m*

Region *f* región

Regisseur *m* director artístico, realizador

Regis|ter *n* registro *m*; (*Buch*) índice *m*; 2trieren registrar

Regler *m* regulador

regn|en llover; es ~et está lloviendo; ~erisch lluvioso

regulieren regular

regungslos inmóvil

Reh *n* corzo *m*

rehabilitieren rehabilitar

Reh|braten *m* asado de corzo; ~kitz *n* corcito *m*

Reib|e(isen) *n* rallador *m*; 2en frotar, fregar; *Gastr* rallar; ~ung *f* fricción, rozamiento *m*

reich rico; 2 *n* imperio *m*

reich|en pasar; *vi* alcanzar, llegar, extenderse (**bis** hasta); **es ~t** es suficiente; **~haltig** abundante; **~lich** abundante; *adv* bastante; 2**tum** *m* riqueza *f*; 2**weite** *f* alcance *m*

reif maduro; 2**e** *f* madurez; **~en** madurar

Reifen *m* aro; *Kfz* neumático, *Col* llanta *f*; **~druck** *m* presión *f* del neumático; **~panne** *f* pinchazo *m*, reventón *m*; **~wechsel** *m* cambio del (de los) neumático(s)

Reihe *f* fila; serie; **der ~ nach** por turno; **ich bin an der ~** es mi turno; **~nfolge** *f* sucesión; turno *m*; **~nhaus** *n* Span chalé *m* adosado, *Am* casa *f* de serie

reimen: **s. ~** rimar

rein limpio; *fig* puro; *Hdl* neto

Reinemachefrau *f* mujer de limpieza, *Span* asistenta

Reinheit *f* pureza

reinig|en limpiar; 2**ung** *f* (*chemische*) lavado *m* en seco; (*Geschäft*) tintorería, *F* tinte, *Am* lavandería

Reis *m* arroz

Reise *f* viaje *m*; **gute ~!** ¡buen viaje!; **~andenken** *n* recuerdo *m* de viaje; **~apotheke** *f* botiquín *m*; **~büro** *n* agencia *f* de viajes; **~führer** *m* (*Buch*) guía *f*; **~gepäck** *n* equipaje *m* (*facturado*); **~gepäckversicherung** *f* seguro *m* de equipa-

jes; **~gesellschaft** *f* grupo *m*; **~krankheit** *f* mareo *m*; **~leiter** *m* acompañante, guía

reisen viajar; 2**de(r)** *m* viajero; *Hdl* viajante

Reise|omnibus *m* autocar; **~paß** *m* pasaporte; **~route** *f* itinerario *m*; **~ruf** *m* mensaje personal *f* de urgencia); **~scheck** *m* cheque de viaje(ros); **~tasche** *f* bolsa de viaje, *Süda* valija; **~unfallversicherung** *f* seguro *m* contra accidentes de viaje; **~verkehr** *m* tráfico de viajeros; **~zeit** *f* temporada de turismo (*od* viajes); **~ziel** *n* destino *m* (del viaje)

Reiß|brett *n* tablero *m* de dibujo; 2**en** *vi* romperse; 2**end** (*Strom*) impetuoso; **~feder** *f* tiralíneas *m*

Reiß|verschluß *m* cremallera *f*, *Méj* cíper, *Süda* a cierre relámpago; **~zwecke** *f* chinche, *Span* a chincheta

reit|en ir a caballo; (*als Sport*) hacer equitación; 2**er** *m* jinete; **~pferd** *n* caballo *m* de montar (*od* brida); 2**sport** *m* equitación *f*; 2**stiefel** *mpl* botas *fpl* de montar; 2**turnier** *n* concurso *m* hípico

Reiz *m* sensación *f*; (*Anz*) estímulo, 2**en** (*anregen*) estimular; (*ärgern*) irritar; 2**end** encantador

Reklam|ation *f* reclamación; **~e** *f* propaganda, publicidad; 2**ieren** reclamar

Richtung

Rekord *m* marca *f*, récord (**aufstellen** establecer; **brechen** batir); **~zeit** *f* tiempo *m* récord

Re|krut *m* recluta; **2lativ** relativo; **~lief** *n* relieve *m*

Religi|on *f* religión; **2iös** religioso

Reling *f* borda

Rendezvous *n* cita *f*

Renn|bahn *f* allg pista, carrera; **~boot** *n* bote *m* de carreras; **2en** correr; **~en** *n* carrera *f*; **~fahrer** *m* corredor; **~pferd** *n* caballo *m* de carreras; **~wagen** *m* coche de carreras

renovieren renovar

rentabel rentable, lucrativo

Rent|e *f* pensión; *Hdl* renta; **~ner** *m* jubilado, pensionado

Reparatur *f* reparación; **~werkstatt** *f* taller *m* de reparaciones

reparieren reparar

Report|age *f* reportaje *m*; **~er** *m* reportero

Reproduktion *f* reproducción

Republik *f* república; **2anisch** republicano

Reserve *f* reserva; **~....** in Zssgn de reserva; de recambio (*od* repuesto); **~rad** *n* rueda *f* de recambio; **~tank** *m* depósito de reserva

reservier|en reservar; **~t** reservado; **2ung** *f* reserva

Respekt *m* respeto (**vor** a); **~losigkeit** *f* falta de respeto

Rest *m* resto; (*Speise*) sobras

fpl

Restaurant *n* restaurante *m*

Rest|betrag *m* saldo; **2lich** restante; **2los** entero, total

rett|en salvar; **2er** *m* salvador

Rettich *m* rábano

Rettung *f* salvación

Rettungs|aktion *f* operación de salvamento; **~boot** *n* bote *m* salvavidas; **~mannschaft** *f* equipo *m* de salvamento; **~ring** *m* salvavidas; **~station** *f* puesto *m* de socorro; **~weste** *f* chaleco *m* salvavidas

retuschieren *Fot* retocar

Reue *f* arrepentimiento

Revanch|e *f* desquite *m*, revancha; **2ieren: s. 2ieren** a fig desquitarse

Revier *n* distrito *m*; (*Forst*) coto *m*; (*Polizei*) comisaría *f*

Re|volution *f* revolución; **~volver** *m* revólver; **~vue** *f* revista; **~zension** *f* reseña

Rezept *n* receta *f*; **2frei** sin receta; **~ion** *f* recepción

Rhabarber *m* ruibarbo

Rhesusfaktor *m* factor Rh(esus)

Rheuma *n* reuma(tismo) *m*

Rhythmus *m* ritmo

richt|en (**auf**) dirigir (a); fijar (en); *Waffe*: apuntar; (*gerade*) enderezar; **s. ~ nach** (*dat*) ajustarse a

Richt|er *m* juez; **2ig** justo; bien; correcto; **2ig**stellen rectificar; **~linien** *fpl* directivas, directrices; **~ung** *f* dirección

riechen oler (**nach** a); **an e-r Blume ~** oler una flor

Riegel m cerrojo

Riemen m correa f; tirante

Riese m gigante; **2in** correr; manar; lloviznar; **2ig** gigantesco

Riff n arrecife m

Rille f ranura; *Phono* surco m

Rind (**vieh**) n vacuno m, *Süda* res f

Rinde f corteza, costra

Rind | **erbraten** m asado de vaca; **~fleisch** n carne f de vaca (*Süda* de res)

Ring m anillo; *Sp* ring; **2en** luchar; **~en** n, **~kampf** m lucha; **~er** m luchador; **~finger** m anular

rings (**her**) **um** alrededor (de)

rinn | **en** correr; **2stein** m arroyo (a fig)

Ripp | **chen** n chuleta f; **~e** f costilla; **~enfellentzündung** f pleuresía

Risiko n riesgo m (**eingehen** correr)

risk | **ant** arriesgado; **~ieren** arriesgar; **s-n Kopf ~ieren** jugarse el pellejo

Riß m raja f, grieta f; (*im Stoff*) rasgón, desgarrón

rissig agrietado (a Haut)

Ritter m caballero; **2lich** caballeroso

ritzen arañar

Rivale m rival

Rizinusöl n aceite m de ricino

Roastbeef n rosbif m

Robbe f foca

röcheln respirar con dificultad, estar con el estertor

Rochen m *Zo* raya f

Rock m falda f

rodel | **n** ir en trineo; **2schlitten** m trineo

roden desmontar

Rogen m huevas fpl de pez

Roggen m centeno

roh crudo; *fig* rudo; (*Stoffe, Hdl*) bruto; **2kost** f régimen m crudo

Rohr n tubo m, cañón m; *Bot* caña f; (*Brat2*) horno m; **~bruch** m reventón de tubería

Röhre f tubo m; *El* válvula

Rohr | **leitung** f cañería; tubería; **~post** f correo m neumático

Rohstoff m materia f prima

Rolladen m persiana f

Roll | **bahn** f *Flgw* pista; **~brett** n monopatín m; **~e** f rollo m; *Thea u fig* papel m; **2en** rodar; (*Spielzeug*) patineta f; **~film** m carrete; **~kragen** m cuello m (de) cisne; **~kragenpullover** m jersey cuello (de) cisne, *Col* buzo; **~mops** m arenque enrollado; **~schuh** m patín de ruedas; **~splitt** m gravilla f (suelta); **~stuhl** m sillón de ruedas; **~treppe** f escalera mecánica (*od móvil*), *Am* a escalador m

Roman m novela f; **2** (*Stil, Sprache*) románico; **~ist** m romanista; **2tisch** romántico

römisch romano

röntgen radiografiar; **2arzt** *m* radiólogo; **2aufnahme** *f* radiografía; **2untersuchung** *f* radioscopia

rosa rosa(do)

Rose *f* rosa

Rosen|kohl *m* col *f* de Bruselas; **kranz** *m* Rel rosario; **öl** *n* esencia *f* de rosas

Roséwein *m* vino rosado

Rosine *f* pasa

Rosmarin *m* romero

Roßhaar *n* crin *f* (de caballo), cerda *f*

Rost *m* herrumbre *f*; (Brat2) parrilla *f*; **2en** oxidarse, aherrumbrarse

rösten tostar

rost|frei inoxidable; **ig** oxidado; **2schutzmittel** *n* anticorrosivo *m*

rot rojo; **~ werden** ponerse colorado; **2es Kreuz** Cruz *f* Roja; **haarig** pelirrojo

Rotkohl *m* col *f* morada

rötlich rojizo

Rot|stift *m* lápiz rojo; **wein** *m* vino tinto (Süda a rojo); **wild** *n* venado *m*

Roulade *f* asado *m* enrollado, Süda arrollado *m*

Route *f* ruta, itinerario *m*

Routine *f* rutina

Rowdy *m* camorrista

Rübe *f* nabo *m*; **rote ~** remolacha morada

Rubin *m* rubí

Ruck *m* arrancada *f*; tirón *m*

rücken *vt* mover; *vi* correrse

Rücken *m* lomo; *Anat* espalda *f*; **auf dem ~** (liegen)

boca arriba; (tragen) a cuestas; **lehne** *f* respaldo *m*, (r)espaldar *m*; **mark** *n* médula *f* espinal; **schmerzen** *mpl* dolor *m* de espaldas; **schwimmen** *n* natación *f* de espalda; **wind** *m* viento por atrás, Süda viento de cola

Rück|erstattung *f* rembolso *m*; reintegro *m*; **fahrkarte** *f* billete *m* de ida y vuelta; **fahrt** *f* vuelta; **fall** *m* jur, Med recaída *f*; **flug** *m* vuelo de vuelta; **gabe** *f* devolución; **gang** *m* descenso, Hdl a baja *f*; **2gängig machen** anular

Rück|grat *n* espina *f* dorsal; **kehr** *f* vuelta, regreso *m*; **licht** *n* luz *f* trasera; **reise** *f* viaje *m* de regreso

Rucksack *m* mochila *f*

Rück|schritt *m* retroceso; **seite** *f* dorso *m*; reverso *m*; **sendung** *f* devolución; **sicht** *f* consideración; **2-sichtslos** desconsiderado

Rück|sitz *m* asiento trasero; **spiegel** *m* retrovisor; **2-spulen** Fot rebobinar; **stand** *m* resto; residuo *m*; **im stand sein mit** estar (od quedar) atrasado en; **tritt** *m* dimisión *f*; **trittbremse** *f* freno *m* de contrapedal; **2wärts** hacia atrás; **wärtsgang** *m* marcha *f* atrás; **weg** *m* vuelta *f*; **2-wirkend** retroactivo; **zahlung** *f* rembolso *m*; **zug** *m* retirada *f*

Rudel

Rudel *n* manada *f*

Ruder *n* remo *m*; (*Steuer*) timón *m*; **~boot** *n* barco *m* de remos, bote *m*; **2n** remar

Ruf *m* grito; llamada *f*; *fig* reputación *f*; **2en** llamar; gritar; **~name** *m* nombre de pila

Rüge *f* reprensión

Ruhe *f* silencio *m*; calma; (*Ausruhen*) descanso *m*; **in lassen** dejar en paz; **2n** descansar; **~pause** *f* descanso *m*; **~stand** *m* retiro; **~tag** *m* día de descanso

ruhig tranquilo

Ruhm *m* gloria *f*, fama *f*

rühmen elogiar, alabar; **s. ~** (*gen*) gloriarse de

Ruhr *f Med* disentería

Rühr|**eier** *npl* huevos *mpl* revueltos; **2en** revolver; conmover; **~end** conmovedor; **~ung** *f* emoción

Ruine *f* ruina

rülpsen eructar

Rum *m* ron

Rummel *m* jaleo; **~platz** *m* (*ständiger*) parque de atracciones; (*Jahrmarkt*) feria *f*

Rumpelkammer *f* trastero *m*

Rumpf *m* tronco

Rumpsteak *n* entrecot *m*

rund redondo; **2blick** *m* panorama; **2e** *f* ronda; *Sp* vuelta; asalto *m*; **2fahrt** *f* vuelta (en coche *usw*)

Rundfunk *m* radio *f*; **~gebühr** *f* cuota de radio; **~gerät** *n* (aparato *m* de) radio *f*; **~hörer** *m* radioyente; **~programm** *n* radioprograma *m*; **~sender** *m* emisora *f*; **~sprecher** *m* locutor

Rund|**gang** *m* vuelta *f*; **2herum** en redondo; **2lich** regordete; **~reise** *f* gira, viaje *m* circular; **~schreiben** *n* circular *f*

Runzel *f* arruga; **2n: die Stirn 2n** fruncir las cejas

rupfen *Geflügel*: desplumar (*a fig*)

Ruß *m* hollín, tizne

Rüssel *m* trompa *f*

rüst|**en** armar; **s. ~en** (**zu**) prepararse, disponerse (a); **~ig** vigoroso; **2ung** *f Mil* armamento *m*; (*Ritter*) armadura

Rute *f* vara

rutschen resbalar

rütteln vibrar; sacudir (**an** u/c); (*Falke*) cerner

S

Saal *m* sala *f*

Saat *f* siembra

Säbel *m* sable

Sabotage *f* sabotaje *m*

Sach|**bearbeiter** *m* ponente; **~beschädigung** *f* daño

m material; **~e** *f* cosa; objeto *m*; asunto *m*, caso *m*; **~en** *pl* efectos *mpl*; **2kundig** perito; **2lich** objetivo

sächlich *Gr* neutro

Sach|**schaden** *m* daño material; **~verhalt** m estado de cosas, hechos mpl; **~verständige(r)** m experto, perito

Sack m saco; **~gasse** f callejón m sin salida

säen sembrar

Safari f safari m

Safe m caja f fuerte

Saft m jugo; (Frucht2) zumo; **2ig** jugoso

Sage f leyenda

Säge f sierra; **~mehl** n serrín m

sagen decir; **offen gesagt** a decir verdad

säge|n aserrar; **2späne** mpl virutas fpl; **2werk** n aserradero m

Sahne f nata, crema

Saison f temporada; **~zuschlag** m suplemento de temporada

Saite f cuerda; **~ninstrument** n instrumento de cuerda

Sakko m Span americana f, Am saco

Sakristei f sacristía

Salami f salame m

Salat m ensalada f; (Kopf2) lechuga f

Salbe f ungüento m, pomada f

Salbei m salvia f

Salmiakgeist m amoníaco

Salmonellen fpl salmonelas

salopp descuidado

Salpeter m salitre; **~säure** f ácido m nítrico

Salut m salva f

Salz n sal f; **2en** salar; **2ig** salado; **~kartoffeln** fpl patatas cocidas; **~säure** f ácido m clorhídrico; **~streuer** m saler(it)o; **~wasser** n agua f salada

Same(n) m semilla f; Biol esperma

Sammel|fahrschein m billete colectivo; **2n** coleccionar; reunir; recoger

Sammlung f colección; (Geld2) colecta, cuestación

Samstag m sábado

Samt m terciopelo

Sanatorium n sanatorio m

Sand m arena f

Sandale f sandalia

Sand|bank f banco m de arena, barra; **2ig** arenoso; **~papier** n papel m de lija; **~stein** m arenisca f; **~strand** m playa f de arena; **~wich** m od n sándwich m

sanft suave, dulce

Sänger(in f) m cantante su

sanitä|re Anlagen fpl instalaciones sanitarias; **2ter** m enfermero, socorrista; Mil sanitario

Saphir m zafiro (a Phono)

Sard|elle f anchoa; **~ine** f sardina

Sarg m ataúd

Satellit m satélite

Satire f sátira

satt harto; **~ sein,** fig **es ~ haben** estar harto (de)

Sattel m silla f; **~gurt** m cincha f; **2n** ensillar

Satz m salto; Gr frase f; (Garnitur) juego; (Boden2) posos mpl, sedimento (a Chem); Hdl tarifa f; tipo;

Sp serie *f*; **~ung** *f* estatuto *m*

Sau *f* puerca, cerda

sauber limpio; **~keit** *f* limpieza; aseo *m*; **~machen =** säubern limpiar

säubern limpiar

sauer agrio; *F fig* enfadado; **~ werden** agriarse; *(Milch)* cuajarse; **2kraut** *n* chucrut *m*; **2stoff** *m* oxígeno; **2stoffmaske** *f* careta de oxígeno

saufen *(Tier u P Mensch)* beber; *P* emborracharse

Säufer *F m* bebedor

saugen chupar

säugen amamantar, dar el pecho a; **2tier** *n* mamífero *m*

Saug|fläschchen *n*, **~flasche** *f* biberón *m*, *RPl*, *Chi* mamadera *f*, *Col* tetero *m*

Säugling *m* niño de pecho, lactante

Säule *f* columna

Saum *m* dobladillo

säumen *Kleid:* hacer un dobladillo; ribetear

Sauna *f* sauna *f*, *RPl m*

Säure *f* ácido *m*

sausen zumbar, silbar; *F* correr

S-Bahn *f* ferrocarril *m* urbano

Schabe *f* cucaracha; **2n** raer

schäbig raído; *fig* mezquino

Schach *n*: **~ spielen** jugar al ajedrez; **~brett** *n* tablero *m* de ajedrez; **2matt** jaque mate; **~spiel** *n* juego *m* de ajedrez

Schacht *m* pozo

Schachtel *f* caja, cajita (de cartón)

schade qué lástima; **es ist ... daß ...** es una lástima que

Schädel *m* cráneo; **~bruch** *m* fractura *f* del cráneo

schaden dañar; **2** *m* daño; perjuicio; **2ersatz** *m* indemnización *f*; **~froh** malicioso

schadhaft deteriorado; defectuoso

schädigen perjudicar; **~lich** dañoso; perjudicial; nocivo; **2ling** *m* animal nocivo

Schaf *n* oveja *f*

schaffen *(hin~)* llevar; *(er~)* crear; **es ~** llevarlo a cabo

Schaffner *m Esb* revisor; *(Bus)* cobrador

Schaft *m* mango; asta *f*; **~stiefel** *m* bota *f* alta

schal soso

Schal *m* bufanda *f*

Schale *f* cáscara; piel; *(Gefäß)* bandeja; **2n** *pl* mondaduras

schälen mondar, pelar

Schall *m* sonido; **~dämpfer** *m* silenciador; **2dicht** a prueba de sonidos; insonorizado; **~mauer** *f* barrera del sonido; **~platte** *f* disco *m*; **~plattengeschäft** *n* tienda *f* de discos, *Am a* disquería *f*

schalten *El* conmutar; conectar; *Kfz* cambiar de velocidad; **2er** *m* interruptor *m*; *(Bank, Post)* ventanilla *f*; *Esb* taquilla *f*; **~hebel** *m* palanca *f* de cambio de velocidad; **2jahr** *n* año *m* bisiesto

Scham f pudor m; vergüenza

schämen: s. ~ (*gen od* **wegen**) tener vergüenza de, avergonzarse (**für** por)

scham|haft pudoroso; **~los** impúdico; desvergonzado

Schande f deshonra; vergüenza

Schanktisch m mostrador

Schar f grupo m, banda

scharf agudo; cortante; (*Messer*) afilado; (*Speise*) picante; *Fot* nítido

Schärfe f agudeza; **2n** afilar

Scharlach m *Med* escarlatina f

Scharnier n bisagra f, charnela f

scharren escarbar

Schatt|en m sombra f; **2ig** sombrío; sombroso

Schatz m tesoro

schätzen apreciar, estimar (*a Hdl*)

Schatzkammer f tesoro f

Schau f vista; exhibición; **zur ~ stellen** exhibir

schauderhaft horrible

schauen mirar, ver

Schauer m *Med* escalofrío; *fig* estremecimiento

Schaufel f pala

Schaufenster n escaparate m, *Am* vitrina f, vidriera f

Schaukel f columpio m; **2n** columpiar(se); **~pferd** n caballo m de columpio, balancín m; **~stuhl** m mecedora f

Schaum m espuma f

schäumen espumar

Schaum|gummi m goma f espuma; **~wein** m vino espumoso

Schauplatz m escenario; teatro

Schauspiel n espectáculo m; **~er(in** f) m actor m, actriz f

Scheck m cheque; **~buch** n talonario m de cheques, *Am* chequera f; **~karte** f tarjeta de crédito

Scheibe f disco m; (*Glas*♀) vidrio m, cristal m; (*Brot*) rebanada; (*Wurst*) lonja

Scheiben|bremse f freno m de disco; **~waschanlage** f *Kfz* lavaparabrisas m; **~wischer** m limpiaparabrisas

Scheid|e f vaina; *Anat* vagina; **2n** vt separar; vi despedirse; **s. 2en lassen** divorciarse; **~ewand** f *Arch*, *Med* tabique m; **~ung** f divorcio m

Schein m luz f; brillo; *fig* apariencia f; (*Geld*) billete; **2bar** aparente; **2en** lucir; *fig* parecer; **die Sonne 2t** hace sol; **~werfer** m *Kfz* faro

Scheiße P f mierda; **2n** V cagar; **~r** m V cagón *a fig*; **~rei** f V caguera

Scheitel m raya f

scheitern naufragar; *fig* fracasar

Schelm m pícaro

schelten vt reñir

Schema n esquema m; **2tisch** esquemático

Schemel m taburete

Schenke f taberna; **~l** m

muslo; 2n regalar

Scherbe f casco m, tiesto m

Schere f tijeras fpl

Scherereien fpl molestias

Scherz m broma f; burla f; 2en bromear; 2haft burlesco

scheu tímido

Scheuer|lappen m bayeta f; 2n fregar

Scheune f granero m

Scheusal n monstruo m

scheußlich horrible

Schi s **Ski**

Schicht f capa; (Arbeits2) turno m; fig clase

schick elegante

schicken enviar; mandar

Schicksal n destino m

Schiebe|dach n techo m corredizo; **~fenster** n (senkrecht) ventana f de guillotina; (waagerecht) ventana f corrediza; 2n empujar; **~tür** f puerta corrediza

Schiedsrichter m árbitro

schief oblicuo; inclinado; **~gehen** salir mal

schielen bizcar

Schien|bein n tibia f; **~e** f a Esb carril m, rail m, Am riel m; Med tablilla; 2en entablillar; 2enbus m autovía f, ferrobús

schießen disparar, tirar, Am a abalear; Sp Tor: marcar; 2erei f tiroteo m, Am a abaleo m, balacera; 2platz m campo de tiro; 2scharte f tronera; 2scheibe f blanco m

Schiff n buque m, barco m;

Arch nave f

Schiffahrt f navegación **schiff|bar** navegable; 2bruch m naufragio; 2brüchige(r) m náufrago

Schiffs|agentur f agencia marítima; **~arzt** m médico de a bordo; **~karte** f pasaje m; **~reise** f viaje m en barco; **~verkehr** m tráfico marítimo

Schikan|e f vejación, bsd Süda chicana; 2ieren vejar, chicanear

Schiläufer m esquiador; s a **Ski...**

Schild 1. n letrero m; placa f; 2. m escudo; plaça f tiroides m; **~ern** describir; **~erung** f descripción; **~kröte** f tortuga

Schilf n cañaveral m

schillern irisar

Schilling m chelín

Schimmel m Zo caballo blanco; Bot moho; 2ig mohoso; 2n enmohecer

schimmern brillar

schimpf|en echar pestes (auf contra); 2wort n injuria f

Schinken m jamón (roher serrano, Am crudo; gekochter dulce od York, Am cocido)

Schirm m pantalla f; (Regen2) paraguas m

Schiß m P canguelo m

Schlacht f batalla f; 2en matar

Schlächter m carnicero

Schlacke f escoria

Schlaf m sueño; **~anzug** m pijama, Am piyama f od m
Schläfe f sien
schlafen dormir; **~ gehen** acostarse
schlaff flojo
schlaflos insomne; adv sin dormir; **2igkeit** f insomnio f
Schlafmittel n somnífero m
schläfrig soñoliento
Schlaf|sack m saco de dormir; **~wagen** m coche-cama; **~zimmer** n dormitorio m

Schlag m golpe; **~ader** f arteria; **~anfall** m apoplejía f; **~baum** m barrera f; **2en** vt golpear, pegar; Mil vencer; vi (Herz) latir; (Uhr) dar la hora; **~er** m canción f de moda, éxito
Schläger m Sp raqueta f; pala f; (Rowdy) matón; **~ei** f pelea
schlag|fertig pronto a replicar; **2loch** n bache m; **2sahne** f nata batida; **2zeile** f titular m; **2zeug** n Mus batería f
Schlamm m fango; **2ig** fangoso
schlampig desaseado, desordenado
Schlange f serpiente; **~ stehen** hacer cola
schlängeln: s. ~ serpentear
Schlangen|biß m mordedura f de serpiente; **~fraß** m f bazofia f; **~linie** f línea sinuosa
schlank delgado, esbelto; **2-**

heitskur f cura de adelgazamiento
schlapp flojo; **2e** F f fracaso m; **~machen** F no poder más
schlau astuto, taimado
Schlauch m manga f; tubo; Kfz cámara f de aire; **~boot** n bote m neumático; **2los: 2loser Reifen** m neumático sin cámara
schlecht mal(o); (Luft) viciado; (Essen) echado a perder; **mir wird ~** me siento mal, me mareo; **2igkeit** f maldad
schleichen andar despacio; ir a pasos de lobo; **~d** furtivo; oculto, latente
Schleier m velo; **2haft** misterioso
Schleif|e f lazo m; cinta; **2en** aguzar, afilar; Edelstein: tallar; (Kleid) arrastrar; **~maschine** f afiladora; **~stein** m piedra f de amolar, muela f
Schleim m mucosidad f; **~haut** f mucosa; **2ig** mucoso
schlemmen regalarse
schlendern: durch die Straßen ~ callejear
schlenkern bambolear, menear (**mit** ac)
Schlepp|e f cola; **2en** cargar (con); Mar remolcar; **~er** m Mar remolcador; **~kahn** m (lancha f de) remolque; **~seil** n cable m de remolque
Schleuder f honda; **2n** vt arrojar; vi Kfz patinar, derrapar; **~n** n derrape m

Schleuse f esclusa

schlicht sencillo; **~en** Streit: arreglar

schließen cerrar; Vertrag: concluir; fig deducir

Schließ|fach n consigna f automática; **2lich** finalmente; **~ung** f cierre m

schlimm mal(o); **~er** peor

Schling|e f lazo m; **2ern** balancearse; **~pflanze** f enredadera

Schlips m corbata f

Schlitt|en m trineo; F (Auto) cacharro

Schlittschuh m patín; **~ laufen** patinar; **~läufer** m patinador

Schlitz m ranura f, raja f

Schloß n cerradura f; Arch palacio m, castillo m

Schlosser m cerrajero

schlottern temblar

Schlucht f barranco m

schluchzen sollozar

Schluck m trago, sorbo; **2en** auf m hipo; **2en** tragar; **~impfung** f vacunación por vía bucal

Schlund m fauces fpl

Schlüpf|er m bragas fpl, Am a pantalones mpl, trusas fpl, bombachas fpl; **2rig** resbaladizo

Schlupfwinkel m escondrijo, guarida f

schlürfen sorber

Schluß m fin; término; **zum ~** por fin

Schlüssel m llave f; **~bein** n clavícula f; **~bund** n llavero m; **~loch** n bocallave f, agu-

jero m

Schluß|folgerung f conclusión; **~licht** n luz f trasera

schmächtig delicado

schmackhaft sabroso

schmal estrecho

schmälern reducir

Schmal|film m película f estrecha; **~spur...** in Zssgn de vía estrecha, Am de trocha angosta

Schmalz n manteca f de cerdo

Schmarotzer m parásito

schmeck|en vt gustar; vi saber (**nach** a); **2en** tener buen gusto; **es ~t mir gut** me gusta

Schmeichel|ei f lisonja; **2haft** lisonjero; **2n** (dat) lisonjear, adular

schmeißen lanzar, tirar

schmelzen fundir(se), derretirse

Schmerz m dolor; **2en** doler; **2haft**, **2lich** doloroso; **~los** indoloro; **~mittel** n analgésico m; **2stillend** analgésico

Schmetterling m mariposa f

Schmied m herrero; **~e** f herrería f; **2en** forjar; fig **Pläne 2en** hacer planes

schmier|en lubrificar; F fig untar, sobornar; **2geld** n F unto m, soborno m; **2ig** grasoso; fig sucio; **~öl** n aceite m lubrificante; **2seife** f jabón m blando

Schminke f maquillaje m; **2n** maquillar; **s. 2n** ponerse colorete

Schmirgelpapier n papel m de lija

schmollen poner cara de enfadado, estar picado

Schmor|braten m estofado; 2en vt estofar; vi fig asarse

Schmuck m adorno; (~stükke) joyas fpl

schmücken adornar

schmuddelig mugriento

Schmuggel m contrabando; 2n hacer (vt introducir de) contrabando

Schmutz m suciedad f; barro; 2ig sucio

Schnabel m pico

Schnalle f hebilla

schnapp|en atrapar, coger; nach Luft ~en jadear; 2-**messer** n navaja f de resorte; 2**schuß** m Fot instantánea f

Schnaps m aguardiente

schnarchen roncar

schnattern Zo graznar; fig parlotear

schnauben resoplar; s. (**die Nase**) ~ sonarse

schnaufen resollar

Schnauze f hocico m

Schnecke f caracol m

Schnee m nieve f; ~**ball** m bola f de nieve; ~**fall** m nevada f; 2**flocke** f copo m de nieve; ~**gestöber** n torbellino m de nieve; ~**ketten** fpl Kfz cadenas antideslizantes; ~**matsch** m nieve f fundida; ~**pflug** m quitanieve; ~**regen** m aguanieve f; ~**sturm** m ventisca f;

wehe f nieve amontonada; 2**weiß** blanco como la nieve

Schneid|brenner m soplete cortante; ~**e** f corte m; 2**en** cortar; **s. in den Finger** 2**en** cortarse el dedo; ~**er** m sastre; ~**erin** f modista

schneien nevar

Schneise f vereda (de bosque)

schnell rápido, veloz; pronto; adv de prisa; 2**hefter** m clasificador; 2**igkeit** f rapidez, velocidad; 2**imbiß** m bar, cafetería f; 2**paket** n paquete m postal exprés; 2**zug** m (tren) expreso

schneuzen: s. (die Nase) ~ sonarse

Schnitt m corte; cortadura f; ~**blumen** fpl flores de corte; ~**e** f rebanada; 2**lauch** m cebollino; ~**muster** n patrón m; ~**punkt** m bsd Math punto de intersección; ~**wunde** f corte m

Schnitzel n escalope m, escalopa f (**Wiener** a la vienesa od milanesa)

schnitzen tallar (en madera); 2**erei** f talla

Schnorchel m tubo (de respiración); (U-Boot) esnórquel

schnüffeln (Hund) husmear; fig curiosear

Schnuller m chupete

Schnulze f canción dulzona

Schnupfen m constipado, catarro

schnuppern oliscar

Schnur f cordel m, cuerda;

cordón m

schnüren atar

Schnurrbart m bigote

Schnür|schuh m zapato de cordones; **~senkel** m cordón m

Schock m choque (a Med); **2ieren** chocar

Schokolade f chocolate m

Scholle f Zo solla

schon ya

schön hermoso; bello; adv bien

Schon|bezug m Kfz funda f, cubreasientos; **2en** tratar con cuidado; **s. 2en** cuidarse

Schönheit f belleza; **~ssalon** m salón de belleza

Schon|kost f régimen m, dieta; **~zeit** f Zo veda

schöpf|en sacar; fig Verdacht: concebir; **2er** m creador

Schorf m costra f, escara f

Schornstein m chimenea f; **~feger** m deshollinador

Schoß m regazo m; fig seno m

Schote f vaina

Schotter m balasto

schräg oblicuo; (Dach) en declive

Schramme f raya f; Med arañazo m

Schrank m armario

Schranke f barrera

Schraub|e f tornillo m; Mar hélice f; **2en** atornillar; **~enmutter** f tuerca; **~enschlüssel** m llave f de tuercas; **~enzieher** m destornillador; **~stock** m tornillo de

banco

Schreck m susto; **vor ~** de susto; **2lich** terrible; **~schuß** m tiro al aire

Schrei m grito

schreib|en escribir; **2en** n carta f; **2fehler** m falta f de ortografía; **2maschine** f máquina de escribir; **2papier** n papel m de escribir; **2tisch** m escritorio; **2waren** fpl artículos mpl de escritorio; (Geschäft) papelería f

schreien gritar

Schrift f escritura; **2lich** (por) escrito; **~steller** m escritor; **~stück** n escrito m; documento m; **~wechsel** m correspondencia f

schrill estridente

Schritt m paso; **~fahren!** ¡ir al paso!; **~macher** m Sp guía; (Herz2) marcapasos

schroff escarpado; fig brusco, áspero

Schrot m trigo m triturado; Jagd perdigones mpl; **~flinte** f escopeta de caza

Schrott m chatarra f

Schrubber m fregona f

Schub|fach n cajón m, bsd Am gaveta f; **~karre** f carretilla f

schüchtern tímido

Schuft m granuja; **2en** matarse trabajando, deslomarse

Schuh m zapato; **~anzieher** m calzador; **~bürste** f cepillo m para zapatos; **~geschäft** n zapatería f; **~größe**

f número *m* (de zapato); **~krem** *f* betún *m*; **~macher** *m* zapatero; **~putzer** *m* *Span* limpiabotas; *Am* embolador, lustrabotas; **~reparatur** *f* reparación de calzado; **~sohle** *f* suela

Schukosteckdose *f* enchufe *m* con puesta a tierra

Schul|arbeiten *fpl* deberes *mpl*, *Am* tareas; **~buch** *n* libro *m* de texto

schuld: ~ **sein an** tener la culpa de, **ich bin daran** ~ es culpa mía

Schuld *f* culpa; **~en** *fpl* deudas; **2en** deber; **2ig** culpable; **2los** inocente; **~ner** *m* deudor; **~schein** *m* pagaré

Schule *f* escuela; (*private Fach2*) academia; **die ~ ist aus** ha terminado la clase

Schüler(in *f*) *m* alumno (alumna)

Schul|ferien *pl* vacaciones *fpl* escolares; **2frei haben** no tener clase; **~freund** *m* compañero de clase; **~leiter** *m* director; **~pflicht** *f* enseñanza obligatoria

Schulter *f* hombro *m*; **~blatt** *n* omóplato *m*

Schul|ung *f* instrucción, formación; **~zeit** *f* años *mpl* escolares

Schuppen 1. *m* cobertizo, tinglado, *bsd Am* galpón; **2.** *fpl* caspas; *Zo* escamas

schüren atizar

Schurke *m* canalla

Schürze *f* delantal *m*

Schuß *m* tiro

Schüssel *f* fuente

Schußwaffe *f* arma de fuego

Schuster *m* zapatero

Schutt *m* escombros *mpl*

Schüttel|frost *m* escalofríos *mpl*; **2n** sacudir; agitar; *Hand:* apretar

schütten echar; verter

Schutz *m* protección *f*; abrigo; **~blech** *n* guardabarros *m*; **~brille** *f* gafas *fpl* protectoras

schützen proteger; defender (*vor* contra)

Schutz|heilige(r) *m* patrón; **~hütte** *f* refugio *m*; **~impfung** *f* vacunación preventiva; **2los** desamparado; **~mann** *m* guardia, policía

schwach débil

Schwäch|e *f* debilidad; **2en** debilitar

schwach|sinnig imbécil; **2-strom** *m* corriente *f* de baja tensión

Schwager *m* cuñado

Schwägerin *f* cuñada

Schwalbe *f* golondrina

Schwamm *m* esponja *f*

Schwan *m* cisne

schwanger embarazada; **2-schaft** *f* embarazo *m*

schwanken vacilar

Schwanz *m* cola *f*

Schwarm *m* (*Vogel2*) bandada *f*; (*Bienen2*) enjambre; *fig* ideal

schwärmen *fig* entusiasmarse (**für** por)

Schwarte *f* corteza

schwarz negro; ~ **werden** ennegrecer; **2brot** *n* pan *m* negro; 2weißfilm *m* película *f* (de) blanco y negro; 2wurzeln *fpl* salsifies *mpl* negros

schwatzen charlar, parlotear

Schwebe: in der ~ en suspenso, pendiente; ~bahn *f* teleférico *m*; 2n flotar; colgar

Schwefel *m* azufre

schweigen callar; 2en *n* silencio *m*; ~sam taciturno, callado

Schwein *n* cerdo *m*, *Am a* marrano *m* (*Col*), chancho *m* (*RPl*); ~efleisch *n* carne *f* de cerdo; ~rei *f* fig porquería; ~estall *m a* fig pocilga *f*

Schweiß *m* sudor; ~brenner *m* soplete para soldar; 2en soldar

schwelen quemarse lentamente (echando humo)

Schwelle *f* umbral *m*; *Esb* traviesa, *Am* durmiente *m*; 2en hincharse; ~ung *f* hinchazón

schwenken *vt* agitar; *vi* virar

schwer pesado; fig difícil, penoso; grave, serio; (*Wein, Tabak*) fuerte; 2arbeit *f* trabajo *m* duro; 2athletik *f* atletismo *m* pesado; 2beschädigte(r) *m* mutilado; ~fällig torpe; ~hörig tardo de oído; 2industrie *f* industria pesada; 2kraft *f* gravitación; ~krank gravemente enfermo; 2punkt *m* *Phys* centro de gravedad;

fig punto esencial

Schwert *n* espada *f*; ~fisch *m* pez espada, emperador

schwer|verdaulich indigesto; ~wiegend serio

Schwester *f* hermana; (*Kranken2*) enfermera

Schwieger|eltern *pl* suegros *mpl*; ~mutter *f* suegra; ~sohn *m* yerno; ~tochter *f* nuera; ~vater *m* suegro

Schwiele *f* callo *m*

schwierig difícil; 2keit *f* dificultad

Schwimm|bad *n* piscina *f*; ~becken *n* piscina *f*, *Méj* alberca *f*, *RPl* pileta *f*; 2en nadar; ~er *m* nadador; *Tech* flotador; ~flossen *fpl* *Sp* aletas; ~flügel *mpl* flotadores; ~halle *f* piscina cubierta; ~weste *f* chaleco *m* salvavidas

Schwind|el *m* *Med* vértigo; fig estafa *f*, patraña *f*; 2elfrei libre de vértigo; 2eln mentir; ~ler *m* estafador; 2lig mareado; mir wird 2lig me da un vahído

schwing|en *vt* agitar; *vi* vibrar; 2ung *f* vibración

Schwips *F m*: e-n ~ haben estar achispado

Schwitz|bad *n* baño *m* de vapor; 2en sudar, transpirar

schwören jurar

schwul *P* invertido

schwül sofocante, bochornoso; 2e *f* bochorno

Schwule(r) *m P* marica

Schwung *m* impulso (*a fig*)

~rad *n* volante *m*

Schwurgericht *n* tribunal *m* de jurados

sechs; 2 *f* seis *m*; 2**tagerennen** *n Sp* los seis días; 2**tel** *n* sexto *m*

See 1. *m* lago; 2. *f* mar *m* u *f*; **an der** ~ en la playa; ~**bad** *n* playa *f*; ~**fisch** *m* pescado de mar; ~**gang** *m* marejada *f*; ~**hund** *m* foca *f*; ~**klima** *n* clima *m* marítimo; 2**krank** mareado; ~**krankheit** *f* mareo *m*

Seel|**e** *f* alma; 2**isch** (p)síquico; ~**sorge** *f* cura de almas

See|**luft** *f* aire *m* de mar; ~**mann** *m* marinero; ~**meile** *f* milla marina; ~**not** *f* peligro *m* marítimo; ~**reise** *f* viaje *m* por mar; ~**stern** *m* estrella *f* de mar; ~**weg** *m* vía *f* marítima; ~**zunge** *f* lenguado *m*

Segel *n* vela *f*; ~**boot** *n* barco *m* de vela; ~**fliegen**, 2**flug** *m* vuelo *m* sin motor; ~**flugzeug** *n* planeador *m*; ~**jacht** *f* yate *m* de vela; 2**n** navegar a vela; ~**schiff** *n* buque *m* de vela; ~**sport** *m* deporte *m* de la vela; ~**tuch** *n* lona *f*

Seg|**en** *m* bendición *f*; 2**nen** bendecir

sehen ver; 2 *n* vista *f*

sehens|**wert** digno de verse; 2**würdigkeit** *f* curiosidad *f*

Sehne *f* cuerda; *Anat* tendón *m*

sehnen: **s.** ~ **nach** anhelar (*ac*)

Sehnen|**scheidenentzün-**

---

dung *f* tendovaginitis; ~**zerrung** *f* distensión de un tendón

Sehn|**sucht** *f* anhelo *m*; 2**süchtig** ansioso, anheloso

sehr (*bei Verben*) mucho; (*vor adj u adv*) muy

Sehstörungen *fpl* trastornos *mpl* de la vista

seicht poco profundo, *Am a* pando

Seide *f* seda

Seife *f* jabón *m*

Seil *n* cuerda *f*; ~**bahn** *f* teleférico *m*, funicular *m*

sein (*dauernd*) ser; (*vorübergehend*) estar

sein, ~**e** su, *pl* sus

seiner|**seits** de su lado; ~**zeit** en su tiempo

seit desde (hace); ~ **e-r Woche ...** hace una semana que ...; = ~**dem** *cj* desde que; *adv* desde entonces

Seite *f* lado; costado *m*; (*Buch*) página

Seiten|**eingang** *m* entrada *f* lateral; ~**stechen** *n* punto *m* de costado; ~**straße** *f* calle lateral; ~**wind** *m* viento de costado

seither desde entonces

seitlich lateral

Sekre|**tariat** *n* secretaría *f*; ~**tärin** *f* secretaria

Sekt *m* vino espumoso; ~**or** *m* sector

Sekunde *f* segundo *m*

selbst mismo; *adv* hasta; **von** ~ por sí mismo

selbständig independiente

Selbst|**auslöser** *m Fot* dis-

Selbstbedienungsladen

Selbstbedienungsladen

parador automático; **~bedienung**(**sladen** *m*) *f* (tienda *f* de) autoservicio *m*; **~beherrschung** *f* dominio *m* sobre sí mismo; **2bewußt** confiado, seguro; **2klebend** autoadhesivo

Selbst|**kostenpreis** *m* precio *m* de coste; **2los** desinteresado; **~mord** *m* suicidio; **2sicher** seguro de sí mismo; **2süchtig** egoísta; **2verständlich** natural, claro (que sí); **~vertrauen** *n* confianza *f* en sí mismo; **~verwaltung** *f* autonomía *f*; **~wählverkehr** *m* Tel servicio automático

Sellerie *m od f* apio *m*

selten raro; *adv* raras veces; **2heit** *f* rareza

Selterswasser *n* agua *f* de Seltz

seltsam raro, extraño

Semester *n* semestre *m*

Semmel *f* panecillo *m*

send|**en** enviar, mandar; *Rf* emitir; **2er** *m* emisora *f*; **2ung** *f* envío *m*; *Rf* emisión

Senf *m* mostaza *f*

sengend abrasador

Senk|**blei** *n* plomada *f*; **2en** bajar; **s. 2en** desplomarse; **2recht** vertical; **~rechtstarter** *m* Flgw avión de despegue vertical; F *fig* trepador

Sensation *f* sensación *f*

Sense *f* guadaña

September *m* se(p)tiembre *m*

Serie *f* serie

seriös serio, formal

Serpentine *f* serpentina

Serum *n* suero *m*

Serv|**ice** *n* servicio *m*; **2ieren** servir; **~iererin** *f* camarera; **~iette** *f* servilleta

Sessel *m* butaca *f*; **~lift** *m* telesilla *f*

seßhaft sedentario

setzen colocar; poner; (*Spiel*) apostar (**auf** por); **s. ~** sentarse

Seuche *f* epidemia

seufz|**en** suspirar; **2er** *m* suspiro

sexuell sexual

Shampoo *n* champú *m*

Sherry *m* jerez

Shorts *pl* short(s) *m*(*pl*)

Show *f* show *m*; **e~e ~ abziehen** F *fig* dar el (*od* un) espectáculo; **~business** *n* (mundo *m* de la) farándula *f*

sich sí; (*unbetont*) se; **bei ~ haben** tener (*od* llevar) consigo

Sichel *f* hoz

sicher seguro; cierto; **~ vor** asegurado contra; **2heit** *f* seguridad; *Hdl* garantía

Sicherheits|**gurt** *m* cinturón de seguridad; **2halber** para mayor seguridad; **~nadel** *f* imperdible *m*; **~schloß** *n* cerradura *f* de seguridad

sicher|**lich** ciertamente, por cierto; **~n** asegurar; **2ung** *f* protección; *El* fusible *m*

Sicht *f* vista; **in ~ kommen** aparecer; **2bar** visible; **~vermerk** *m* visto bueno;

~weite f: **in ~weite** al alcance de la vista

sie ella; la; pl ellos (m), ellas (f); los, las; 2 usted(es pl); le(s)

Sieb n colador m; Tech criba f

sieben siete; 2 f siete m

sieden hervir

Siedl|er m colono; **~ung** f colonia

Sieg m victoria f

Siegel n sello m; **~lack** m lacre; **~ring** m anillo m de sellar

sieg|en vencer (über a); **2er** m vencedor

Signal n señal f

Silbe f sílaba

Silber n plata f; **~hochzeit** f bodas fpl de plata; **2n** de plata

Silvester n día m de San Silvestre; **~abend** m Nochevieja f

simulieren simular

Sinfonie f sinfonía

sing|en cantar; **2vogel** m pájaro cantor

sinken bajar; (Schiff) hundirse

Sinn m sentido; significación f; **~bild** n símbolo m; **2lich** sensual; **2los** absurdo

Sintflut f diluvio m

Siphon m sifón f

Sippe f estirpe, progenie; clan m

Sirup m jarabe

Sit-in n sentada f

Sitt|e f costumbre; **2lich** moral

Sitz m asiento; (Wohn2) domicilio; **2en** estar sentado; (Kleid) sentar bien; **~platz** m asiento; **~ung** f sesión, reunión

Skala f escala

Skandal m escándalo

Skelett n esqueleto m

skeptisch escéptico

Ski m esquí; **2laufen** esquiar; **~läufer** m esquiador; **~lift** m telesquí; **~stiefel** mpl botas fpl para esquiar

Skizze f esbozo m, croquis m

Sklave m esclavo

Skorpion m escorpión m

skrupellos sin escrúpulos

Skulptur f escultura

Slip m braga f

Slipper m (Schuh) mocasín m

Smaragd m esmeralda f

Smoking m smoking, esmoquin m

so así; (vor adj u adv) tan; **~ daß** de modo que; **~bald** luego que, tan pronto como

Socke f calcetín m, Am media (de hombre)

Sockel m zócalo

Soda f Chem sosa, Am soda, **~wasser** n soda f

Sodbrennen n ardor m del estómago, acedía f

soeben ahora mismo

Sofa n sofá m

so|fort inmediatamente, en seguida; **~gar** hasta; **~genannt** llamado; **~gleich** en el acto

Sohle f planta; (Schuh2)

suela

Sohn m hijo

solange cj mientras; adv tanto tiempo

Solar|ium n solario m; **~zelle** f panel m solar

solch tal

Soldat m soldado

solide sólido; serio

Solist(in f) m solista su

Soll n debe m; **2en** deber; (müssen) haber de

Sommer m verano; **im ~** en verano; **~ferien** pl vacaciones fpl de verano; **~frische** f veraneo m; **~frischler** m veraneante; **~kleid** n vestido m de verano; **2lich** de verano, veraniego; **~schlußverkauf** m liquidación f de verano; **~sprosse** f peca; **~zeit** f horario m de verano

Sonder|angebot n oferta f especial; **~ausgabe** f (Zeitung) número m extraordinario; **2bar** singular; **~fahrt** f viaje m discrecional; **~fall** m caso particular; **~genehmigung** f autorización especial; **~marke** f sello m especial

sondern sino; **nicht nur ...,~ auch** no sólo ... sino también

Sonder|schule f escuela especial; **~tarif** m tarifa f especial; **~zug** m tren especial

Sonnabend m sábado

Sonne f sol m; **in der ~** al sol; **2en: s. 2en** tomar el sol

Sonnen|aufgang m salida f del sol; **~bad** n baño m de sol; **~blume** f girasol m; **~brand** m quemadura f del sol; **~brille** f gafas fpl de sol; **~dach** n toldo m; **~deck** n cubierta f de sol; **~finsternis** f eclipse m solar; **2gebräunt** tostado, bronceado; **~öl** n aceite m bronceador; **~schein** m sol; **~schirm** m quitasol, sombrilla f; **~schutzkrem** f crema bronceadora; **~stich** m insolación f; **~terrasse** f terraza f de sol; solario m; **~uhr** f reloj m de sol; **~untergang** m puesta f del sol

sonn|ig soleado; **2tag** m domingo; **2tags** los domingos; **2tagsdienst** m servicio de domingo

sonst de lo contrario; (noch) además; **~ jemand?** ¿alguien más?; **~ niemand** ningún otro, nadie; **~ noch etwas?** ¿alguna otra cosa?; ¿algo más?; **~ nichts** nada más

Sorg|e f preocupación; **2en für** cuidar de; **s. 2en** inquietarse (um por); **2enfrei** cuidadoso; **2los** despreocupado

Sort|e f clase, especie; **2ieren** clasificar; **~iment** n surtido m

Soße f salsa

Souvenir n recuerdo m

so|viel tanto; **~weit** en cuanto; **wir sind ~weit** ya estamos; **~wie** (así) como; ~

wieso así como así
sowjetisch soviético
sowohl: ~ ... **als auch** tanto
... como
sozial social; ~**demokratisch** social-demócrata; 2~
fürsorge f asistencia social;
2~**fürsorgerin** f asistente social; ~**istisch** socialista; 2~
versicherung f seguro m
social
Soziussitz m asiento trasero
Spachtel m espátula f
Spaghetti pl espagueti m
Spalte f abertura f, hendidura; grieta; 2~**en** hender;
fig dividir
Span m astilla f; ~**ferkel** n
lechón m, cochinillo m
Spange f (Haar2) pasador m
Spann m empeine; 2~**en** vt
tender; vi apretar; 2~**end**
cautivador; ~**ung** f tensión
(a El); El voltaje m
Spar|buch n libreta f de
ahorros; 2~**en** ahorrar;
Am a alcancía; 2~**en** ahorrar;
~**er** m ahorrador
Spargel m espárragos mpl
Spar|kasse f caja de ahorros; 2~**sam** económico
Spaß m broma f; placer; **es**
macht (mir) ~ eso (me)
hace gracia, eso (me) divierte
spät tardío; *adv* tarde; **wie ~**
ist es? ¿qué hora es?, Am a
¿qué horas son?; **zu** ~ tarde
Spaten m pala f
spät|er posterior; *adv* más
tarde; ~**estens** lo más tarde
Spatz m gorrión

spazier|engehen pasearse,
dar un paseo; 2~**gang** m paseo; 2~**stock** m bastón
Specht m pico, pájaro carpintero
Speck m tocino
Spedit|eur m agente de
transportes, 2~**ion** f agencia
de transportes
Speer m jabalina f; ~**werfen**
n lanzamiento m de jabalina
Speiche f rayo m
Speichel m saliva f
Speicher m almacén; (Dach~
2) buhardilla f, desván;
(Korn2) granero; 2~**n** almacenar
Speise f comida; plato m;
~**eis** n helado m, Méj nieve
f; ~**kammer** f despensa;
~**karte** f lista de platos, minuta; 2~**n** comer; ~**röhre** f
esófago m; ~**saal** m comedor; (Kloster) refectorio; ~**wagen** m coche restaurante
Spekulation f especulación
spend|abel f liberal; 2~**e** f
regalo m, dádiva; ~**en** dar;
donar (a Blut); 2~**er** m donador; ~**ieren** f regalar
Sperr|e f barrera; 2~**en** cerrar; barrear; bloquear;
Strom: cortar; ~**gebiet** m zona f prohibida; ~**gut** n mercancías fpl de gran bulto;
~**holz** n madera f contrachapeada; 2~**ig** voluminoso;
~**stunde** f hora de cierre
Spesen pl gastos mpl
Spezialität f especialidad;
~**enrestaurant** n restaurante m típico

spezi|ell especial; **~fisch** específico

spicken *Gastr* mechar; *Schule* copiar

Spiegel *m* espejo; **~ei** *n* huevo *m* al plato; **2n** reflejar; **~reflexkamera** *f* máquina reflex

Spiel *n* juego *m*; *Sp* partido *m*; **~automat** *m* tragaperras; **~bank** *f* casa (*f* banca) de juego; **2en** jugar (a); *Mus* tocar; **~er** *m* jugador; **~feld** *n* campo *m*; **~karte** *f* naipe *m*; **~kasino** *n* casino de juegos; **~marke** *f* ficha; **~plan** *m* programa *m*; **~platz** *m* campo de juego; **~regel** *f* regla del juego; **~verderber** *m* aguafiestas; **~zeug** *n* juguete(s) *m(pl)*

Spieß *m* asador

Spikes(reifen) *mpl* neumáticos claveteados

Spinat *m* espinacas *fpl*

Spinn|e *f* araña; **2en** hilar; *F* estar chiflado; **~gewebe** *n* telaraña *f*

Spion *m* espía; (*Tür*) mirilla *f*; **~age** *f* espionaje *m*; **2ieren** espiar

Spirale *f* espiral

Spirituosen *pl* bebidas *fpl* alcohólicas

Spiritus *m* alcohol; **~kocher** *m* infiernillo, *Col, Ven* reverbero, *RPl, Chi, Pe* primus

spitz agudo; **~bart** *m* barba *f* de chivo, *Am* chivera *f*; **2e** *f* punta; (*Gewebe*) encaje *m*; **~en** afilar; aguzar (*a fig*);

2enleistung *f Sp* récord *m*; *Tech* rendimiento *m* máximo

spitz|findig sutil; **2hacke** *f* pico *m*; **2name** *m* apodo

Splitter *m* casco; (*Holz*) astilla *f*, espina *f*; **2n** *vi* astillarse

spontan espontáneo

Sport *m* deporte; **~ treiben** practicar el deporte; **~artikel** *mpl* artículos de deporte; **~bericht** *m* reportaje deportivo; **~flugzeug** *n* avioneta *f*; **~halle** *f* sala de gimnasia, polideportivo *m* (cubierto); **~ler(in** *f*) *m* deportista *su*; **2lich** deportivo; **~platz** *m* campo de deportes; **~verein** *m* club deportivo; **~wagen** *m Kfz* automóvil de deporte; (*für Kinder*) cochecito inglés

Spott *m* burla *f*; **2billig** regalado, tirado, *Am* a botado; **2en über** burlarse de; **spöttisch** burlón

Sprach|e *f* lengua; idioma *m*; **~führer** *m* manual de conversación; **~kurs** *m* curso de idioma; **2los** *fig* atónito

Spray *m* spray *m*; aerosol *m*; (*Haar2*) laca *f*

Sprech|anlage *f* intercomunicador *m*, *Col* citófono *m*; **2en** hablar; **~er** *m* orador; (*Radio*) locutor; **~gebühr** *f* tarifa telefónica; **~stunde** *f* horas *fpl* de consulta; **~stundenhilfe** *f* ayudante de consulta; **~zimmer** *n* sala *f*

de consulta

spreizen extender

spreng|en hacer saltar; (*mit Wasser*) regar; **2stoff** m explosivo; **2ung** f voladura

Sprichwort n refrán m

Spring|brunnen m surtidor; **2en** saltar; (*Haut, Holz*) agrietarse; (*Glas*) cuajarse; **2er** m Sp saltador; (*Schach*) caballo

Sprit m F gasolina f, RPl nafta f

Spritze f jeringa; Med **e-e** **2e geben** poner una inyección; **2en** vi salir a chorro

spröde frágil; (*Haut*) áspero; fig esquivo

Sprosse f escalón m

Spruch m dicho; sentencia f; jur fallo

Sprudel m agua f mineral con gas; **2n** surtir; (*Getränk*) burbujear

sprühen chisporrotear; **2-regen** m llovizna f

Sprung m salto; (*Riß*) hendidura f, raja f; **2brett** n trampolín m; **2federmatratze** f colchón m de muelles; **2schanze** f trampolín m; **2tuch** n tela f salvavidas; **2turm** m torre f de saltos

Spuck|e f saliva; **2en** escupir

spuk|en es f hay duendes

Spule f carrete m; El bobina

spül|en lavar; (*Wäsche*) aclarar; **2mittel** n detergente m; **2ung** f lavado m; (*W.C.*) sifón m

Spur f huella

spür|bar sensible; **2en** sen-

tir

spurlos sin dejar rastro (*od* huella)

Staat m Estado; **2enlos** apátrida; **2lich** del Estado; estatal; público

Staats|angehörigkeit f nacionalidad; **2anwalt** m fiscal; **2bürger** m ciudadano

Stab m bastón; vara f; **2-hochsprung** m salto de pértiga

stabil estable

Stachel m Zo púa f, aguijón; Bot espina f; **2beere** f uva crespa, grosella espinosa; **2draht** m alambre de púas; **2ig** espinoso; **2schwein** n puerco m espín

Stadion n estadio m

Stadt f ciudad; **2bahn** f ferrocarril m metropolitano (*od* urbano); **2bezirk** m distrito

städtisch urbano; municipal

Stadt|mitte f centro m urbano; **2plan** m plano de la ciudad; **2rundfahrt** f vuelta por la ciudad; **2teil** m, **2viertel** n barrio m

Staffel|(lauf m) f (carrera f de) relevo m; **2ei** f caballete m; **2ung** f escalonamiento m

Stahl m acero; **2möbel** npl muebles mpl metálicos; **2werk** n planta f siderúrgica

Stall m establo; (*Pferde2*) cuadra f

Stamm m tribu f; Bot tronco; (*Geschlecht*) linaje m

stammen: ~ **von, aus** provenir de; (*j*) ~ **aus** ser natural de

Stamm|gast *m*, ~**kunde** *m* (cliente) habitual; parroquiano

stampfen (*mit den Füßen*) patalear; (*Schiff*) cabecear

Stand *m* situación *f*, posición *f*; *Hdl* stand, puesto; nivel; ~**bild** *n* estatua *f*

Ständer *m* soporte

Stand|esamt *n* registro *m* civil; 2**haft** constante; 2**halten** resistir (a)

ständig permanente, continuo

Stand|licht *n* luz *f* de población; ~**ort** *m* lugar, posición *f*; ~**punkt** *m* punto de vista

Stange *f* percha, pértiga, vara; (*Zigaretten*) cartón *m*

Stapel *m* pila *f*; ~**lauf** *m* botadura *f*; 2**n** amontonar

Star *m* *Zo* estornino *f*; *Thea* estrella *f*; *Med* catarata *f*; **grüner** ~ glaucoma

stark fuerte; robusto

Stärke *f* fuerza; *Tech* potencia; (*Dicke*) espesor *m*; *fig* fuerte *m*; (*Wäsche*2) almidón *m*; 2**n** fortalecer; *Wäsche:* almidonar

Starkstrom *m* corriente *f* de alta tensión

Stärkung *f* refresco *m*; ~**mittel** *n* tonificante *m*

starr rígido; fijo; ~**en auf** mirar fijamente

Start *m* salida *f*; *Flgw* despegue; ~**bahn** *f* pista de despegue; 2**en** *vi* salir; despegar; *vt* poner en marcha; ~**zeichen** *n* *Sp* señal *f* de partida

Station *f* estación *f*; *Med* departamento *m* clínico, pabellón *m*

Statist|(in *f) m* comparsa *su*; ~**ik** *f* estadística

Stativ *n* trípode *m*

statt en lugar de; ~**finden** tener lugar, celebrarse; ~**lich** vistoso

Statue *f* estatua *f*

Statut *n* estatuto *m*

Stau *m* *Kfz* embotellamiento, tapón, *Col* trancón, *Ven* galleta *f*

Staub *m* polvo; 2**ig** polvoriento; ~**sauger** *m* aspirador; ~**tuch** *n* trapo *m* de limpieza

Staudamm *m* presa *f*, dique, *Am* represa *f*

stauen *vi* congestionarse

staunen asombrarse (**über** de)

Stausee *m* pantano, embalse

Steak *n* bistec *m*, biftec *m*, *Rpl* bife *m*

stech|en pinchar; punzar; (*Insekt, Sonne*) picar; **in See** ~**en** hacerse a la mar; ~**end** punzante; 2**mücke** *f* mosquito *m*

Steck|brief *m* orden *f* de búsqueda y captura; ~**dose** *f* enchufe *m*; 2**en** *vt* meter, poner; 2**enbleiben** atascarse; *fig a* cortarse; 2**en-lassen** dejar metido; ~**er** *m* (clavija *f* de) enchufe; ~**na-

del f alfiler m

Steg m pasarela f; (Boots⌷) embarcadero

stehen estar en pie; (Uhr) estar parado; (Kleidung j-m) sentar; **im** ⌷ **de pie**; **~bleiben** detenerse, pararse; **~lassen** dejar

stehlen hurtar, robar

Stehplatz m Thea localidad f sin asiento; Bus usw plaza f de pie

steif tieso; inflexible; duro

steigen subir (**auf, in** a); **~ern** acrecentar; **⌷erung** f aumento m; alza, subida; **⌷ung** f Kfz cuesta

steil escarpado; **⌷hang** m tajo; **⌷küste** f acantilado m

Stein m piedra f; Med cálculo; (Spiel) pieza f; (Obst) hueso; **~bruch** m cantera f; **~butt** m rodaballo; **⌷ig** pedregoso; **~kohle** f hulla; **~schlag** m caída f de piedras

Stell|dichein f cita f; **~e** f sitio m, lugar m; (Beruf) empleo m; **auf der ~e** en el acto; **⌷en** colocar; poner; Uhr: poner en hora; Frage: hacer; **~enangebot** n oferta f de colocación; **~platz** m Kfz estacionamiento; **~ung** f posición; colocación, puesto m, empleo m; **~vertreter** m sustituto m; **~werk** n puesto m de enclavamiento

Stemm|eisen n formón m; **⌷en** Gewichte: levantar; **⌷en gegen** apoyarse (od estribarse) contra

Stempel m sello; **~kissen** n

tampón m, almohadilla f de tinta; **⌷n** sellar; timbrar

Stengel m tallo

steno|graphieren taquigrafiar; **⌷typistin** f taquimecanógrafa

Steppdecke f colcha (pespunteada)

sterben morir; **⌷sakramente** npl últimos sacramentos mpl; **⌷urkunde** f partida f de defunción

Stereo|anlage f equipo m de alta fidelidad; **~platte** f disco m estereofónico

steril estéril

Stern m estrella f; Astr constelación f; **~fahrt** f rallye m; **⌷förmig** estrellado; **~schnuppe** f estrella fugaz; **~warte** f observatorio m (astronómico)

stet|ig constante; **~s** siempre

Steuer 1. f impuesto m; 2. n timón m; Kfz volante m; Chi manubrio m, Col timón m; **~bord** n estribor m

Steuer|erklärung f declaración f de impuestos; **~frei** libre de impuestos

Steuer|knüppel m palanca f de mando; **~mann** m timonel; **⌷n** Mar gobernar; Flgw pilot(e)ar; Kfz conducir; **~ung** f Kfz dirección

Steuerzahler m contribuyente

Steward m Mar camarero; Flgw auxiliar de vuelo; **~ess** f azafata f, auxiliar de vuelo, Am aeromoza

Stich m (Naht) punto; (In-

sekten2) picadura *f; Mal* grabado; *(Karten)* baza *f;* **im ~ lassen** abandonar; **~haltig** a prueba, plausible; **~probe** *f* prueba hecha al azar; **~tag** *m* día fijado; **~wort** *n Thea* pie *m; (im Wörterbuch)* voz *f* guía; **~wunde** *f* pinchazo *m,* punzada

Stickerei *f* bordado *m;* **stick|ig** sofocante; **2stoff** *m* nitrógeno

Stiefel *m* bota *f*

Stief|mutter *f* madrastra; **~mütterchen** *n Bot* pensamiento *m;* **~sohn** *m* hijastro; **~tochter** *f* hijastra; **~vater** *m* padrastro

Stiel *m* mango, astil; *Bot* tallo

Stier *m* toro; **~kampf** *m* corrida *f* de toros; **~kampf-arena** *f* plaza de toros; **~kämpfer** *m* torero

Stift *m* clavija *f;* **~** *n Rel* convento *m;* **2en** fundar; donar; **Unheil ~en** causar desgracia; **~ung** *f* fundación; dotación; **~zahn** *m* diente de espiga

Stil *m* estilo

still tranquilo; silencioso; **2e** *f* tranquilidad; calma; **~en** *Hunger, Durst:* satisfacer; *Kind:* dar de mamar; *Blut:* restañar; *Schmerz:* calmar; **2stand** *m* paro; parada *f*

Stimm|e *f* voz; *Pol* voto *m;* **2en** *Mus* afinar; **2en (für, gegen)** votar (por, contra); **das 2t (nicht)** eso (no) es

verdad *(od* cierto); **~recht** *n* derecho *m* de voto; **~ung** *f* disposición de ánimo, humor *m,* talante *m*

stinken heder

Stipendium *n* beca *f*

Stirn *f* frente; **~höhle** *f* seno *m* frontal

Stock *m* bastón

Stöckelschuh *m* zapato de tacón alto

stock|en pararse; paralizarse; **2fisch** *m* bacalao; **2ung** *f* interrupción; *(Verkehr)* congestión; **2werk** *n* piso *m,* planta *f*

Stoff *m* materia *f; (Tuch)* tela *f;* tejido

stöhnen gemir

Stollen *m* galería *f* con)

stolpern tropezar **(über**)

stolz orgulloso; **~ sein auf** gloriarse de; **2** *m* orgullo

stopf|en zurcir; *Pfeife:* cargar; **2garn** *n* hilo *m* de zurcir; **2nadel** *f* aguja de zurcir

stopp|en *vt Zeit:* cronometrar; *vi (anhalten)* parar; **2-uhr** *f* cronómetro *m*

Stöpsel *m* tapón

Stör *m* esturión

Storch *m* cigüeña *f*

stör|en estorbar; molestar; **2ung** *f* molestia; perturbación *(a Rf);* **2ungsstelle** *f Tel* servicio *m* de reparaciones *(od* averías)

Stoß *m* golpe; choque; *(Haufen)* pila *f;* **~dämpfer** *m* amortiguador; **2en** empujar; chocar **(an, gegen** contra); *fig* **2en auf** dar con; **stange** f parachoques m; **verkehr** m horas fpl punta; Am horas fpl pico

stottern tartamudear

straf|bar tesado, punible; **bare Handlung** infracción; 2e f castigo m; jur pena; (Geld2) multa; **en** castigar

straff tieso; tirante

straf|frei impune; 2gesetzbuch n código m penal, 2porto n sobretasa f de franqueo; **punkt** m Sp punto de falta; 2raum m Sp zona f de penalty; 2recht n derecho m penal; 2stoß m Sp penalty

Strahl m chorro; Phys rayo; 2en radiar; relucir; 2end radiante; brillante; **ung** f radiación

Strähne f (Haar2) mechón m; (Garn, Wolle) madeja

stramm tieso

Strampel|höschen n pelele m, Am a esquimal m; 2n patalear

Strand m playa f; **anzug** m traje de playa; **bad** n playa f; 2en encallar; **korb** m sillón de playa; **promenade** f paseo m marítimo; **wächter** m guardacostas

Strapaze f fatiga

strapazierfähig resistente

Straße f calle; (Land2) carretera

Straßen|bahn f tranvía m; **bau** m construcción f vial; **beleuchtung** f alumbrado m público; **ecke** f esquina;

händler m vendedor ambulante; **karte** f mapa m de carreteras; **kreuzung** f cruce m; **verkehr** m tráfico, circulación f; **verkehrsordnung** f código m de la circulación; **verzeichnis** n callejero m; **wacht** f (servicio m de) auxilio m en carreteras; **zustand** m estado de las carreteras

sträuben erizar; fig **s. gegen** oponerse a

Strauch m arbusto

Strauß m Zo avestruz; Bot ramo

streben nach aspirar a; **sam** ambicioso, asiduo

Strecke f recorrido m, trayecto m; Esb usw línea

strecken estirar; extender; 2verband m vendaje de extensión

Streich m fig travesura f; 2eln acariciar; besar; fig cancelar; (Farbe) pintar; 2en über pasar por; **holz** n cerilla f; **käse** m queso para extender (od untar); **orchester** n orquesta f de instrumentos de arco

Streif|band n faja f; **e** f patrulla; **en** m tira f; (Muster) raya f; 2en rozar; **wagen** m coche patrulla

Streik m huelga f; 2en estar en huelga

Streit m riña f; controversia f; 2en reñir; altercar; **kräfte** fpl fuerzas armadas; 2süchtig pendenciero

streng severo; riguroso
streuen esparcir
Strich m raya f; línea f
Strick m cuerda f; **~arbeit** f, **~erei** f labor de punto; **2en** hacer labores de punto; **~jacke** f chaqueta de punto; (*Damen2*) rebeca
Strieme f cardenal m
strikt estricto
Stroh n paja f; **~halm** m paja f, *Col, Ven* pitillo m; **~hut** m sombrero de paja; **~sack** m jergón
Strom m río; *El* corriente f; **~anschluß** m toma f de corriente; **~ausfall** m apagón
strömen correr; *fig* afluir
stromlinienförmig aerodinámico
Strom|schnelle f rápido m, catarata; **~stärke** f intensidad f de la corriente
Strömung f corriente
Stromverbrauch m consumo de corriente
Strudel m remolino
Strumpf m media f; **~halter** m liga f; **~haltergürtel** m faja f; **~hose** f medias fpl pantalón, panty m, *Am a* pantaleta
Stube f cuarto m; **~nmädchen** n camarera f
Stück n pieza f (a *Thea*); (*Teil*) pedazo m, trozo m; (*Seife*) pastilla f; (*Zucker*) terrón m; **2weise** a pedazos; por piezas
Student(in f) m estudiante su
Studenten|austausch m in-

tercambio de estudiantes; **~heim** n residencia f de estudiantes
studi|eren estudiar; **2um** n estudios mpl
Stufe f escalón m
Stuhl m silla f; **~gang** m evacuación f del vientre; **~verstopfung** f estreñimiento m
stumm mudo
Stummel m colilla f, *RPl* pucho, *Col* chicote; *Zo* muñón
Stumpf m *Med* muñón, (a *Baum*) tocón
stumpf romo; (*Klinge*) sin filo; **~sinnig** estúpido
Stunde f hora; (*Schu2*) lección, clase
Stunden|kilometer mpl kilómetros por hora; **~lohn** m salario por hora; **~plan** m horario escolar
stündlich cada hora
stur testarudo
Sturm m tempestad f, tormenta f
stürm|en vi precipitarse; **es ~t** hay tormenta; **2er** m *Sp* delantero; **~isch** tempestuoso; *fig* turbulento; (*Beifall*) frenético
Sturmwarnung f aviso m de tempestad
Sturz m caída f
stürzen vt derribar; vi caer; *fig* precipitarse
Sturz|flug m vuelo en picado; **~helm** m casco de protección
Stute f yegua

Stütze f soporte m, sostén m (a fig); fig ayuda

stutzen vt (re)cortar; vi titubear

stütz|en apoyar; **s. ~en auf** apoyarse en; **2punkt** m Mil, Flgw base f

subtrahieren sustraer

Such|aktion f, **~e** f busca; **2en** buscar; **~er** m Fot visor

Sucht f manía

süchtig toxicómano, habituado

Süd|en m sur; **2lich** meridional; **2lich von** al sur de; **~osten** m sudeste; **~pol** m Polo Sur; **~westen** m sudoeste; **~wind** m viento sur

Sühne f expiación

Sülze f fiambre m en gelatina

Summe f suma; total m

summen zumbar

Sumpf m pantano

Sünde f pecado m

Super|-8-Film m película f súper-8; **~benzin** f gasolina f súper; **~markt** m

supermercado

Suppe f sopa

Suppen|fleisch n carne f para cocido; **~teller** m plato sopero

Surf|brett n tabla f (deslizadora) a vela; **2en** practicar el surf

surren zumbar

süß dulce; F (Kind) mono; **~en** endulzar; **2igkeiten** fpl dulces mpl; **2speise** f dulce m; **2stoff** m sacarina f; **2-wasser** n agua f dulce

Swimming-pool m piscina f, Méj alberca f, RPl pileta f

symbolisch simbólico

sympathisch simpático

Symptom n síntoma m

Synagoge f sinagoga

synchronisiert (Film) doblado

synthetisch sintético

System n sistema m; **2atisch** sistemático

Szene f escena

T

Tabak m tabaco; **~laden** m tabaquería f; Span estanco; **~(s)pfeife** f pipa; **~waren** fpl tabacos mpl

Tabelle f tabla, cuadro m

Tablett n bandeja f; **~e** f comprimido m

Tachometer m velocímetro m

Tadel m reprensión f; **2los** irreprochable; **2n** reprender; censurar

Tafel f tabla, tablero m; (Schokolade) tableta f

Täfelung f revestimiento m de madera

Tag m día; **guten ~!** ¡buenos días! bzw ¡buenas tardes!; **am ~e** de día; **es wird ~** amanece, clarea

Tage|buch n diario m; **2lang** días y días; **2n** celebrar sesión

Tages|anbruch m amanecer; **~kurs** m cambio del día; **~licht** n luz f del día; **~ordnung** f orden m del día

täglich diario, cotidiano; *adv* al día; todos los días

tagsüber durante el día

Tagung f sesión; congreso m

Taille f talle m

Takelage f jarcias fpl

Takt m tacto; *Mus* compás; *Tech* tiempo; **~ik** f táctica; **2los** indiscreto; **2voll** discreto, delicado

Tal n valle m

Talent n talento m

Talg m sebo

Talkumpuder m polvos *mpl* de talco

Talsperre f presa, *Am* represa

Tampon m tapón

Tang m alga f marina

Tank m depósito; **2en** tomar (*od* echar) gasolina; **~stelle** f puesto m de gasolina, gasolinera, estación de servicio, *Col* bomba, *Pe* grifo m; **~wart** m encargado del surtidor, *Arg* naftero, *Pe* grifero

Tanne f abeto m

Tante f tía

Tanz m baile; **~abend** m velada f de baile; **2en** bailar

Tänzer(in f) m bailador(a); (*Berufs2*) bailarín m, bailarina f

Tanzfläche f pista de baile; **~kapelle** f orquesta de baile; **~lokal** n salón m de baile

Tapete f papel m pintado

tapezieren empapelar

tapfer valiente

Tarif m tarifa f

tarnen camuflar, enmascarar; **2ung** f disimulación; camuflaje m

Tasche f bolsillo m; bolsa; (*Hand2*) bolso m, *Am* cartera

Taschen|buch n libro m de bolsillo; **~dieb** m ratero; **~geld** n dinero m para gastos menudos (*od* de bolsillo); **~lampe** f linterna; **~messer** n navaja f; **~rechner** m calculadora f de bolsillo; **~tuch** n pañuelo m; **~uhr** f reloj m de bolsillo

Tasse f taza, *Am* a pocillo m

Taste f tecla

Tat f hecho m; acto m; *jur* crimen m

Tät|er m autor; **2ig** activo; **~igkeit** f actividad

tätlich: ~ werden pasar a las vías de hecho

tätowieren tatuar

Tat|sache f hecho m; **2sächlich** real; efectivo

Tatze f zarpa, pata

Tau 1. n cuerda f; **2. m** rocío m

taub sordo

Taube f paloma

taubstumm sordomudo

tauch|en vt (vi) sumergir (-se); vi bucear; **2er** m buceador; **2erbrille** f gafas fpl de buceo; **2sieder** m hervidor de inmersión; **2sport** m submarinismo

tau|en deshelarse; **es ~t** hay deshielo

Taufe f bautismo m; **2en** bautizar; **~kapelle** f baptis-

terio m; ~**pate** m padrino;
~**patin** f madrina; ~**schein**
m partida f de bautismo

taugen servir; ser bueno
(**zu** para); ... ~**t nichts** ... no
vale nada; ~**lich** útil; apto

taumeln tambalearse

Tausch m cambio; 2**en** cambiar

täuschen engañar; 2**ung** f
engaño m

tausend mil; 2**stel** n milésimo m

Tauwetter n deshielo m

Taxe f tasa

Taxi n taxi m; ~**fahrer** m
taxista; ~**stand** m parada f
de taxis

Technik f técnica; ~**iker** m,
2**isch** técnico

Tee m té; ~**beutel** m bolsita f
de té; ~**gebäck** n pastas fpl;
~**kanne** f tetera; ~**löffel** m
cucharilla f, cucharita f

Teer m alquitrán

Teesieb n colador m de té

Teich m estanque

Teig m masa f; pasta f; ~**wa-**
ren fpl pastas alimenticias

Teil n od m parte f; porción f;
zum ~ en parte; 2**en** dividir, partir; ~**haber** m socio;
~**nahme** f participación

teilnehmen tomar parte
(**an** en); participar (en),
asistir (a); 2**er** m partici-
pante; Tel abonado

teils ... ~ s parte ... parte;
2**ung** f división; ~**weise**
parcial; adv en parte

Telefon n teléfono m; ~**buch**
n guía f de teléfonos; Am

directorio m telefónico; ~-
gespräch n conversación f
(od llamada f) telefónica;
2**ieren** telefonear; 2**isch** telefónico; por teléfono;
~**istin** f telefonista, opera-
dora; ~**marke** f ficha de
teléfono; ~**nummer** f número m de teléfono; ~**zelle** f
cabina telefónica; ~**zentra-**
le f central telefónica; Am
conmutador m

telegrafieren telegrafiar

Telegramm n telegrama m;
~**adresse** f dirección tele-
gráfica; ~**formular** n formulario m para telegramas;
~**gebühr** f tasa de telegrama

Teleobjektiv n teleobjetivo
m

Teller m plato

Tempel m templo

temperamentvoll brioso,
vivo; 2**tur** f temperatura

Tempo n velocidad f; Mus
tiempo m

tendenziös tendencioso

Tennis n tenis m; ~**spielen**
jugar al tenis; ~**ball** m pelota f de tenis; ~**platz** m pista f
(Am cancha f) de tenis;
~**schläger** m raqueta f

Teppich m alfombra f, ~**bo-**
den m Span moqueta f, Am
alfombrado m

Termin m término; plazo; **s.**
e-n ~ **geben lassen** (Arzt
usw) pedir hora; ~**kalender**
m agenda f

Terrasse f terraza

Terrine f sopera

Terrorist m terrorista

Tesafilm m celo

Test m prueba f

Testament n testamento m

testen probar

Tetanus m tétanos; **~spritze** f inyección antitetánica

teuer caro; **wie ~ ist das?** ¿cuánto cuesta?; **zu ~** demasiado caro

Teufel m diablo

Text m texto

Textilien pl tejidos mpl

Theater n teatro m; **~kasse** f despacho m de localidades

Theke f mostrador m

Thema m asunto m, tema m

Theolo|ge m teólogo m; **~gie** f teología

Theorie f teoría

Therapie f terapéutica

Thermalbad n estación f termal

Thermo|meter n termómetro m; **~sflasche** f termo m; **~stat** m termostato

These f tesis

Thunfisch m atún

Thymian m tomillo

ticken hacer tic tac

tief profundo, hondo; (Ton) bajo

Tief n, **~druckgebiet** n zona f de baja presión; **~e** f profundidad; **~gang** m calado; **~garage** f garaje m subterráneo; 2**gefroren**, 2**gekühlt** congelado; **~kühltruhe** f arca congeladora, congelador m

Tier n animal m; bestia f; **~arzt** m veterinario; 2**isch** animal; fig bestial;

schutzverein m sociedad f protectora de animales

Tiger m tigre

tilgen borrar; Hdl amortizar

Tinktur f tintura

Tinte f tinta

Tinten|fisch m calamar; **~stift** m lápiz de tinta

Tip m consejo, sugerencia f; Sp pronóstico

tippen apostar (**auf** por); F escribir a máquina; (Toto) F jugar a las quinielas

Tisch m mesa f; **bei ~** a la mesa; **nach ~** después de la comida; **~lampe** f lámpara de mesa; **~ler** m carpintero; ebanista; **~tennis** m ping pong m; **~tuch** m mantel m; **~wein** m vino de mesa

Titel m título

Toast m pan tostado; fig brindis; **~er** m tostador de pan

toben enfurecerse; (Kinder) retozar

Tochter f hija

Tod m muerte f

Todes|anzeige f esquela de defunción; **~strafe** f pena capital

tödlich mortal

Toilette f lavabo m, aseo m, water m, servicio m, baño

Toiletten|artikel mpl artículos de tocador; **~papier** n papel m higiénico

toll loco; F estupendo; 2**wut** f rabia; **~wütig** rabioso

Tomate f tomate m; **~nsaft**

m zumo de tomate; **~nsoße** *f* salsa de tomate

Tombola *f* rifa, tómbola

Ton *m* arcilla *f*

Ton *m* sonido; *Mus, fig* tono; **~abnehmer** *m* pick-up; **~band** *n* cinta *f* magnetofónica; **~bandgerät** *n* magnetófono *m*

tönen *vi* sonar; *vt Haar:* matizar

Tonerde *f:* **essigsaure ~** acetato *m* de alúmina

Tonfilm *m* película *f* sonora

Tonne *f* tonelada; barril *m*, tonel *m*

Tönung *f* matiz *m*

Topf *m* marmita *f*; olla *f*; (*Blumen≈*) tiesto, maceta *f*; **Töpferwaren** *fpl* alfarería *f*, barros *mpl*

Tor *n* puerta *f*; *Sp* gol *m*; meta *f*; **~einfahrt** *f* puerta cochera

Torf *m* turba *f*

töricht necio; insensato

torkeln tambalearse, zigzaguear

Törtchen *n* pastel *m*

Torte *f* tarta, torta

Torwart *m* portero, guardameta

tosen bramar

tot, Tote(r) *m* muerto

Totalschaden *m* siniestro total

töten matar

Totenschein *m* certificado de defunción

Toto *n* quinielas *fpl*

Totschlag *m* homicidio

toupieren cardar

Tour *f* excursión; **~ist**(*in f*) *m* turista *su*; **~istenklasse** *f* clase turista; **~istik** *f* turismo *m*

Trabrennen *n* carrera *f* al trote

Tracht *f* traje *m*

Tradition *f* tradición

Trafo *m* transformador

trag|bar portátil; **2e** *f* angarillas *fpl*; *Med* camilla

träge lento, flemático

tragen llevar; **bei s. ~** llevar consigo

Träger *m* viga *f*, soporte

Trag|fläche *f* ala; plano *m* de sustentación; **~flächenboot** *n*, **~flügelboot** *n* hidroala *m*, barco-avión *m*

Tragödie *f* tragedia

Tragweite *f* alcance *m*

Trai|ner *m* entrenador; **2nieren** entrenar(se); **~ning** *n* entrenamiento *m*; **~ningsanzug** *m* chándal *m*

trampeln patear, zapatear

tranchieren trinchar

Träne *f* lágrima; **~ngas** *n* gas *m* lacrimógeno

tränken abrevar

Transfer *m* transferencia *f*

Transistorradio *n* transistor *m*

Transit|passagier *m* pasajero de tránsito; **~verkehr** *m* tráfico (*od* comercio) de tránsito; **~visum** *n* visado *m* (*Am* visa) de tránsito

Transport *m* transporte; **2fähig** transportable; **2ieren** transportar; **~kosten** *pl* gastos *mpl* de transporte;

~unternehmen n empresa f de transportes

Traube f racimo m; (Wein2) uva

Trauben|saft m zumo de uva; ~zucker m glucosa f

trauen vi (dat) confiar en; vt casar; s. nicht ~ no atreverse; s. ~ lassen casarse

Trauer f luto m; ~feier f funerales mpl; ~kleidung f luto m; 2n estar de luto (um por)

träufeln instilar

Traum m sueño

träumen soñar (von con)

traurig triste; 2keit f tristeza

Trau|ring m alianza f, Col argolla f; ~ung f (standesamtlich) matrimonio m civil; (kirchlich) bendición nupcial; ~zeuge m padrino de boda

treff|en Ziel: acertar; j-n: encontrar; ~end acertado, preciso; 2punkt m punto de reunión

treiben vt empujar; vi Mar flotar; Sport ~ practicar un deporte

Treib|haus n invernáculo m, invernadero m; ~jagd f batida; ~stoff m carburante

trenn|en separar; cortar; 2ung f separación; 2wand f tabique m

Treppe f escalera

Treppen|absatz m descansillo; ~geländer n pasamano m; ~haus n caja f de la escalera

Tresor m caja f de caudales

Tretboot n barca f de pedales

treten (auf) pisar (en); (in) entrar (en); über die Ufer ~ desbordarse

treu fiel, leal; 2e f fidelidad; ~los infiel, desleal

Tribüne f tribuna

Trichter m embudo

Trick m truco; ~film m dibujos mpl animados, Méj, Col F monitos mpl

Trieb m instinto; Bot brote; (An2) impulso; ~kraft f fuerza motriz; ~wagen m automotor

triefen chorrear

triftig plausible, concluyente

Trikot n malla f

trink|bar potable; ~en beber; 2er m bebedor; 2geld n propina f; 2halm m Span paja f, canuto, Col, Ven pitillo; 2wasser n agua f potable

Triptyk n tríptico m

Tritt m paso; (Fuß2) puntapié; ~brett n estribo m

trocken seco (a Wein); árido; 2batterie f pila seca; 2haube f secador m; 2heit f sequedad; ~legen Sumpf: desaguar; Kind: cambiar los pañales a; 2milch f leche en polvo; 2rasierer m afeitadora f

trocknen vt secar; vi secarse

Trödelmarkt m Rastro (bsd Madrid)

Trommel f tambor m; ~

bremse f freno m de tambor; **∼fell** n Anat tímpano m; **2n** tocar el tambor

Trompete f trompeta

Tropen pl trópicos mpl; **∼helm** m casco colonial, salacot; **∼klima** n clima m tropical

tropf|en gotear; **2en** m gota f; **∼enweise** a gotas

tropisch tropical

Trost m consuelo

trösten consolar

trost|los desconsolado; **2-preis** m accésit

trotz (gen) a pesar de

Trotz m obstinación f; **2-dem** no obstante; **2ig** obstinado, terco

trübe (Flüssigkeit) turbio; (Glas) empañado; (Himmel) nublado

Trubel m jaleo

trübsinnig melancólico, triste

Trüffel f trufa

trügerisch engañoso

Truhe f arca

Trümmer pl escombros mpl; ruinas fpl

Trumpf m triunfo

Trunk|enheit f embriaguez; **∼sucht** f alcoholismo m

Trupp m cuadrilla f; grupo; **∼e** f Mil tropa; Thea compañía

Truthahn m pavo, Méj guajalote

Tube f tubo m

Tuberkulose f tuberculosis

Tuch n trapo m; pañuelo m; (Stoff) paño m

tüchtig hábil, capaz

tückisch pérfido, traidor

Tugend f virtud

Tülle f pico m

Tulpe f tulipán m

Tümpel m charco

Tumult m tumulto

tun hacer; **∼ als ob** aparentar, fingir + inf

tünchen blanquear

Tunke f salsa

Tunnel m túnel

Tür f puerta

Turban m turbante

Turbine f turbina

Turbomaschine f Flgw turbopropulsor m

Türklinke f picaporte m

Turm m torre f

Turn|anzug m traje de gimnasia; **2en** hacer gimnasia; **∼er(in** f) m gimnasta su; **∼halle** f gimnasio m

Turnier n torneo m

Turnus m turno

Turnverein m club gimnástico

Tusche f tinta china

Tüte f bolsa (de papel, de plástico)

Typ m tipo

Typhus m tifus

typisch típico

Tyrann m tirano; **∼ei** f tiranía; **2isch** tiránico

U

U-Bahn f metro m, Arg subte m.
übel mal(o); adv mal; **mir
wird ~** me mareo, siento
náuseas; **~keit** f náuseas fpl;
~nehmen tomar a mal
üben ejercitar
über sobre, encima de;
(mehr als) más de; **~all** por
todas partes
über|backen adj gratinado;
~belasten sobrecargar; **~**
belichtet sobreexpuesto; **2**
blick m resumen; vista f
de conjunto; **~blicken**
abarcar con la vista; **~bringen** entregar; transmitir; **2**
bringer m portador; **~dauern** sobrevivir a
überdies además
über|drehen torcer; **2**
druck m sobrepresión f; **2**
druß m saciedad f; **~eilt**
precipitado
überein|ander uno(s) sobre
otro(s); **~kommen** ponerse
de acuerdo; **~stimmen**
concordar (mit con), estar
conforme (con); **2stimmung** f concordancia
über|empfindlich hipersensible; **~fahren** atropellar; **2fahrt** f travesía,
pasaje m
Überfall m atraco; bsd Mil
asalto; **2en** atracar
über|fällig retrasado; Hdl
vencido; **~fliegen** sobrevolar; fig recorrer; **~fließen**
desbordarse; **2fluß** m

abundancia f; **~flüssig** superfluo; **~fluten** inundar;
~führung f paso m superior; **~füllt** repleto; **2gabe** f
entrega; **~gang** m transición f; **~gangszeit** f período
m transitorio
übergeben entregar; **s. ~** vomitar
Über|gepäck n Flgw exceso
m de equipaje; **~gewicht** n
Med sobrepeso m; fig preponderancia f; **~griff** m
abuso; **~häufen mit** colmar de
überhaupt generalmente;
en suma; **~ nicht** de ningún
modo
über|heblich presuntuoso;
~holen revisar, repasar;
Kfz adelantar; **~holt** fig anticuado; **2holverbot** n prohibición f de adelantar;
~kochen rebosar hirviendo;
salirse; **~lassen** dejar; ceder; **~lasten** sobrecargar;
~laufen vi derramarse; **~**
laufen adj muy concurrido; **~leben** sobrevivir (a);
2lebende(r) m superviviente; **~legen** pensar, reflexionar; **~legen** adj superior; **~legung** f reflexión f;
~mäßig excesivo; **~mitteln** transmitir; **~morgen**
pasado mañana; **~mütig**
loco de alegría; (Kind) travieso
übernachten pasar la noche, pernoctar; **2ung** f per

noctación
Über|nahme f toma; aceptación; **2natürlich** sobrenatural; **2nehmen** tomar, aceptar; **2prüfen** examinar, revisar; **2queren** atravesar; **2ragen** sobresalir (entre); **2raschen** sorprender; **~raschung** f sorpresa; **2reden** persuadir (**zu** a); **2reichen** entregar; **2runden** adelantarse a; **~schallgeschwindigkeit** f velocidad supersónica; **2schätzen** sobrestimar; **et 2schlafen** consultar u/c con la almohada
überschlagen Kosten: calcular; Seite: saltar; **s.** ~ volcar(se), dar una vuelta de campana
überschneiden: s. ~ cruzarse; (zeitlich) coincidir
über|schreiten exceder, traspasar; **2schrift** f título m; **2schuß** m excedente; **2schwemmung** f inundación; **~seeisch** de ultramar; **~sehen** no ver; dejar pasar; **~senden** enviar
übersetz|en vt Text: traducir; **2er** m traductor; **2ung** f traducción; Tech transmisión, multiplicación
Übersicht f vista general; resumen m; **2lich** claro
über|siedeln (nach) trasladarse (a); **~springen** saltar (a fig); **~stehen** vt pasar; vencer; **~steigen** sobrepasar, exceder; **2stunden** fpl horas extraordinarias; **~**

stürzt precipitado; **~trag- bar** transferible; **~tragen** Hdl trasladar; Rf, TV transmitir; **2tragung** f transmisión; **~treffen** superar; **~treiben** exagerar; **~treten** Gesetz: infringir; **~vorteilen** engañar; **~wachen** vigilar; **2wachung** f vigilancia; control m; **~wältigen** vencer
überweis|en transferir, girar; **2ung** f transferencia, giro m
über|wiegen predominar, preponderar; **~wiegend** preponderante; **~winden** superar, vencer; **~zeugen** convencer; **s.** ~**zeugen von** convencerse, cerciorarse de; **2zeugung** f convicción f; **~ziehen** Mantel: ponerse; (**mit**) forrar (de); **~zogen** (Konto) en descubierto; **2zug** m forro
üblich usual
U-Boot n submarino m
übrig sobrante, restante; **~en** los demás, **~bleiben** quedar, sobrar; **~ens** por lo demás; **~lassen** dejar
Übung f ejercicio m; fig práctica
Ufer n orilla f; **am** ~ a orillas (de)
Uhr f reloj m; (Zeit) hora; **~macher** m relojero; **~zeiger** m aguja f de reloj
Ulk m broma f; fig cómico
Ultra|kurzwelle f onda ultracorta, frecuencia modulada; **~schall** m ultrasonido

um *prp* (**herum**) alrededor de; (*zeitlich* a); (*~ ... willen*) por (amor de); (*Preis*) por, al precio de; **~ zwei Uhr** a las dos; **~ so besser** tanto mejor; *cj* **~ zu** para + *inf*

um|arbeiten transformar; **~armen** abrazar; **2armung** *f* abrazo *m*; (*Krawatte*): ponerse; **~blättern** volver la hoja; **~bringen** matar; **~buchen** *Reise*: modificar la reserva; **~disponieren** cambiar las disposiciones

umdreh|en volver; **2ung** *f* vuelta; *Tech* revolución

um|fallen caerse; **2fang** *m* circunferencia *f*; volumen, extensión *f*; **~fangreich** voluminoso; **~fassen** *fig* comprender; abarcar; **~formen** transformar; **2frage** *f* encuesta; **~füllen** transvasar

Umgang *m* trato; **~ haben mit** tratar a; **guten** (**schlechten**) **~ haben** tener buena (mala) compañía

Umgangs|formen *fpl* modales *mpl*; **~sprache** *f* lenguaje *m* familiar

umgeb|en rodear (**mit** de); **2ung** *f* ambiente *m*; (*Gegend*) alrededores *mpl*

umgeh|en *vt* eludir; **~end** inmediatamente; **2ungsstraße** *f* carretera de circunvalación

um|gekehrt invertido, inverso; *adv* al revés; **~graben** cavar, remover; **2hang** *m* capa *f*

umher alrededor; **~gehen** pasearse

Umhüllung *f* envoltura

Umkehr *f* vuelta; **2en** volver, dar media vuelta; **~film** *m* película *f* reversible

um|kippen volcar; **~klammern** agarrar

Umkleide|kabine *f* cabina; **~raum** *m* vestuario

umkommen perecer

Umkreis *m* circuito, redonda *f*

um|leit|en desviar; **2ung** *f* desviación

~liegend (circun)vecino; **~pflanzen** trasplantar; **~quartieren** dar otro alojamiento; **~rahmen** encuadrar

umrechn|en convertir; **2ungstabelle** *f* tabla de conversión

um|ringen rodear; **2riß** *m* contorno; **~rühren** remover; **2satz** *m Hdl* ventas *fpl*; movimiento *m*; **~schalten** conmutar; **2schlag** *m* (*Brief2*) sobre; *Med* compresa *f*; (*Buch2*) forro; (*Wetter2*) cambio brusco; **~schlagen** *vi* volcar; **~schnallen** ceñir; **2schwung** *m* cambio repentino

umsehen: s. ~ mirar atrás; (*besichtigen*) dar una vuelta

um|sichtig circunspecto; **~sonst** gratis; *fig* en vano; **2stand** *m* circunstancia *f*

Umständ|e *mpl* circunstancias *fpl*; **unter diesen ~en**

en estas condiciones; **in anderen** ~en encinta; **2lich** circunstanciado; *(Person)* ceremonioso

Umstandskleid *n* conjunto *m* maternal

Umsteige|fahrschein *m* billete de correspondencia; **2n** cambiar (de tren, tranvía, autobús)

umstellen reorganizar; **s. ~ (auf)** adaptarse (a)

um|stoßen volcar; *fig* anular; **~stritten** discutido; **2sturz** *m* subversión *f*; **~ stürzen** volcar

Umtausch *m* cambio; **2en** cambiar

umwand|eln transformar; **2lung** *f* transformación

umwechseln cambiar

Umweg *m* rodeo

Umwelt *f* medio *m* ambiente; **~ ...** *in Zssgn* ecológico; **~schutz** *m* protección *f* del medio ambiente

um|wenden volver; **~werfen** derribar, volcar, tumbar

umziehen mudarse de casa; **s. ~** mudarse

Umzug *m* mudanza *f* (de casa), *Col* trasteo; *(Festzug)* desfile; *Rel* procesión *f*

unab|hängig independiente; **~kömmlich** ocupado; **~lässig** incesante; **~sichtlich** involuntario; **~wendbar** inevitable

unachtsam descuidado, inadvertido

unan|gebracht inoportuno;

~genehm desagradable; **~ nehmbar** inaceptable; **2nehmlichkeit** *f* disgusto *m*; **~ständig** indecente

un|appetitlich poco apetitoso; **~artig** travieso

unauf|fällig discreto; **~ findbar** imposible de hallar; **~merksam** distraído, desatento; **~schiebbar** inaplazable

unaus|führbar irrealizable, impracticable; **~stehlich** insoportable

unbarmherzig despiadado

unbe|denklich sin vacilar; **~deutend** insignificante; **~ dingt** *adv* en todo caso; **~ fahrbar** intransitable; **~ fangen** imparcial; despreocupado; **~friedigend** poco satisfactorio; **~fugt** no autorizado; **~greiflich** incomprensible; **~grenzt** ilimitado; **~gründet** infundado; **~haglich** desagradable, incómodo; **~holfen** torpe; **~ kannt** desconocido; **~kleidet** desnudo; **~liebt** impopular; **~mannt** sin tripulación; **~merkt** inadvertido; **~obachtet** inobservado

unbequem incómodo, molesto; **2lichkeit** *f* incomodidad

unbe|rührt intacto; **~schädigt** sin daño, en buen estado; **~schränkt** ilimitado; **~schreiblich** indescriptible; **~sonnen** atolondrado; **~ständig** inconstante, inestable; variable; **~stechlich**

incorruptible; ~stimmt in-
determinado, inseguro; ~
teilig desinteresado; ~
wacht no vigilado; ~weg-
lich inmóvil; ~wohnt des-
poblado; (*Haus*) deshabita-
do; ~wußt inconsciente; ~
zahlbar impagable; ~zahlt
no pagado

unbrauchbar inutilizable;
inútil; inservible

und y, (*vor i und hi*) e; ~
zwar a saber; na ~? ¿y
qué?

un|dankbar ingrato; ~
denkbar inimaginable; ~
deutlich indistinto; ~dicht
permeable; ~durchlässig
impermeable; ~durch-
sichtig opaco; *fig* impenetrable

un|eben desigual; áspero; ~
echt falso; ~ehelich ilegítimo; ~eigennützig desinte-
resado; ~eingeschränkt
ilimitado; ~einig desunido; ~
empfindlich insensible; ~
endlich infinito

unent|behrlich indispensa-
ble; ~schieden indeciso;
(*Spiel, Wahl*) empatado; ~
schieden *n Sp* empate *m*;
~schlossen indeciso; 2~
schlossenheit *f* indecisión

uner|fahren inexperto; ~
heblich insignificante; ~
hört inaudito; ~klärlich
inexplicable; ~läßlich in-
dispensable; ~laubt ilícito; ~
müdlich infatigable; ~
reichbar inaccesible; ~
sättlich insaciable; ~

schöpflich inagotable; ~
setzlich insustituible; ~
träglich insoportable; ~
wartet inesperado; repen-
tino; *adv* de improviso; ~
wünscht indeseable

un|fähig incapaz; ~fair in-
justo; *Sp* sucio

Unfall *m* accidente; ~flucht
f fuga del conductor (responsable de un accidente);
~station *f* puesto *m* de socorro; ~verhütung *f* preven-
ción de accidentes; ~
versicherung *f* seguro *m*
de accidentes

un|fehlbar infalible; ~fertig
incompleto; ~förmig in-
forme; ~frankiert no fran-
queado; ~freundlich poco
amable

Unfug *m* abuso; (*Streich*)
travesura *f*; grober ~ desorden grave

unge|bildet inculto; ~
bräuchlich poco usado; ~
bührlich inconveniente; ~
duldig impaciente; ~eig-
net inadecuado, impropio; ~
fähr *adv* aproximadamen-
te; ~fährlich sin peligro,
inofensivo; ~heuer enor-
me; 2~heuer *n* monstruo *m*; ~
horsam desobediente; ~
legen inoportuno; ~müt-
lich poco confortable; ~
nau inexacto; ~nießbar
imbebible *od* incomible; ~
nügend insuficiente; ~
pflegt descuidado; ~rade
(*Zahl*) impar; ~recht injus-
to

ungern de mala gana

unge|schickt torpe; ~**schützt** no protegido; ~**setzlich** ilegal; ~**stört** tranquilo; ~**sund** malsano; (*Klima*) insalubre; ~**wiß** incierto; ~**wöhnlich** extraordinario; ~**wohnt** desacostumbrado; ~**ziefer** *n* bichos *mpl*; ~**zogen** mal educado; (*Kind*) travieso; *fig* desenvuelto

un|glaublich increíble; ~**glaubwürdig** inverosímil; (*Person*) de poco crédito; ~**gleichmäßig** desigual

Unglück *n* desgracia *f*; malaventura *f*; ~**lich** desgraciado; (*j*) infeliz; ~**licherweise** por desgracia

un|gültig nulo, inválido; ~**günstig** desfavorable; ~**handlich** inmanejable; ~**heilbar** *Med* incurable; ~**heimlich** inquietante; *adv* enormemente; ~**höflich** descortés; ~**hygienisch** antihigiénico

Uni|form *f* uniforme *m*; ~**on** *f* unión *f*; ~**versität** *f* universidad

un|klar poco claro; ~**klug** imprudente; ~**kosten** gastos *mpl*; 2**kraut** *n* mala hierba *f*; ~**leserlich** ilegible; ~**lösbar**, ~**löslich** insoluble; ~**mäßig** inmoderado; ~**merklich** imperceptible; ~**mittelbar** inmediato; ~**modern** pasado de moda, anticuado; ~**möglich** imposible; ~**mündig** menor de edad; ~**nachgiebig** inflexible, intransigente; ~**natürlich** poco natural; afectado; ~**nötig** inútil, innecesario

unord|entlich desordenado; ~**nung** *f* desorden *m*

un|parteiisch imparcial; ~**passend** inconveniente; ~**pässlich** indispuesto; ~**persönlich** impersonal; ~**pünktlich** poco puntual; ~**rasiert** sin afeitar

Unrecht *n* injusticia *f*; 2**haben** no tener razón; 2**mäßig** ilegítimo

un|regelmäßig irregular; ~**reif** no maduro; ~**richtig** inexacto, incorrecto; falso; 2**ruhe** *f* inquietud; 2**ruhen** *pl Pol* disturbios *mpl*; ~**ruhig** inquieto, intranquilo

uns (*unbetont*) nos; (*betont*) a nosotros, -as; **ein Freund von ~** un amigo nuestro

un|sauber sucio; ~**schädlich** inofensivo; ~**scharf** *Fot* borroso; ~**scheinbar** poco vistoso; ~**schlüssig**

Unschuld *f* inocencia; 2**ig** inocente

unser nuestro, -a; ~**e** *pl* nuestros, -as

unsicher inseguro; 2**heit** *f* inseguridad

Un|sinn *m* disparate, absurdo; 2**sinnig** absurdo; ~**sittlich** inmoral; 2**sympathisch** antipático; 2**tätig** inactivo

unten abajo; **von ~** de abajo;
nach ~ hacia abajo

unter prp debajo de; bajo;
(*zwischen*) entre; adj inferior; **~arm** m antebrazo;
~belichtet expuesto insufi-
cientemente; **2bewußtsein**
n subconsciente m; **~bieten**
ofrecer menor precio

unterbrech|en interrum-
pir; cortar; suspender; **2er**
m *Kfz* interruptor; **2erkon-**
takt m platino; **2ung** f
interrupción

unter|bringen colocar;
Gast: alojar; **2bringung** f
alojamiento m; **2deck** n cubierta f baja; **~dessen** entretanto; **~drücken** suprimir, reprimir; **~e, ~er, ~es**
inferior; **~einander** entre
sí; **~entwickelt** subdesa-
rrollado; **2führung** f paso
m inferior; **2gang** m ruina f;
Mar hundimiento m; **2ge-**
bene(r) m subordinado;
~gehen *Mar* hundirse; (*Son-*
ne) ponerse

Untergrund|bahn f metro
(-politano) m, *RPl* subterráneo m; **2bewegung** f
movimiento m subversivo

unterhalb (*gen*) debajo de

Unterhalt m sustento; **2en**
sustentar; fig distraer; **s.**
2en conversar; **~ung** f conversación; distracción, pasatiempo m

Unter|hemd n camiseta f;
~hose f calzoncillos mpl,
Col pantaloncillo m; **~la-**

~ge f base; **2lassen** dejar
(de); omitir; **~leib** m vientre; **2liegen** sucumbir; **~**
mieter m subinquilino

unternehmen m emprender;
2en n empresa f; **2er** m
empresario

Unter|offizier m suboficial;
~richt m enseñanza f; instrucción f; **2richten** enseñar, instruir; informar; **~**
rock m combinación f, *Am*
fondo; (*Halbrock*) ena-
gua(s) f(pl), *Am* medio fondo; **2schätzen** subestimar;
2scheiden distinguir; **~**
schenkel m pierna f; **~**
schied m diferencia f; **~**
schlagung f defraudación;
2schreiben firmar; **~**
schrift f firma; **~seeboot** n
submarino m; **~setzer** m
(*für Gläser*) posavasos

unterste(r) m (la) más bajo
(-a)

unter|stellen *Auto*: poner
(en el garaje), guardar; **~**
streichen subrayar; **~stüt-**
zen apoyar, socorrer; **2-**
stützung f apoyo m; socorro m; (*Geld*) subsidio m

untersuch|en examinar;
Med reconocer; (*Ware*) examen m; *jur* indagación; **~ung** f
Med reconocimiento m;
2ungshaft f prisión pre-
ventiva; **2ungsrichter** m
juez de instrucción

Unter|tasse f platillo m; **2-**
tauchen sumergir; **~teil** n
od m parte f inferior; **~titel**
m subtítulo; (*Film*) subtítulo

~wäsche f ropa interior
Unterwassersport m submarinismo
unterwegs en el camino; durante el viaje
Unterwelt f mundo m del hampa
unter|würfig sumiso; **~ziehen** someter; *Kleidung:* ponerse debajo
Un|tiefe f bajo m, bajío m; **2tragbar** insoportable; **2trennbar** inseparable; **2treu** infiel; **~treue** f infidelidad
unüber|legt irreflexivo; desconsiderado; **~sichtlich** poco claro; **~troffen** sin par
ununterbrochen continuo, ininterrumpido
unver|änderlich invariable; **~ändert** inalterado; **~antwortlich** irresponsable; **~besserlich** incorregible; **~bindlich** sin compromiso; **~daulich** indigesto; **~einbar (mit)** incompatible (con); **~geßlich** inolvidable
unver|gleichlich incomparable; **~heiratet** soltero; **~käuflich** invendible; **~letzt** ileso; **~meidlich** inevitable; **~mutet** imprevisto; **~nünftig** imprudente; **~packt** sin embalar, *Am* sin empacar
unverschämt insolente
unver|sehrt incólume, intacto; **~ständlich** incomprensible; **~zollt** sin pagar aduana; **~züglich** inmedia-

to
unvoll|kommen imperfecto; **~ständig** incompleto
unvor|bereitet desprevenido; **~hergesehen** imprevisto; **~sichtig** imprudente, incauto; **~stellbar** inimaginable
unwahr falso; **2heit** f falsedad; **~scheinlich** improbable
un|weit (*gen*) cerca de; **~wesentlich** insignificante; **~wetter** n tempestad f, temporal m; **~wichtig** sin importancia; **~widerstehlich** irresistible; **~willkürlich** maquinal, instintivo; **~wirksam** ineficaz; **~wohl** indispuesto; **2wohlsein** n indisposición f, malestar m; **~würdig** indigno; **2zählig** innumerable; **~zerbrechlich** irrompible, inquebrantable; **~zertrennlich** inseparable; **~züchtig** impúdico
unzu|frieden descontento; **~gänglich** inaccesible; **~länglich** insuficiente; **~lässig** inadmisible; **~rechnungsfähig** irresponsable; **~verlässig** inseguro, informal
üppig exuberante; (*Mahl*) opulento
Ur|aufführung f riguroso estreno m; **~enkel** m bisnieto; **~großmutter** f bisabuela; **~großvater** m bisabuelo
Urin m orina f; **2ieren**

orinar

Urkunde f documento m

Urlaub m permiso, vacaciones fpl; Mil licencia f; **~er** m turista; **~sreise** f viaje m de vacaciones

Urne f urna

Urologe m urólogo

Ursache f causa, motivo m;

keine ~! ¡de nada!

Ur|sprung m origen; **2sprünglich** primitivo, original; **~teil** n juicio m; jur sentencia f, **2teilen (über)** juzgar (de); **~wald** m selva f virgen, Am selva f

Utensilien pl utensilios mpl

utopisch utópico

V

Vagabund m vagabundo

vage vago, poco seguro

Vanille f vainilla; **~eis** n helado m de vainilla

Varieté n teatro m de variedades

Vase f vaso m, florero m

Vaseline f vaselina

Vater m padre; **~land** n patria f

väterlich paterno, paternal

Vegetar|ier m, **2isch** vegetariano

Veilchen n violeta f

Ven|e f vena; **~enentzündung** f flebitis

Ventil n válvula f; **~ator** m ventilador

verabred|en convenir; s. **~en (mit)** darse cita (con); **2ung** f cita

verabschieden despedir

ver|achten despreciar; **2achtung** f desprecio m; **~allgemeinern** generalizar; **~altet** anticuado

veränder|lich variable; **~n**, s. **~n** cambiar; **2ung** f cambio m, alteración

veranlass|en ocasionar;

2ung f motivo m, causa; orden

veranstalt|en organizar; **2er** m organizador; **2ung** f organización; reunión; acto m; espectáculo m

verantwort|en responder de; s. **~en** justificarse; **~lich** responsable; **2ung** f responsabilidad

verarbeit|en labrar, elaborar; **2ung** f elaboración

Verband m asociación f; Med vendaje; **~kasten** m botiquín (de urgencia); **~zeug** n vendajes mpl

verbergen esconder, ocultar

verbesser|n mejorar; corregir; **2ung** f mejora(miento m); corrección

verbeug|en: s. **~en** inclinarse; hacer una reverencia; **2ung** f inclinación

ver|biegen torcer, deformar; **~bieten** prohibir; **~billigen** abaratar, rebajar; **~binden** unir, juntar; Wunde: vendar; **~bindlich** obligatorio; (j) amable; **2bindung** f unión; relación;

Verkehr, Tel comunicación; *Esb* enlace *m*; *Chem* combinación

ver|blassen perder el color; **~blüfft** perplejo, atónito; **~blühen** desflorecer(se); **~bluten** desangrarse; **~borgen** *adj* escondido

Verbot *n* prohibición *f*; **2en** prohibido

verbrannt quemado

Verbrauch *m* consumo; **2en** consumir; *Geld:* gastar; **~er** *m* consumidor

Verbrech|en *n* crimen *m*; **~er** *m*, **2erisch** criminal

verbreit|en ensanchar; **2ung** *f* difusión; propagación

verbrenn|en quemar(se); **2ung** *f* combustión; *Med* quemadura

ver|bringen *Zeit:* pasar; **~brühen** escaldar

verbünd|en: s. ~en (mit) aliarse (con); **2ete(r)** *m* aliado

verbürgen garantizar; **s. ~ für** responder de

Verdacht *m* sospecha *f*

verdächtig sospechoso; **~en** sospechar de

ver|dammen condenar; **~dampfen** *vi* evaporarse; **~danken** (*j-m et*) deber

verdau|en digerir; **~lich** digestible; **2ung** *f* digestión; **2ungsbeschwerden** *fpl* indigestión *f*

Ver|deck *n* capota *f*; **2dek-ken** cubrir, tapar; **2derben** *vt* corromper, deteriorar; *vi*

echarse a perder; **2derblich** corruptible

verdien|en ganar; *fig* merecer; **2st** *n* mérito *m*; **2st** *m* ganancia *f*, beneficio; sueldo

ver|doppeln doblar; **~dorben** pasado, podrido; **~drängen** desalojar; *fig* suprimir; **~drehen** torcer; **~drießlich** mohino, malhumorado; **~duften** F largarse; **~dunkeln** oscurecer; **~dünnen** diluir; **~dunsten** evaporarse; **~dursten** morir de sed; **~dutzt** atónito; **~edeln** refinar

verehr|en venerar, adorar; **2er** *m* adorador; **2ung** *f* veneración

vereidigen juramentar; **~t** jurado

Verein *m* unión *f*; asociación *f*; *Sp* club; **2baren** convenir, ponerse de acuerdo sobre; **~barung** *f* acuerdo *m*; **2fachen** simplificar; **2igen** unir; **2igung** *f* unión

ver|einzelt aislado; **~eiteln** frustrar; **~engen: s. ~engen** estrecharse; **~erben** legar; **~fahren** proceder; **2fahren** extraviarse; **2fahren** *n* procedimiento *m* (a *jur*)

Verfall *m* decadencia *f*; **2en** desmoronarse; *Hdl* perder la validez; *fig* decaer; *adj* caduco; **~tag** *m* fecha *f* de vencimiento

ver|fänglich capcioso; **~fassen** componer; **2fasser** *m* autor; **2fassung** *f* estado *m*,

Pol constitución; **~faulen** pudrirse

verfehl|en *Ziel:* errar; *Zug:* perder; *j-n:* no encontrar; **~t** equivocado

ver|filmen llevar a la pantalla; **~fliegen** evaporarse; *(Zeit)* pasar; **~fluchen** maldecir; **~flucht** maldito

verfolg|en perseguir; *Ziel:* proseguir; **2er** *m* perseguidor; **2ung** *f* persecución

verfüg|bar disponible; **~en** *vt* disponer, ordenar; *vi* **~en über** disponer de; **2ung** *f* disposición

verführ|en seducir; **~erisch** seductor; **2ung** *f* seducción

vergangen pasado; **2heit** *f* pasado *m*

Vergaser *m* carburador

vergeb|en dar; *fig* perdonar; **~ens** en vano; **~lich** vano, inútil

vergehen cesar; pasar; **s. ~ an** violar *(ac)*; **2** *n* falta *f*; delito *m*

vergelt|en *(j-m et)* devolver, pagar; **2ung** *f* desquite *m*, venganza

ver|gessen olvidar; **~geßlich** olvidadizo; **~geuden** prodigar, dilapidar, despilfarrar; **~gewaltigen** violar

vergewissern: s. ~ asegurarse, cerciorarse

ver|gießen derramar, verter; **~giften** envenenar; intoxicar; **2giftung** *f* intoxicación; **2gißmeinnicht** *n* nomeolvides *m*, miosotis *m*; **2gleich** *m* comparación *f*;

jur arreglo; **~gleichbar** comparable; **~gleichen** comparar

vergnüg|en: s. ~en divertirse; **2en** *n* placer *m*; **viel 2en!** ¡que se divierta(n)!; **~t** alegre; **2ungsreise** *f* viaje *m* de placer

ver|goldet dorado; **~graben** *vt* enterrar; **~griffen** agotado; **~größern** agrandar; engrandecer; *Fot* ampliar; **2größerung** *f* engrandecimiento *m*; *Fot* ampliación; **2günstigung** *f* preferencia; **2gütung** *f* remuneración, retribución

verhaft|en detener; **2ung** *f* detención

verhalten: s. ~ portarse; **2** *n* conducta *f*, *a Biol* comportamiento *m*

Verhältnis *n* relación *f*; proporción *f*; **~se** *pl* condiciones *fpl*, situación *f*; **2mäßig** relativo

verhand|eln tratar (über de), negociar; **2lung** *f* negociación; *jur* vista

verheimlichen ocultar

verheirate|n: s. ~n casarse; **~t** casado

verhinder|n impedir; **~t sein** no poder asistir

Verhör *n* interrogatorio *m*; **2en** interrogar; **s. 2en** entender mal

ver|hüllen cubrir; **~hungern** morir de hambre; **~hüten** evitar

verirren: s. ~ extraviarse

ver|jähren *jur* prescribir; **~**

jüngen rejuvenecer

Verkauf m venta f; **2en** vender; **zu 2en** en venta

Verkäufer m vendedor; **~rin** f vendedora; **2lich** vendible

Verkaufs|preis m precio de venta; **~stand** m puesto

Verkehr m circulación f; tráfico; **2en** circular; **mit** j-m **2en** tener trato con

Verkehrs|ampel m semáforo m, Span a disco m; **~büro** n oficina f de turismo; **~flugzeug** n avión m comercial; **~funk** m Span servicio de telerutas; **~mittel** n medio m de transporte; **~ordnung** f reglamento m de tráfico; **~polizei** f policía de tráfico; **~polizist** m agente de tráfico; **~sicherheit** f seguridad del tráfico; **~stauung** f embotellamiento m, tapón m, Col, Ven trancón m, Span galleta f; **~stockung** f congestión; **~teilnehmer** m usuario; **~unfall** m accidente de tráfico; **~zeichen** n señal f de tráfico

verkehrt invertido; (falsch) falso

ver|klagen demandar a alg; **~kleiden** Tech revestir; **s. ~kleiden** disfrazarse; **~kleinern** disminuir; **~körpern** representar; personificar

ver|krampft convulso; **~krüppelt** estropeado; **~kür-**

zen acortar

verlad|en cargar; Mar embarcar; **2ung** f carga; Mar embarque m

Verlag m editorial f

verlangen pedir, exigir; **2** n deseo m

verlänger|n alargar; (zeitlich) prolongar; **2ung** f alargamiento m; prolongación; **2ungsschnur** f cordón m de empalme; **2ungswoche** f semana de prolongación

ver|lassen dejar; abandonar; **s. ~lassen auf** fiarse de; **~läßlich** digno de confianza; fiable, seguro

Verlauf m curso; Zeit: pasar; **s. 2en** perder el camino

ver|leben extraviar; Wohnsitz usw: trasladar; Termin: aplazar; Buch: publicar; adj tímido; **2legenheit** f apuro m; **2leger** m editor; **2leih** m alquiler; **~leihen** prestar; **~leiten** inducir (**zu** a); **~lernen** desaprender

verletz|en herir, lesionar; **2te(r)** m herido; **2ung** f herida, lesión

verleumd|en calumniar; **2ung** f calumnia

verlieb|en: s. ~ en enamorarse (**in** de)

verlieren perder

verlob|en: s. ~en prometerse; **2te** f prometida, **2te(r)** m prometido; **2ung** f esponsales mpl, bsd Span petición de mano

ver|lockend tentador, seductor; **~logen** mentiroso;

~lorengehen perderse; ~
losen sortear; **2losung** f
sorteo m
Verlust m pérdida f
ver|machen (j-m et) legar;
~mehren, s. ~mehren au-
mentar; ~meiden evitar
Vermerk m nota f;
vermessen medir; adj te-
merario
vermiet|en alquilar, Süda
arrendar, Méj rentar; **2er** m
alquilador, Süda arrenda-
dor; **2ung** f alquiler m,
Süda arrendamiento m
ver|mindern disminuir; re-
ducir; ~missen echar de
menos; ~mißt (Person)
desaparecido; ~mitteln intervenir; mediar; vt pro-
porcionar; **2mittler** m Hdl
intermediario; (Streit) me-
diador; **2mittlung** f intervención; mediación; Tel
central, Am conmutador m;
2mögen n fortuna f; bienes
mpl, patrimonio m; ~mö-
gend adinerado
vermut|en suponer; ~lich
presunto, 2ung f suposi-
ción
ver|nachlässigen descui-
dar; ~nehmen percibir,
oír; jur interrogar; **2neh-
mung** f toma de declara-
ción, interrogatorio m; ~
neigen: s. ~neigen incli-
narse; ~neinen negar; ~
nichten aniquilar, des-
truir; ~nickelt niquelado;
2nunft f razón; ~nünftig
razonable; (j) sensato; ~öf-

fentlichen publicar
verordn|en ordenar; **2ung** f
orden; Med prescripción
ver|pachten arrendar; 2~
pächter m arrendador; ~
packen embalar, bsd Am
empacar; **2packung** f em-
balaje m, bsd Am empaque
m; ~passen Zug: perder;
~pfänden empeñar; ~
pflanzen Med trasplantar
verpfleg|en alimentar;
2ung f alimentación, comida f
verpflicht|en obligar; s. ~en
zu comprometerse a; **2ung**
f obligación, compromiso m
ver|prügeln dar una paliza
a; ~putz m enlucido; **2rat** m
traición f; ~raten traicio-
nar; **2räter** m traidor
verrechn|en poner en cuen-
ta; s. ~en equivocárse·l·e en
sus cálculos; **2ung** f compensación; **2ungsscheck** m
cheque cruzado
ver|reisen irse de viaje; ~
renken dislocar; **2ren-
kung** f dislocación; ~rie-
geln echar el cerrojo a; ~
ringern disminuir; reducir; ~rosten oxidarse
verrückt loco; **2heit** f locura
ver|rufen adj mal reputado;
~rutschen correrse
Vers m verso
ver|sagen vt (j-m et) negar;
vi Tech fallar; **2sagen** n a
Tech, Med fallo m, Am falla
f; ~salzen adj demasiado
salado
versamm|eln reunir; **2lung**

f reunión, asamblea, junta
Versand m expedición f; envío; **~haus** n casa f de ventas por correspondencia (od catálogo)

ver|säumen omitir; desaprovechar; *Esb* perder; **~schaffen** procurar; **~schärfen** agravar; **~schenken** regalar; **~scheuchen** ahuyentar; **~schicken** enviar, expedir; **~schieben** (*zeitlich*) aplazar, *Chi, Arg* a postergar

verschieden diferente; diverso; **~artig** variado; **~farbig** de varios colores; **♀heit** f diferencia, diversidad

ver|schiffen embarcar; **~schimmeln** enmohecerse; **~schlafen** adj soñoliento

verschlechter|n empeorar; **♀ung** f empeoramiento m

ver|schleppen j-n: secuestrar; deportar; **~schleudern** *Hdl* malvender; **~schließen** cerrar; **~schlimmern** agravar

verschlucken tragar; **s. ~** atragantarse, atorarse

Ver|schluß m cierre; *Fot* obturador; **~schmähen** despreciar, desdeñar; **~schmelzen** fundir(se); **♀schmieren** tapar; *Papier*: emborronar; **♀schneit** nevado; **♀schnüren** atar con cuerda; **♀schollen** desaparecido; **♀schönern** embellecer

verschreiben *Med* prescri-

bir, recetar; **s. ~** equivocarse al escribir

ver|schrotten desguazar; **~schütten** derramar; **~schweigen** callar

verschwend|en gastar, prodigar; desperdiciar (*bsd Zeit*); **~erisch** pródigo; **♀ung** f disipación, prodigalidad

ver|schwiegen callado; discreto; **~schwinden** desaparecer; **~schwommen** vago, difuso; *Fot* uar borroso

Verschwör|er m conspirador; **♀ung** f conspiración

versehen *Amt usw*: desempeñar; **~ mit** proveer, dotar de; **s. ~** equivocarse; **2** n equivocación f, error m; **aus 2**, **~tlich** equivocadamente, por error

ver|sengen chamuscar; **~senken** hundir, sumergir; **~setzen** trasladar; *Schlag*: asestar; (*als Pfand*) empeñar; **~seucht** infestado, contaminado; **♀seuchung** f contaminación

ver|sichern asegurar; *fig* aseverar; **♀ung** f seguro m; aseveración

Versicherungs|gesellschaft f compañía de seguros; **grüne ~karte** f *Kfz* carta verde; tarjeta (internacional) de seguros; **~police** f póliza de seguro

ver|siegeln sellar; **~sinken** hundirse

versöhn|en reconciliar; **♀ung** f reconciliación

versorg|en proveer (**mit** de); cuidar (de *alg*); 2**ung** *f* abasto *m*

verspät|en: s. ~en retrasarse; (*j*) llegar tarde; 2**ung** *f* retraso *m* (**haben** llevar)

ver|sperren obstruir; ~spotten** burlarse de

versprechen prometer; **s.** ~ equivocarse al hablar; 2 *n* promesa *f*

ver|staatlichen nacionalizar; 2**stand** *m* entendimiento, razón *f*

verständig|en enterar; **s.** ~en entenderse; 2**ung** *f* acuerdo *m*; comunicación *f*

verständ|lich inteligible; comprensible; 2**nis** *n* entendimiento *m*; comprensión *f*; ~**nisvoll** comprensivo

verstärk|en reforzar; amplificar; 2**er** *m* amplificador; 2**ung** *f* refuerzo *m*; *Phono* amplificación

verstauch|en torcer; 2**ung** *f* torcedura

verstauen *Mar* arrumar

Versteck *n* escondrijo *m*; 2**en** esconder

verstehen entender; comprender; **s.** ~ entenderse

Versteigerung *f* subasta

verstell|bar graduable; ajustable; ~**en** trasladar; ajustar, regular; **s.** ~**en** disimular

ver|stimmt de mal humor; *Mus* desafinado; ~**stohlen** furtivo; ~**stopfen** atascar, tapar; ~**stopft** atascado;

Kfz obstruido; 2**stopfung** *f* obstrucción; *Med* estreñimiento *m*; ~**storben** difunto

Verstoß *m* falta *f*; 2**en gegen** faltar a

ver|streichen (*Frist*) vencer; (*Zeit*) pasar; ~**stümmeln** mutilar; ~**stummen** enmudecer

Versuch *m* ensayo; prueba *f*; experimento; 2**en** probar; ensayar; 2**en zu** tratar de + *inf*, intentar + *inf*, procurar + *inf*

ver|tagen aplazar; ~**tauschen** cambiar

verteidig|en defender; 2**er** *m* defensor; *Sp* defensa; 2**ung** *f* defensa

ver|teilen distribuir; repartir; ~**tiefen** ahondar; 2**tiefung** *f* ahondamiento *m*; ~**tilgen** exterminar; *fig* ~ comerse

Vertrag *m* contrato; *Pol* tratado; 2**en** aguantar; **ich** 2**e ... nicht** no me gusta...; **s. gut** (**nicht**) 2**en** llevarse bien (mal); ~**swerkstatt** *f* taller *m* concesionario

vertrau|en (*dat*) confiar en; 2**en** *n* confianza *f*; ~**lich** confidencial; ~**t** íntimo; familiar

vertreiben expulsar; **s. die Zeit** ~ pasar el rato

vertret|en representar; *j*-*n*: remplazar; 2**er** *m* su(b)stituto; *Hdl* representante; 2**ung** *f* representación

Vertrieb *m* venta *f*

ver|trocknen secarse; **~tuschen** ocultar, echar tierra a; **~unglücken** sufrir un accidente, accidentarse; **~unreinigen** ensuciar; **2unreinigung** f polución; **~untreuen** malversar; **~ursachen** causar, ocasionar **verurteil|en** condenar; **2ung** f condena **ver|vielfältigen** multicopiar, *Am* mimeografiar; *Fot* reproducir; **~vollkommnen** perfeccionar; **~vollständigen** completar; **2wahrlost** descuidado; **2wahrung** f custodia; **in 2wahrung geben** dar en depósito (*od* custodia) **verwalt|en** administrar; **2er** m administrador; **2ung** f administración **verwand|eln** transformar, cambiar (**in** en); **2lung** f transformación; cambio m **verwandt** (**mit**), **2e(r)** m pariente (de); *adj fig* afín; **2schaft** f parentesco m; (*die* **2en**) parentela **Verwarnung** f amonestación **verwechs|eln** confundir; **2lung** f confusión **ver|wegen** temerario; **~weigern** denegar; **2weis** m reprensión f; (*Buch usw*) remisión f; **~welken** marchitarse; **~welkt** marchito; **~wenden** utilizar, emplear; **2wendung** f empleo m, uso m; **~werten** utilizar, aprovechar; **~wickeln** enredar

(**in** en); **~wirklichen** realizar **verwirr|en** enmarañar; **~t** confuso; **2ung** f embrollo m, confusión **ver|wischen** borrar; **~witwet** viudo; **~wöhnen** mimar, *Am a* consentir; **~wunden** herir; **2wunderung** f admiración; **2wundete(r)** m herido; **2wundung** f lesión, herida; **~wünschen** maldecir; **~wüsten** devastar **verzähl|en: s. ~** equivocarse contando **verzaubern** encantar **Verzehr** m consumición f; **2en** consumir **Verzeichnis** n lista f, registro m; inventario m **verzeihen** perdonar; **2ung** f perdón m **verzerrt** deformado **Verzicht** m renuncia f; **2en** renunciar (**auf** a) **verziehen: s. ~** (*Wolken*) disiparse; *F fig* largarse **Verzierung** f adorno m, ornamento m **verzöger|n** retardar; **s. ~n** retrasarse; **2ung** f retraso m, demora f **verzollen** aduanar; declarar (en aduana) **verzweif|eln** desesperar; **2lung** f desesperación **Vesper** n merienda f, *Am a* onces fpl **Vetter** m primo **Video|kassette** f videocas(s)et(t)e m u f; **~recorder** m videograbadora *f*, magnetoscopio, video

Vieh *n* ganado *m*; **~zucht** *f* cría de ganados; ganadería

viel mucho; **sehr** ~ muchísimo; **nicht** ~ poco, no mucho; ~ **zu** ... demasiado ...; **~fach**, **~fältig** múltiple

vielleicht quizá(s)

viel|mals muchas veces; **~mehr** antes (*od* más) bien; **~sagend** significativo; **~seitig** *fig* variado; **~versprechend** prometedor

vier cuatro; **~bettkabine** *f* camarote *m* de cuatro camas; **~eck** *n* cuadrángulo *m*; **~eckig** cuadrangular; **~fach** cuádruplo; **2taktmotor** *m* motor de cuatro tiempos

Viertel *n* cuarto *m*; **~jahr** *n* trimestre *m*; **~stunde** *f* cuarto *m* de hora

Villa *f* hotelito *m*, villa, chalé *m*

violett violeta

Violine *f* violín *m*

Visitenkarte *f* tarjeta de visita

Visum *n* visado *m*, *Am* visa *f*

Vitamin *n* vitamina *f*

Vogel *m* pájaro, ave *f*; **~futter** *n* alpiste *m*; **~scheuche** *f* espantapájaros *m*

Vokabel *f* vocablo *m*

Vokal *m* vocal *f*

Volk *n* pueblo *m*; nación *f*; **volks|eigen** nacionalizado; **2fest** *n* fiesta *f* popular; **2hochschule** *f* universidad popular; **2kunst** *f* arte *m* popular; **2lied** *n* canción *f* popular; **2republik** *f* república popular; **2schule** *f* escuela primaria; **2tanz** *m* danza *f* popular; **~tümlich** popular; **2wirtschaft** *f* economía nacional; **2wirtschaftslehre** *f* economía política

voll lleno *m*; (*Bus*, *Raum usw*) completo; repleto; *fig* pleno; **~halb** ~ medio lleno; **~und ganz** totalmente; **~automatisch** completamente automático; **2bad** *n* baño *m* entero; **2bart** *m* barba *f* cerrada; **~enden** acabar, terminar

Volleyball *m* balón-volea

Vollgas *n* : **~ geben** hundir el pedal; **mit** ~ a toda marcha

völlig completo, entero

voll|jährig mayor de edad; **2kaskoversicherung** *f* seguro *m* a todo riesgo; **~kommen** completo; *fig* perfecto; *adv* completamente; **2kornbrot** *n* pan *m* integral; **2macht** *f* poder *m*; **2milch** *f* leche entera; **2mond** *m* luna *f* llena; **2pension** *f* pensión completa; **~schlank** algo corpulento; **~ständig** completo, entero, total; **~tanken** llenar el depósito; **2waise** *f* huérfano *m* de padre y madre; **~wertig** de valor integral; **~zählig** completo

Volt *n* voltio *m*

von de; *örtl. u zeitl.* ~ a desde; (*beim Passiv*) por; **ein**

Freund ~ **mir** un amigo mío; **~einander** uno(s) de otro(s)

vor (örtlich) delante de; (zeitlich) antes de; fig de, por; **~ drei Tagen** hace tres días; **~ Freude** de alegría

Vorabend m: **am ~** (gen) en vísperas de

voran delante; **~gehen** ir delante; **~meldung** f Tel preaviso m

Vorarbeiter m capataz

voraus hacia adelante; **im ~** de antemano; **~gesetzt, daß ...** suponiendo que ...; **~sagen** predecir; **~setzung** f suposición; condición previa; **~sichtlich** probable(mente); **~zahlung** f pago m anticipado

Vorbehalt m reserva f

vorbei por delante (**an** de); (zeitlich) pasado; **~fahren, ~gehen** pasar; **~lassen** dejar pasar

vorbe|reiten preparar (**auf** para); **~reitung** f preparación; **~stellen** (hacer) reservar; **2stellung** f reserva; Hdl pedido m anticipado; **~straft** con antecedentes penales

vorbeug|en prevenir; **s. ~en** inclinarse hacia adelante; **~end** preventivo; **2ungsmaßnahme** f medida preventiva

Vorbild n modelo m

vorder, 2... delantero; **2achse** f eje m delantero; **2grund** m primer plano; **2-**

haus n casa f exterior; **2rad** n rueda f delantera; **2seite** f cara; Arch fachada; **2sitz** m asiento delantero; **2teil** m od n (parte f) delantera f

Vor|druck m formulario; **2eilig** precipitado; **2eingenommen** con prejuicio; prevenido; **2erst** por lo pronto; **~fahrt** f prioridad, preferencia de paso, Am a vía; **~fahrtstraße** f calle bzw carretera preferente; **~fall** m suceso, acontecimiento; **2finden** encontrar

Vorführ|dame f demostradora; **2en** demostrar; exhibir, presentar; **~ung** f exhibición, presentación, demostración

Vor|gang m suceso; proceso; **~gänger** m antecesor; **~garten** m jardín delantero; **2gehen** proceder; (Uhr) adelantar; **~gesetzte(r)** m superior; jefe; **2gestern** anteayer; **2haben** proponerse; pensar hacer; **~haben** n intención f; proyecto m; **~halle** f vestíbulo m

vorhanden existente; **~ sein** existir

Vor|hang m cortina f; Thea telón; **~hängeschloß** n candado m

vorher antes; **~gehend** precedente, anterior; **~sehen** prever

vorhin hace un momento

vorig pasado

vorkomm|en existir, encontrarse; suceder, ocurrir;

(*scheinen*) parecer; 2en *n* existencia; 2nis *n* suceso *m*

Vorkriegszeit *f* anteguerra

vorlad|en citar; ~ung *f* citación

Vor|lage *f* presentación; (*Muster*) modelo *m*; 2läufig provisional; 2legen presentar; 2lesen leer; ~lesung *f* curso *m*, clase; 2letzt penúltimo; ~liebe *f* predilección (**für** por)

vorliebnehmen: ~ **mit** (*dat*) contentarse con

vor|liegen existir; ~malig anterior; ~mals antes; 2marsch *m* avance; ~merken apuntar

Vormittag *m* mañana *f*; **am** ~s por (*Uhrzeit:* de) la mañana

Vormund *m* tutor; ~schaft *f* tutela

vorn delante; **nach** ~ hacia delante; **von** ~ por delante

Vor|name *m* nombre (*de* pila); 2nehm noble; 2nehmen: s. 2nehmen proponerse (**et** u/c; **zu** + *inf*); 2nehmlich ante todo

vornherein: von ~ desde un principio

vorüber hacia adelante

Vorort *m* barrio periférico, suburbio; ~zug *m* tren suburbano

Vor|rat *m* provisión *f*; *Hdl* existencias *fpl*; 2rätig disponible; ~recht *n* privilegio *m*; ~richtung *f* dispositivo *m*; ~rücken *vt, vi* avanzar; ~runde *f* *Sp* eliminatoria

~saison *f* pretemporada; 2sätzlich premeditado

Vorschein *n*: **zum** ~ **kommen** aparecer

Vor|schiff *n* proa *f*; ~schlag *m* propuesta; 2schlagen proponer; 2schreiben prescribir; ~schrift *f* prescripción; ~schuß *m* adelanto

vorseh|en: s. ~en guardarse; ~ung *f* Providencia

Vorsicht *f* precaución; cuidado *m*; 2ig prudente, cauto; ~ *adv* con cuidado

Vor|silbe *f* prefijo *m*; ~sitzende(r) *m* presidente; 2sorglich previsor; ~speise *f* entrada; 2speisen *pl a* entremeses *mpl*; ~spiel *n* preludio *m*; *Thea* prólogo *m*; ~sprung *m* *Arch* resalto; *fig* ventaja; ~stadt *f* arrabal *m*; 2stand *m* junta *f* directiva, comité director

vorstell|en *j-n:* presentar; s. ~en *j-m:* presentarse; *et:* figurarse; 2ung *f* presentación; *fig* idea; *Thea* representación, función; (*Kino*) sesión

Vor|strafen *fpl* antecedentes *mpl* penales; ~teil *m* ventaja *f*; 2teilhaft ventajoso; ~trag *m* conferencia *f*; 2tragende(r) *m* conferenciante, *Am* conferencista; 2trefflich excelente; 2treten adelantarse

vorüber pasado; ~gehend pasajero

Vor|urteil *n* prejuicio *m*; ~

verkauf m venta f anticipada; **~wählnummer** f prefijo m; **~wand** m pretexto
vorwärts adelante
vor|werfen reprochar (**j-m et** u/c a alg); **2wort** n prefacio m; **2wurf** m reproche; **2zeichen** n augurio m; **~zeigen** presentar; **~zeitig**

prematuro; **~ziehen** preferir; *Vorhang:* correr; **2zimmer** n antesala f; **2zug** m preferencia f; **~züglich** excelente; **2zugspreis** m precio de favor
vulgär vulgar
Vulkan m volcán; **2isieren** vulcanizar, recauchutar, *Am* a reencauchar

W

Waage f balanza; **2recht** horizontal
wach despierto; **~ werden** despertarse; **2e** f guardia; **~en** velar (**bei** a); **~en über** vigilar (*ac*)
Wacholder m enebro
Wachposten m centinela
Wachs n cera f
wachsam vigilante
wachs|en vi crecer; *fig* aumentar; vt encerar; **2tum** n crecimiento m
Wächter m guarda
wack|(e)lig tambaleante, destartalado; (*Möbel*) cojo; **~eln** tambalear(se); (*zB Tisch*) bailar
Wade f pantorrilla
Waffe f arma
Waffel f barquillo m, *Am* a waffle m
Waffenschein m licencia f de armas
wagen aventurar, arriesgar, **s.** ~ atreverse a
Wagen m coche, *Am (außer RPl)* carro; **~heber** m gato;

~schlag m, **~tür** f portezuela f; **~wäsche** f lavado m de coche
Waggon m vagón
Wagnis n riesgo m
Wahl f elección
wähl|en escoger, *bsd Pol* elegir; *Tel* marcar; **2er** m elector; **~erisch** difícil de contentar
Wahl|kampf m campaña f electoral; **~lokal** n colegio m electoral; **~recht** n derecho m de votar; sufragio m; **~versammlung** f reunión electoral
Wahnsinn m locura f, demencia f; **2ig** loco
wahr verdadero; verídico; **das ist (nicht)** ~ (no) es verdad; **nicht ~?** ¿verdad?; **~en** cuidar de
während prp (*gen*) durante; cj mientras (que); **~dessen** entretanto
wahr|haft veraz; verídico; adv verdaderamente; **~heit** f verdad; **~nehmen** perci-

bir; _Gelegenheit:_ aprovechar

wahrsag|en profetizar; **2erin** _f_ adivina

wahrscheinlich probable; **2keit** _f_ probabilidad

Währung _f_ moneda

Wahrzeichen _n_ símbolo _m_

Waise _f_ huérfano _m_, huérfana _f;_ **~nhaus** _n_ orfanato _m_

Wal _m_ ballena _f_

Wald _m_ bosque; **~brand** _m_ incendio forestal; **~hüter** _m_ guardabosque, **2ig,** **2reich** cubierto de bosques; **~weg** _m_ camino forestal

Wall _m_ valladar; **(Erd2)** terraplén

Wallfahrt _f_ peregrinación

Walnuß _f_ nuez

Walze _f_ rodillo _m_

wälzen arrollar; **_Buch:_** manejar; **s.** **_~ (Tiere)_** revolcarse

Walzer _m_ vals

Walzwerk _n_ laminador _m_

Wand _f_ pared; muro _m_

Wandel _m_ mudanza _f,_ cambio; **2bar** variable; **~halle** _f_ galería, pasillo _m;_ **2n** _vt_ cambiar

Wander|ausstellung _f_ exposición ambulante _(od_ circulante); **~karte** _f_ mapa _m_ de turismo; **2n** caminar, hacer excursiones a pie; **~ung** _f_ excursión; caminata

Wandlung _f_ cambio _m,_ transformación

Wand|schirm _m_ biombo, mampara _f,_ **~schrank** _m_ alacena _f, Am Cent, Col, Méj_ clóset, _RPl_ placar; **~**

teppich _m_ tapiz

Wange _f_ mejilla

wanken vacilar

wann cuando; **seit ~?** ¿desde cuándo?

Wanne _f_ tina

Wanze _f_ chinche; **F** _fig_ micro-espía _m,_ chinche

Wappen _n_ armas _fpl,_ escudo _m_

Ware _f_ mercancía, _Am a_ mercadería

Waren|automat _m_ distribuidor automático, máquina _f_ expendedora; **~haus** _n_ (grandes) almacenes _mpl;_ **~zeichen** _n_ marca _f_

warm caliente; caluroso; _(Klima)_ cálido _(a fig);_ **ein ~er Bruder** F un marica; **es (mir) ist ~** hace (tengo) calor

Wärm|e _f_ calor _m;_ **2en** calentar; **~flasche** _f_ bolsa de goma

warmlaufen _Tech_ calentarse

Warn|blinkanlage _f_ sistema _m_ de alarma intermitente; **~dreieck** _n_ triángulo _m_ de peligro; **2en (vor)** advertir _(ac);_ prevenir (de); **~ung** _f_ advertencia, aviso _m;_ **~zeichen** _n_ señal _f_ de aviso _(od_ de alarma)

Warte|halle _f_ sala de espera; **2n** _vi_ esperar **(auf** a); _vt Tech_ entretener

Wärter _m_ guardián

Warte|raum _m,_ **~saal** _m,_ **~zimmer** _n_ sala _f_ de espera; **~zeit** _f_ tiempo _m_ de espera

Wartung f Tech entretenimiento m, cuidado m

warum? ¿por qué?

Warze f verruga

was que; lo que, lo cual; ~? ¿qué?; ~ **für (ein)** qué

Wasch|anlage f Kfz lavacoches m; **~bar** lavable; **~becken** n lavabo m

Wäsche f ropa; (das Waschen) lavado m; **~geschäft** n lencería f; (für Herren) camisería f; **~klammer** f pinza para la ropa

wasch|en lavar; s. **~en** lavarse; **~en** n lavado m, Am a lavada f

Wäsche|rei f lavandería; **~schleuder** f centrifugadora; **~schrank** m ropero

Wasch|korb m cesto para la ropa; **~küche** f lavandería; **~lappen** m trapo para lavarse; **~maschine** f lavadora; **~pulver** n detergente m; **~raum** m lavabo; **~schüssel** f palangana, jofaina; **~tisch** m lavabo

Wasser n agua f; fließendes ~ agua corriente; **zu ~** por mar; **~anschluß** m toma f de agua; **~bad** n baño m maría; **~dicht** impermeable; **~fall** m salto de agua; **~flugzeug** n hidroavión m; **~hahn** m grifo, Am a llave f (del agua); **~kraftwerk** n central f hidroeléctrica; **~kühlung** f refrigeración por agua; **~leitung** f tubería (Am cañería) de agua; **~melone** f sandía

wassern Flgw amarar

wässern aguar; remojar

wasser|scheu hidrófobo; **~schi** m, **~ski** m esquí m náutico (od acuático); **~sport** m deporte acuático; **~stoff** m hidrógeno; **~stoffsuperoxyd** n agua f oxigenada; **~versorgung** f abastecimiento m de agua; **~wacht** f servicio m de salvamento; **~welle** f (b.Friseur) marcado m

wäßrig acuoso; (Essen) aguado

waten vadear

Watte f algodón m; **~bausch** m tapón de algodón

web|en tejer; **~stuhl** m telar

Wechsel m cambio, mudanza f; alteración f; Hdl letra f de cambio; (Wild) paso; **~geld** n cambio m; vuelta f; **~getriebe** n engranaje m de cambio; **~kurs** m (tipo de) cambio; **2n** cambiar; (Kleid) mudar; **~strom** m corriente f alterna; **~stube** f oficina de cambio; **~wäsche** f muda

weck|en despertar; **2er** m despertador; **j-m auf den 2er fallen** F fig dar la lata a alg

weder (et) ... **noch** ... ni ... ni ...

weg (et) perdido; (j) salido; **weit** ~ muy lejos; ... **ist** ... ha desaparecido; ~ **da!** ¡deja!

Weg m camino; ruta f; vía f; **s. auf den ~ machen** ponerse en camino

wegen (gen) por, a causa de

weg|fahren salir; **~geben** deshacerse de; **~gehen** irse, marcharse; **~nehmen** quitar; **~rücken** remover; e**~schicken** enviar, mandar; **~stoßen** empujar; **~tun** apartar

Wegweiser m indicador de camino

weg|werfen echar; tirar; **~ziehen** vt retirar; vi mudarse de casa

weh: **~ tun** doler; j-m: causar dolor (a); **2en** fpl dolores mpl del parto

wehen soplar; (Fahne usw) ondear

wehmütig melancólico

Wehr n presa f

Wehrdienst m servicio militar; **~verweigerer** m objector de conciencia

wehr|en: s. **~en** defenderse; **~los** indefenso; **2pflicht** f servicio m militar obligatorio

Weib n mujer f; **~chen** in Zo hembra f; **~erheld** m f tenorio; **2isch** afeminado; 2**lich** femenino

weich blando, tierno; muelle; **~ werden** ablandarse

Weiche f Esb aguja

weich|en (im Wasser) remojar; **~gekocht** (Ei) blando por agua; **2spüler** m (Wäsche) suavizador

Weide f pasto m; Bot sauce m

weiger|n: s. **~n** negarse a,

resistirse a; **2ung** f negativa

Weihnachten n Navidad f; **fröhliche ~** ¡felices Pascuas!; ¡feliz Navidad!

Weihnachts|abend m Nochebuena f; **~baum** m árbol de Navidad; **~lied** m villancico m

Weih|rauch m incienso; **~wasser** n agua f bendita

weil porque

Weile f rato m; **eine ganze ~** un buen rato

Wein m vino; Bot vid f; **~bau** m viticultura f; **~berg** m viña f; **~brand** m coñac m

wein|en llorar; **2en** n lágrimas fpl

Wein|glas n copa f para vino; **~handlung** f almacén m de vinos, bodega; **~karte** f lista de vinos; **~keller** m bodega f; **~lese** f vendimia; **~lokal** n taberna f; **~probe** f cata (de vinos); **~stube** f bodega; **~trauben** fpl uvas

weise sabio; 2 f manera, modo m; Mus melodía, aire m

Weisheitszahn m muela f del juicio

weiß blanco; 2brot m pan m blanco; **~haarig** cano; 2**kohl** m, 2**kraut** n repollo m; 2**wein** m vino blanco

Weisung f orden

weit ancho, amplio; (Kleid) holgado, ancho; (Weg) largo; (entfernt) lejano; adv lejos; **wie ~?** ¿hasta dónde?; **wie ~ ist es (bis) ...?** ¿qué distancia está ...?; **von ~em** de lejos

weiter otro; **~ nichts** nada más; **und so ~** etcétera; **~fahren** continuar el viaje; **~gehen** continuar su camino; **~kommen** adelantar; **~machen** continuar; **~reise** f continuación del viaje

weit|gehend amplio; **~her** de lejos; **~läufig** vasto; **~sichtig** présbita; *fig* perspicaz; **~verbreitet** muy frecuente; **~winkelobjektiv** n (objetivo m) grangular m

Weizen m trigo

welch|e, ~er es *relativ*: que, el (la, lo) cual; *fragend*: ¿qué?

welken marchitarse

Well|blech n chapa f ondulada; **~e** f onda, ola

Wellen|bad n piscina f de olas; **~brecher** m rompeolas; **~förmig** ondulatorio; **~gang** m oleaje; **~länge** f *Radio*: longitud f de onda; **~linie** f línea ondulada; **~reiten** n aguaplana f; **~sittich** m periquito

Welt f mundo m; **~all** n universo m; **~anschauung** f ideología f; **~berühmt** de fama mundial; **~karte** f mapamundi m; **~krieg** m guerra f mundial; **~lich** mundano; **~meister** m campeón mundial; **~meisterschaft** f campeonato m mundial; **~raum** m espacio sideral; **~reise** f vuelta al mundo; **~rekord** m marca f (od récord) mundial

wem?, wen? ¿a quién?

Wende f vuelta

Wendel|treppe f escalera de caracol; **~emantel** m gabardina f reversible; **~en** volver; (*Auto*) virar; **s. ~en an** dirigirse a; **~ung** f vuelta; *Kfz* viraje m

wenig poco; **ein ~** un poco; **~er** menos; **am ~sten** lo menos; **~stens** al (od por lo) menos

wenn si; (*zeitlich*) cuando; **~selbst** ~ aun cuando

wer el que, quien; **~?** ¿quién?

Werbe|abteilung f sección de publicidad; **~fernsehen** n televisión f comercial; **~film** m película f publicitaria; **~funk** m emisiones fpl publicitarias; **2en (für)** hacer propaganda (por); (**um**) pretender

Werbung f publicidad

werd|en ponerse, hacerse; *Passiv*: ser; **Arzt ~en** hacerse médico

werfen echar, tirar; lanzar

Werft f astillero m

Werk n fábrica f; *fig* obra f; **ans ~ gehen** poner manos a la obra; **~meister** m capataz, contramaestre; **~statt** f taller m; **~stoff** m material; **~tag** m día m laborable; **2tags** los días de trabajo; **~zeug** n herramienta f

Wermut m (*Wein*) vermut

wert digno; **~ sein** valer; **es ist nicht viel ~** no vale gran cosa

Wert m valor; **~angabe** f

declaración del valor; ~brief m carta f de valores declarados; 2gegenstand m objeto de valor; 2los sin valor; ~sendung f envío m con valor declarado; 2voll precioso

Wesen n ser m; (Natur) naturaleza f

wesentlich esencial

weshalb por lo que; ~? ¿por qué?

Wespe f avispa

wessen cuyo; ~? ¿de quién?

Weste f chaleco m

West|en m oeste; ~ern m película f del Oeste; 2lich (von dat) del (al) oeste (de), occidental

Wett|bewerb m concurso; Sp competición f; Hdl competencia f; ~e f apuesta; um die ~e a porfía; 2eifern competir; 2en apostar

Wetter n tiempo m; ~bericht m boletín meteorológico; ~dienst m servicio meteorológico; ~leuchten n relampagueo m; ~vorhersage f pronóstico m del tiempo

Wett|kampf m Sp competición f; campeonato; ~lauf m carrera f; ~streit m competencia f, rivalidad f

Whisky m whisky

wichtig importante; 2keit f importancia

wickeln kleid: fajar

wider (ac) contra; ~haken m garfio; ~legen refutar; ~lich repugnante; ~rechtlich ile-

gal; ilícito; ~rufen revocar; ~setzen: s. ~setzen (dat) oponerse (a); ~sinnig absurdo; ~spenstig rebelde, renitente; ~sprechen (dat) contradecir (ac); 2spruch m contradicción f, oposición f, protesta f; 2stand m resistencia f; 2wille m repugnancia f; ~willig con repugnancia; a (od con) disgusto

widm|en (s. ~en) dedicar (-se) (dat a); 2ung f dedicatoria

wie como; ~? ¿cómo?

wieder de nuevo; ~ tun volver a hacer; 2aufbau m reconstrucción f; ~bekommen recobrar; 2belebungsversuche mpl esfuerzos para reanimar; ~bringen devolver; ~erkennen reconocer; ~finden hallar; 2gabe f reproducción; ~geben reproducir

wiedergutmach|en reparar; 2ung f reparación

wieder|herstellen restablecer; ~holen repetir; recapitular; 2holung f repetición; ~sehen volver a ver; auf 2sehen hasta la vista, adiós; 2wahl f reelección

Wiege f cuna

wiegen vt u vi pesar; Kind: mecer

Wiese f prado m, pradera

wieso? ¿cómo?

wieviel? ¿cuánto?, Col, Méj a ¿qué tanto?

wild salvaje; Zo bravo; Bot silvestre; (Kind) travieso

Witwer

Wild n caza f; **~leder** n ante m; gamuza f; **~nis** f desierto m; **~park** m coto de reserva; **~schwein** n jabalí m; **~westfilm** m película f del Oeste

Wille m voluntad f

willkommen (j) bienvenido; (et) oportuno

Willkür f arbitrariedad f; **2~lich** arbitrario

wimmeln (**von**) hormiguear (de)

Wimper f pestaña; **ohne mit der ~ zu zucken** fig sin rechistar; **~ntusche** f rim(m)el m

Wind m viento; **~beutel** m suspiro de monja

Winde f (Seil2) torno m

Windel f pañal m

winden: s. ~ retorcerse

wind|geschützt al abrigo del viento; **~ig** ventoso; **2~pocken** pl varicela f; **2~schutzscheibe** f parabrisas m; **2~stärke** f fuerza (od intensidad) del viento; **2~stille** f calma; **2~stoß** m ráfaga f

Windung f recodo m; (Fluß2) meandro m

Wink m seña f; fig aviso m

Winkel m ángulo m

winken hacer señas

Winter m invierno; **im ~** en invierno; **~fahrplan** m horario de invierno; **~garten** m jardín de invierno; **~kurort** m estación f de invierno; **2~lich** invernal; **~mantel** m abrigo de invierno; **~sport** m deportes mpl de

invierno

Winzer m viñador, viticultor

winzig diminuto, minúsculo

Wipfel m cima f, copa f

wir nosotros (-as)

Wirbel m remolino, torbellino; Anat vértebra f; F fig jaleo; **2~n** vt (vi) remolinar (-se); **2~säule** f columna vertebral; **~sturm** m ciclón m

wirken producir efecto; fig obrar

wirklich real; efectivo; **2~keit** f realidad

wirk|sam eficaz; **2~ung** f efecto m; **~ungslos** ineficaz

Wirkwaren fpl géneros mpl de punto

wirr confuso

Wirsing(kohl) m col f rizada

Wirt m dueño; fondista, posadero; **~in** f dueña

Wirtschaft f economía; (Gast2) restaurante m, fonda f; **~en** gobernar (od llevar) la casa; **~erin** f ama de llaves; **2~lich** económico; rentable

Wirtshaus n fonda f, mesón m

wischen fregar; **2~lappen** m rodilla f

wissen saber; **2** n saber m; conocimiento m

Wissenschaft f ciencia; **~ler** m hombre de ciencia; **2~lich** científico

witter|n olfatear, ventear; **2~ung** f tiempo m; (Wild) olfato m

Witwe f viuda; **~r** m viudo

Witz m chiste, broma f; ~**bold** m F gracioso

wo donde; ~**?** ¿dónde?; ~**anders** en otro sitio

Woche f semana; **in zwei** ~**n** en quince días

Wochen|ende n fin m de semana; **2lang** (durante) semanas enteras; **2lich** semanal; ~**schau** f noticiario m, actualidades fpl; ~**tag** m día de semana

wöchentlich semanal

Wochenzeit|schrift f, ~**ung** f semanario m

Wodka m vodka

wo|durch por donde; ~**her?** ¿de dónde?; ~**hin?** ¿a dónde?

wohl bien; (ungefähr) más o menos; **s. ~ fühlen** sentirse bien

Wohl n bien m; **auf Ihr** ~**!** ¡a su salud!; ~**befinden** n bienestar m; **2behalten** sano y salvo; **2habend** bien acomodado; **2riechend** oloroso; **2schmeckend** sabroso; **2stand** m prosperidad f; ~**tätigkeit** f beneficencia; **2tuend** agradable; ~**wollen** n benevolencia f

Wohn|block m bloque de viviendas; **2en** vivir, habitar; **2haft** in domiciliado en; ~**haus** n casa f; ~**ort**, ~**sitz** m domicilio; ~**raum** m espacio habitable; ~**ung** f vivienda, habitación; piso m; ~**wagen(anhänger)** m Kfz remolque de camping, caravana f, rulota f, Arg casa f rodante, Col cabina f; ~**zimmer** n sala f de estar

Wölbung f bóveda

Wolf m lobo

Wolke f nube

Wolken|bruch m lluvia f torrencial; ~**kratzer** m rascacielos; **2los** despejado

wolkig nublado

Woll|decke f manta (Am a cobija, frazada) de lana; ~**e** f lana

wollen querer

Wollstoff m tela f de lana

wo|mit con que; ~**nach?** ¿(a, por) qué?

Wonne f delicia

wor|an a que; ~**auf** sobre que; ~**aus** de que; ~**in** en que

Wort n palabra f; término m; **in** ~**en** en letras

Wört|erbuch n diccionario m; **2lich** literal; textual

wort|los sin decir nada; **2wechsel** m disputa f; ~**wörtlich** al pie de la letra

wor|über sobre (od de) que; ~**um** de que

wo|von, ~**vor** de que; ~**zu** para que

Wrack n buque m naufragado

wringen retorcer

Wucher m usura f; ~**...** in Zssgn usurario; **2n** Bot lozanear; ~**ung** f Med proliferación

Wucht f empuje m; **2ig** violento, impetuoso

wühlen (in) revolver (ac)

Wulst m abombamiento

wund excoriado; (s.) **~reiben** excoriar(se); **2e** f herida

Wunder n milagro m; **2bar** milagroso, maravilloso; **2n:** **s. 2n** asombrarse, extrañarse (**über** de)

Wundstarrkrampf m tétanos

Wunsch m deseo; **auf ~ a** petición

wünschen desear; (wollen) querer

wunschgemäß conforme a los deseos

Würd|e f dignidad; **2ig** (gen) digno (de); **2en** apreciar

Wurf m tiro; Zo camada f

Würfel m dado; Math cubo; **~becher** m cubilete; **2n** jugar a los dados; **~zucker** m azúcar en terrones

würgen j-n: estrangular

Wurm m gusano; **2stichig** (Obst) agusanado; (Holz) carcomido

Wurst f embutido m; (Hart-2) salchichón m; (Brüh2, Brat2) salchicha; **~brot** n bocadillo m de salchichón

Würstchen n salchicha f

Würze f condimento m

Wurzel f raíz

würz|en condimentar; **~ig** aromático

Wüst|e f desierto m; **~ling** F libertino

Wut f furor m, rabia

wütend furioso; **~ werden** enfurecerse

Z

Zacke f punta; **~nbarsch** m mero

zaghaft temeroso, tímido

zäh(e) resistente, tenaz; (Fleisch) duro

Zahl f número m; **2bar** pagadero; **2en** pagar

zählen contar

zahlenmäßig numérico

Zähler m Math numerador; El, Tech contador

Zahl|karte f (impreso m para) giro m postal; **2los** innumerable; **~meister** m Mar contador; **2reich** numeroso; **~ung** f pago m

Zählung f numeración

Zahlungs|anweisung f orden de pago; **~bedingun-**

gen fpl condiciones de pago; **~mittel** npl medios mpl de pago

Zählwerk n mecanismo m contador

zahm manso

zähmen amansar, domesticar

Zahn m diente; (Backen2) muela f; (Back2) salchichón m; (Brüh2, **~arzt** m dentista; **~bürste** f cepillo m de dientes; **~ersatz** m prótesis f dental; **~fleisch** n encías fpl; **~lücke** f mella f; **~pasta** f pasta dentífrica

Zahnrad n rueda f dentada; **~bahn** f ferrocarril m de cremallera

Zahn|schmerzen mpl dolor

m de muelas; **~stocher** *m* palillo *m*; **~techniker** *m* protésico dental

Zander *m* lucioperca *f*

Zange *f* tenazas *fpl*

Zank *m* disputa *f*, riña *f*; **2en**: s. **2en** reñir; disputar (**um** de, por; **über** sobre)

Zäpfchen *n Med* supositorio *m*

Zapfen *m Tech* espiga *f*; *Bot* cono *m*

Zapfsäule *f* surtidor *m* (de gasolina)

zart tierno; delicado; *fig* suave, débil; **2gefühl** *m* delicadeza *f*

zärtlich cariñoso; **2keit** *f* caricia

Zauber *m* encanto (*a fig*); **2haft** encantador; **~künstler** *m* prestidigitador; **2n** hechizar; hacer juegos de manos

zaudern vacilar

Zaum *m* brida *f*, freno

Zaun *m* cercado, valla *f*

Zebrastreifen F *m* paso cebra

Zehe *f* dedo *m* del pie; **große ~** dedo *m* gordo

zehn diez; **2kampf** *m* decatlón; **2tel** *n* décimo *m*

Zeichen *n* signo *m*; señal *f*; **~block** *m* bloque de dibujo; **~erklärung** *f* explicación de los signos (*auf Karten*) leyenda; **~papier** *n* papel *m* para dibujar; **~trickfilm** *m* (película *f* de) dibujos *mpl* animados

zeichn|en dibujar; **2ung** *f* dibujo *m*

Zeige|finger *m* índice; **2n** enseñar, mostrar; **~r** *m* aguja *f*, manecilla *f*

Zeile *f* renglón *m*, línea

Zeit *f* tiempo *m*; (*Uhr2*) hora *f*; **keine ~ haben** no tener tiempo; **s. ~ lassen** dar tiempo al tiempo; **~angabe** *f* hora; **~ansage** *f* indicación de la hora; **~aufnahme** *f Fot* foto con exposición; **2gemäß** moderno; oportuno; **2ig** temprano; **~karte** *f* abono *m*; **~lupe** *f* cámara lenta; **~punkt** *m* momento; **~raum** *m* período; **~schrift** *f* revista

Zeitung *f* periódico *m*; diario *m*

Zeitungs|kiosk *m*, **~stand** *m* quiosco (*od* puesto) de periódicos; **~papier** *n* papel *m* de periódico

Zeit|unterschied *m* diferencia *f* de la hora; **~verlust** *m* pérdida *f* de tiempo; **~vertreib** *m* pasatiempo; **2weise** de vez en cuando; **2wort** *n* verbo *m*; **~zeichen** *n* señal *f* horaria

Zell|e *f* célula; (*Gefängnis2*) celda; **~stoff** *m* celulosa *f*

Zelt *n* tienda *f*, *Am* carpa *f*; **2en** acampar, hacer camping; **~lager** *n* campamento *m*; **~platz** *m* (terreno de) camping

Zement *m* cemento

Zensur *f* censura (*Schule*) nota

Zentimeter *n* centímetro *m*;

~maß n cinta f métrica

Zentner m cincuenta kilos mpl

zentral central; 2e f central; 2heizung f calefacción central

Zentrum n centro m

zer|beißen romper con los dientes; ~**brechen** vt romper; vi romperse; ~**brechlich** quebradizo; ¡frágil!; ~**drücken** aplastar

Zeremonie f ceremonia

zer|fallen desmoronarse; ~**fressen** vt corroer; ~**kleinern** desmenuzar; ~**knittert** arrugado; ~**kratzen** rasgar, arañar; ~**legbar** desmontable; ~**legen** descomponer; Tech desmontar; ~**platzen** reventar; ~**quetschen** machacar; ~**reißen** vt romper; vi romperse

zerren tirar (**an** de)

zerrissen roto

Zerrung f distensión

zer|schlagen, ~schmettern romper; ~**schneiden** cortar, partir; ~**setzen** descomponer; ~**splittern** vt (vi) hacer(se) astillas; ~**springen** romperse, estallar

zerstäub|en pulverizar; Flüssigkeit: vaporizar; 2er m pulverizador, vaporizador, atomizador

zerstör|en destruir, demoler (a fig); arruinar; 2ung f destrucción

zerstreu|en dispersar; fig

distraer; ~**t** fig distraído; 2ung f fig distracción

zer|stückeln desmenuzar; ~**teilen** dividir; ~**treten** pisotear, aplastar; ~**trümmern** destruir, demoler

Zerwürfnis n desavenencia f, desacuerdo m

zerzaust desgreñado

Zettel m papel

Zeug n cosas fpl; F chismes mpl; **dummes** ~ tonterías fpl

Zeug|e m, ~**in** f testigo su; 2en von demostrar (ac); ~**nis** n certificado m; (Schul2) boletín m escolar

Zickzack m zigzag

Ziege f cabra

Ziegel((stein) m ladrillo; (Dach2) teja f; ~**ei** f ladrillar m

Ziegen|bock m macho cabrío; ~**käse** m queso de cabra

ziehen vt tirar; Zahn: extraer; Strich: trazar; vi tirar (**an** de); (Tee) estar en infusión; (**s.**) **in die Länge** prolongar(se), dar largas a; **es zieht** hay corriente

Zieh|harmonika f acordeón m; ~**ung** f sorteo m

Ziel n fin m; objeto m; Sp meta f, llegada f; 2**bewußt** resuelto

zielen apuntar (**auf** a)

Ziel|fernrohr n mira f telescópica; ~**gerade** f, ~**linie** f Sp recta, línea de llegada; ~**scheibe** f blanco m

ziemlich bastante

zieren

zieren: s. ~ melindrear, remilgarse

zierlich grácil

Ziffer f cifra; **~blatt** n esfera f

Zigarette f cigarrillo m, *Span* F a pitillo m, cigarro m

Zigaretten|automat m distribuidor automático de cigarrillos; **~etui** n pitillera f; **~spitze** f boquilla

Zigar|illo m purito, **~re** f puro m, cigarro m, *Am* a tabaco m

Zigeuner(in f) m gitano m (gitana f)

Zimmer n habitación f, cuarto m; **~antenne** f antena interior; **~decke** f techo m, *Am* cielorraso m; **~mädchen** n camarera f (de piso), *Arg, Chi* mucama f, *Méj* recamarera f

Zimmer|mann m carpintero; **~schlüssel** m llave f de la habitación

zimperlich melindroso

Zimt m canela f

Zink n cinc m

Zinke f diente m

Zinn n estaño m

Zins m interés m; **~en** pl intereses; **~fuß** m tipo de interés

Zipfel m punta f

Zirkel m compás f; *fig* círculo

Zirkus m circo

zischen silbar

Zisterne f cisterna, aljibe m

Zitadelle f ciudadela f

Zitat n cita f

Zitrone f limón m

zitronen|gelb amarillo limón; **~limonade** f limonada; **~schale** f cáscara de limón

Zitrusfrüchte fpl agrios mpl

zittern temblar; **2** n temblor m

zivil civil; **in 2** de paisano; **~bevölkerung** f población civil; **~dienst** m servicio civil; **~isieren** civilizar; **~ist** m paisano, civil

Zofe f doncella

zögern tardar, titubear

Zoll m (*Maß*) pulgada f

Zoll m aduana f; derechos mpl (de aduana); **~abfertigung** f despacho m aduanero; **~amt** n aduana f; **~beamte(r)** m funcionario de aduana; **~erklärung** f declaración f de aduana; **2-frei** exento de aduana; **~grenze** f frontera aduanera; **~kontrolle** f control m aduanero; **2pflichtig** sujeto a aduana; **~tarif** m arancel de aduana; **~verwaltung** f administración de aduanas

Zone f zona

Zoo(logischer Garten) m jardín zoológico

Zopf m trenza f

Zorn m cólera f; **2ig** encolerizado; **2ig werden** ponerse furioso

zu a; (**um**) ~ para; **~** F cerrado; **~r Tür hinaus** por la puerta; **~ Hause** en casa; **~ Beginn** al principio; adv (a ~ **viel**) demasiado; **~ lang** demasiado largo

Zubehör n accesorios mpl
zubereiten preparar, guisar; **2ung** f preparación
zubinden atar
Zubringer|dienst m servicio de enlace; **~straße** f carretera de acceso
Zucchini fpl calabacines mpl
Zucht f disciplina; Zo cría; Bot cultivo m
züchten Zo criar; Bot cultivar
Zuchthaus n presidio m
zucken palpitar; **mit den Achseln ~** encogerse de hombros
Zucker m azúcar; **~dose** f azucarera; **2krank** diabético; **~krankheit** f diabetes; **2n** azucarar; **~rohr** n caña f de azúcar; **~rübe** f remolacha azucarera
Zuckung f convulsión; (Herz) palpitación
zudecken cubrir, tapar
zudem además
zudrehen Hahn: cerrar
zudringlich importuno, pesado
zuerst primero
Zufahrt(ssttraße) f carretera de) acceso m
Zufall m casualidad f; **2fällig** casual, fortuito; adv por casualidad, por acaso; **~flucht** f refugio m
zufrieden contento, **2heit** f contento m; satisfacción; **~stellen** satisfacer
zufrieren helarse; **~fügen** Schaden: causar; **2fuhr** f aprovisionamiento m

Zug m tirón; Esb tren; (Spiel) jugada f; (Luft2) corriente f de aire; (v e-r Zigarette) chupada f; (Schluck) trago
Zu|gabe f Mus extra m; Hdl añadidura, encime m, Am ñapa, yapa; **~gang** m acceso; **2gänglich** accesible; **2-geben** añadir; fig confesar; **2gehen** (Tür) cerrarse; **2-gehen auf** dirigirse a; **~ge-hörigkeit** f pertenencia
Zügel m rienda f; **2los** desenfrenado; **2n** refrenar
Zuge|ständnis n concesión f; **2stehen** (j-m et) conceder; **2tan** (dat) afecto, propenso a
Zugführer m Esb jefe del tren
zugig: es ist ~ hay corriente de aire
zugleich a la vez
Zug|luft f corriente f de aire; **~maschine** f tractor m
zugreifen (b. Essen) servirse
zugrunde: ~ gehen perderse; perecer; **~ richten** arruinar
Zugschaffner m revisor
zugunsten (gen) a (od en) favor de
Zug|verbindung f comunicación ferroviaria; **~ver-kehr** m servicio de trenes; **~vogel** m ave f de paso
zu|halten Tür cerrar tened; **~hälter** m rufián; **~heilen** cerrarse; **~hören** escuchar; **2hörer** m oyente; **~kleben** pegar; **~knöpfen** abotonar
Zukunft f porvenir m; futu-

ro m (a Gr); **in** ~ en el futuro
zukünftig futuro
Zulage f aumento m de sueldo, sobrepaga
zu|lassen admitir; permitir; **~lässig** admisible; **2lassung** f admisión; Kfz patente de circulación; **~letzt** en último lugar, al final
zuliebe (dat) por amor de
zu|machen cerrar; **~meist** las más veces; **~mindest** por lo menos; **~nächst** en primer lugar; **~nageln** clavar; **~nähen** coser; **~nahme** f aumento m; **2name** m apellido
zünd|en encender(se); **2~holz** n cerilla f, fósforo m; **2kabel** n cable m de encendido; **2kerze** f bujía; **2~schloß** n cerradura f de arranque; **2schlüssel** m llave f de contacto; **2ung** f encendido m; **2verteiler** m distribuidor de encendido
zu|nehmen aumentar; crecer; (an Gewicht) engordar; **2neigung** f inclinación
Zunge f lengua
zunichte: ~ machen Plan: desbaratar, echar a perder; Hoffnung: frustrar
zupacken echar la zarpa
zurechtfinden: s. ~ orientarse
zurechtlegen arreglar
zurechtweisen reprender
zu|reden (dat) tratar de persuadir a; **~richten** preparar; **übel ~richten** dejar maltrecho

zurück atrás; **~bekommen** recuperar; **~bleiben** quedarse atrás; **~bringen** devolver; **~drängen** hacer retroceder; **~erstatten** restituir; **~fahren, ~fliegen** volver; **~führen auf** reducir a; **~geben** devolver; **~gehen** volver; fig disminuir; **~gezogen** retirado
zurück|halten retener; **s.** ~ contenerse; **~d** reservado
zurück|kommen volver; **~lassen** dejar (atrás); **~legen** Ware: reservar; Weg: recorrer; **~nehmen** recoger; fig revocar; **~prallen** rebotar; **~schicken, ~senden** devolver; **~schlagen** rechazar; **~setzen** j-n: postergar; **~stellen** dejar para más tarde; aplazar; Uhr: atrasar; **~treten** retroceder; fig dimitir; renunciar (von e-m Vorhaben a); **~weisen** rechazar; **~werfen** devolver; **~zahlen** rembolsar
zurückziehen (s. ~) retirar(se)
Zuruf m: durch ~ por aclamación
Zusage f afirmativa, promesa; **2n** vt prometer; vi gustar
zusammen juntos (-as); juntamente; **2arbeit** f cooperación; **~bauen** montar; **~binden** atar; **~brechen** derrumbarse, hundirse; (Person) desmayarse; **2~bruch** m fracaso; Med colapso; **~drücken** compri-

461

mir; **~fallen** *zeitlich*: coincidir (**mit** con); **~falten** plegar; **~fassen** (*kurz*) resumir; **~fügen** juntar; **~gehören** formar un conjunto; **2hang** *m* conexión *f*; relación *f*

zusammenklapp|bar plegable; **~en** doblar, plegar
zusammen|kommen reunirse; **2kunft** *f* reunión *f*; **~passen** armonizar
Zusammenprall *m* choque; **2en** chocar (**mit** con)
zusammen|rechnen sumar; **~rücken** *vi* correrse; **~rufen** convocar; **~schieben** juntar
zusammensetz|en componer; combinar; *Tech* montar; **s. ~en** als componerse de; **2ung** *f* composición
zusammenstell|en *allg* hacer; combinar; compilar; **2ung** *f* combinación
Zusammenstoß *m* choque, colisión *f*; **2en** entrar en colisión, chocar
zusammen|stürzen hundirse; **~treffen** encontrarse; **~zählen** sumar
zusammenziehen contraer; reunir; **s. ~** contraerse
Zu|satz *m* adición *f*; **2sätzlich** adicional
zuschau|en estar mirando; **2er** *m* espectador; **2erraum** *m* sala *f* (de espectadores)
zuschicken enviar a domicilio, remitir
Zuschlag *m* suplemento;

2en Tür: cerrar de golpe; **~karte** *f* suplemento *m*
zu|schließen cerrar con llave; **~schneiden** cortar; **2schnitt** *m* corte; **~schnüren** atar; *Am* amarrar; **~schrauben** atornillar; **2schrift** *f* carta; (*Zeitung*) comunicado *m*; **2schuß** *m* subsidio, (*staatl.*) subvención *f*; **~sehen** estar mirando; **~sehends** a ojos vistas, visiblemente; **~senden** enviar; **~setzen** *vt* añadir; *Geld*: perder; sig **j-m** **~setzen** apretar (*od* acosar) a alg
zusicher|n asegurar; **2ung** *f* promesa
zuspitzen: s. ~ *fig* hacerse crítico
Zustand *m* estado; condición *f*; **2e bringen** llevar a cabo, realizar, efectuar; **2e kommen** realizarse
zu|ständig competente; **~stehen** corresponder
zustell|en entregar; repartir; **2gebühr** *f* tasa de reparto; **2ung** *f* entrega; (*Post*) reparto *m*
zustimmen consentir; **2ung** *f* consentimiento
zu|stopfen tapar; **~stoßen** (*dat*) suceder, pasar a; **~strom** *m* afluencia *f*; **2taten** *fpl* ingredientes *mpl*
zuteil|en (*j-m et*) distribuir; **2ung** *f* distribución
zutragen: s. ~ pasar
zutrau|en (*j-m et*) creer *a alg* capaz de; **~lich** confiado

zutreffen

zutreffen ser exacto (*od* verdad); **~d** justo

zu|trinken *j-m*: beber a la salud de; **2tritt** *m* entrada *f*; **2tritt verboten** prohibido el paso; **~unterst** en el fondo

zuver|lässig seguro, cierto; (*j*) formal, fiel; **2lässigkeit** *f* seguridad; formalidad; **2sicht** *f* confianza; **~sichtlich** lleno de confianza

zuviel demasiado

zuvor antes; **~kommen** (*dat*) adelantarse a; prevenir (*ac*); **~kommend** atento

Zu|wachs *m* aumento; **2weilen** a veces; **2weisen** asignar; **2wenden** *Gesicht, Rücken*: volver (*ac*); **2wenig** demasiado poco; **2widerhandeln** contravenir (*a*); **2winken** (*dat*) hacer señas (*a*)

zuziehen *m*: correr; *j-n*: consultar; **s. ~** *Med* contraer

zuzüglich más (*ac*)

Zwang *m* fuerza *f*; coacción *f*; **2los** desenvuelto; *adv* sin ceremonia

Zwangs|jacke *f* camisa de fuerza; **~lage** *f* situación forzosa; **~maßnahme** *f* medida coercitiva; **2weise** por fuerza

zwar pues; **und ~** a saber

Zweck *m* fin, propósito; objeto

Zwecke *f* chinche

zweck|los inútil; **~mäßig**

conveniente

zwecks con el fin de

zwei dos; **2** *f* dos *m*

Zwei|bett|kabine *f* camarote *m* doble; **2zimmer** *n* habitación *f* doble

zwei|deutig de doble sentido, equívoco; **~erlei** de dos clases; **2fach** doble

Zweifel *m* duda *f*; **2haft** dudoso; **2los** indudable; *adv* sin duda; **2n** dudar (**an** de)

Zweig *m* ramo (*a fig*); **~geschäft** *n*, **~stelle** *f* sucursal *f*

zwei|händig a dos manos; **~jährig** de dos años; **2kampf** *m* duelo; **~mal** dos veces; **~motorig** bimotor; **~reihig** (*Jackett*) cruzado; **~seitig** bilateral; **2sitzer** *m* coche (*od* avión) de dos plazas; **~spurig** *Kfz* de dos carriles; **~stöckig** de dos pisos

zweit: **zu ~** de a dos; (*Reihe*) dos a dos

Zweitaktmotor *m* motor de dos tiempos

zwei|teilig de dos partes; **~tens** en segundo lugar

Zwerchfell *n* diafragma *m*

Zwerg *m* enano

Zwetsch(g)e *f* ciruela

zwicken pellizcar

Zwieback *m* bizcocho

Zwiebel *f* cebolla; *Bot* bulbo *m*

Zwie|licht *n* media luz *f*; **~tracht** *f* discordia

Zwillinge *mpl* gemelos, mellizos, *Ven* morochos

zwingen forzar (**zu** a); **~d**

obligatorio; (*Notwendig-keit*) imperativo, forzoso
zwinkern guiñar (los ojos)
Zwirn *m* hilo
zwischen entre; 2**deck** *n* entrepuente *m*; **durch** de vez en cuando; 2**fall** *m* incidente; 2**händler** *m* intermediario
Zwischen|landung *f* escala; **raum** *m* espacio; **ruf** *m* grito; **stecker** *m* ladrón; **stück** *n* pieza *f* intermedia; **wand** *f* tabique *m*

Zwischenzeit *f*: in der **entretanto
zwitschern gorjear
Zwölffingerdarm *m* duodeno
Zyankali *n* cianuro *m* de potasio
Zylinder *m* cilindro; (*Hut*) sombrero de copa; 2**förmig** cilíndrico; **kopf** *m* *Kfz* culata *f*
zynisch cínico
Zypresse *f* ciprés *m*
Zyste *f* quiste *m*

Geographische Namen, Nationalitäts- und Einwohnerbezeichnungen

Nombres propios geográficos y gentilicios

Aachen n Aquisgrán

Adria f Adriático m

Afghan|istan n Afganistán m; ~e m, ⌀isch adj afgano

Afrika n Africa f; ~ner m, ⌀nisch adj africano

Ägäis f Egeo m

Ägypt|en n Egipto m; ~er m, ⌀isch adj egipcio

Alban|ien n Albania f; ~er m, ⌀isch adj albanés

Alexandria n Alejandría f

Alger|ien n Argelia f; ~er m, ⌀sch adj argelino

Algier n Argel

Alpen pl Alpes mpl; ⌀in adj alpino

Alte Welt f Mundo m Antiguo

Amerika n América f; ~ner m, ⌀nisch adj americano

Andalus|ien n Andalucía f; ~er m, ⌀sch adj andaluz

Anden pl Andes mpl; ~, aus den ~ andino

Andorra n Andorra f; ~er m, ⌀nisch adj andorrano

Angola n Angola f; ~ner m, ⌀nisch adj angolano

Antarkti|k f Antártida f; ⌀sch adj antártico

Antillen pl Antillas fpl

Antwerpen n Amberes

Apennin m Apeninos mpl

Äquatorialguinea n Guinea f Ecuatorial

Arab|er m, ⌀isch adj árabe; ~ien n Arabia f

Aragon|ien n Aragón m; ~er m, ⌀sch adj aragonés

Argentin|ien n Argentina f; ~ier m, ⌀isch adj argentino

Arkti|k f Ártico m; ⌀sch adj ártico

Ärmelkanal m Canal m de la Mancha

Armen|ien n Armenia f; ~ier m, ⌀isch adj armenio

Aserbaidschan n Azerbeiyán m; ~er m, ⌀isch adj azerbeyano

Asi|at m, ⌀atisch adj asiático; ~en n Asia f

Astur|ien n Asturias fpl; ~er m, ⌀isch adj asturiano

Athen n Atenas

Äthiop|ien n Etiopía f; ~er m, ⌀sch adj etíope

Atlanti|k m Atlántico m; ⌀sch adj atlántico

Austral|ien n Australia f; ~ier m, ⌀sch adj australiano

Azoren pl Azores mpl

Baham|as pl Bahamas fpl; ~er m, 2isch adj bahameés

Bahrain m Bahrein m; ~er m, 2isch adj bahreiní

Balearen pl Baleares fpl

Balkan m Balcanes mpl; ~halbinsel f Península f balcánica; 2länder npl países mpl balcánicos

Bangladesch n Bangladesh m; aus (von) ~ de Bangladesh

Barbad|ier m, 2isch adj barbadense; ~os n Barbada f

Barcelon|a n Barcelona; ~e-se m, aus ~a adj barcelonés

Basel n Basilea

Bask|e m, 2isch adj vasco; ~enland n Vascongadas fpl

Basutoland n Basutolandia f

Bayer m, 2isch adj bávaro; ~n n Baviera f

Belgi|en n Bélgica f; ~er m, 2sch adj belga

Belgrad n Belgrado

Benelux m Benelux m

Bengal|en n Bengala f; ~e, 2isch adj bengalí

Berber m, 2isch adj bereber

Berlin n Berlín m; ~er m, adj, 2erisch adj berlinés

Bern n Berna

Bhutan n Bhutan m; ~e m, 2isch adj butanés

Birma m Birmania f; ~ne m, 2nisch adj birmano

Biskaya f Viscaya f

Bodensee m Lago m de Constanza

Böhm|en n Bohemia f; ~e m, 2isch adj bohemio

Bolivi|en n Bolivia f; ~aner m, 2anisch adj boliviano

Bordeaux n Burdeos

Bosporus m Bósforo m

Brasili|aner m, 2anisch adj brasileño, Am a brasilero; ~en n Brasil m

Brit|e m, 2isch adj británico

Brügge n Brujas

Brüssel n Bruselas

Bulgar|e m, 2isch adj búlgaro; ~ien n Bulgaria f

Bundesrepublik f Deutschland República f Federal de Alemania

Burgund n Borgoña f; ~er m, 2isch adj borgoñón

Ceylon n Ceilán m; ~ese m, 2esisch adj ceilanés

Chile n Chile m; ~ne m, 2nisch adj chileno

Chin|a n China f; ~ese m, 2esisch adj chino

Costa Rica n Costa Rica f; ~ricaner m, 2ricanisch adj costarricense

Côte d'Azur f Costa f Azul

Dalmati|en n Dalmacia f; ~ner m, 2nisch adj dálmata

Dän|e m, 2isch adj danés; ~emark n Dinamarca f

Den Haag n La Haya

deutsch adj, 2er m alemán; 2land n Alemania f

Deutsche Demokratische Republik f República f Democrática Alemana

Dominikan|ische Repu-

blik f República f Dominicana; **~er** m, **~isch** adj dominicano

Donau f Danubio m

Ecuador n Ecuador m; **~ianer** m, **~ianisch** adj ecuatoriano

Edinburg f Edimburgo

Elfenbeinküste f Costa f de Marfil

El Salvador n El Salvador m

Els|aß n Alsacia f; **~ässer** m, **~ässisch** adj alsaciano

Engl|and n Inglaterra f; **~änder** m, **~isch** adj inglés

Est|e m, **~ländisch** adj estonio; **~land** n Estonia f

Estremadura f Extremadura f; **aus ~** adj extremeño

Eurafrika n Euráfrica f

Eurasien n Eurasia f

Europ|a n Europa f; **~äer** m, **~äisch** adj europeo

Fernost m Extremo Oriente m

Feuerland n Tierra f del Fuego

Finn|e m, **~isch** adj finlandés; **~land** n Finlandia f

Fl|ame m, **~ämisch** adj flamenco

Flandern n Flandes m

Floren|z f Florencia f; **~tiner** m, **~tinisch** adj florentino

Fr|anke m, **~änkisch** adj franconiano; **~anken** n Franconia f

Fran|kreich n Francia f; **~zose** m, **~zösisch** adj francés

Freiburg n Friburgo

Freie Welt f Mundo m Libre

Fries|e m, **~isch** adj frisio; **~land** n Frisia f

Gabun n Gabón m; **~er** m, **~isch** adj gabonés

Galici|en n (span. Provinz) Galicia f; **~er** m, **~sch** adj gallego

Galizien n (Osteuropa) Galicia f

Gambi|a n Gambia f; **~er** m, **~isch** adj gambiano

Genf n Ginebra f; **~er** m, adj ginebrino

Genu|a n Génova; **~ese** m, **~esisch** adj genovés

Georgi|en n Georgia f; **~er** m, **~sch** adj georgiano

Ghana n Ghana m; **~er** m, **~isch** adj ghanés

Griech|e m, **~isch** adj griego; **~enland** n Grecia f

Grönl|and n Groenlandia f; **~änder** m, **~ländisch** adj groenlandés

Großbritannien n Gran Bretaña f

Guatemal|a n Guatemala f; **~teke** m, **~tekisch** adj guatemalteco

Guayan|a n Guyana f; **~er** m, **~isch** adj guyano

Guine|a n Guinea f; **~er** m, **~isch** adj guineano

Guinea-Bissau n Guinea-Bissau f

Haiti n Haití f; **~aner** m,

2anisch *adj* haitiano
Hamburg *n* Hamburgo
Havanna *n* La Habana
Himalaya *m* Himalaya *m*
Holl|and *n* Holanda *f*; **~änder** *m*, **2ändisch** *adj* holandés
Hondura|s *n* Honduras *m*; **~ner** *m*, **2nisch** *adj* hondureño

Iber|er *pl* iberos *mpl*; **2isch** *adj* ibérico
Iberische Halbinsel *f* Península *f* Ibérica
Ind|er *m*, **2isch** *adj* indio; **~ien** *n* India *f*
Indochin|a *n* Indochina *f*; **~ese** *m*, **2esisch** *adj* indochino
Indonesi|en *n* Indonesia *f*; **~er** *m*, **2sch** *adj* indonesio
Irak *m* Irak *m*; **2isch** *adj* iraqués, iraquí
Iran *m* Irán *m*, **2isch** *adj* iraní, iranio
Ir|e *m*, **2isch** *adj* irlandés; **~land** *n* Irlanda *f*
Isl|and *n* Islandia *f*; **~änder** *m*, **2ändisch** *adj* islandés
Israel *n* Israel *m*; **~i** *m*, **2isch** *adj* israelí
Istanbul *n* Istanbul, Estambul
Italien *n* Italia *f*; **~er** *m*, **2isch** *adj* italiano

Jamaika *n* Jamaica *f*; **~ner** *m*, **2nisch** *adj* jamaicano
Japan *m* Japón *m*; **~er** *m*, **2isch** *adj* japonés
Jemen *m* Yemen *m*; **~it** *m*,

2itisch *adj* yemenita
Jerusalem *n* Jerusalén
Jordan *m* Jordán *m*
Jordani|en *n* Jordania *f*; **~er** *m*, **2sch** *adj* jordano
Jugoslaw|e *m*, **2isch** *adj* yugoslavo; **~ien** *n* Yugoslavia *f*
Jütland *n* Jutlandia *f*

Kairo *n* El Cairo
Kaliforni|en *n* California *f*; **~er** *m*, **2sch** *adj* californiano
Kambodscha *n* Camboya *f*; **~ner** *m*, **2nisch** *adj* camboyano
Kamerun *m* Camerún *m*; **~er** *m*, **2isch** *adj* camerunés
Kanad|a *n* Canadá *m*; **~ier** *m*, **2isch** *adj* canadiense
Kanar|e *m*, **2isch** *adj* canario; **~en** *pl* Canarias *fpl*
Kap *n* **der Guten Hoffnung** Cabo *m* de la Buena Esperanza
Kapstadt *n* Ciudad *f* del Cabo
Kapverden *pl* Cabo *m* Verde
Karibik *f* Caribe *m* (*mar*)
Karpaten *pl* Cárpatos *mpl*
Kaspisches Meer *n* Mar *m* Caspio
Kastili|en *n* Castilla *f*; **~er** *m*, **2sch** *adj* castellano
Katal|ane *m*, **2anisch** *adj* catalán; **~onien** *n* Cataluña *f*
Katar *n* Qatar *m*
Kaukasus *m* Cáucaso *m*
Kenia *n* Kenia *f*; **~ner** *m*, **2nisch** *adj* keniano
Kleinasien *n* Asia *f* Menor

Köln n Colonia
Kolumbi|en n Colombia f; **~aner** m, **2anisch** adj colombiano
Komoren pl Comoras fpl
Kongo m Congo m; **~lese** m, **2lesisch** adj congoleño
Kopenhagen n Copenhague
Korea n Corea f; **~ner** m, **2nisch** adj coreano
Kors|e m, **2isch** adj corso; **~ika** n Córcega f
Kreta n Creta f
Krim f Crimea f
Kroat|ien n Croacia f; **~e** m, **2isch** adj croata
Kuba n Cuba f; **~ner** m, **2nisch** adj cubano
Kurd|e m, **2isch** adj kurdo; **~istan** n Kurdistán m
Kuwait n Kuwait m; **~er** m, **2isch** adj kuwaití

Lao|s n Laos m; **~te** m, **2tisch** adj laosiano
Lappl|and n Laponia f; **~änder** m, **2ändisch** adj lapón
Lateinamerika n América f latina; **~ner** m, **2nisch** adj latinoamericano
Lettl|and n Letonia f; **~e** m, **2isch** adj letón
Liban|ese m, **2esisch** adj libanés; **~on** m Líbano m
Liberia n Liberia f; **~ner** m, **2nisch** adj liberiano
Liby|en n Libia f; **~er** m, **2sch** adj libio
Liechtenstein n Liechtenstein m; **~er** m, **2isch** adj de Liechtenstein

Lissabon n Lisboa
Litau|en n Lituania f; **~er** m, **2isch** adj lituano
Loire f Loira m
Lombard|e m, **2isch** adj lombardo; **~ei** f Lombardía f
London n Londres
Lothringen n Lorena f
Löwen n Lovaina f
Lüttich n Lieja
Luxemburg n Luxemburgo m; **~er** m, **2isch** adj luxemburgués
Luzern n Lucerna f

Maas f Mosa f
Madagas|kar n Madagascar m; **~se** m, **2sisch** adj malgache
Madeira n Madeira f
Maghreb m Magreb m; **2inisch** adj magrebí
Mähren n Moravia f
Mail|and n Milán; **~änder** m, **2ändisch** adj milanés
Mainz n Maguncia f
Malaie m, **2isch** adj malayo
Malawi n Malawi m; **~er** m, **2sch** adj malawiano
Malay|sia n Malasia f; **~sier** m, **2sisch** adj malasio
Malediven pl Maldivas fpl
Mali n Malí m; **~er** m, **2sch** adj maliense
Mallor|ca n Mallorca f; **~kiner** m, **2kinisch** adj mallorquín
Malt|a n Malta f; **~eser** m, **2esisch** adj maltés
Mancha: die ~ la Mancha; **von (aus) der ~** manchego

Mandschu *m*, **~risch** *adj* manchú; **~rei** *f* Manchuria *f*

Marokk|aner *m*, **~anisch** *adj* marroquí; **~o** *n* Marruecos *m*

Marseille *n* Marsella

Martinique *n* Martinica *f*

Matterhorn *n* Cervino *m*

Mauretani|en *n* Mauretania *f*; **~er** *m*, **~sch** *adj* mauretanio

Mazedoni|en *n* Macedonia *f*; **~er** *m*, **~sch** *adj* macedonio

Mekka *n* la Meca *f*

Melanesi|en *n* Melanesia *f*; **~er** *m*, **~sch** *adj* melanesio

Menor|ca *n* Menorca *f*; **~kiner** *m*, **~kinisch** *adj* menorquín

Mesopotamien *n* Mesopotamia *f*

Mexik|aner *m*, **~anisch** *adj* mejicano, mexicano; **~o** *n* Méjico *m*, México *m*

Mikronesi|en *n* Micronesia *f*; **~er** *m*, **~sch** *adj* micronesio

Mittelamerika *n* Centroamérica *f*; **~ner** *m*, **~nisch** *adj* centroamericano

Mittelmeer *n* Mediterráneo *m*

Mon|aco *n* Mónaco *m*; **~egasse** *m*, **~egassisch** *adj* monegasco

Mongol|ei *n* Mongolia *f* mongol; **~ei** *f* Mongolia *f*

Mosel *f* Mosela *f*

Moskau *n* Moscú; **~er** *m*, *adj* moscovita

Mozambique *n* Mozambique *m*

München *n* Munich; **~ner** *m*, *adj*, **~nerisch** *adj* muniqués

Nationalchina *n* China *f* nacionalista

Navarr|a *n* Navarra *f*; **~ese** *m*, **~esisch** *adj* navarro

Neap|el *n* Nápoles; **~olitaner** *m*, **~olitanisch** *adj* napolitano

Nepal *n* Nepal *m*; **~ese** *m*, **~esisch** *adj* nepalés

Neufundland *n* Terranova *f*

Neuguinea *n* Nueva Guinea *f*

Neuseeland *n* Nueva Zelanda *f*; **~länder** *m*, **~ländisch** *adj* neozelandés

Neue Welt *f* Nuevo Mundo *m*

New York *n* Nueva York

Nieder|lande *pl* Países *mpl* Bajos; **~länder** *m*, **~ländisch** *adj* neerlandés

Niger *n* Níger *m*; **~er** *m*, **~isch** *adj* nigerino

Nigeria *n* Nigeria *f*; **~ner** *m*, **~nisch** *adj* nigeriano

Nikaragua *n* Nicaragua *f*; **~ner** *m*, **~nisch** *adj* nicaragüense

Nil *m* Nilo *m*

Nippon *n* Nipón *m*

Nordamerika *n* América *f* del Norte

Nördliches Eismeer *n* Océano *m* Glacial Ártico

Nordsee *f* Mar *m* del Norte

Norweg|en *n* Noruega *f*; **~er**

m, ~isch adj noruego
Nubien n Nubia f
Nürnberg n Nuremberg

Ostsee f Báltico m
Österreich n Austria f; ~er m, ~isch adj austríaco
Ozeanien n Oceanía f

Pakistan n Pakistán m; ~i m, ~isch adj pakistaní
Palästin|a n Palestina f; ~enser m, ~ensisch adj palestino
Panama n Panamá m; ~er m, ~isch adj panameño
Papua-Neuguinea n Papua Nueva Guinea f; ~s pl papúes mpl
Paraguay n Paraguay m; ~er m, ~isch adj paraguayo
Paris n París; ~er m, aus (von) ~, ~er m parisino
Patagonien n Patagonia f
Pazifik m Pacífico m
Peking n Pekín
Peloponnes m Peloponeso m
Perpignan n Perpiñán
Pers|er m, ~isch adj persa; ~ien n Persia f
Peru n Perú m; ~aner m, ~anisch adj peruano
Pfalz f Palatinado m
Philippin|en pl Filipinas fpl; ~er m, ~isch adj filipino
Pol|e m polaco, Am a polonés; ~en n Polonia f; ~nisch adj polaco
Polynesi|en n Polinesia f; ~er m, ~sch adj polinesio

Pommern n Pomerania f
Portugal n Portugal m; ~iese m, ~iesisch adj portugués
Prag n Praga
Preuße m, ~isch adj prusiano; ~en n Prusia f
Provence f Provenza f; ~zalisch adj provenzal
Puerto| Rico n Puerto Rico m; ~rikaner m, ~rikanisch adj puertorriqueño
Pyrenä|en pl Pirineos mpl; ~isch adj pirenaico

Regensburg n Ratisbona
Rhein n Rin m; ~land n Renania f; ~länder m, ~ländisch adj renano
Rhodesi|en n Rodesia f; ~er m, ~sch adj rodesiano
Rhone f Ródano m
Rom n Roma f
Röm|er m, adj, ~isch adj romano
Rotes Meer n Mar m Rojo
Rumän|ien n Rumania f; ~e m, ~isch adj rumano
Russ|e m, ~isch adj ruso
Rußland n Rusia f

Saar f (Fluß), **Saargebiet** n Sarre m
Sachse m sajón; ~n n Sajonia f
sächsisch adj sajón
Salvadorian|er m, ~isch adj salvadoreño
Samoa n Samoa f; ~ner m, ~nisch adj samoano
Sansibar n Zanzíbar m
Santo Domingo n Santo

Domingo *m*
São Tomé e Príncipe Santo Tomé y Príncipe
Saragossa *n* Zaragoza
Sard|e *m*, **2isch** *adj* sardo;
~inien *n* Cerdeña *f*
Saudiarabien *n* Arabia *f* Saudita
Schlesi|en *n* Silesia *f*; **~er** *m*, **2sch** *adj* silesiano
Schott|land *n* Escocia *f*; **~er** *m*, **2isch** *adj* escocés
Schwarzes Meer *n* Mar *m* Negro
Schwarzwald *m* Selva *f* Negra
Schwed|e *m*, **2isch** *adj* sueco; **~en** *n* Suecia *f*
Schweiz *f* Suiza *f*; **~er** *m*, *adj*, **2erisch** *adj* suizo
Seine *f* Sena *m*
Senegal *n* Senegal *m*; **~ese** *m*, **2esisch** *adj* senegalés
Serb|e *m*, **2isch** *adj* servio; **~ien** *n* Servia *f*
Sibiri|en *n* Siberia *f*; **~er** *m*, **2sch** *adj* siberiano
Siebenbürgen *n* Transilvania *f*
Sierra Leone *n* Sierra *f* Leona
Sikkim *n* Sikkim *m*
Singapur *n* Singapur *m*; **~er** *m*, **2isch** *adj* singapurense
Sizili|en *n* Sicilia *f*; **~aner** *m*, **2anisch** *adj* siciliano
Skandinavi|en *n* Escandinavia *f*; **~er** *m*, **2sch** *adj* escandinavo
Slowak|ei *f* Eslovaquia *f*; **~e** *m*, **2isch** *adj* eslovaco
Slowen|ien *n* Eslovenia *f*; **~e**

m, **2isch** *adj* esloveno
Somali|a *n* Somalia *f*; **~er** *m*, **2sch** *adj* somalí
sowjet|isch *adj* soviético; **2union** *f* Unión *f* Soviética
Spani|en *n* España *f*; **~er** *m*, **2sch** *adj* español
Sparta *n* Esparta
Sri Lanka *n* Sri Lanka *m*
Steiermark *f* Estiria *f*
Stockholm *n* Estocolmo
Straßburg *n* Estrasburgo
Südafrika *n* Africa *f* del Sur; **~ner** *m*, **2nisch** *adj* surafricano
Südamerika *n* Sudamérica *f*, América *f* del Sur; **~ner** *m*, **2nisch** *adj* sudamericano
Sudan *n* Sudán *m*; **~ese** *m*, **2esisch** *adj* sudanés
Südliches Eismeer *n* Océano *m* Glacial Antártico
Syr|ien *n* Siria *f*; **~er** *m*, **2isch** *adj* sirio

Taiwan *n* Taiwán *m*
Tanger *n* Tánger
Tansani|a *n* Tanzanía *f*; **~er** *m*, **2isch** *adj* tanzaniano
Texa|ner *m*, **2nisch** *adj* tejano; **~s** *n* Tejas *m*
Thail|and *n* Tailandia *f*; **~änder** *m*, **2ändisch** *adj* tailandés
Themse *f* Támesis *m*
Tibet *n* Tibet *m*; **~(an)er** *m*, **2(an)isch** *adj* tibetano
Tirol *n* Tirol *m*; **~er** *m*, **~er**, **2(er)isch** *adj* tirolés
Togo *n* Togo *m*; **~er** *m*, **2isch** *adj* togolés

472

Tongainseln pl Tonga m
Toulon n Tolón
Toulouse n Tolosa (*Francia*)
Trient n Trento
Trier n Tréveris
Trinidad und Tobago n Trinidad y Tobago
Tripolis n Trípoli
Tschad m Chad m; ~er m, ~isch adj chadiano
Tscheche m, ~in adj checo; ~oslowakei f Checoslovaquia f
Tunesien n Tunicia f; ~er m, ~isch adj tunecino
Tunis n Túnez
Turin n Torino
Turkestan n Turquestán m
Türke m, ~isch adj turco; ~ei f Turquía f
Tyrrhenisches Meer n Tirrénico m (*mar*)

Uganda n Uganda m; ~er m, ~isch adj ugandés
Ukraine f Ucrania f; ~er m, ~isch adj ucraniano
Ungar m, ~isch adj húngaro; ~n n Hungría f
Union f **der Sozialistischen Sowjetrepubliken** Unión f de Repúblicas Socialistas Soviéticas
Ural m Urales mpl
Uruguay n Uruguay m; ~er m, ~isch adj uruguayo

Vatikan m Vaticano m; ~stadt f Ciudad f del Vaticano
Venedig n Venecia
Venezolaner m, ~olanisch adj venezolano; ~uela n Venezuela f
Vereinigte Arabische Emirate pl Emiratos mpl Arabes Unidos
Vereinigtes Königreich n Reino m Unido
Vereinigte Staaten mpl **von Amerika** Estados mpl Unidos de América
Vesuv m Vesubio m
Vietnam n Viet Nam m; ~ese m, ~esisch adj vietnam(ita)
Vogesen pl Vosgos mpl
Volksrepublik f **China** República f Popular de China

Warschau n Varsovia f
Weichsel f Vístula m
Westfalen n Westfalia f
Westindische Inseln pl, **Westindien** n Indias fpl Occidentales
Wien n Viena; ~er m, adj, ~erisch adj vienés
Wolga f Volga m

Zaire n Zaire m
Zypern n Chipre m; ~rer m, ~risch adj chipriota

Spanische Abkürzungen

Abreviaturas españolas

a.c.	año corriente *laufendes Jahr*
a/c.	a cuenta *auf Rechnung*
AIA	Asociación Internacional del Automóvil *Internationaler Automobilclub*
art.	artículo *Artikel*
Av(da).	Avenida
Bco.	Banco *Bank*
bto.	bulto *Gepäckstück*
c., cap.	capítulo *Kapitel*
c.a.	corriente alterna *Wechselstrom*
CC.	Código Civil *Bürgerliches Gesetzbuch*
CC.OO.	Comisiones obreras *Arbeiterkommissionen*
CEDE	Compañía Española de Electricidad *Spanische Elektrizitätsgesellschaft*
C.E.E.	Comunidad Económica Europea *Europäische Gemeinschaft (EG)*
cents.	centavos
cénts.	céntimos
CGT	Confederación General del Trabajo *Allgemeiner Gewerkschaftsbund*
Cía.	Compañía *Gesellschaft*
CNT	Confederación Nacional de Trabajadores *(Spanische Gewerkschaft)*
cs., cts.	céntimos; centavos
CV	caballo de vapor *Pferdestärke (PS)*
D.	Don
D.ª	Doña
dep.	departamento *Departement, Abteilung*
EE.UU.	Estados Unidos *Vereinigte Staaten*
etc.	etcétera *und so weiter (usw.)*
f/c.	ferrocarril *Eisenbahn*
gral.	general *allgemein*
Hnos.	hermanos *Gebrüder*
nº, núm.	número *Nummer (Nr.)*
O.N.U.	Organización de las Naciones Unidas *UNO*
O.P.	Obras Públicas *Öffentliche Arbeiten*
O.T.A.N.	Organización del Tratado del Atlántico Norte *NATO*

474

OVNI	Objeto Volante No Identificado *unbekanntes Flugobjekt (Ufo)*
p.	por *für*
P.A.	por autorización *im Auftrag (i.A.)*
pág(s).	página(s) *Seite(n) (S.)*
PB	planta baja *Erdgeschoß (E)*
PCE	Partido Comunista Español *Spanische Kommunistische Partei*
pdo.	pasado *vergangen*
p.ej.	por ejemplo *zum Beispiel (z.B.)*
P.P.	por poder *in Vollmacht;* porte pagado *frachtfrei*
PSOE	Partido Socialista Obrero Español *Spanische Sozialistische Arbeiterpartei*
pta(s).	Peseta(s)
pzs.	piezas *Stücke*
R.A.E.	Real Academia Española *Königlich Spanische Akademie*
RENFE	Red Nacional de Ferrocarriles Españoles *Staatliches Netz der spanischen Eisenbahnen*
RNE	Radio Nacional de España *Spanischer staatlicher Rundfunk*
r.p.m.	revoluciones por minuto *Umdrehungen pro Minute (U/min)*
RTVE	Radiotelevisión Española *Spanischer Rundfunk und Fernsehen*
S.A.	Sociedad Anónima *Aktiengesellschaft (AG)*
SEAT	Sociedad Española de Automóviles Turismo *Spanische FIAT-Werke*
S.P.	Servicios Públicos *Öffentliche Dienste*
Sr(es).	Señor(es) *Herr(en)*
Sr(t)a.	Señora (Señorita) *Frau (Fräulein)*
Sría.	Secretaría *Sekretariat*
TALGO	Tren Articulado Ligero Goicoechea Oriol *spanischer Gliederzug aus Leichtmetall*
UCD	Unión de Centro Democrático *Union des demokratischen Zentrums*
UGT	Unión General de Trabajadores *Allgemeine Arbeiterunion (Gewerkschaft)*
U., Ud(s).	Usted(es) *Sie (pl)*
V.	véase *siehe;* voltio *Volt*
V., Vd(s).	Usted(es) *Sie (pl)*

Speisenkarte

Lista de platos

Entremeses *Vorspeisen*

aceitunas *Oliven*
alcachofas *Artischocken*
anchoas *Sardellen*
berenjenas *Auberginen*
butifarra *katalan. Bratwurst*
canelones *Cannelloni*
cangrejos *Krebse*
caracoles *Weinbergschnecken*
empanada *Fleisch-, Fisch-pastete*
fiambres *Aufschnitt*
huevos rusos *Russische Eier*

jamón *Schinken*; ~ serrano *roher S.*; ~ de York *gekochter S.*
langostas *Langusten*
ostras *Austern*
pastel de hojaldre *Blätterteigpastete*
picatostes *gebackene Brotstreifen*
salchichón *span. Salami*
sardinas en aceite *Ölsardinen*

Gerichte und Salate

boquerones fritos *gebackene Sardellen*
calamares fritos *gebackene Tintenfische*
gambas a la plancha *geröstete Krabben*
espárragos con dos salsas

kalter Spargel mit zweierlei Soßen
alcachofas con jamón *Artischocken mit Schinken*
guisantes con jamón *Erbsen mit Schinken*

Sopas *Suppen*

caldo *Fleischbrühe*; ~ de gallina *Hühnerbrühe*
consomé *Kraftbrühe*
puré *dicke Suppe*; ~ de gui-

santes *Erbsensuppe*
sopa *Suppe*; ~ de espárragos *Spargelsuppe*; ~ juliana *Gemüsesuppe*

Eintopfgerichte

sopa de ajo *Knoblauch-Brot-Suppe*

gazpacho *kalte Suppe mit Paprikaschoten, Tomaten, Knoblauch, Öl*

cocido, puchero *Eintopf mit Fleisch, Wurst, Kichererbsen, Gemüse, Kartoffeln, Huhn*

paella *Reis mit Fleisch, Hühnerfleisch, Fisch, Schalentieren*

pisto manchego *Gemüsetopf mit Paprikaschoten, Zucchini, Tomaten*

pote gallego *Gemüse (Bohnen) mit Schweinefleisch, Schinken, Wurst*

fabada *dicke Bohnen mit Fleisch*

Aves *Geflügel*

faisán *Fasan*

gallina en pepitoria *Hühnerfrikassee*

ganso *Gans*

menudillos de ganso *Gänseklein*

muslo *Keule*

pato *Ente*

pavo *Truthahn, Puter*

pechuga de pollo *Hühnerbrust*

perdiz *Rebhuhn*

pichón *Taube*

pollo *Hähnchen*

Pescado y mariscos *Fische und Meeresfrüchte*

almejas *Venusmuscheln*

anguila *Aal*

atún *Thunfisch*

besugo *Seebrassen*

bogavante *Hummer*

bonito *Thunfisch*

caballa *Makrele*

camarones *Garnelen*

carpa *Karpfen*

centolla *Seespinne*

cigala *kleine Languste*

chanquete *kleine Sprotte*

esturión *Stör*

gambas *Krabben*

langosta *Languste*

lenguado *Seezunge*

lucio *Hecht*

luciperca *Zander*

mejillones *Miesmuscheln*

merluza *Seehecht*

perca *Barsch*

percebes *Entenmuscheln*

pulpo *Art Tintenfisch*

raya *Rochen*

rodaballo *Steinbutt*

salmón *Lachs*

salmonete *Meerbarbe*

trucha *Forelle*

Carnes *Fleischgerichte*

albóndiga *Fleischklößchen*
asado *Braten*
biftec, bistec *Beefsteak*
buey *Ochse*
carne *Fleisch*; ~ adobada *Pökelfleisch*; ~ de vaca *Rindfleisch* (in Span. oft = *Kalbfleisch*); ~ picada *Hackfleisch*
cecina *Rauchfleisch*
cerdo *Schwein*
cochinillo *Spanferkel*
conejo *Kaninchen*
cordero *Lamm*; ~ lechal *Milchlamm*
croquetas *Kroketten*
chanfaina *geschmorte Leber und Lunge*
chorizo *Paprikawurst*
chuleta *Kotelett*
empanada *Pastete*
escalope a la vienesa *Wiener Schnitzel*
estofado *Schmorbraten*
filete *Scheibe Fleisch*
fricasé *Frikassee*
galantina *gefülltes Fleisch in*

Sülze
gigote *Hackbraten*
granadina *Kalbsmedaillon (mit Schinken gespickt)*
guisado *Ragout*
hígado *Leber*
jabalí *Wildschwein*
lacón *geräucherte Schweineschulter*
lechón asado *Spanferkel*
lengua *Zunge*
liebre *Hase*
lomo de corzo *Rehrücken*
pata de cerdo *Schweinshaxe*
pierna de ternera *Kalbskeule*
pisto *geschmorte Paprikaschoten, Tomaten usw.*
riñonada *Kalbsnierenbraten*
riñones *Nieren*
rosbif *Roastbeef*
salchicha *Würstchen*
sesos *Hirn*
solomillo *Filet, Lendenstück*; ~ de cerdo *Schweinefilet*; ~ de ternera *Kalbsfilet*
ternera *Kalb*
tostón asado *Spanferkel*

Typische Fleisch- und Fischgerichte

bacalao a la vizcaína *Stockfisch mit Tomatensoße*
lacón con grelos *Schweineschulter mit Rübenblättern*
callos a la madrileña *Kutteln (Madrid)*
calamares en su tinta *Tintenfisch in eigener Soße*

caldereta *geschmorter Fisch mit Zwiebel und Paprikaschoten*
zarzuela de pescado *Fischeintopf mit Schalentieren*
cazuela de merluza verde montañesa *Seehecht in grüner Soße mit Erbsen*

Legumbres *Gemüse*

alubias *weiße Bohnen*
apio *Sellerie*
batatas *Süßkartoffeln*
berzas *Kohl*
brócol *Brokkoli*
calabacines rellenos *gefüllte Zucchini*
calabaza *Kürbis*
cantarelas *Pfifferlinge*
coles de Bruselas *Rosenkohl*
champiñones *Champignons*
chucrut *Sauerkraut*
ensalada *Salat*
escarola *Endiviensalat*
espárragos *Spargel*
espinacas *Spinat*

garbanzos *Kichererbsen*
grelos *Steckrüben*
guisantes *Erbsen*
habas *Saubohnen*
judías *Bohnen*
lechuga *Kopfsalat*
lentejas *Linsen*
nabo *weiße Rübe*
patatas, *Am* papas *Kartoffeln*; ~ fritas *Pommes frites*
pimiento *grüne Paprikaschote*
remolacha *rote Rübe*
repollo *Weißkohl*
setas *Pilze*
zanahorias *Mohrrüben*

Platos de huevos *Eierspeisen*

huevos *Eier*; ~ al plato *Spiegeleier*; ~ duros *hart gekocht*; ~ escalfados *poschiert*; ~ fritos *Spiegeleier*; ~ revueltos *Rühreier*

tortilla *Omelett, Eierkuchen*; ~ a la francesa *einfach*; ~ a la jardinera *mit Gemüse*; ~ de patatas *mit Kartoffeln*

Quesos *Käse*

manchego *Mancha-Schafkäse*
quesitos *Streichkäse*
queso ~ de bola *Holländer Käse*; ~ de cabra *Ziegenkäse*; ~ de cabrales *Edelpilz-Ziegenkäse*; ~ de

Gruyère *Schweizer Käse*; ~ de oveja *Schafkäse*; ~ de Parma *Parmesankäse*; ~ de Villalón *Weichkäse*; ~ fresco *Schichtkäse*; ~ para extender *Streichkäse*
requesón *Quark*

Postres *Nachspeisen*

compota *Kompott*
copa nuria *Eiercreme*
dulce *Süßspeise*
flan *Karamelpudding*
gelatina *Götterspeise*
helado *Eis*
manjar *Dessert aus Mandeln*

und Grieß
natillas *Cremespeise*
peras en almíbar *Birnenkompott*
tarta *Torte*
yemas *Dessert aus Eigelb und Zucker*

Zahlwörter

Numerales

Cardinales *Grundzahlen*

0	cero [θ-] *null*	50	cincuenta [θ-] *fünfzig*
1	uno (un), una *ein(s)*	60	sesenta *sechzig*
2	dos *zwei*	70	setenta *siebzig*
3	tres *drei*	80	ochenta [otʃ-] *achtzig*
4	cuatro *vier*	90	noventa *neunzig*
5	cinco [θ-] *fünf*	100	ciento [θ-], cien [θ-] *(ein)hundert*
6	seis *sechs*	101	ciento [θ-] un(o) *hundertein(s)*
7	siete *sieben*		
8	ocho [otʃo] *acht*	200	doscientos(-as) [-θ-] *zweihundert*
9	nueve *neun*		
10	diez [-θ] *zehn*	500	quinientos [k-] *fünfhundert*
11	once [-θe] *elf*	700	setecientos [-θ-] *siebenhundert*
12	doce [-θe] *zwölf*		
13	trece [-θe] *dreizehn*	900	novecientos [-θ-] *neunhundert*
14	catorce [-θe] *vierzehn*		
15	quince [-θe] *fünfzehn*	1000	mil *tausend*
16	dieciséis [-θ-] *sechzehn*	1875	mil ochocientos [otʃo-θ-] setenta y cinco [θ-] *(ein)tausendachthundertfünfundsiebzig*
17	diecisiete [-θ-] *siebzehn*		
18	dieciocho [-θiotʃo] *achtzehn*		
19	diecinueve [-θ-] *neunzehn*	3000	tres mil *dreitausend*
20	veinte *zwanzig*	100 000	cien [θ-] mil *hunderttausend*
21	veintiuno, ~un *einundzwanzig*	500 000	quinientos [k-] mil *fünfhunderttausend*
22	veintidós *zweiundzwanzig*	1 000 000	un millón [-ʎ-] (de) *eine Million*
30	treinta *dreißig*	2 000 000	dos millones [-ʎ-] (de) *zwei Millionen*
31	treinta y un(o) *einunddreißig*		
40	cuarenta *vierzig*		

480

Ordinales *Ordnungszahlen*

1.° primero (primer) *erste*
2.° segundo
3.° tercero [-θ-] (tercer) *dritte*
4.° cuarto
5.° quinto [k-]
6.° sexto
7.° sé(p)timo
8.° octavo
9.° noveno, nono
10.° décimo [-θ-]
11.° undécimo [-θ-]
12.° duodécimo [-θ-]
13.° décimo [-θ-] tercero (*od* tercio) [-θ-]
14.° décimo cuarto
15.° décimo quinto
16.° décimo sexto
17.° décimo sé(p)timo
18.° décimo octavo
19.° décimo nono [*zigste*)
20.° vigésimo [-x-] *zwan-*]
21.° vigésimo primero, vigésimo primo *einundzwanzigste*
22.° vigésimo segundo
30.° trigésimo [-x-]
31.° trigésimo [-x-] prim(er)o
40.° cuadragésimo [-x-]

50.° quincuagésimo [kiŋkúax-)
60.° sexagésimo [-x-]
70.° septuagésimo [-x-]
80.° octogésimo [-x-]
90.° nonagésimo [-x-]
100.° centésimo [θ-] *hundertste*
101.° centésimo primero
200.° ducentésimo [-θ-] *zweihundertste*
500.° quingentésimo [kiŋx-]
700.° septingentésimo [-x-]
900.° noningentésimo [-x-]
1000.° milésimo *tausendste*
1875.° milésimo octingentésimo [-x-] septuagésimo nono *achtzehnhundertfünfundsiebzigste*
3000.° tres milésimo *dreitausendste*
100 000.° cien [θ-] milésimo *hunderttausendste*
500 000.° quinientos [k-] milésimo
1 000 000.° millonésimo [-ʎ-] *millionste*
2 000 000.° dos millonésimo [-ʎ-] *zweimillionste*

Brüche *Números quebrados*

¹/₂ medio, media; 1¹/₂ uno y medio
¹/₃ un tercio; ²/₃ dos tercios
¹/₄ un cuarto; ³/₄ tres cuartos

¹/₅ un quinto; 3⁴/₅ tres y cuatro quintos
¹/₁₁ un onzavo; ¹/₁₂ un dozavo *usw.*